Dreyfach[?]

Berg

Wurm[l]ingen.

Efingen

HohenKarpen

Dutlin[.]

[a]sen

DIE

[T]hausen

[...]ingen

Wartenberg

Geyfingen

Leufer[?]

[...]by

Pforn[?]

Gutendingen

Rie
[...]

Donau fl.

Neidingen

[S]wingform

Furstenberg

Rietheringen

Blombe[r]

[...] Bellen

BAR.

Mundelfingen.

Für
Conny und Herbert
zur Erinnerung an den
"Donau - Abend"

18.4.15

EUROPA ERLESEN
DONAU

Herausgegeben
von
Christian Fridrich

Wieser *Verlag*

Die Herausgabe dieses Buches erfolgte mit freundlicher Unterstützung des Bundesministeriums für europäische und internationale Angelegenheiten, der Kulturabteilung des Landes Niederösterreich, der Arbeitsgemeinschaft Donauländer, des Danube Cultural Clusters/Collegium Hungaricum und des Donauschwäbischen Zentralmuseums Ulm.

Wieser Verlag GmbH
A-9020 Klagenfurt/Celovec, Ebentaler Straße 34b
Telefon: +43(0)463 37036 Fax: +43(0)463 37635
office@wieser-verlag.com
www.wieser-verlag.com

•

Der Verlag dankt den Inhabern der Rechte für die Genehmigung zum Abdruck der Texte. Für einige Texte waren die Inhaber der Rechte leider nicht zu ermitteln; Rechteinhaber dieser Texte werden gebeten, sich an den Verlag zu wenden.

Die Titel wurden zum Teil von den Herausgebern frei gewählt.

Ante scriptum

Der Weg zur Erzählbarkeit, zur eigenen Welt in der von Herder gewünschten Form ist heute, mehr als 200 Jahren danach, noch immer eine Herausforderung. Mehr denn je, wenn man sich die Ereignisse in der Krise, die eine kulturelle ist und schon längst nicht mehr eine bloße Finanzkrise, vor Augen führt. Und doch haben wir in den Literaturen alle Erfahrungen komprimiert, die den Menschen die Möglichkeit bieten, den anderen, das Gegenüber, und in ihm sich selbst zu finden. Zeigt uns nicht immer wieder die Literatur, wie wir uns danach sehnen, endlich gehört, endlich zur Kenntnis genommen und gelesen zu werden?

Mit der Reihe EUROPA ERLESEN haben wir uns auf die Suche gemacht, diesem Sehnen nahezukommen. Mit den kleinen Bänden dieser Edition möchten wir dazu beitragen, dass die Sicht der Dinge und die der Welt nicht eindimensional bleiben, sondern dass die Dinge im Kleinen und die Welt im Großen in ihrer Bildhaftigkeit, in ihrer Unterschiedlichkeit, in ihrer literarischen Vielstimmigkeit gesehen werden, dass sich die Bilder im Kopf entfalten und die Phantasie zum Leben erweckt wird. So können wir unserer Erfahrung nach Wege finden, wie das alltägliche Reiben zwischen Zukunft und Vergangenheit in der Annäherung an neue Bilder und an neue Begriffe eine glückliche Auflösung findet.

Vielleicht gelingt es uns damit, vergleichend zu lesen und – wie bei einer archäologischen Ausgrabung – die Seele des Menschen, die innerste Seite seines Seins, mit unkonventionellen Schnitten zu finden. Und wir würden möglicherweise sehen, wie viele Ähnlichkeiten in all den unterschiedlichen, in Worte gekleideten Bildern zu finden sind, und wir würden vielleicht eine Ahnung erhalten, wie solitär jedes dieser Wortbilder ist und uns einen Gewinn allein durch die zeitverschobene Betrachtung bereitet, jetzt und hier, ohne die finanzpolitische Gier.

Am Beispiel der Donau sehen wir deutlich:

Die Donau, sagt man, ist die Hauptschlagader Europas. Wenn in Europa 400 Kulturen in 49 Nationalstaaten leben, dann sind es allein entlang der Donau in zehn Staaten über 35 Kulturen und Sprachen. Es leben in jedem der knapp 50 Staaten also im Schnitt acht Gemeinschaften von zu Minderheiten erklärten Menschen und in jeder größeren Stadt unserer Gegenden leben oft bis zu 70, 80 Kulturen und Sprachen miteinander. Also ist jeder von uns getragen vom Fluss des Lebens, mit festen Wurzeln im Hier und Jetzt, doch auch wie ein Floß, das auf den Wellen des Flusses schwebt und von Ufer zu Ufer, von Region zu Region, von Stadt zu Stadt treibt und mit Neuem bepackt wieder nach Hause kehrt. Und dabei wird unser Zusammenleben heute durch die technische Revolution sogar erleichtert, da die Möglichkeiten der Kommunikation so weit vorangeschritten sind, dass wir heutzutage überall und jederzeit unsere eigene Sprache schreiben, reden und anwenden können. Wir haben Voraussetzungen geschaffen, die den sprachlichen und kommunikativen Wirkungskreis jedes Einzelnen wesentlich erweitern. Dabei können die Erfahrungen, die wir entlang der Donau – im Positiven wie im Negativen – mit dem Überleben der Sprachen gemacht haben, für den ge-

samten Kontinent bedeutsam sein, denn die ganze Lebendigkeit, die den Sprachen inhärent ist, stimmt einen positiv, wenn auch nicht immer fröhlich. Man muss der Sprache die Möglichkeit geben, sich ohne ideologisches Korsett zu entwickeln, mit ihr experimentieren und sie als musikalisches Phänomen oder als onomatopoetische Tonalität verstehen, ist doch die Sprache ein Reichtum, entstanden aus jahrhundertelangen Einflüssen, durchsetzt von Lehn- und Fremdwörtern – und in der Literatur zeigt sich diese Vielfalt. Erst in den verschiedenen literarischen Formen wird dieser Reichtum bemerkbar, überrascht und überzeugt immer wieder aufs Neue. Kulturen sind das Salz der Gesellschaft und der Umgang mit ihnen zeigt: Wer nur von der einheimischen Kultur was versteht, der versteht auch von dieser nichts (»Die Zunge reicht weiter als die Hand«). Wenden wir die Sprachen um uns im öffentlichen Raum an und erwecken wir dadurch die Neugierde, nehmen wir ihnen den Fluch von ihren Schultern und befreien wir sie von der Verdammnis, die ihnen oft angedichtet wird, gerade heute, wo die Welt, stärker als in den Jahrzehnten zuvor, in Bewegung gekommen ist, weil Kriege, Hunger und Not auf unserem Kontinent wieder Einzug gehalten haben und die Menschen dazu treiben, Brot und Kartoffeln zum Überleben zu suchen, und sie zwingen, von dort wegzugehen, wo sie für gewöhnlich ihr Zuhause haben, auch, weil sie der unvorstellbare Reichtum Weniger so nicht mehr existieren lässt. Es sind die Sprachen, die Lieder und die Gedichte, die uns wärmen und uns Kraft geben!

Die Sprachen gleichen einem Fluss, sie haben in sich wohl eine geheimnisvolle Triebfeder, in ihnen lebt –

laut Jurij Koch – etwas Mystisches. Das gibt dem Sprecher und der Leserin, dem Sänger und den Vor- und Nachbetern Elan, sich durch das Dickicht der Zeitläufte zu zwängen, sich mit den Gegebenheiten anzufreunden; die Sprachen mögen still und leise dahinplätschern oder versickern, auf einmal sind sie wieder da, tauchen oft an andrer Stelle als erwartet auf und sind dann meist erfrischender als zuvor. Alle nähren den Strom, verschmelzen mit ihm und werden so zu einem großen Band, das den Kontinent nährt, ihn verbindet, das ihn auch trennt, ihn allemal zum Zusammenhalt zwingt, zumal in Zeiten, wo Unwetter uns das Fürchten lehren. Brücken, sagt der Nobelpreisträger Ivo Andrić, sind wichtiger als Vorratsräume. Davon kann die Donau viel erzählen.

Daher laden wir Sie ein: Folgen Sie ihrem Lauf und finden Sie sich selbst!

Ihr
Lojze Wieser

Inhalt

PAVAO PAVLIČIĆ

(∗ 1946)

Die Donau ist ein sauberer Fluss

Die Donau ist ein sauberer Fluss. Der Ertrunkene
dümpelt nicht lange darauf, weil sich schnell jemand
findet, der ihn herausholt, und auch der Fluss selbst
behält ihn nicht lange, er bewahrt ihn nicht am Grund
auf und hängt ihn nicht an Steine und Gebüsch. Als
läge der Donau etwas daran, den Ertrunkenen möglichst schnell loszuwerden. Und in der Tat: Wenn jemand heute ertrinkt, kann man ihn in zwei Tagen etwa
zwanzig Kilometer flussabwärts suchen, und es ist
fast sicher, dass man ihn finden wird. Wenn der
Mensch ertrinkt, versinkt er zuerst, rollt am Fluss-
grund, schwebt in der Flussmitte unter Wasser und
verscheucht die Fische. Danach – so glaubt man an
der Donau – platzt etwas in ihm, und er schwimmt auf
die Oberfläche. Dann wird er bemerkt, herausgeholt
und schnell vergessen, und die Donau sieht wieder
aus, als wäre nichts geschehen.

ANTIQUARIUS

(∗ 1688)

Was die Donau betrifft

Was die Donau betrifft / so ist genug / daß auch die Alten schon geglaubet / daß sie dem Nilo selbst Trotz bieten koenne; daher auch Ovidius geschrieben: Innumerisque alii, quos inter maximos omnes Cedere Danubius se tibi, Nile, negat.

Sie entspringet dem Dorf Donau-Eschingen / wie aus der Land-Charten selbsten erhellet / und stroemet gerade Morgen zu / durch verschiedene Reich und Laender / und stuertzet sich endlichen aller ungestuem in die schwartze See. Man faenget die Hausen darinnen / deren einer ungefehr an die 18. Schuh lang ist / und je zuweilen 2, 3, bis 4 Centner wigt.

DEJAN MEDAKOVIĆ

(1922–2008)

Der Strom der europäischen Einheit

Bei den Ereignissen, die von Unruhen, Migration und Schlachten gekennzeichnet waren, ging die Donau auf unterschiedliche Weise in die Geschichte ein. Viel zu langsam reifte der Gedanke heran, dass die Donau in einen verbindenden Fluss umgewandelt

werden muss. Dieser Gedanke wurde 1956 im Europa-
rat aufgegriffen, als die programmatische Wasser-
charta beschlossen wurde. Damals wurde auch folgendes Prinzip verkündet: »Wasser kennt keine
Staatsgrenzen. Es erfordert internationale Zusam-
menarbeit und gemeinsame Anstrengungen, um das
bedrohte Leben zu bewahren.« Für die Umsetzung
eines solchen Prinzips gibt es für das vereinigte Europa keine wichtigere Aufgabe, als gemeinsam Sorge für
den Erhalt seines zentralen, sicherlich wichtigsten
Flusses zu tragen. Es ist also nicht strittig, ob die
Donau zu Europa gehört, sondern ob Europa zur Donau
gehört. Die Donau wurde oft missbraucht, wodurch
diese Wasserstraße der Zukunft in eine Magistrale
der europäischen Vergangenheit verwandelt wurde, in
deren Kern Konfliktpotentiale für die Zukunft bestehen
bleiben. Eine solche Zukunft verdient die Donau
nicht! Sie ist ein alter und achtenswerter Fluss. Große
Werke der europäischen Geschichte sind Denkmäler,
die die finsteren Seiten der menschlichen Nieder-
lagen mildern, welche an den Ufern dieses Flusses
für Beunruhigung sorgten und die Utopien von einer
besseren Welt erlöschen ließen. Es existiert auch eine
Donau-Archäologie, die nicht nur nach materiellen
Spuren als Bestätigung für die menschliche Existenz
forscht. Man muss sich für andere Aufgaben dieser
Wissenschaft einsetzen, die geistigen Werten zugewandt sind, deren Beweise vom gegenseitigen Geben
und Nehmen zeugen, ohne die kein Überleben möglich ist. Eine solche Auffassung verleiht der Donau
einen höheren Sinn und ergänzt den Glauben, dass
dieser Fluss dem Paradies entspringt. Der, der dies

als Erster niedergeschrieben hat, wollte die Welt auf die Größe der Gaben als Zeichen himmlischer Gnade und Großzügigkeit aufmerksam machen. Zugleich war dies eine Ermahnung an die Menschen, aus Habgier jene Werte nicht zu verspielen, die ihnen die Geschichte beschert hat, und mit ihrem Fluss als sorgende Hüter umzugehen. Die Geschichte der Ereignisse an der Donau schafft die Möglichkeit, die Idee des Fließens als Zeichen der Abweichung von den Bestrebungen zu begreifen, die den Keim des nachhaltigen Schwindens in sich tragen. Der neue Sinn, den es zu entdecken und zu verleihen gilt, wird in diesem Fluss neue Lebenskräfte erwecken, die zu neuem Leben verhelfen werden. Das Schicksal der Donau wurde häufig von den Eroberern bestimmt. In der Überzeugung, dass die Zeit ihrer Monopole vorbei ist, stehen dem vereinigten Europa die Bemühungen bevor, den symbolischen Wert möglichst bald anzunehmen, den auch einige alte Völker, die ihre heiligen Flüsse verehrten, zuvor schon erkannt hatten. Für Europa ist die Donau ein solcher Fluss, der durch seinen Kern fließt. Die geistigen Brücken, die die Donau zwischen den Völkern baut, können von längerer Dauer sein als die Brücken, die der Mensch mit der Absicht errichtet hat, zwei Ufer zu verbinden und die Hindernisse zu überwinden, die die Kontakte zwischen den Menschen einschränkten.

Die Donau muss man als Schicksalsfluss der europäischen Einheit mögen. Nur die gemeinsame Sorge um ihre Erhaltung kann verhindern, dass ihre Kraft rücksichtslos ausgebeutet wird. Andernfalls würde auch die ganze Tier- und Pflanzenwelt für immer ver-

schwinden. Das wäre Selbstmord. Man muss dafür
kämpfen, dass auch die heutigen Generationen ihren
Beitrag zum unverminderten Glanz der Donau leisten,
deren Vergangenheit Anstöße für neue schöpferische
Anstrengungen bietet. Denn all diese Kulturschichten
entlang der Donau fügen sich zu einem majestätischen
europäischen Geflecht zusammen, dessen Bestand-
teile nicht für sich allein, sondern erst in ihrer Gesamtheit einen Sinn ergeben.

FRANZ PRINZ ZU SOLMS-BRAUNFELS

(1906–1989)

Die Verhältnisse im Donauraum

Die Verhältnisse im Donauraum haben Europa vor
immer neue Probleme gestellt, und es hat den Anschein, daß die Donaufrage eher an Bedeutung gewinnt als verliert.

Die Donaufrage umfaßt alle Fragen, die im Zusammenhang mit den Ländern auftauchen, welche die
Donau in ihrem beinahe 3000 km langen Lauf von
West nach Ost durchfließt. Diese Bezeichnung be-
leuchtet die politische, wirtschaftliche und geographische Bedeutung, die diesem Flusse zukommt.

Demgemäß ist »die völkerrechtliche Stellung der
Donau« nur ein Ausschnitt aus diesem großen Fragen-
komplex. Nichtsdestoweniger läßt er die großen Veränderungen, die in diesem Gebiet vor sich gingen,

erkennen. Es zeigt sich hierbei, wie anfänglich die
Donau die große Brücke zwischen Europa und dem
Orient gebildet hat; es zeigt sich, wie das europäische
Völkerrecht, in früheren Zeiten nur bis zum otto-
manischen Reich sich erstreckend, immer weiter
nach Osten sich vordrängt, und schließlich Mitte des
vorigen Jahrhunderts die Türkei in die europäische
Völkerrechtsgemeinschaft aufnimmt.

An dem Geschick der übrigen europäischen Flüsse
nimmt die Donau insofern teil, als verschiedene Umstände auch hier eine Entwicklung der Flußschiffahrt
verhinderten, die den wirschaftlichen Forderungen
entsprochen hätte. An der Donau hat vor allem der
unterschiedliche Kulturzustand der betreffenden
Länder und die Verschiedenheit ihrer Rechtssysteme
einen Aufschwung der Flußschiffahrt gehemmt.

AMAND FREIHERR VON
SCHWEIGER-LERCHENFELD

(1846–1910)

Betrachtet man das Kartenbild des
gesamten Donausystems

Betrachtet man das Kartenbild des gesammten Donausystems, so ist zunächst die Laufrichtung des Stromes
dadurch auffällig, daß sie, im Gegensatze zu allen
anderen großen europäischen Flüssen, von Nordwest
nach Südost zieht, aus dem Herzen von Mitteleuropa

nach den südöstlichen Meeren. Nicht minder auffällig ist das Verharren des Laufes in ziemlich gleichmäßigen Entfernungen von den übrigen, den europäischen Continent bespülenden Meeren des Nordens und Südens. Dazwischen liegen die mächtigen Gebirgssysteme, nur eine einzige Pforte – jene der Marchsenkung – freilassend. Ueberall sonst erheben sich die gewaltigen Schranken, welche der Donau ihre Bestimmung als große Durchzugstraße aufprägen. Und als solche spielt sie denn auch die bedeutsame Rolle als Vermittlerin des Völkerverkehrs von den ältesten Zeiten an.

Gleichwohl ist das Donausystem so reich gegliedert, daß mit dem vorstehend gekennzeichneten Charakter ihrer Laufrichtung die Vorstellung von einer förmlichen Isolirung des Stromweges von den übrigen Wasseradern Mitteleuropas nicht auskommen kann. Mit ihrem obersten Laufe nähert sie sich bis auf geringe Entfernung dem Rhein, mit ihrer nördlichsten Ausbiegung bei Regensburg – einst der Ausgangspunkt des ganzen Donauverkehres von Mitteldeutschland – dem Main, weiter im Osten der Elbe vermittelst des Moldaulaufes, der Oder vermittelst der March und weiterhin durch die Karpathenflüsse, welche aus Norden über Nordosten nach Osten concentrisch dem Hauptstrome zuströmen, dem baltisch-sarmatischen Flußsysteme. Das langgestreckte Drauthal, das vom Südwestrande des großen ungarischen Tieflandes bis in das Herz des rhätischen Alpenlandes reicht, öffnet einen Parallelweg zur mittleren Donau, vermittelst des sehr entwickelten Flußnetzes der Save nähert sich das Donausystem dem Nord- und Ostrande der Adria, durch die Nebenflüsse des Balkansystemes endlich fällt die Grenzscheide mit jener Kammlinie zusammen, von welcher aus die südwärts fließenden Wasser dem griechischen Meere entgegeneilen. Ja, einer dieser Nebenflüsse – der Isker – durchbricht den Hauptzug des Balkans. So rückt der äußerste Grenzpunkt des Donaustromes bis zum hohen Vitosch in der Sofianer Ebene – dem Herzen der Balkanhalbinsel – vor. Die Quelle des Inn liegt an der Maloja, die des Pruth an der Nordostseite des karpathischen Waldgebirges. Durch die Thalfurchen der aus dem siebenbürgischen Hochlande herabkommenden Nebenflüsse der Theiß brachen die zahlreichen Schaaren der sarmatischen Völker in das große Sammelbecken des pannonischen Tieflandes.

Nur der Süden der oberen Donau zeigt eine von dieser Charakterisirung wesentlich abweichende Gestaltung. Die Alpenflüsse, welche der Donau zuströmen, reichen nicht tief in das Alpensystem hinein, der Inn ausgenommen, der aber auf seinem Laufe der Hauptsache nach einem großen Längenthale folgt und nur an zwei Stellen (bei Finstermünz und Kufstein) durch Querthäler sich Bahn gebrochen hat. Eine natürliche Verbindung zwischen der Donau und der nördlichsten Ausbuchtung des Mittelmeeres besteht sonach nicht. Gleichwohl lassen sich auf dieser transversalen Linie uralte Handelsbeziehungen nachweisen. Die Existenz des einst glanzvollen Aquileija zwischen Meer und Gebirg, giebt den Fingerzeig für diesen Sachverhalt. Auch hier folgte der eiserne Tritt der Kriegsgeschwader jenen Pfaden, welche der friedliche Verkehr der Völker eröffnet hatte. Ohne Donaulinie wäre die Weltstellung Roms in Mitteleuropa undenkbar gewesen. Ueber die Donau hinaus haben aber auch die unbesiegbaren Legionen niemals wesentliche Fortschritte zu verzeichnen gehabt, die dakischen Kriege ausgenommen.

Ein Bild auf die Karte genügt, um in der Laufrichtung der Donau drei markante Abschnitte derselben zu erkennen. Der erste derselben erstreckt sich von der Quelle bis zum Thore von Theben, durch welches der Strom in das große pannonische Becken eintritt. Die Laufrichtung dieses Stromabschnittes ist im Großen und Ganzen eine westöstliche. Die zweite Theilstrecke liegt zwischen dem Durchbruche bei Theben und jenem am Eisernen Thor und ist dieselbe – von der Bedeutung des großen pannonischen Tieflandes als Sammelbecken der größten und reichverzweigten Nebenflußsysteme der Donau abgesehen – vornehmlich durch die Richtung des Stromes nach Süden bemerkenswerth. Der dritte Abschnitt endlich begreift die Strecke vom Eisernen Thor bis zur Mündung in sich.

Diese Dreitheilung – die obere, mittlere und untere Donau – welche durch die natürlichen hydro-orographischen Verhältnisse bedingt wird, prägt sich auch in den mancherlei geophysikalischen Elementen aus, desgleichen in völkergeschichtlichen Thatsachen, auf welche wir noch ausführlich zurückkommen. Bezüglich ihrer Längserstreckung zeigen sich in den drei Abschnitten nur geringe Differenzen. Halten wir an der weiter oben angesetzten Gesammtlänge des Stromes von 2900 Kilometer fest, so entfallen auf die

obere Donau		
(Bregequelle – Theben)	...	964 Kilometer
mittlere Donau		
(Theben – Orsova)	...	976 Kilometer
untere Donau		
(Orsova – Sulina)	...	960 Kilometer
		2900 Kilometer

Auf die mancherlei hydrologischen Elemente, welche
für die Charakterisirung der Gestaltung eines Stromes
von entscheidender Bedeutung sind, als: Gefälls-
verhältnisse und Stromgeschwindigkeit, Tiefe, Breite
und Wasserführung, Gestaltung und Veränderungen
der Ufer, Bewegung des Detritus (der vom Strome
fortgeführten und abgelagerten Sinkstoffe) und sein
Verhalten unter dem Einflusse der zuerst aufgezählten
Factoren – auf alle diese wichtigen und interessan-
ten Fragen kommen wir in den nächsten Abschnitten
ausführlich zu sprechen. Charakteristisch für den
Gesammtlauf der Donau ist dessen rapider Abfall im
oberen Abschnitte und die beträchtliche Verflachung
der Neigungsverhältnisse im mittleren und vollends
im unteren Abschnitte.

FRIEDRICH HÖLDERLIN

(1770–1843)

Die Wanderung

Glückselig Suevien, meine Mutter,
Auch du, der glänzenderen, der Schwester
Lombarda drüben gleich,
Von hundert Bächen durchflossen.
Und Bäume genug, weißblühend und rötlich,
Und dunklere, wild, tiefgrünenden Laubs voll –
Und Alpengebirg der Schweiz auch überschattet
Benachbartes, dich; denn nah dem Herde des Hauses
Wohnst du, und hörst, wie drinnen
Aus silbernen Opferschalen
Der Quell rauscht, ausgeschüttet
Von reinen Händen, wenn berührt

Von warmen Strahlen
Kristallenes Eis und umgestürzt
Vom leichtanregenden Lichte
Der schneeige Gipfel übergießt die Erde
Mit reinestem Wasser. Darum ist
Dir angeboren die Treue. Schwer verläßt
Was nahe dem Ursprung wohnet, den Ort.
Und deine Kinder, die Städte,
Am weithindämmernden See,
An Neckars Weiden, am Rheine,
Sie alle meinen, es wäre
Sonst nirgend besser zu wohnen.

Ich aber will dem Kaukasos zu!
Denn sagen hört' ich
Noch heut in den Lüften:
Frei sei'n, wie Schwalben, die Dichter.
Auch hat mir ohnedies
In jüngeren Tagen einer vertraut,
Es seien vor alter Zeit
Die Eltern einst, das deutsche Geschlecht,
Still fortgezogen von Wellen der Donau,
Am Sommertage, da diese
Sich Schatten suchten, zusammen
Mit Kindern der Sonn'
Am schwarzen Meere gekommen;
Und nicht umsonst sei dies
Das gastfreundliche genennet.

Denn, als sie erst sich angesehen,
Da nahten die Anderen erst; dann satzten auch
Die Unseren sich neugierig unter den Ölbaum.
Doch als sich ihre Gewande berührt,
Und keiner vernehmen konnte
Die eigene Rede des andern, wäre wohl
Entstanden ein Zwist, wenn nicht aus Zweigen
                                    herunter
Gekommen wäre die Kühlung,
Die Lächeln über das Angesicht
Der Streitenden öfters breitet, und eine Weile
Sah'n still sie auf, dann reichten sie sich
Die Hände liebend einander. Und bald

Vertauschten sie Waffen und all
Die lieben Güter des Hauses,
Vertauschten das Wort auch und es wünschten

Die freundlichen Väter umsonst nichts
Beim Hochzeitjubel den Kindern.

Denn aus den heiligvermählten
Wuchs schöner, denn Alles,
Was vor und nach
Von Menschen sich nannt', ein Geschlecht auf. Wo,
Wo aber wohnt ihr, liebe Verwandten,
Daß wir das Bündnis wiederbegehn
Und der teuern Ahnen gedenken?

Dort an den Ufern, unter den Bäumen
Ionias, in Ebenen des Kaysters,
Wo Kraniche, des Aethers froh,
Umschlossen sind von fernhindämmernden Bergen,
Dort wart auch ihr, ihr Schönsten! oder pfleget
Der Inseln, die mit Wein bekränzt,
Voll tönten von Gesang; noch andere wohnten
Am Tayget, am vielgepriesnen Hymettos,
Die blühten zuletzt; doch von
Parnassos Quell bis zu des Tmolos
Goldglänzenden Bächen erklang
Ein ewiges Lied; so rauschten
Damals die Wälder und all
Die Saitenspiele zusamt
Von himmlischer Milde gerühret.

O Land des Homer!
Am purpurnen Kirschbaum oder wenn
Von dir gesandt im Weinberg mir
Die jungen Pfirsiche grünen,
Und die Schwalbe fernher kommt und vieles
                                    erzählend

An meinen Wänden ihr Haus baut, in
Den Tagen des Mais, auch unter den Sternen
Gedenk ich, o Ionia, dein! doch Menschen
Ist Gegenwärtiges lieb. Drum bin ich
Gekommen, euch, ihr Inseln, zu sehn, und euch,
Ihr Mündungen der Ströme, o ihr Hallen der Thetis,
Ihr Wälder, euch, und euch, ihr Wolken des Ida!

Doch nicht zu bleiben gedenk ich.
Unfreundlich ist und schwer zu gewinnen
Die Verschlossene, der ich entkommen, die Mutter.
Von ihren Söhnen einer, der Rhein,
Mit Gewalt wollt er ans Herz ihr stürzen und schwand
Der Zurückgestoßene, niemand weiß, wohin, in die
                                        Ferne.
Doch so nicht wünscht' ich gegangen zu sein,
Von ihr, und nur, euch einzuladen,
Bin ich zu euch, ihr Grazien Griechenlands,
Ihr Himmelstöchter, gegangen,
Daß, wenn die Reise zu weit nicht ist,
Zu uns ihr kommet, ihr Holden!.

Wenn milder atmen die Lüfte,
Und liebende Pfeile der Morgen
Uns Allzugeduldigen schickt,
Und leichte Gewölke blühn
Uns über den schüchternen Augen,
Dann werden wir sagen, wie kommt
Ihr, Charitinnen, zu Wilden?
Die Dienerinnen des Himmels
Sind aber wunderbar,
Wie alles Göttlichgeborne.

Zum Traume wirds ihm, will es Einer
Beschleichen und straft den, der
Ihm gleichen will mit Gewalt;
Oft überraschet es einen,
Der eben kaum es gedacht hat.

SIGMUND VON BIRKEN

(1626–1681)

Der Donau-Strand

Der Donau-Strand / ist von Urzeiten her / (inmassen /
wie hernach folgen soll der aelteste Heydnische
Scribent Herodotus seiner gedenket) unter den
Europaeischen vor den Stroeme-Fürsten / und vor der
groeßten Welt-Stroeme einen gehalten worden: wie
dann der Poet Ovidius ihn dem Nilo in Egypten gleich
achtet. Von ihme ist merckwuerdig / dass er / neben
den kleinern / dem Po in Italien und der Temse in
Engelland / unter allen grossen Welt-Stroemen / allein gegen Morgen seinen geraden weg wendet / und
nur in Hungarn etwas gegen Mittag / in Moesien aber
gegen Mitternacht sich kruemmet: Vielleicht aus
sonderbarer Vorsicht Gottes / damit heut zu Tag der
Tuerckische Erzfeind der Christenheit nicht so wol zu
Wasser / als zu Land / dieselbe ueberschwemmen und
ueberziehen koenne. Es fliest aber dieser Haupt-
Strom bey 27 gradus, welche zu 15 gerechnet / ueber
400 gemeine Teutsche Meilen machen.

HARTMANN SCHEDEL

(1440–1514)

Die Thonaw der beruembtist
fluss Europe

Zumb andern ereueget sich die Thonaw der beruembtist
fluss Europe. entspringt auß dem Arnobischen berg
bey anfanng des Schwartzwalds in eim dorff Don-
eschingen genant. vnd fleueßt vom nydergang gein
dem orient oder aufgang erstlich auff zwu tagrayss bis
gein Vlme langksamm. alda mit der Plaw. yler vnd
andern flueßen gesterckt wirdt sie schiffreich vnd
rynnet von dannen hin durch vil land vnd neben vil
stetten mit vberschwencklicher auffung der wasser.
Sechtzig des mereren tayls schifreiche fluess in sich
nemende. Zu letst an sechs grossen oerttern in das
Euximsch meer.

STRABO

(63 v. Chr. bis 23 n. Chr.)

Der Ursprung des Ister

Aber der Ister hat weder seinen Ursprung aus den
Gegenden am Pontos, sondern im Gegenteil aus den
Gebirgen oberhalb des Adriatischen Meeres, noch

fließt er in beide Meere*, sondern bloß in den Pontos, und teilt sich nur an seinen Mündungen. Doch teilt freilich Hipparchos** diesen Irrtum mit einigen vor ihm, welche einen dem Ister gleichnamigen Strom annahmen, der von diesem geschieden in das Adriatische Meer münde, von dem auch das Volk, das er durchfließe, den Namen Istrier erhalten.

MATTHAEUS FERCHIUS

(1583–1669)

Dieser Fluss aber fließt

Dieser Fluss aber fließt – wie Plinius sagt – durch unzählige Völkerschaften unter riesiger Zunahme der Wassermenge; von dort an, wo er erstmals das Illyricum berührt, wird er Ister genannt; und nachdem er 60 Flüsse aufgenommen hat, wobei fast die Hälfte von diesen schiffbar ist, ergießt er sich in sechs starken Armen ins Schwarze Meer.

Seine Quelle ist, wie auch einige deutsche Autoren berichten, berühmt und unverändert von vier Mauern umgeben – ungefähr 26 Fuß in der Länge und 18 in der Breite. Diese Quelle liegt in einer Stadt, auf Deutsch Donaueschingen genannt, das heißt »der Donau Eschingen«.

---

* In der Diskussion wurden das Schwarze Meer und die Adria genannt.
** Ein Geograph mit einer irrigen Annahme über den Lauf der Donau.

PUBLIUS CORNELIUS TACITUS

(wahrscheinlich 55–116/120 n. Chr.)

Die Donau entspringt

Ganz Germanien wird von den Galliern, Rätern und Pannoniern durch die Ströme Rhein und Donau, von den Sarmaten und Dakern durch gegenseitige Furcht oder Berge getrennt; das Übrige umgibt der Ozean, der weite Meerbusen und unermessliche Inselräume umfasst, wo wir vor einiger Zeit einige Völker und Könige kennenlernten, die uns ein Kriegszug zeigte. Der Rhein entspringt auf einem unzugänglichen und steilen Gipfel der rätischen Alpen, und vermischt sich, nachdem er sich in einer mäßigen Biegung nach Westen gewendet hat, mit dem nördlichen Weltmeer. Die Donau entspringt aus einem sanften und leicht ansteigenden Rücken des Schwarzwaldes und fließt an mehreren Völkern vorbei, bis sie in sechs Flussarmen in das Schwarze Meer hinausbricht; ein siebenter Arm versickert in Sümpfen.

(1957)

Am Hause des Hirzbauern
entspringt die Donau

Am Hause des Hirzbauern – fast kann man sagen: in seinem Keller – entspringt die Donau, Verzeihung: die Brigach. Ein kluger Bauer, der hier einmal vor vielen Jahren sein Haus hingesetzt hat, wo fließend Wasser gratis ist, gutes, sauberes Quellwasser! Natürlich tranken wir davon wie die ganze Schulklasse, die gerade Wandertag hatte. Der Herr Lehrer wollte sich nicht festlegen lassen. Einer seiner Vorgänger hatte genugsam Ärger mit dem Herzog gehabt, weil er bei den zuständigen Behörden eine wohlbegründete Vorlage eingereicht, mit der er die Anerkennung der Brigach als Donau hatte durchsetzen wollen.

Der verwitterte Hirzbauer (den wir erst als seinen Knecht angesehen hatten, während sein übers Stoppelfeld schlurfender direktoraler Pensionsgast aus Hamburg uns zunächst wie der Bauer vorgekommen war) erzählte ähnliche Geschichten vom vergeblichen Streiten für das Recht der Donau.

Quer durch Wiese und Wald wanderten wir hinauf nach Sommerau. Ein wenig abseits vom Ort, am höchsten Punkt der Landstraße, suchten wir das Gasthaus »Zum Rößle«. Wir fanden es nicht mehr. Französische Artillerie hatte es in den letzten Kriegstagen in Brand geschossen. An seiner Stelle erhob sich das Gerippe eines neuen stattlichen Schwarzwaldhauses;

die Zimmerleute hämmerten darin und pfiffen ein Lied, auf dem Dachstuhl schwankte der Richtkranz. So kann man heute von diesem Hause wie seinerzeit vom alten Gasthof sagen: Der Regen, der auf der einen Seite vom Dach rinnt, sickert abwärts zum Rhein; der Regen, der auf der andern Seite vom Dach rinnt, sickert abwärts zur Donau. Hier ist die Wasserscheide zwischen diesen beiden großen europäischen Strömen.

FRIEDRICH RATZEL

(1844–1904)

Die Donauquelle in Donaueschingen

Die Breg, der Donauquellfluß, windet sich langsam durch ihr Wiesental zwischen Baumgruppen hin. Wer in diesem Tal aus der Alb dem Schwarzwald zu wandert, der mache in Donaueschingen halt, wenn auch nicht wegen der schön gefaßten Donauquelle. Er betrachte sich einmal diese stille Residenz des reichsten deutschen Standesherrn und besonders die wundervollen Sammlungen, die der Fürst von Fürstenberg dort vereinigt hat und mit freiem Sinn und freigebig verwalten läßt. Die Bibliothek, die Urkundensammlung, die Gemäldesammlung und das geologisch-paläontologische Museum sind ebenso bedeutende Sehenswürdigkeiten. Das kleine Städtchen der Baar ist durch sie ein geistiger Mittelpunkt geworden. Scheffel hat hier gelebt und gearbeitet.

In dem an seltenen Bäumen reichen Schloßgarten erhebt sich das jetzt eben vollendete neue Schloß als ein stolzer Renaissancebau, neben dem das aus dem Anfang des 19. Jahrhunderts stammende »alte Schloß« nur ein gemütliches ländliches Herrenhaus von etwas größeren Verhältnissen ist.

Die Fürsten von Fürstenberg sind stolz, die Herren der Donauquelle zu sein, in die in kräftigeren Zeiten die hohen Besucher hineinsprangen, um ein Glas auf das Wohl der Herrschaft zu leeren. Die Gelehrten wollten ihnen diesen schönen Besitz streitig machen, indem sie sagten: Wohl entsteht die Donau bei Donaueschingen, durch die Vereinigung der Breg und der Brigach, aber deren Quellen sind die Donauquellen. Hier sagt man aber: Der aus der Donauquelle im Donaueschinger Schloßhof herausfließende Bach vereinigte sich früher mit der Breg und Brigach beideren Zusammenfluß und hieß Donaubach. Also liegt hier die Quelle. Einerlei, die offizielle Donauquelle ist ein großes, ungemein klares Wasser in einem kreisrunden Becken mit monumentalem Steingitter. Den Zweifler belehren monumentale Inschriften und Bilder. Auf der einen Seite »Bis zum Meer 2840 Kilometer«, auf der andern »Über dem Meer 678 Meter«, darüber thronend eine Quellnymphe, zu deren Füßen ein Kind die Quelle aus voller Vase ausgießt, und endlich im Kreis die Steinbilder des Tierkreises. Das Ganze, von Linden und Ahornen überschattet, ist ein reizendes Stück Natur und Kunst, dem wir nur die leeren, zwecklosen, gemeinen Zinkvasen auf der Balustrade wegwünschten.

JOHANN WOLFGANG VON GOETHE

(1749–1832)

Donau

Gegen den Aufgang ström ich, der Freiheit, der Musen
Gefilde
Laß ich hinter mir lang, eh der Euxin mich noch
trinkt.

Rhein und Donau

Warum vereint man zwei Liebende nicht? Euch ver-
hießen aus unserm
Torus die Götter schon längst einen unsterblichen
Sohn.

FRIEDRICH HÖLDERLIN

(1770–1843)

Am Quell der Donau

Denn, wie wenn hoch von der herrlichgestimmten,
                                        der Orgel
Im heiligen Saal,
Reinquillend aus den unerschöpflichen Röhren,

Das Vorspiel, weckend, des Morgens beginnt
Und weitumher, von Halle zu Halle,
Der erfrischende nun, der melodische Strom rinnt,
Bis in den kalten Schatten das Haus
Von Begeisterungen erfüllt,
Nun aber erwacht ist, nun, aufsteigend ihr,
Der Sonne des Fests, antwortet
Der Chor der Gemeinde; so kam
Das Wort aus Osten zu uns,
Und an Parnassos Felsen und am Kithäron hör' ich
O Asia, das Echo von dir und es bricht sich
Am Kapitol und jählings herab von den Alpen

Kommt eine Fremdlingin sie
Zu uns, die Erweckerin,
Die menschenbildende Stimme.
Da faßt' ein Staunen die Seele
Der Getroffenen all und Nacht
War über den Augen der Besten.
Denn vieles vermag
Und die Flut und den Fels und Feuersgewalt auch
Bezwinget mit Kunst der Mensch
Und achtet, der Hochgesinnte, das Schwert
Nicht, aber es steht
Vor Göttlichem der Starke niedergeschlagen,

Und gleichet dem Wild fast; das,
Von süßer Jugend getrieben,
Schweift rastlos über die Berg'
Und fühlet die eigene Kraft
In der Mittagshitze. Wenn aber
Herabgeführt, in spielenden Lüften,

Das heilige Licht, und mit dem kühleren Strahl
Der freudige Geist kommt zu
Der seligen Erde, dann erliegt es, ungewohnt
Des Schönsten und schlummert wachenden Schlaf,
Noch ehe Gestirn naht. So auch wir. Denn manchen
                                              erlosch
Das Augenlicht schon vor den göttlichgesendeten
                                              Gaben,

Den freundlichen, die aus Ionien uns,
Auch aus Arabia kamen, und froh ward
Der teuern Lehr' und auch der holden Gesänge
Die Seele jener Entschlafenen nie,
Doch einige wachten. Und sie wandelten oft
Zufrieden unter euch, ihr Bürger schöner Städte,
Beim Kampfspiel, wo sonst unsichtbar der Heros
Geheim bei Dichtern saß, die Ringer schaut und
                                              lächelnd
Pries, der gepriesene, die müßigernsten Kinder.
Ein unaufhörlich Lieben wars und ists.
Und wohlgeschieden, aber darum denken
Wir aneinander doch, ihr Fröhlichen am Isthmos,
Und am Cephyß und am Taygetos,
Auch eurer denken wir, ihr Tale des Kaukasos,
So alt ihr seid, ihr Paradiese dort
Und deiner Patriarchen und deiner Propheten,

O Asia, deiner Starken, o Mutter!
Die furchtlos vor den Zeichen der Welt,
Und den Himmel auf Schultern und alles Schicksal,
Taglang auf Bergen gewurzelt,
Zuerst es verstanden,

Allein zu reden
Zu Gott. Die ruhn nun. Aber wenn ihr
Und dies ist zu sagen,
Ihr Alten all, nicht sagtet, woher?
Wir nennen dich, heiliggenötiget, nennen,
Natur! dich wir, und neu, wie dem Bad entsteigt
Dir alles Göttlichgeborne.

Zwar gehn wir fast, wie die Waisen;
Wohl ists, wie sonst, nur jene Pflege nicht wieder;
Doch Jünglinge, der Kindheit gedenk,
Im Hause sind auch diese nicht fremde.
Sie leben dreifach, eben wie auch
Die ersten Söhne des Himmels.
Und nicht umsonst ward uns
In die Seele die Treue gegeben.
Nicht uns, auch Eures bewahrt sie,
Und bei den Heiligtümern, den Waffen des Worts
Die scheidend ihr den Ungeschickteren uns
Ihr Schicksalssöhne, zurückgelassen

Ihr guten Geister, da seid ihr auch,
Oftmals, wenn einen dann die heilige Wolk
                                   umschwebt,
Da staunen wir und wissens nicht zu deuten.
Ihr aber würzt mit Nektar uns den Othem
Und dann frohlocken wir oft oder es befällt uns
Ein Sinnen, wenn ihr aber einen zu sehr liebt
Er ruht nicht, bis er euer einer geworden.
Darum, ihr Gütigen! umgebet mich leicht,
Damit ich bleiben möge, denn noch ist manches zu
                                        singen,

Jetzt aber endiget, seligweinend,
Wie eine Sage der Liebe,
Mir der Gesang, und so auch ist er
Mir, mit Erröten, Erblassen,
Von Anfang her gegangen. Doch Alles geht so.

JOSEPH AUGUST SCHULTES

(1773–1831)

Diese beyden Flüßchen

Diese beyden Flüßchen bilden mit einander vereint
unter Donaueschingen das, was die ganze Welt die
Donau nennt. Nun sagt aber Dr. Bucher, und mit ihm
der gemeine Glaube, nicht die Vereinigung dieser
beyden Flüßchen, der Brege und der Brigach, bilde
die Donau; oder, wenn man ja diese vereinigten Flüßchen als Donau betrachten wollte, so sey weder die
Brigach noch die Brege die Quelle derselben, sondern ein Brunnen in dem Hofe des Schlosses der
Fürsten von Fürstenberg zu Donaueschingen. Könnte
nicht eben so gut jeder Bauer, der einen Brunnen in
seinem Hofe hat, dessen Quelle in die vorüberfließende Donau ausläuft, behaupten, er sey der Besitzer der wahren Donauquelle? Wo in aller Welt hat
man jemals gehört, daß ein Brunnen, dessen Wasser
in einen Fluß sich ergießt, welcher bereits Meilen
weit herfließt, und an 49 Schritte breit geworden ist,
die Quelle dieses Flusses sey, und das Recht habe,

den Nahmen dieses Flusses zu ändern? Nach solchen geographischen Grundsätzen könnte man wahrlich den Bach, den Gargantua's Stute erzeugte, als sie die Thürme von Notre-Dame in Paris unter Wasser setzte, als die Quelle der Seine betrachten, und vielleicht sogar noch mit größerem Rechte.

JULES VERNE

(1828–1905)

An den Quellen der Donau

Immerhin konnte hier noch eine Schwierigkeit auftauchen: War denn die Lage der richtigen Quelle des großen Stromes genau festgestellt? Herrschte über diesen Punkt nicht noch eine gewisse Unsicherheit, da auch die besten Karten die betreffende Stelle nicht zweifellos angaben? Und wenn man sich bemühte, Ilia Brusch an einer solchen zu treffen, konnte der da nicht recht gut gerade an einer andern sein?

Zweifelhaft ist es ja keineswegs, daß die Donau, der Ister der Alten, im Großherzogtum Baden entspringt. Die Geographen erklären sogar, diese Stelle läge unter 6 Minuten östlicher Länge und 37 Grad 48 Minuten nördlicher Breite. Dieser Lagenbestimmung fehlt aber – ihre Richtigkeit angenommen – neben der Zahl der Bogenminuten die Zahl der Sekunden; die Lage der Stelle ist damit also nur ungenau angegeben. Hier handelte es sich aber doch darum, die Schnur genau an dem Punkte auszuwerfen, von dem aus der erste Tropfen Donauwasser nach dem Schwarzen Meere zu rinnen beginnt.

Nach einer Sage, die lange Zeit das Ansehen einer geographischen Tatsache genoß, sollte die Donau inmitten eines Gartens entspringen, und zwar aus dem der Fürsten von Fürstenberg. Ihre Wiege wäre danach ein Marmorbecken, aus dem sehr viele Touristen ihre Becher und Feldflaschen gefüllt haben. Sollte man nun Ilia Brusch am Morgen des 10. August am Rande dieses unerschöpflichen Wasserbeckens erwarten?

Nein, dort ist nicht die richtige Stelle, die authentische Quelle des großen Stromes. Man weiß jetzt, daß er aus der Vereinigung zweier Bäche, der Brege und der Brigach, entsteht, die sich aus der Höhe von achthundertfünfundsiebzig Metern durch den Schwarzwald ergießen. Ihre Wässer vereinigen sich dann bei Donaueschingen, wenige Meilen oberhalb Sigmaringens und fließen von hier unter dem gemeinschaftlichen Namen Donau weiter.

Wenn einer der beiden Bäche mehr als der andre verdiente, als die eigentliche Ursprungswasserader betrachtet zu werden, so wäre es die Brege, deren Länge die des andern Bachs um siebenunddreißig Kilometer übertrifft und die im Breisgau entspringt.

AMAND FREIHERR VON
SCHWEIGER-LERCHENFELD

(1846–1910)

Donaueschingen

An der Ortschaften Marbach, Klengen, Gräningen und Lufen vorüber geht es durch eine einförmige, wenig belebte Gegend in die Thalweitung von Donaueschingen, wo nach herkömmlicher Anschauung die Donau ihren Ursprung hat. Das ist freilich gegenüber dem Borne auf der Sommerau eine königliche Wiege. Schon die Umgebung der Ursprungsstelle weist auf eine vornehmere Abstammung hin: das Schloß der Fürsten von Fürstenberg mit seinem von Kunstschätzen erfüllten Anbauten, der herrliche schattige Park, von frischen Wassern belebt, in welchen sich Schwäne tummeln, schließlich das prunkvolle Becken selbst, welches den sprudelnden Born umgiebt, der aus dem Boden hervorbricht. Da bei Donaueschingen selbst die Brege und die Briegach sich vereinigen und das Wasser jenes Bornes durch einen unterirdischen, wenig über 30 Meter langen Canal in die Briegach abfließt, so fragt man sich mit Recht, wie der aufsprudelnde Quell am Fürstenbergischen Schlosse zu seiner Bedeutung als »Donauquelle« gekommen ist. Daß hier der eigenmächtige Vorgang irgend eines Eschingen'schen Machthabers der Natur Zwang angethan hat, liegt auf der Hand. Für den Stromlauf ist das offene Gerinne, die natürliche Entwickelung des auf der Sommerau entspringenden Baches unbedingt maßgebend.

Gleichwohl hat die Tradition an jenes prunkhafte Becken sich geheftet und eine Aenderung der Sachlage ist nicht mehr zu erwarten. Vielleicht war es die auffällige Erscheinung des aus der Tiefe mächtig auswallenden Wassers, welche der Einbildungskraft die Richtung gab, für den berühmten Strom eine merkwürdige Ursprungsstelle ausfindig zu machen. Daraus erklärt sich auch der Zulauf, den die Quelle zu Donaueschingen schon von Alters zu verzeichnen hatte.

HOFFMANN VON FALLERSLEBEN

(1798–1874)

Entwicklung auf historischem Wege

O lasset doch den Geist der Zeiten!
Ihn hemmt kein Wehr, kein Damm, kein Band;
Er wird tagtäglich vorwärts schreiten
frei wie der Fluß durchs ganze Land.

Er strömet nicht aus einer Quelle,
aus einer Lebensader nur;
ihn nährt und speist an jeder Stelle
die ganze lebende Natur.

Ihr seht nur eine Quelle springen,
und diese stopft ihr zu im Nu
und denkt, es wird uns jetzt gelingen,
Wir stopften ja die Quelle zu.

Ihr hohen Herrn und Herrendiener!
So wollt ihr schützen Kirch' und Staat?
Ihr macht's ja gerade wie der Wiener,
der auf die Donauquelle trat.

Er sprach mit stillem Wohlbehagen:
Die Quelle hab ich nun bekleibt!
Was werden wohl die Wiener sagen,
wenn jetzt die Donau außen bleibt ? –

Drum lasset doch den Geist der Zeiten!
Ihn hemmt kein Wehr, kein Damm, kein Band;
Er wird tagtäglich vorwärts schreiten
frei wie der Fluß durchs ganze Land.

JOHANN GEORG KEYSSLER

(1693–1743)

Nicht ferne vom Ursprunge der Donau

Es gereuet mich nicht, daß ich von hier einige Reisen
in das benachbarte Schwaben gethan, welches in-
sonderheit damit pranget, daß es dem berühmten
Donaustrome seinen Ursprung giebt. Wenige Flüsse
können mit diesem in Vergleichung gesetzet werden,
wenn man in Erwägung zieht, daß er vier hundert
Meilen lang fließt, bey funfzig große Städte berühret,
und über zwölf Hauptströme, nebst mehr denn achtzig
kleinern Flüssen, zu sich nimmt. Diese Vorzüge hat

der Nil nicht, welchem jedoch jener Türk mit einem
artigen Gedanken den Rang zuerkannte, weil der Nil
nicht so vieles Menschenblut in sich gesoffen habe, als
die Donau. Diese entspringt bey Donau-Eschingen im
Fürstenbergischen, und wird gar bald durch die Vereinigung mit etlichen starken Bächen zu einem großen
Wasser. Ich kann nicht umhin, als eine geographische
Seltenheit anzuführen, was ich bey der Kapelle be-
merket, die der kaiserliche Rittmeister Conier, bey
Burlatingen, einem fürstl. hohenzollerischen Land-
und Jagdhause, auf einem schmalen Berge solcher-
gestalt hat anlegen und bauen lassen, daß die Traufe
der einen Dachseite vermittelst der Lauchart in die
Donau, und die Traufe der andern Seite durch die
Starzel und den Neckar in den Rhein fließt.

EDVARD SUESS

(1831–1914)

Wo entspringt die Donau?

Die nächste Frage lautet: Wo entspringt die Donau?
Die Schulbücher sagen: bei Donaueschingen im Groß-
herzogtume Baden. So einfach ist aber die Sachlage
nicht. Zwei Quellbäche, die Brigach und die Brege,
kommen von den Höhen des Urgebirges im Schwarz-
walde herab, vereinigen sich in Donaueschingen mit
der dortigen Schloßquelle und heißen fortan die Donau.
So weit ist die Angabe richtig und so weit mutmaßlich

das Urgebirge weiterhin den Untergrund bildet, mag sie gelten. Nach einem Laufe von etwa 20 Kilometer aber, unterhalb der Stadt Immendingen, wo in der Tiefe der höhlen- und spaltenreiche Kalkstein der Schwäbischen Alb durchstreicht, nimmt die Wassermenge ab und in trockener Jahreszeit, oft durch drei, auch vier Monate, verschwindet die obere, oder wie sie auch genannt wird, die Schwarzwalddonau.

Südlich von dieser Stelle, etwa 12$\frac{1}{2}$ Kilometer entfernt und nicht weniger als 170 Meter tiefer, tritt diese Wassermenge als die Ache wieder zutage und fließt westlich von Radolfzell in den Bodensee. Gerade der beständigste, noch bei Niederwasser vorhandene Teil der Donau bei Donaueschingen (Schwarzwalddonau) findet daher nicht den Weg ins Schwarze Meer, sondern gelangt durch den Bodensee und den Rhein nach Norden. Erst tiefer, jenseits Friedingen und gegen Beuron, sammeln sich wieder Wässer im Donaubett, und man kann daher behaupten, daß die Donau als stetiger Strom gar nicht in Baden, sondern erst in Württemberg entspringt.[*]

Dieser Zustand beruht darauf, daß der Bodensee um etwa 250 Meter tiefer liegt als die Stellen, an denen die Donau verloren geht, und kaum kann der Vermutung entgegengetreten werden, daß mit der Zeit eine völlige Abtrennung der Schwarzwalddonau sich vollziehen wird.

Weiterhin, in der Richtung auf Ulm, senkt sich ziemlich rasch die Höhenlage der Donau und es ist

---

[*] K. Endriß, insbesondere in einem Vortrage auf dem Deutschen Naturforschertage zu Stuttgart 1906.

nicht ganz unmöglich, daß hier einst entgegengesetzte Verhältnisse geherrscht haben. Im Schussentale, welches unweit von Friedrichshafen von Norden her den Bodensee erreicht, ist die Wasserscheide gegen die Donau durch eine jüngere Moräne gebildet und daher wurde die Möglichkeit erörtert, daß einstens der Bodensee durch dieses Tal einen Abfluß gegen die Donau gefunden habe. Die Donau wäre oberhalb Ulm erreicht worden. Damit wären alle Zuflüsse eines beträchtlichen Teiles der Schweizer Alpen dem Rhein genommen und der Donau hinzugefügt worden.

Diese Beispiele lehren, wie mannigfaltig die Geschichte eines großen Stromes sein kann. Die Grundwässer können Verbindungen herstellen; maßgebende Wasserscheiden können verlegt werden, und wenn man bedenkt, daß es dem Rhein einst gelingen könnte, die Schwelle bei Schaffhausen zu entfernen, daß dann der Bodensee eine weitere bedeutende Senkung erfahren würde, daß ferner infolgedessen das Gefälle aller Zuflüsse des Sees sich steigern und weitere Verluste der Donau möglich würden, dann erscheint ein solches Flußnetz in seiner gegenseitigen Abhängigkeit aller Glieder fast wie das Geäder eines organisierten Körpers.

Donau

Donau (die) ist der größte Strom Deutschlands und
nach der Wolga von Europa, hieß früher Danubius
und Ister und entspringt auf dem südöstl. Abhange
des Schwarzwaldes im Großherzogthume Baden in
zwei Bächen, Brege und Brigach genannt, welche
nach ihrer Vereinigung und nach Aufnahme des im
Hofe des fürstl. Fürstenbergischen Schlosses Donaueschingen entspringenden Donaubaches den Namen
Donau annehmen. Sie fließt dann durch Würtemberg
bis Ulm, wo sie, 20 Meilen von ihrem Ursprunge,
schiffbar wird, durch Baiern bis Passau und durch
Östreich und tritt bei Preßburg nach Ungarn über.
Nachdem sie noch einen Theil der Militairgrenze, die
Moldau und Walachei durchströmt und eine kurze
Strecke die Grenze zwischen Rußland und der Türkei
gebildet hat, fällt sie in vier Hauptarmen ins schwarze
Meer, in dem man ihr Wasser bis auf 10 M. weit vom
Ufer noch unterscheiden kann. Ihre vier Mündungen,
deren alte Geographen sieben annahmen, bilden ein
Delta (s.d.), heißen Kilia, Sulina, Georgiewski und
Portessa und die beiden ersten sind die wichtigsten.
Auf ihrem gegen 400 M., in gerader Linie 270 M.
langen Laufe nimmt die Donau über 150 Flüsse auf,
von denen viele schiffbar sind und die Iller, der Lech,
die Altmühl, Isar, der Inn, die Traun, Ens, Raab, Regen,
March, Drau, Theiß, Save und Pruth zu den bedeu-

tendsten gehören. Die Donau ist ein sehr fischreicher Fluß, hat einen reißend schnellen Lauf, der aber nebst der sehr ungleichen Tiefe, dem durch Felsen häufig eingeengten und durch Klippen und Untiefen gefährlich gemachten Flußbett die Schiffahrt sehr erschwert. Der heftigen Strömung wegen wird sie bis Wien hauptsächlich stromabwärts und mit Schiffen ohne Segel befahren, was in der Sprache der Donauschiffer die Naufahrt, dagegen die Schiffahrt stromaufwärts, welche unterhalb Wien häufiger ist, der Gegentrieb heißt. Die stromabwärts gehenden Schiffe sind meist wenig dauerhaft von weichem Holze gebaut und werden nach einmaligem Gebrauche in Wien an die dortigen Schiffer oder an das kais. Schiffsamt und als Brennholz verkauft. Sie führen je nach Herkunft und Bauart die Namen Kellheimer, auch Hohenau, welche bei 128 F. Länge 3–4000 Ctr. laden können; Gamseln von 90–100 F., und Plätten von 30–40 F. Länge. Stromaufwärts können Schiffe nur kommen, wenn sie von Pferden an langen Tauen gezogen werden, und die dazu verwendeten dauerhaftern Fahrzeuge heißen Klobzitter, Nebenbäi und Schwemmer. Übrigens ist die Schiffahrt auf der Donau in Deutschland auch noch durch dreifache Stapelgerechtigkeit gehemmt und die Ulmer Schiffer dürfen nur bis Regensburg, die Regensburger nur bis Wien, die Wiener nur bis Regensburg fahren, wohin sie jedoch Güter aller Art laden können, während den Regensburgern nur Wein zur Rückfracht von Wien erlaubt ist. Diesen Beschränkungen wird aber wol die Dampfschiffahrt ein Ziel setzen, welche jetzt von Ulm aus in Gang gebracht werden soll, nachdem sich hauptsächlich auf

Betrieb des ungar. Grafen Szeehenly schon 1830 ein Actienverein gebildet hat, dem der Kaiser selbst beitrat, um von Wien ab die Dampfschiffahrt einzuführen, welche jetzt von da bereits durch ganz Ungarn im Gange ist, bis Konstantinopel ausgedehnt werden soll, und auf deren Betrieb in Ungarn schon die umfänglichsten Arbeiten zur Verbesserung des Flußbettes ausgeführt wurden und noch fortgesetzt werden. Zur wichtigsten europ. Wasserstraße aber würde die Donau durch Ausführung der schon von Karl dem Großen beabsichtigten und neuerdings von einer Actiengesellschaft begonnenen Verbindung derselben mittels des Mains mit dem Rheine und also auch mit der Nordsee werden, aus der dann die meisten Sendungen nach dem Orient diesen Weg einschlagen würden. Gegenwärtig ist der Verkehr auf der Donau verhältnismäßig beschränkt und besteht von Ulm aus hauptsächlich im Speditionsgeschäft, d.h. der Beförderung der dort zur Versendung aus den Niederlanden, aus Frankreich, Italien u.s.w. anlangenden Waaren; von Regensburg aus wird viel Handel mit Salz und Getreide, mit rohem Garn nach Östreich und Zwischenhandel mit der Türkei getrieben, der von Wien aus, das einen großen Theil seiner Lebensmittel bis aus Tirol her auf der Donau erhält, nach Ungarn und weiter noch lebhafter ist. In Ungarn selbst werden viel Landesproducte stromauf- und abwärts verschifft und Pesth ist der Mittelpunkt dieses Handels.

WILHELM HOFACKER

(1936)

Die Donau verliert in erkennbarer Weise

Die Donau verliert in erkennbarer Weise auf der Strecke von oberhalb Immendingen bis Fridigen (etwa 33 km) in zahlreichen Poren, Rissen und Spalten der Seitenwände und der Sohle Flußwasser, das mindestens zum größten Teil in der Aachquelle wieder hervortritt. Zahlreiche in das Einzugsgebiet der Donau fallende Täler (Trockentäler) entwässern zur Aach. Wie sodann der Landesgeologe Dr. Berz erforscht und in der Schrift »Die Grundwasserverhältnisse im Versinkungsgebiet der oberen Donau«, 1928, näher ausgeführt hat, ist das unterirdische Einzugsgebiet der Aachquelle aus Donaugrundwasser ausgedehnt. Die Aachquelle hat weiterhin ein von der Donau unabhängiges eigenes Einzugsgebiet, das nach früheren Annahmen vom Jahre 1876 die Hälfte, nach neueren Annahmen die Hälfte bis ein Viertel das Aachwassers liefert. Diese verwickelten Verhältnisse entziehen sich einer genauen Feststellung, indessen sind für die rechtliche Beurteilung nur die nachfolgenden Versinkungsvorgänge und die sich anschließenden Verhandlungen zu würdigen, nur um sie dreht sich der »Streit um die Donauversinkung«.

AMAND FREIHERR VON
SCHWEIGER-LERCHENFELD

(1846–1910)

Bei Immendingen

Bei Immendingen aber ändert sich der Charakter der Landschaft sehr auffällig. Die jurassischen Höhenzüge engen das Thal beträchtlich ein und es beginnt hier der erste jener Durchbrüche, welche den Donaulauf in seiner langen Erstreckung bis zum eisernen Thor kennzeichnen. Zugleich findet hier jene merkwürdige Bifurcation statt, von der an anderer Stelle die Rede war. Während die Donau in großem Bogen dahinfließt, verliert sich eine nicht unbedeutende Menge Wasser in tiefen Bodenrissen, sickert unterirdisch weiter und tritt jenseits der Berge als »Radolfzeller Ache« hervor. Um sich Gewißheit zu verschaffen, ob dieser Sachverhalt auf Thatsächlichkeit beruhe, wurden im Jahre 1877 an der fraglichen Donaustelle unterhalb Immendingen 200 Centner Kochsalz versenkt. Eine Trinkprobe an der Achquelle ergab stark salzhältiges Wasser. Auch andere Proben – mit gefärbten Chemikalien, Schieferöl u. s. w. – ergaben, daß die Donau und die Achquelle zusammenhängen.

JOHANN WOLFGANG VON GOETHE

(1749–1832)

Den 17. Sept. [17]97

Von Tuttlingen um 7 Uhr. Der Nebel war sehr stark; ich ging noch vorher die Donau zu sehen. Sie scheint schon breit, weil sie durch ein großes Wehr gedämmt ist. Die Brücke ist von Holz und ohne bedeckt zu seyn mit Verstand auf die Dauer construirt, die Tragewerke liegen in den Lehnen und die Lehnen sind mit Brettern verschlagen und mit Schindeln gedeckt. Hinter Tuttlingen geht es gleich anhaltend bergauf. Kalkstein mit Versteinerungen. Gute und wohlfeile Art einer Lehne am Wege: viereckt längliche Löcher in starke Hölzer eingeschnitten, lange dünne Stämme getrennt und durchgeschoben; wo sich zwey einander mit dem obern und untern Ende berühren, werden sie verkeilt.

Der Nebel sank in das Donauthal, das wie ein großer See, wie eine überschneite Fläche aussah, indem die Masse ganz horizontal und mit fast unmerklichen Erhöhungen niedersank. Oben war der Himmel völlig rein.

Überhaupt muß man alle Wirtenbergische Anstalten von Chausseen und Brücken durchaus loben.

Man steigt so hoch, daß man mit dem Rücken der sämmtlichen Kalkgebürge, zwischen denen man bisher durchfuhr, beynah gleich zu seyn scheint. Die Donau kommt von Abend her geflossen, man sieht weit in ihr Thal hinauf, und wie es von beyden Seiten eingeschlossen ist, so begreift man, wie ihr Wasser weder südwärts nach dem Rhein, noch nordwärts nach dem Neckar fallen könne. Man sieht auch ganz hinten im Grunde des Donauthals die Berge quer vor liegen, die sich an der rechten Seite des Rheins bey Freyburg hinziehen um den Fall der Wasser nach Abend gegen den Rhein zu verhindern.

Die neue Saat des Dinkels stand schon sehr schön; man säet hier früh, weil es auf den Höhen zeitig einwintert.

EUGEN REINERT

(1949)

Wasserschwinden

Daß die Donau bei Tuttlingen nach einer mehr oder weniger langen Trockenzeit abnormalen Wassermangel zeigt, das mögen schon seit undenklichen Zeiten die Fischer und, seitdem man versteht, das Wasser für Kraftzwecke zu verwenden, auch die Mähringer und Tuttlinger Müller beobachtet haben und mit Besorgnis diesem Wassermangel gegenübergestanden sein. Sie werden natürlich der Ursache nachgegangen sein und diese auch gefunden haben. Als dann gegen Ende des 17. Jahrhunderts ein Industriebetrieb, das Hüttenwerk Ludwigstal, die Wasserkraft der Donau 2 km unterhalb Tuttlingens sich zunutze machte, da empfand man bald dieses Wasserschwinden als eine empfindliche Betriebsstörung und versuchte, die Ursache abzustellen.

KARL ENDRISS

(1867–1927)

Die Versinkungen im oberen Donautal

In trockener Jahreszeit lässt sich beobachten, dass die Wasser in beiden Gebieten teils an der concaven Seite, teils innerhalb des mit Schutt-Kiesmassen ausgekleideten Bettes zur Tiefe gehen. Kleinere trichterförmige Vertiefungen, zu welchen das Gewässer sich in Rillen den Weg bahnt, bezeichnen dabei vielfach die Orte der Versinkung. Ein stark gurgelndes Geräusch, das an den Trichternischen besonders deutlich hörbar ist, begleitet den Vorgang der Versinkung. Es äussert sich also hier ein Verfallen der Wasser nach tieferen, unbekannten Räumen! […]

Wie im Flussbogen am Brühl, so versinkt die Donau bereits 3 km flussaufwärts davon entfernt, im Wehrstau der Fürstlich Hohenzoller'schen Maschinenfabrik in Immendingen, ferner 25 km flussabwärts von Möhringen, bei Fridingen. An beiden Stellen bildet Kalkgestein den Untergrund.

Alle die beschriebenen Versinkungen beweisen nun, dass der Thalgrund der oberen Donau an den betreffenden Stellen leck ist und zwar selbstverständlich nicht allein für den Donaustrom, sondern für die gesamten Wasserzugänge des Thales. […]

Wohin ziehen nun die im Donaugebiete versinkenden Wasser?

Längst schon betrachtete das Volk die Riesenquelle der sogenannten Hegauer Aach, welche nach dem Bodensee fliesst und damit zum Gebiete des Rheins gehört, als die Spenderin versunkener Donauwasser. Es wurde dies aus dem Umstande geschlossen, dass nach starken Schneegängen oder beträchtlichen Regengüssen im Quellgebiete der Donau, wenn der Fluss in mächtiger gelbbrauner Flut das Donauthal durchzieht, die sonst in der Regel kristallklare Aachquelle trübe läuft und eine bedeutende Steigerung ihrer Förderung erkennen lässt. Dazu kam noch, dass durch eine zu Anfang des XVIII. Jahrhunderts ausgeführte Verlegung des Donaulaufes im Versinkungsbereiche des »Brühls« gegen Norden – »um einem besorglichen Wasser Mangel bei dem Hoch Fürstlichen Württemberg. Schmeltz-Werk zu Ludwigsthal (bei Tuttlingen) vorzukommen« – ein ziemlicher Abgang der Aachquelle eintrat. –

Zur vollkommenen Gewissheit darüber, dass die Aachquelle bei der badischen Stadt Aach thatsächlich durch Wasser der Donau gespeist wird, gelangte man aber erst durch eine im Auftrage der badischen Regierung im Jahre 1877 vorgenommene Untersuchung.

Unter der Leitung des Geheimen Hofrates Knop von der Technischen Hochschule in Karlsruhe wurden damals 200 Zentner Kochsalz in eine grössere Versinkungsstelle der Donau, in der Nähe des Weges zwischen Möhringen und Hattingen eingeworfen. Die ersten Spuren der Versalzung der Aachquelle wurden nach etwa 20 Stunden, – der höchste Grad der Salzführung nach etwa 60 Stunden und das Ende nach etwa 90 Stunden nachgewiesen.

FRIEDRICH HÖLDERLIN

(1770–1843)

Der Ister

Jetzt komme, Feuer!
Begierig sind wir,
Zu schauen den Tag,
Und wenn die Prüfung
Ist durch die Knie gegangen,
Mag einer spüren das Waldgeschrei.
Wir singen aber vom Indus her
Fernangekommen und
Vom Alpheus, lange haben
Das Schickliche wir gesucht,
Nicht ohne Schwingen mag
Zum Nächsten einer greifen
Geradezu
Und kommen auf die andere Seite.
Hier aber wollen wir bauen.
Denn Ströme machen urbar
Das Land. Wenn nämlich Kräuter wachsen
Und an denselben gehn
Im Sommer zu trinken die Tiere,
So gehn auch Menschen daran.

Man nennet aber diesen den Ister.
Schön wohnt er. Es brennet der Säulen Laub,
Und reget sich. Wild stehn
Sie aufgerichtet, untereinander; darob
Ein zweites Maß, springt vor

Von Felsen das Dach. So wundert
Mich nicht, daß er
Den Herkules zu Gaste geladen,
Fernglänzend, am Olympos drunten,
Da der, sich Schatten zu suchen
Vom heißen Isthmos kam,
Denn voll des Mutes waren
Daselbst sie, es bedarf aber, der Geister wegen,
Der Kühlung auch. Darum zog jener lieber
An die Wasserquellen hieher und gelben Ufer,
Hoch duftend oben, und schwarz
Vom Fichtenwald, wo in den Tiefen
Ein Jäger gern lustwandelt
Mittags, und Wachstum hörbar ist
An harzigen Bäumen des Isters,

Der scheinet aber fast
Rückwärts zu gehen und
Ich mein, er müsse kommen
Von Osten.
Vieles wäre
Zu sagen davon. Und warum hängt er
An den Bergen gerad? Der andre,
Der Rhein, ist seitwärts
Hinweggegangen. Umsonst nicht gehn
Im Trocknen die Ströme. Aber wie? Ein Zeichen
                                    braucht es,
Nichts anderes, schlecht und recht, damit es Sonn
Und Mond trag im Gemüt, untrennbar,
Und fortgeh, Tag und Nacht auch, und
Die Himmlischen warm sich fühlen aneinander.
Darum sind jene auch

Die Freude des Höchsten. Denn wie käm er
Herunter? Und wie Hertha grün,
Sind sie die Kinder des Himmels. Aber allzugeduldig
Scheint der mir, nicht
Freier, und fast zu spotten. Nämlich wenn

Angehen soll der Tag
In der Jugend, wo er zu wachsen
Anfängt, es treibet ein anderer da
Hoch schon die Pracht, und Füllen gleich
In den Zaum knirscht er, und weithin hören
Das Treiben die Lüfte,
Ist der zufrieden;
Es brauchet aber Stiche der Fels
Und Furchen die Erd,
Unwirtbar wär es, ohne Weile;
Was aber jener tuet, der Strom,
Weiß niemand.

JORDANES

(6. Jh. n. Chr.)

Über diesen hervorragenden Fluss

Und weil die Donau erwähnt wurde, halte ich es nicht
für abwegig, einiges über diesen hervorragenden
Fluss zu berichten: Dieser entspringt im Land der
Alemannen und nimmt auf 1200 Meilen hier und da
sechzig einmündende Flüsse auf in der Art einer
Wirbelsäule, die die Rippen wie einen Korb um-

geben. Überhaupt ist sie [die Donau, Anm. d. Hrsg.] sehr weitläufig. Sie wird in der Sprache der Bessier »Hister« genannt und hat in ihrem Bett eine Wassertiefe von 200 Fuß. Dieser Fluss übertrifft in seinen Ausmaßen alle anderen Flüsse außer den Nil. Dies soll über die Donau genug sein.

FRANZ GROEBBELS

(1926)

O liebe Frau Donau du!

O liebe Frau Donau du! Bei Wien bist du eine mächtige Königin und trägst große Schiffe majestätisch dem Meere zu. Bei Ulm bist du ein behäbiges Bauernweiblein und spielst täppisch mit deinen Wellenhänden um die Kähne der Fischer. Hier oben aber bist du ein feines Jungfräulein. Aber grad so mag ich dich am liebsten, wenn aus deinem klaren, aufgeblühten Antlitz noch die blauen Quellaugen der Kindheit schauen. Überall aus dem Grunde wächst braungolden, smaragden dein langes Haar, emsig flußabwärts gekämmt von den Wellen, im Sommer geschmückt mit einem Diadem aus tausend weißen Blütensternen. Hart und lang ist für dich der Winter hier oben, und nur die possierlichen Künste der Tauchenten, der blaue Flugblitz des Eisvogels und das zanken und Zetern des Zaunkönigs können dir die Langeweile vertreiben.

AMAND FREIHERR VON
SCHWEIGER-LERCHENFELD

(1846–1910)

Das Donauthal erweitert sich nun ansehnlich

Das Donauthal erweitert sich nun ansehnlich. Dort wo die Schmiechen sich in den Fluß ergießt, erhebt sich das alte Städtchen Ehingen. Nun schwenkt die Bahn vollends aus dem Donauthale nordwärts ab, und tritt über Schmiechen und Schelkingen in das Thal der Blau, in welchem die alte, gewerbefleißige Stadt Blaubeuren ungemein malerisch zwischen schroffen Felsen und Ruinen liegt. Der Ursprung der Blau – der merkwürdige »Blautopf« – ist ein kreisrundes, von Eschen und Ahornen beschattetes Quellbecken.

SIGMUND VON BIRKEN

(1626–1681)

Gegen dem Einfluß der Iler

Gegen dem Einfluß der Iler / zur rechten Hand ueber / faellt von Blaubeyrn her die Blau in die Donau: an deren Einschusse / oberhalb des Klosters und Marckts Sefflingen / unterhalb aber die beruehmte und des Schwaebischen Kreisses (in welchem sonst noch 30 Reichsstaedte gezehlet werden) ausschreibende Reichsstadt Ulm lieget. Die erste Hauptstadt an der Donau ist uralt / und hiesse zu der Roemer Zeiten Alcimoennis: Wiewol sie inzwischen lang im Abgang gewesen / und erst unter Kaeys. Ludovico Bavaro vor 300 Jahren / wieder in Aufnahm gekommen. Sie wettpranget mit andern Staedten / an herzlichen Gebaeuen / trefflicher Bevestigung / Macht und Reichthum.

MELLA WALDSTEIN

(∗ 1964)

Donauschwaben

Das Auswandererdenkmal – ein Kreuz mit einem Boot – erinnert daran, daß von Ulm, mit der Ulmer Schachtel oder anderen Donauschiffen, im Laufe der Zeit 150.000 Menschen auswanderten. Sie zogen ostwärts. Sie besiedelten das »desertum«. Die von Türkeneinbrüchen verwüsteten Landstriche benötigten wieder Menschen, abendländische Menschen – die Donauschwaben. Schon Karl der Große brauchte nach der Unterwerfung der Awaren im Jahre 798 zuverlässige Siedler in der Pannonischen Mark und der Mark Karantanien. Und König Stephan von Ungarn (997–1038) gab seinem Sohn den Rat: »Denn schwach und vergänglich ist ein Reich, in dem nur eine Sprache gesprochen wird und einerlei Recht gilt.« Kaiserin Maria Theresia und ihr Sohn Joseph II. sowie die russische Zarin Katharina II. heuerten die als fleißig und ordentlich titulierten Schwaben an. Sie zogen in das ungarische Mittelgebirge, in die schwäbische Türkei, in das Banat und nach Slawonien, in die Batschka und in die Dobruschda, in die Bukowina, nach Bessarabien und auf die Krim, sie wurden zu Wolgadeutschen und Siebenbürger-Sachsen.

Sie starben an Sumpffieber, Entbehrung und Heimweh – oder sie béarbeiteten den Boden, schufen ihre Dörfer, behielten Sprache und Kultur, und Hitler holte sie wieder heim. Sie verloren ihre Heimat ein zweites Mal.

PÉTER ESTERHÁZY

(∗ 1950)

Donau (humanistisch)

Donau (humanistisch): Seit zwanzig Millionen Jahren streicheln meine Wellen diese Landschaft, die vorher Meer bedeckte. (Reißt sich die Larve vom Gesicht und sinkt in die Knie. Klein- und Groß-Blau strömen eilends in sie. Donau betet hochmütig.)
Mein Vater und Herr,
mach mich zum Mittel deines Friedens,
auf daß ich Liebe bringe und Haß dorthin,
wo bisher das Leere Herz regierte,
auf daß ich Versöhnung und Groll das Bett bereite, wo
der Sand der Unaufmerksamkeit stiebt und die
Anteilnahme auf die Nase fällt,

gib, daß ich Wahrheit verkünden kann und Irrtum, wo
der klebrige Schlamm des Alltags glitscht,
daß ich Glauben pflanze an den Ort des Zweifels
und Zweifel an den Ort des Glaubens,
auf daß ein Wasserfall von Hoffnung niederstürzt,
wo der tote Lauf der Verzweiflung sein Lager auf-
schlug, und Hoffnungslosigkeit dort,
wo das Licht beim Schmause sitzt.
Zum Tanz! Amen.

(Die am Ufer Stehenden klatschen im Takt, dazu er-
klingt das *Ulm, Ulm über alles,* dann plötzlich absolute,
Stille, nur die Ruder der »Schachteln«.)

MARK HEYWINKEL

(∗ 1987)

Neu-Ulm

Hundert Meter trennen uns voneinander. Hundert
Meter geruhsames, doch unüberwindbares Wasser.
Wäre da eine feste Fläche zwischen uns, könnte ich
es bis zu dir hinüberschaffen und dir sagen, was du
mir bedeutest. Aber hundert Meter Wasser lassen das
nicht zu. Hundert Meter Wasser sind einfach zu viel
für jemanden wie mich. Ich bin nicht Jesus. Ich bin
nur ein Junge aus Neu-Ulm und Hals über Kopf in
dich verliebt.

Ich erinnere mich noch gut an den Tag, an dem du
mit deiner Familie in das Haus gegenüber gezogen

bist. Auf die andere Seite der Donau. Von meinem Zimmer aus habe ich euch beim Renovieren zugesehen. Und als du den kleinen Gemüsegarten am Ufer des Flusses angelegt hast, bin ich dir mit meinem Blick nicht von der Seite gewichen. Man könnte sagen, ich bin dabei gewesen. Hautnah. Wäre da nur nicht dieses hundert Meter breite Hindernis.

Auf meinem Schreibtisch liegen mehrere Lagen Papier mit Plänen für ein Boot. Ich könnte zu dir hinüberfahren, glaube ich. Das würde ich schaffen. Bestimmt. Und dann denke ich wieder, dass hundert Meter Wasser für einen wie mich doch zu viel sind. Ich kann nicht schwimmen und sollte das Boot kentern, wäre ich verloren. Vermutlich würdest du es nicht einmal bemerken, wenn ich auf der Hälfte der Strecke, bloß fünfzig Meter von dir entfernt, ertrinke. In dem Fall wäre selbst mein Tod umsonst gewesen.

Eine letzte Möglichkeit gäbe es noch, dir endlich zu begegnen. Doch sie ist noch gefährlicher und würde von mir verlangen, eine noch weitere Distanz zu überwinden. Denn der andere Weg zu dir führt über die Donau hinweg, über eine Brücke, einen knappen Kilometer von meinem Haus entfernt. Das Wasser hätte ich nicht zu durchqueren. Doch unterwegs könnte ich mir selbst begegnen. Und du musst wissen, ich bin nicht mein bester Freund. Ich bin der, der dem Jungen aus Neu-Ulm immer wieder aufzählt, was er alles nicht tun kann: Schwimmen, Autofahren, Spazierengehen, einen Berg besteigen, Fußball spielen; ja, selbst einmal die Beine hochlegen – das alles kann der Junge aus Neu-Ulm nicht. Denn er sitzt im Rollstuhl. Er kann sich nicht bewegen. Er kann nicht schwimmen. Er kann hundert Meter Donau nicht einfach überwinden. Er kann dich nicht ansprechen. Er kann dir nur zusehen bei den Dingen, die er gerne mit dir tun würde.

Hundert Meter unüberwindbares Wasser trennen uns. Ich kann nicht zu dir hinüberlaufen, weil ich nicht Jesus bin. Ich bin ein Junge aus Neu-Ulm und einfach nur Hals über Kopf in dich verliebt.

JOHANN VON GOTT BUNDSCHUE

(1784–1851)

Das Donauwasser

Das Donauwasser ist gewöhnlich von gelblicht weißer Farbe, und sehr stark mit erdigten lehmigten Theilen geschwängert. Wenn der Schnee in den Alpen schmilzt, dann tritt die Donau häufig über die niedrigen Ufer, und überschwemmt oft große Strecken Landes zum Verderben des fleißigen Landmannes. Bei einem so hohen Wasserstande reißt die tobende Donau nicht selten an ihren Ufern ansehnliche Striche des besten Landes hinweg, und bedroht die an ihr liegenden Ortschaften mit allgemeiner Verwüstung. So war das angenehme Städtchen Dillingen noch vor wenigen Jahren in größter Gefahr, seine Vorstadt durch die gefräßige Donau gänzlich zu verlieren.

FRANZ VON KAUSLER

(1794–1848)

Dünste über dem Wasser

In der Regel entwickeln sich alle Morgen Dünste über dem Wasser; sind diese sehr dick, so machen die Schiffer halt, weil sie die seichten Stellen nicht wahrnehmen können, bis sich die Luft aufgehellt hat. Fahren sie stromabwärts, so nöthigt sie zuweilen starker Wind, besonders aus Osten, halt zu machen. Großer Wasserstand hemmt gleichfalls die Schiffahrt. Schiffer, welche die Donau genau kennen, benützen gleichwohl zuweilen den Anfang des Steigens zum Hinabfahren, das dadurch außerordentlich beschleunigt wird.

Ungeachtet aller dieser Hindernisse, welche die Donau fünf Monate des Jahrs unschiffbar machen, ist die Donauschiffahrt immer noch beträchtlich, und auch die mehrere Zuflüsse der Donau ist für den Handel von ziemlicher Ausdehnung, und für die Uferbewohner von großem Vortheil.

FRITZ BASIL

(1862–1938)

Er ward wach

Er ward wach, da quoll die Morgenmilch weiß aus
dem Strom und vor dem roten Himmel saß ein Vogel
auf dem kahlen Ast im Garten. Ihn fröstelte, er schritt
aus dem Haus, im Stall war Geräusch. Ursula saß bei
den Kühen und molk. Es war warm hier, er schaute
auf die blanken Arme, er schaute auf den Strahl, der
in das irdene Becken quoll. »Mich dürstet«, sagte
Jakob. Da reichte ihm Ursula die schaumige Schale,
ihre Lippen waren halb offen und feucht. »Mich dürstet
noch immer«, sagte Jakob ganz leis. Er hob sie auf,
sie schlang die Arme um ihn, die Kühe käuten und
mahlten. »Nun bleibst du?« forschte das Mädchen.
»Ich bleibe«, sagte der Mann.

Der leichte Morgennebel wich. Blau sah der Strom
den neuen Tag an. Ein Bauer fuhr mit seinem Karren
auf der Straße und grüßte über den Zaun. »Es wird
eine stille Hochzeit im Dorfe sein, noch eh die drei
Könige ziehen«, dachte Jakob, und segnete das An-
gedenken seines Vaters.

QUINTUS HORATIUS FLACCUS

(65 v. Chr. bis 8 v. Chr.)

Aus dem grundlosen Donaustrom trinken

Mit Cäsar als Wächter über die Welt wird weder Bürgerkrieg noch Gewalt den Frieden stören[*], kein Zorn, der Schwerter schmiedet und Städte in Feindschaft stürzt.

Nicht werden jene, die aus dem grundlosen Donaustrom trinken[**], die Anordnungen des julischen Kaiserhauses missachten, nicht die Geten, nicht die Serer oder die verschlagenen Perser.

---

[*] Horaz schreibt diese Ode als Lobpreis für den Friedensfürsten Caesar Augustus, der nach Befriedung des Imperiums als Garant für Stabilität im Inneren und Äußeren angesehen wird.
[**] Die Donau ist hier eine Metapher für eine sehr weit entlegene, unsichere Gegend. Das Volk, das aus der Donau trinkt, meint hier den keltischen Stamm der Vindeliker in der Gegend Oberbayerns. Horaz bezieht sich hier auf den erfolgreichen Alpenfeldzug des Tiberius und des Drusus im Jahre 15 v. Chr.

GERTRUD FUSSENEGGER

(1912–2009)

Von Städtle zu Städtle

Von Ulm donauabwärts geht es nun erst recht schwä-
bisch-kleinräumig, vielgestaltig und geschichtsintensiv
zu. Hier geht es von Kirchturm zu Kirchturm in der
Tat jeweils über alte Grenzen: alle zehn oder fünfzehn
Kilometer eine andere Stadt, ein anderes Städtchen
und jedes von ihnen eine perfekte kommunale Persönlichkeit. Alle sitzen sie an der Donau über der Donau
auf hohem Ufer, aufgereiht wie die Schwalben auf
dem Draht oder wie ein Schwarm sonntäglich heraus-
geputzter Schwabemädle vor dem Tanz.

Ich zähle auf:

Günzburg, ehemals habsburgisch-kaiserlich mit
deutlichen Ansätzen zu höfischer Gravität; das her-
zogliche *Lauingen* mit seinem geisterbleichen und
überhohen Schimmelturm und seiner urig-imposan-
ten Martinskirche, ein Städtchen wie aus der Spiel-
zeugschachtel; *Dillingen*, Residenz der Augsburger
Bischöfe, eine Art Flucht-Residenz, in die sich der
Kirchenfürst zurückzuziehen liebte, wenn ihm die
Augsburger Bürgerschaft das Leben sauer machte,
dazu Sitz einer hohen theologischen Schule, Hochburg der Gegenreformation. Zwischen den beiden
geistlichen Bollwerken die langgestreckte Bürger-
stadt, doch, wie es scheint, keineswegs entmutigt
durch übermächtige Nachbarschaft, sondern recht
schmuckhaft-selbstbewußt; einen Katzensprung weiter:

Höchstädt mit mächtiger Burg, durch die große Schlacht bekannt, die Prinz Eugen und Marlbourough 1704 zusammen gegen Franzosen und Bayern geschlagen; und endlich etwas weiter nach Osten abgesetzt und in die Talsenke der träge schleichenden Wörnitz geschmiegt: *Donauwörth,* eine Stadt mit alter Tradition und bewegter Geschichte, Straßenknotenpunkt, Eisenbahnknotenpunkt, strategische Schlüsselposition. Im Stadtpark die Reste einer Stauferburg; das in seinen Grundzügen noch gotische Stadtbild entwickelt sich aus einem flachen, an der Wörnitz gelegenen Teil in großer Schlinge über die langgestreckt saalartige Reichsstraße zu einem hochgelegenen geistlichen Bezirk mit der riesigen prunkvollen Stiftskirche Heiligkreuz. Dieses Stadtbild könnte zu einem der schönsten Deutschlands gehören, wenn nicht auch hier die Bomben des Zweiten Weltkriegs gewütet hätten. Man suchte ein kleines, für die Rüstung aber wichtiges Werk; vergeblich. Es war in einem sicheren Bunker untergebracht. Dafür büßten Fachwerk, Spitzgiebel, gotische Kirchen. Der Wiederaufbau konnte nur noch das Gerüst herstellen; die lebendige Substanz ist nur noch in Rudimenten da. Da aber liebenswert, von manchmal spitzwegischem Charme.

Das Quartett der Städte Lauingen, Dillingen, Höchstädt und Donauwörth hat sich auf der nördlichen Hochterrasse über der Donau entwickelt. Jenseits der Donau liegt eines der größten Naturschutzgebiete Mitteleuropas, das Donauried. Das südliche Ufer ist arm an Siedlungen, aber reich an dichten Auwäldern und wildverwachsenen Brüchen, an Wild- und Vogelparadiesen. Dazwischen sind auch weite Flächen landwirtschaftlich genutzt, in flachen Poldern liegen Einzelhöfe und hoffen das nächste Hochwasser glücklich zu überstehen.

ROBERT BLACHFORD MANSFIELD

(1824–1908)

Der beeindruckendste Teil der Donau

Wie ich bereits zuvor erwähnt habe, befindet sich der beeindruckendste Teil der Donau direkt oberhalb der Stadt Kehlheim. Da die Strömung dort zu stark war, als daß wir dagegen anrudern hätten können, nahmen wir um neun Uhr das Dampfschiff. Bald fanden wir uns umgeben von senkrechten Wänden aus grauem Sandstein, die sich direkt vom Wasserspiegel erhoben, ohne auch nur die Spur eines Gesimses zwischen ihrem Fuß und dem Wasser, das in scharfen Biegungen zwischen den Felsen hindurchwirbelt, erkennen zu lassen. Barken können in dieser wilden Schlucht nur dadurch stromaufwärts bewegt werden, indem man Haken in eiserne Ringe einhakt, die zu diesem Zwecke in die Klippen eingelassen sind. Die Szenerie steigerte sich in ihrer eindrucksvollen Wildheit – sofern das überhaupt noch möglich war – bis wir in Weltenburg ankamen, wo die Felsen vom rechten Ufer zurückspringen, sodaß etwas Platz zwischen ihnen und dem Fluß entsteht. Hier liegt das Kloster von Weitenburg. Wir gingen an Land und nahmen im Klosterhof unser Frühstück ein. Zur Zeit leben nur etwa sechs oder sieben Mönche im Kloster, der Großteil der Gebäude dient der Landwirtschaft, ein Teil ist ein Hotel. Nach dem Mahl begaben wir uns ans Flußufer und begannen, zur großen Erbauung der Mönche, die Breite des Flusses zu messen, indem wir Steine ans andere Ufer zu werfen versuchten. Schließlich gelang uns dies auch.

JOSEPH RITTER VON BAADER

(1763–1835)

Von der Verbindung der Donau mit dem Mayn und Rhein

Die große Idee Kaiser Karls des Großen, den Rhein und die Donau, diese beiden größten schiffbaren Ströme Deutschlands, und durch sie die Nordsee und den atlantischen Ozean mit dem schwarzen Meere zu verbinden, ist in den neuesten Zeiten zu verschiedenen Malen und von mehreren Seiten wieder angeregt worden; und gewiss war für eine so wichtige und mit so vielen Lokal- und Territorial-Schwierigkeiten verknüpfte Unternehmung kein Zeitpunkt günstiger als der jetzige, da die ganze Gegend, durch welche ein Kanal zur Verbindung jener beiden Ströme geführt werden müsste, unter dem wohlthätigen Zepter eines

Monarchen stehet, welcher alles wahrhaft Große, Gute und Nützliche mit eben so hoher Weisheit als Liberalität begünstigt und befördert.

Je wichtiger und folgenreicher aber eine solche Unternehmung, nicht nur für das Königreich Baiern, sondern auch für einen großen Theil von Deutschland, Holland und Frankreich, für Ungarn, für die Moldau und Wallachei, und selbst für den russischen Kaiserstaat in Beziehung auf den innern Verkehr und auf den Welthandel zu werden verspricht, besonders wenn die Schiffahrt auf der Donau durch die kaiserlich österreichischen Erb-Staaten freygegeben, und ihre Mündungen ins schwarze Meer den Barbaren entrissen werden sollten; desto unbezweifelter ist das allgemeine Recht und selbst die Nothwendigkeit einer freyen und öffentlichen Diskussion zur Beleuchtung des Gegenstandes von allen Seiten, als das einzige Mittel zur Aufklärung und Enttäuschung der Regierungen, zur Berichtigung einseitiger und falscher Ansichten oder parteyischer Urtheile, und zur Vermeidung großer, vor dem strengen Richterstuhle der Nachwelt nicht zu verantwortender Missgriffe.

FRIEDRICH SCHILLER

(1759–1805)

Die Räuber Moor, Schwarz und Grimm an der Donau

Gegend an der Donau.

Die Räuber, gelagert auf einer Anhöhe unter Bäumen, die Pferde weiden am Hügel hinunter

MOOR. Hier muß ich liegen bleiben. *Wirft sich auf die Erde.* Meine Glieder wie abgeschlagen. Meine Zunge trocken wie eine Scherbe. *Schweizer verliert sich unvermerkt.* Ich wollt euch bitten, mir eine Handvoll Wassers aus diesem Strome zu holen, aber ihr seid alle matt bis in den Tod.

SCHWARZ. Auch ist der Wein all' in unsern Schläuchen.

MOOR. Seht doch, wie schön das Getreide steht! – Die Bäume brechen fast unter ihrem Segen. – Der Weinstock voll Hoffnung.

GRIMM. Es gibt ein fruchtbares Jahr.

MOOR. Meinst du? – Und so würde doch ein Schweiß in der Welt bezahlt. – Einer? – Aber es kann ja über Nacht ein Hagel fallen und alles zugrund schlagen.

SCHWARZ. Das ist leicht möglich. Es kann alles zugrund gehen, wenig Stunden vorm Schneiden.

(1839)

Volksmärchen von der Donaubrücke

Der bekannte alte Meister Urian, so lautet die Tradition, mußte da seine teuflische Krallenhand im Spiele haben. Der Baumeister der prachtwollen Domkirche soll sich mit seinem ehemaligen Lehrbuben, dem der Brückenbau anvertraut wurde (obwohl 137 Jahre Differenz in der Zeitrechnung), in eine Wette eingelassen haben, welcher von ihnen mit seinem Werke eher zu Ende käme. Letzterer mochte während der Arbeit seiner Schwäche gewahr worden seyn, denn er schloß mit dem leidigen Satan ein geheimes Bündniß, daß er ihn mit überirdischer Macht unterstützen soll, wofür er demselben zum Lohne zwar nicht seine eigene verlangte Seele, sondern die der drei ersten Geschöpfe, welche über die neue Brücke gingen, verschreiben werde. Hiermit zufrieden, half der Teufel seinem Klienten fleißigst, daher dieser eher mit der Brücke fertig war, als der Meister mit dem Dom. Aus Aerger und Verdruß stürzte sich letzterer von einem Gerüste herab; wie als Wahrzeichen eine Steinfigur gegen die Brücke zu am Dom zu sehen ist. Nun war es an dem Lehrling, seinem Gehilfen Wort zu halten. Allein, der Schlaue jagte als ersten einen Hund, dann einen Hahn, endlich eine Henne über die Brücke, die der diesmal dumme Teufel in seinem Grimme über Hinterlistigkeit und fehlgeschlagene Hoffnung alsbald zerrissen hat. Baumeister, Hund, Hahn, Henne waren nebst andern Wahrzeichen vor dem Abbruche des Brückenzollhäuschens und Thurmes noch vorhanden, so auch der größte und kleinste Brückenstein, 8 Schuh lang, 4 breit, dann 2 Zoll lang, 1½ Z. breit.

JOHANN WOLFGANG VON GOETHE

(1749–1832)

Regenspurg liegt gar schön

Regenspurg liegt gar schön, die Gegend mußte eine Stadt hierher locken. Auch haben sich die Geistlichen Herrn wohl possessionirt; alles Feld um die Stadt gehört ihnen, und in der Stadt steht Kirche gegen Kirche und Stifft gegen Stifft über.

Die Donau hat mich an den alten Mayn erinnert. Bey Franckfurt präsentirt sich Fluß und Brücke besser, hier sieht aber das gegenüberliegende Stadt am Hof recht artig aus.

EVA DEMSKI

(∗ 1944)

In den Büschen an der Schillerwiese

In den Büschen an der Schillerwiese sind unter dem Gelächter der Donau viele kleine Regensburger gemacht worden. Um die Bräute zu beeindrucken, sprangen die Buben von der Steinernen Brücke, ungerührt vom Bruckenmanndl übersehen, und manche haben die Mutprobe nicht überlebt. Das Bruckenmanndl schaut zum Dom hinüber, und die Steinerne Brücke war für mich immer die schönste Brücke der Welt. Unzerstörbar schaut sie aus, dieses Herz Regensburgs, der Gürtel der Donau. Ihre Fundamente, große, steinerne Füße, die wie Schiffe geformt sind. Ein wenig steigt sie an, sie ist nicht grade, ihr Scheitelpunkt liegt nicht in der Mitte, nichts weiß sie von der Diktatur, unter der die Neuzeit schmachtet: der des rechten Winkels. Sie ist eine Brücke, keine über den Fluß gelegte Straße.

Wenn nur immer alle gewußt hätten, wie schön sie ist! Dann müßte man jetzt nicht, wenn man im Spitalgarten sitzt, über so einen furchtbaren Beton-Wurmfortsatz wegschauen, den sie ihr in die Seite gebaut haben. Aber sie hat schon viel ausgehalten, die Brücke, und auch den werden sie ihr wieder wegoperieren.

Die Donau schert sich sowieso nicht um die Bauwerke, mit denen man ihr in den Jahrhunderten und Jahrtausenden zuleibe gerückt ist, sie läßt sie eilig hinter sich, beißt da und dort ein Stück weg, unterspült was, schmeißt Kiesel hin, weicht aus. Inseln hat sie und Altarme, es waren auch große Auwälder da, für deren Rest brauchts vielleicht bald ein Museum. Schnell ist sie, schnell. Mir schien immer, sie sei einer der eiligsten Flüsse, die ich kenne. Und damit man nicht traurig ist über ihre große Gleichgültigkeit den Menschen gegenüber, läßt sie hier und da was von sich zurück, träge Flußreste mit undurchsichtig dunklem Wasser, in dem die gelben Köpfe der Mummeln stehen und Molche schwimmen.

In Stadtamhof war die Dult, die ist immer noch da, aber jetzt haben sie auch den Kanal, jenes dümmste Bauwerk seit dem Turmbau zu Babel, wie Dieter Hildebrandt ihn nannte. Die sprichwörtlichen Wogen, die der Bau geschlagen hat, sind verebbt, und jetzt ist schon wieder die Rede vom Donauausbau, damit irgendwelche riesigen Containerverbände sie passieren können. Unter der Steinernen Brücke paßt sowieso nur Kleinzeug durch.

ANONYMUS

(1818)

Von Regensburg an und weiter hinab

Von Regensburg an und weiter hinab giebt es auch noch weit größere Schiffe, fast von der nemlichen Bauart, doch öfters zur Schiffahrt Flussaufwärts bestimmt. Eine solche Fahrt ist indessen überaus langsam, und wird daher auch nicht leicht von Reisenden gewählt. Sie dient eigentlich auch nur zur Versendung der Waaren, vornehmlich des Salzes, das in ungeheurer Menge aus Bayern nach Schwaben kommt; oder zum Transport des Mehls oder Habers, (was in Kriegszeiten gewöhnlich der Fall ist,) oder des Kupfers und Weines, wenn diese aus Ungarn ausgeführt werden dürfen, oder auch der Passauer Kochhäfen und Tiegel, welche in Schwaben häufigen Abgang finden. Ein solches Schiff braucht von Wien bis Regensburg 6–8 und von Regensburg bis Ulm 2–3 Wochen. Die Ruder auf demselben sind zu nichts als zum Steuern nütze; das Schiff selbst muß, je nachdem es groß oder mehr und weniger beladen, und das Wasser hoch oder niedrig ist, von 8–10–12 Pferden an einem dicken Seile aufwärts gezogen werden. Da es leicht geschehen könnte, daß auch das stärkste Seil risse, so ist gewöhnlich noch ein zweites Seil, Afterseil, am Schiffe befestigt, um es vor Unglück zu verwahren. An den Seilen sind die Pferde, eins hinter das andere gespannt; auf ihnen sitzen die Buben (Jodeln), voran reutet ein Knecht mit einer langen Stange in der Hand, um die Tiefe des Wassers zu ergründen. Alle treiben ihre Pferde unter entsetzlichem Schreien und Lärmen an, das schon in einer Entfernung von einer vollen Stunde gehört wird, und lange voraus ihre Ankunft verkündet. Noch schrecklicher wird das Geschrei, wenn ein Pferd fällt, und dieses meistens die ganze Reihe mit sich in Fluß hinabzieht, oder wenn das Seil selbst reißt und kein Afterseil angebracht ist. Alles geräth nun in die größte Verwirrung.

Jetzt rennt das Schiff mit aller Gewalt zurück, und es ist, wenn nicht der Schiffmann die schleunigsten Vorkehrungen treffen kann, in der augenscheinlichsten Gefahr an eine Felsenwand geschleudert, zertrümmert, oder im Abgrund des Flusses begraben zu werden. Doch dergleichen Unglücksfälle sind seit Jahren nicht erlebt worden.

JOSEPH VON EICHENDORFF

(1788–1857)

In der Mitte des Stromes

Wer von Regensburg her auf der Donau hinabgefahren ist, der kennt die herrliche Stelle, welche der Wirbel genannt wird. Hohe Bergschluften umgeben den wunderbaren Ort. In der Mitte des Stromes steht ein seltsam geformter Fels, von dem ein hohes Kreuz trost- und friedenreich in den Sturz und Streit der empörten Wogen hinabschaut. Kein Mensch ist hier zu sehen, kein Vogel singt, nur der Wald von den Bergen und der furchtbare Kreis, der alles Leben in seinen unergründlichen Schlund hinabzieht, rauschen hier seit Jahrhunderten gleichförmig fort. Der Mund des Wirbels öffnet sich von Zeit zu Zeit dunkelblickend, wie das Auge des Todes. Der Mensch fühlt sich auf einmal verlassen in der Gewalt des feindseligen, unbekannten Elements, und das Kreuz auf dem Felsen tritt hier in seiner heiligsten und größten Bedeutung hervor. Alle wurden bei diesem Anblicke still und atmeten tief über dem Wellenrauschen. Hier bog plötzlich ein anderes fremdes Schiff, das sie lange in weiter Entfernung verfolgt hatte, hinter ihnen um die Felsenecke. Eine hohe, junge, weibliche Gestalt stand ganz vorn auf dem Verdecke und sah unverwandt in den Wirbel hinab. Die Studenten waren von der plötzlichen Erscheinung in dieser dunkelgrünen Öde überrascht und brachen einmütig in ein freudiges Hurra aus, daß es weit an den Bergen hinunterschallte. Da sah das Mädchen auf einmal auf, und ihre Augen begegneten Friedrichs Blicken. Er fuhr innerlichst zusammen. Denn es war, als deckten ihre Blicke plötzlich eine neue Welt von blühender Wunderpracht, uralten Erinnerungen und niegekannten Wünschen in seinem Herzen auf. Er stand lange in ihrem Anblick versunken, und bemerkte kaum, wie indes der Strom nun wieder ruhiger geworden war und zu beiden Seiten schöne Schlösser, Dörfer und Wiesen vorüberflogen, aus denen der Wind das Geläute weidender Herden herüberwehte.

ALBERT MÜHLDORFER

(∗ 1952)

Donauausbau

D Donau is z eng
Ausbaua wolln s e s.

Aus da landschaft
Oda was?

I konn s ma ned vorstöilln
Bei dem gwicht und der läng.

JOSEF ANSELM PANGKOFER

(1804–1854)

Die Wahl des Standplatzes der Walhalla

Die Wahl des Standplatzes der Walhalla hatte weiser
Bedacht entschieden; die Künste an Vorschöpfungen
erstarkt und erprobt, fühlten des hohen Werkes sich
mächtig; der Meisterbund stund zusammen und harrte
des schöpferischen Winkes, – da sah die altehrwür-
dige Donaustadt das Fest der Grundsteinsenkung in
granitene Urvesten, sein Jubel hallte durch Deutschland wieder, und zwölf Jahre lang war es männiglich
gegönnt, das rüstige, einträchtige Schaffen der Künste
und Gewerke am werdenden Baumal zu bewundern,
bis jüngst der schützende Mantel niedersank und das
Prächtigvollendete in den Lüften der deutschen Sonne
glänzte, den Triumph der Weihe gewärtigend am Jahres-
tage der deutschen Befreiungsschlacht.

ROBERT BLACHFORD MANSFIELD

(1824–1908)

Der Fluß windet sich

Wir setzten unseren Weg fort, zu unserer Linken die
Hügel des Böhmerwaldes – manchmal ganz nahe am
Fluß, bisweilen auch etwas davon entfernt – und zu

unserer Rechten eine weite, fruchtbare Ebene, die sich bis an den Fuß der Alpen erstreckt. Der Fluß windet sich in einer höchst bemerkenswerten, für den Schiffer ziemlich enervierenden Art und Weise. Einmal glaubten wir, der Stadt Straubing schon ziemlich nahe zu sein, dann aber waren wir wieder weit davon entfernt, einmal schien sie auf der rechten, dann wieder auf der linken Flußseite zu liegen. Aber ich glaube, daß uns diese Mäander vor einer bösen, naßkalten Überraschung bewahrten, denn ein Gewitter verfolgte uns: Einmal gerieten wir unter die ersten schwarzen Wolken und bekamen einige Regentropfen zu spüren, dann aber entfernten wir uns, dem Flußlauf folgend, von dem Unwetter und erreichten so trockenen Fußes Straubing.

Ursprünglich floß die Donau nicht unterhalb der Stadtmauern entlang, aber 1480 gaben die Einwohner der Stadt durch Dammbauten am alten Flußbett dem Flußlauf seine jetzige Gestalt. Man sagt auch, sie hätten die Donau »umgepflügt«, und so trägt die Stadt auch einen Pflug in ihrem Wappen. Auch an diesem Ort befindet sich eine alte Steinbrücke, die der Schiffahrt hinderlich ist, und auch hier machen Stromschnellen das Passieren der Brücke schwierig (ähnlich wie in Regensburg), allerdings gibt es hier keine weiteren Befestigungen, Piloten oder Untiefen, sodaß wir das Stück ohne Probleme befahren konnten.

Mit dieser Brücke ist die traurige Geschichte der Agnes Bernauer untrennbar verknüpft: Albert, der Sohn Herzog Ernsts von Bayern, vermählte sich heimlich mit der schönen Agnes, einem Mädchen von niederem Stand. Als dies seinem Vater zu Ohren kam, ließ er Agnes in Abwesenheit ihres Gatten ergreifen und von dieser Brücke werfen. Es gelang ihr aber, sich ans Ufer zu retten. Ein Bösewicht jedoch zog sie an ihren Haaren unter Wasser und hielt sie so lange fest, bis sie ertrank.

Sie wurde unweit dieses Platzes begraben. Hier in Straubing – wie auch an einigen anderen Orten – wurden wir für Ungarn gehalten. Auch im Jahr zuvor, als wir den Rhein befuhren, war es uns so ergangen. Wir waren sehr verblüfft und versuchten, die Gründe für diese Verwechslung zu erforschen. Vielleicht liegt es an der großen Ähnlichkeit der Kleidung ungarischer Edelleute mit der unseren in England.

SIGMUND VON BIRKEN

(1626–1681)

Hierauf folget an ihrem Gestaade die schoene Stadt Straubingen

Hierauf folget an ihrem Gestaade die schoene Stadt Straubingen der Roemer Serviodurum: Worunter die Aiterach / zur Lincken aber die Kinnsach und Mannach / sich in die Donau verlieren. Zwischen diesen beyden Flüßlein / ligt an der Donau das beruehmte Kloster Ober-Altaich; und beym Einfluß der Mannach / das alte Schloß und Marckt Pogen / allwo vor uralters beruehmte Graven diß Namens gesessen / so aber schon laengst abgestorben. Zur Rechten folgt das Schloß und Marckt Natterburg / gegenueber die Stadt Deckendorff / und weiter hinab das Kloster Nieder-Altaich.

Gegen Deckendorff ueber / zur Rechten verschwestert sich abermals mit der Donau ein großer Strom / die Iser / vorzeiten Hargus genannt. Dieser Fluß entspringet oben in den Tyroler Alpen / nicht ferne von Insbruck / und nimmt zu sich die Loysa / die Mosach bey der Bischoffl. Stadt Freysingen die Sempta / u. bey Mosburg die Amber / welcher nicht kleiner Strom dem Amber See / durch den er fliesset / allwo vorzeiten die edlen Graven von Andechs / Diesen und Amergau gesessen / seinen Namen giebet / folgends die Wirm / die ihr der Wirm See sendet / die Glon / und andere / die er der Donau mitbringet.

WALTHER ZEITLER / ERICH WURM

(2001)

Frühe Erinnerungen an die Überfuhr

Meine frühesten Kindheitserinnerungen hängen alle mit der Fischerei und der Überfuhr zusammen. Mit zwölf Jahren bin ich erstmals allein übergefahren. Für die Überfuhr hatte unser Vater meist einen eigenen Überführer engagiert. Da er von früh um 5 Uhr bis abends etwa um 23 Uhr immer einsatzfähig sein musste, schlief er bei uns im Obergeschoss in einem kleinen Kammerl. Wenn er da am Abend schon eingeschlafen war und plötzlich ertönte der Ruf »Überfahrn« oder »Überführer« und er wurde auch endlich wach, dann gab es immer ein kräftiges Geschimpfe und Gefluche. »Bluatsakra, wer kimmt denn da no«, und dann polterte der Überführer die Holztreppe hinunter und ging fluchend zur Überfuhr.

War aber von den Erwachsenen einmal keiner greifbar, so musste ich und später auch mein Bruder als Überführer einspringen. Wir hatten natürlich alle Handgriffe heraus und wussten genau, wie das Überfahren vor sich ging, aber es war halt verboten, dass wir Kinder Personen oder gar Fahrzeuge über die Donau setzten. Es gingen auch des Öfteren Beschwerden ein, dass die Fähre von Buben gefahren wird. Doch meine Eltern redeten sich immer wieder mit dem Argument heraus, dass die Leute so sehr gedrängt hätten und nicht hätten warten wollen.

Nicht jeder Überführer entsprach auch den Erwartungen, welche mein Vater an sie stellte. Ich erinnere mich an einen Mann namens Geith aus Fahrndorf. Der war öfter als Aushilfe da. War da eine längere Pause abzusehen, so legte er sich auf ein Bankerl bei der Überfuhr und trank langsam, Schluck um Schluck, seine Literflasche Bier, welche damals noch von der Irlbacher Brauerei angeliefert wurde. Das waren große Flaschen mit einem Bügelverschluss. So hatte er manchmal viel getrunken und er pöbelte die Frauen an. Da musste ihn der Vater ausstellen.

LUDWIG BOWITSCH

(1818–1881)

Der Natternfels

Am linken Ufer der Donau unterhalb Straubing ragt
ein ungeheurer Granitblock empor, der auf seinem
Scheitel die Ruinen der einst gewaltigen Burg »Bogen«
trägt.

Am Fuße des Berges liegt das uralte Kloster Metten.

Im achten Jahrhunderte hatte das Christenthum
den zerstreuten Bewohnern jener Gegend die ersten
Segnungen zu bieten begonnen. Große Verdienste
erwarb sich ein edler Held, Gammelbert geheißen,
der, nachdem er Schwert und Panzer abgelegt hatte,
in härener Kleidung mit dem Kreuze in der Hand die
Lehre des Heils verkündete. Sein Adoptivsohn und
Schüler Utho setzte das in Angriff genommene Werk
rüstig fort und erbaute um das Jahr 800 mit Genehmigung Kaiser Karl des Großen das Kloster Metten.

Eine halbe Wegesstunde von diesem Kloster entfernt breitet sich das Städtlein Deggendorf aus.

Dieses Städtleins Einwohner richteten ihr Leben
streng nach den Ermahnungen und Lehren der frommen
Mönche ein und galten bald im ganzen Baierlande als
mustergiltige Vorbilder der Ehrbarkeit und Jugend.

Darob brütete der »Böse« auf Rache und Verderben.

Er suchte den Einen oder den Anderen, der da
schwankte, zum Abfall vom Glauben zu bewegen und
bediente sich des Verführten zur Lobpreisung der
Sünde und Verhöhnung des göttlichen Willens.

Er weckte die Hoffart und Eitelkeit in den Seelen der Weiber und meinte durch ruchlose Jungfrauen dem Gnadenwerke der Erlösung den Todesstoß zu geben.

Die Deggendorfer waren nicht so leicht dem Himmel abwendig zu machen. Sie hielten gekräftigt durch die salbungsvollen Worte der Mönche über die räudigen Schafe in ihrer Mitte ein strenges Gericht und brachten statt dem Erzfeinde der Menschheit die Freude eines gemeinsamen Abfalls vom heiligen Bunde zu bereiten, selbst die einzelnen Gefallenen wieder in den Schooß der Kirche zurück.

Da kam der Böse die ganze Gegend mit einem Schlage zu vernichten. Er holte aus Welschland einen riesigen Felsblock und trug ihn auf seinen schwarzen Flügeln gegen Deggendorf hin. Da erscholl vom Kloster das Glockengeläute zur Frühmesse und der Stein entglitt machtlos den Klauen des Höllenfürsten.

Der aber ward von jener Stunde ab der »Natternberg« genannt.

Später erbauten auf seinem Gipfel die Herren von Bogen ihr ritterlich Schloß. Dieses ist vergangen im Laufe der Zeiten, aber das Kloster in der Tiefe grüßt noch heute den Wanderer und erquickt seine Seele mit dem Zauber eines wundersamen heiligen Friedens.

RUDOLPH E. VON JENNY

(1822)

Hinter Deggendorf vereiniget sich mit der Donau

Hinter Deggendorf vereiniget sich mit der Donau die, aus einem Labyrinthe von Inseln und Auen hervortretende Isar. Man sieht hier zwischen den Auen den Thurm des großen Marktes Plattling hervorragen. Unter der Brücke, die in der Nähe dieses Ortes über die Isar führt, verbinden die Münchner Floßmeister, die jeden Montag von München nach Wien fahren, und Mittwochs oder Donnerstags gewöhnlich hier ankommen, ihre einzelnen Flöße zu einem großen Floß, auf welchem man bequem herumspatzieren und demnach viel angenehmer als auf einem Ordinari-Schiffe reisen kann.

JOHANN GEORG KOHL

(1808–1878)

Hier an der Mündung bei Passau

Hier an der Mündung bei Passau scheint nämlich für die selbe Meinung der »merkwürdige« Umstand zu sprechen, daß es daselbst so aussieht, als ob nicht die Donau den Inn, sondern umgekehrt, als ob der Inn die

Donau in sich aufnähme und sie verschlänge. – Der Inn stürzt hier ziemlich heftig aus seiner breiten Mündung hervor, und bringt meistens ein Gewässer mit sich, das für gewöhnlich trüber ist als das der Donau und eine milchige Farbe besitzt, während die Donau etwas klarer und grünlicher erscheint.

Bei jenem äußersten Punct der Passauer Halbinsel, von dem ich sagte, daß er »der Ort« heiße, zieht sich dies trübe Inngewässer vorüber und dringt in die Donau, durch die es etwas aus seiner Richtung zur Seite geschoben wird, hinein. Der Inn scheint jedoch mächtiger zu sein und die Donau kann sein trübes Gewässer nicht völlig auf die Seite schieben. Vielmehr geht dieses in einer schrägen wirbelnden Linie – gleichsam der Linie des Kampfes und Ringens beider Ströme – quer durch die Donau hindurch, schmälert den Donauwasserstreifen immer mehr ab, bis sie sich an das gegenüberliegende Ufer anschließt. Alles Donauwasser scheint nun die Farbe des Inn angenommen, der Inn scheint die Verschlingung der Donau vollendet zu haben, und es sieht so aus, als wenn die Donau zum Inn geworden sei. Ich sage, »es scheint so«, wenn man bloß die gewöhnlichen Vorgänge auf der Oberfläche bei Passau betrachtet. Eine andere Frage ist es, ob dem wirklich so ist.

NIBELUNGENLIED

(nach 1200)

In der stat ze Pazzouwe

In der stat ze Pazzouwe saz ein bischof,
die berge wurden lœre unt ouch des fuersten hof:
sie îlten balde ûf in Beier lant,
dâ der bischof Pilgerin die schœnen Krimhilte vant.

Den recken von dem lande was dô niht ze leit,
dô si ir volgen sâhen sô manege schœne meit,
dâ trûte man mit ougen der edelen riter kint,
guote herberge gap man den gesten allen sint.

CLAUDIO MAGRIS

(∗ 1939)

Passau liegt am Zusammenfluß dreier Flüsse

Passau liegt am Zusammenfluß dreier Flüsse: der
Donau, des Inn mit seinem blauen und der Ilz mit
ihrem schwarzen Wasser und ihren Perlen, die Stadt
ist ein einziges Ufer, ein Gestade, sie schwimmt auf
dem Wasser, sie fließt mit dem Wasser. Der Himmel
ist kornblumenblau, das Licht der Flüsse und des
Hügels verschmilzt freudig und glanzvoll mit dem
Gold und dem fleischfarbenen Marmor der Paläste

und der Kirchen, das Weiß des Schnees, der Wald-
geruch und die Frische des Wassers verleihen der
episkopalen und aristokratischen Großartigkeit der
Gebäude eine zarte nostalgische Anmut, sie umgeben
die runde geschlossene Linie der Kuppeln und der
Straßen, die unter Arkaden und Vorbauten verlaufen,
mit einer Aura der Ferne.

In Passau dominiert das Runde, die Kurve, die
Kugel, ein in sich abgeschlossener Kosmos, ein sphä-
rischer Körper, der von der Bischofsmütze bedeckt
und beschützt wird. Die Schönheit der Stadt ist die
einer reifen Frau, die behagliche und konziliante
Verführung des Endlichen. Die Kurve der Kuppel löst
sich jedoch in die mütterliche Biegung des Ufers auf,
geht in die der Wellen über, die sich auflösen und
entschwinden; die Ungreifbarkeit und Leichtigkeit
des Wassers läßt den Prunk der Kirchen und Paläste
luftig und schwerelos erscheinen, rätselhaft, fern und
unwirklich wie ein Schloß am abendlichen Horizont.

Passau ist eine Stadt des Wassers; die barocke
Majestät seiner Kuppeln kommt jener Flüchtigkeit
entgegen, dem Vorbeifließen der verschieden gefärbten Gewässer und aller Dinge, eine Vergänglichkeit,
die die geheime Inspiration jeder Barockkunst ist.
Der Zusammenfluß jener drei Flüsse vermittelt etwas
von der Freiheit des Meeres, des Südens, lädt dazu
ein, sich dem Fluß des Lebens und seiner Begierden
zu überlassen; das klare Profil der Formen, der Friese
über den Portalen oder der Statuen auf den Plätzen
evoziert die Liebesgöttinnen und die Najaden, die
unvermittelt aus dem Schaum aufzutauchen scheinen,
vereint sich mit dem Wasser wie die Brunnenfiguren,

die das Wasser in dünnen Strahlen in das Becken werfen.

In Passau fühlt der Reisende, daß das Fließen des Wassers Sehnsucht nach dem Meer bedeutet, Verlangen nach der Glückseligkeit der offenen See. Jenes Gefühl der Lebensfülle, jenes Geschenk der Endorphine und des Blutdrucks oder irgendeines vom Gehirn freundlicherweise abgesonderten Sekrets – habe ich es wirklich auf den Gassen und Uferwegen von Passau verspürt, oder glaube ich nur, derartige Empfindungen gehabt zu haben, weil ich sie jetzt an einem der kleinen Tische im Café San Marco zu beschreiben versuche? Wahrscheinlich erfindet und fingiert man jede Glückseligkeit nur auf dem Papier. Vielleicht vermag das Schreiben der absoluten Trostlosigkeit, dem Nichts des Lebens, jenen Augenblicken, in denen es nur Leere, Mangel, Schrecken gibt, nicht wahrhaft Ausdruck zu verleihen. Allein die Tatsache, daß man darüber schreibt, füllt in gewisser Weise jene Leere wieder auf, gibt ihr eine Form, macht den Schrecken mitteilbar und triumphiert über ihn – und sei es auch nur um ein weniges. Es gibt großartige Verse in manchen Tragödien, aber für den, der sterben will oder muß, klängen in dem Moment, da er stirbt, selbst diese großartigen, schmerzerfüllten Verse allzu erhaben und dem Schmerz dieses Augenblicks entsetzlich unangemessen.

MARGARETE LORENZ-PREUER

(1905–1985)

An der äußersten Spitze der Halbinsel

An der äußersten Spitze der Halbinsel, auf der Passau
liegt, stand ein junger, kräftiger Mann und sah in das
Zusammenströmen des Inns und der Donau. Zu seinen
Füßen wallte und schäumte der wilde grüne Inn, und
die milderen Wellen der metallgrauen Donau ergaben
sich still und allmählich darein, und nicht gar weit
stromab war aus dem Doppelwesen schon ein geeintes,
großes Strömen geworden.

Der Mann setzte sich auf eine der freundlichen, zur
Rast einladenden Bänke und beschloß, dem Strömen
zuzusehen, bis die Sonne unterging. Es war Sommer,
und er hatte seine Studien der Erdgeschichte und der
Biologie beendet. Es dünkte ihn gut, einmal von dem
schweifenden Kreisen der Jugend abzulassen und
sich der Gewißheit eines Weges anzuvertrauen, einmal tastend, im Spiele. Er sah in den Wellen eine
Stelle, wo sich ein Schwall bildete. Das immer erneute
Zusammenprallen bestimmter kleiner Strömungen
rief stets dieselbe Form hervor. Mitten im Gleiten des
flüchtigen Elementes bildete sich ein Festes, eine
Gestalt, ungreifbar und vergänglich, und doch mit
dem Beharren eines eingerammten Pfahles.

Die Augen des Mannes konnten nicht los von dieser
Stelle. Der scheinbar unbeirrbare Formwille im An-
rollen der Welle und im sachten Vergleiten und das
doch leise Abgehen davon, das die Unmerklichkeit

der Uhrzeigerbewegung an sich hatte, fesselte ihn. Das Rätsel des Stoffes und das Geheimnis der Schönheit faßten ihn an, wie schon oft, seit er Martha kannte.

JONATHAN DAVID WEINERT

(∗ 1986)

Die Donau bin ich

Die Donau hat sie verschluckt. Und sie ist nicht wieder aufgetaucht.

Alle haben nach ihr gesucht; bettelnd haben sie zum Himmel emporgeblickt. Aber es gab kein Zeichen. Und kein Wunder.

Luise war ihr Name. Luise Habicht, die wie ein Stein von der Brücke gefallen war.

Auf der Brücke stehen jetzt abgebrannte Kerzen – abgebrannte Hoffnung. Welke und verblichene Fotos von ihr kleben am kupfernen Geländer der kleinen Brücke. Jeder der vorbeigeht, sieht ihr Lächeln, das blonde Haar, das ihr ins Gesicht hing. Die blauen Augen. Einen Abschiedsbrief gab es nicht; die Öffentlichkeit spekulierte, die Freunde verzweifelten, die Eltern begruben einen leeren Sarg und verstanden nicht, warum.

Aus der Ferne sah ich die Trauergesellschaft am Grabe stehen. Die Vögel zwitscherten boshaft fröhlich. Ein alter Mann ging am Stock und weinte zum Himmel. Luises alter Vater. Es war komisch, aber sein letzter Halt war ein Holzstock, etwas Weltliches, etwas, das keinen Halt geben kann. Ihre Mutter wäre beinahe kollabiert, aber der Priester konnte sie noch auffangen. Man fuhr sie im Taxi weg, ohne ihren Mann. Die Presse blitzte die Narben wund. Eine Frau kreischte – die Schwester.

Die schwarze Soutane des Priesters wedelte verloren im Wind. Er stand alleine da und sprach ein letztes Gebet. Für Leute, die er nie persönlich kennengelernt hatte.

Ich ging nach Hause, kaufte mir auf dem Weg etwas zu essen und freute mich über die wärmende Sonne auf meiner Haut. Mir ging es gut.

Es platschte; die Donau hatte ihren Mund geöffnet, Zähne gezeigt und geschluckt. Ein dumpfes Geräusch, wie ich fand. Ein magisches Geräusch. Das Mondlicht hatte in den kleinen Wellen geschimmert. Die Nacht war lau gewesen und ab und an hörte ich ein Bellen aus der Ferne, vereinzelt ein Lachen, aber immer das Säuseln des Flusses. Das Flüstern.

Das hohe Klackern ihrer Schuhe machte mich auf sie aufmerksam. In der Mitte der Brücke stand sie und blickte zu den Sternen. Ich glaube, sie hat gelächelt. Habe ich ihr letztes Lächeln gesehen? Nicht ihre Freunde, die Familie oder der heimliche Lover? Nur ich und ich ganz alleine?

Sie fiel. Und ich hatte sie fallen gelassen. Gestoßen. Ein Zufall. Ich kannte sie gar nicht.

Die Donau hat sie verschluckt. Wer sonst?

SALOMON HERMANN RITTER VON MOSENTHAL

(1876)

Die Donau spricht

Die Donau spricht: Ich war ein schwaches Kind,
Karg nährten mich des Schwarzwalds Mutterbrüste,
Leichtsinnig lief ich fort, wie Kinder sind,
Nach Osten zog mich sehnendes Gelüste,
Das alte Ulm mit seinem hohen Dom
Gab mir die Taufe und nun hiess ich: Strom.
Ein kräftig Mägdlein, wie sie Baiern nährt,
Zog ich von dannen weiter immer weiter!
Mein Herz blieb ruhig noch und unversehrt,
Der Lech war mir gleichgiltiger Begleiter.
An Lieb' und Ehe dachte nicht mein Sinn:
Da kam der schmucke Alpensohn: Der Inn!

FRANZ GRILLPARZER

(1791–1872)

Vom Silberband der Donau rings umwunden

Er ist ein guter Herr, es ist ein gutes Land,
Wohl wert, daß sich ein Fürst sein unterwinde!
Schaut rings umher, wohin der Blick sich wendet,
Wo habt ihr dessengleichen schon gesehen?
Lacht's wie dem Bräutigam die Braut entgegen!

Mit hellem Wiesengrün und Saatengold
Von Lein und Safran gelb und blau gestickt,
Von Blumen süß durchwürzt und edlem Kraut,
Schweift es in breitgestreckten Tälern hin –
Ein voller Blumenstrauß so weit es reicht,
Vom Silberband der Donau rings umwunden!
Hebt sich's empor zu Hügeln voller Wein,
Wo auf und auf die goldne Traube hängt
Und schwellend reift in Gottes Sonnenglanze;
Der dunkle Wald voll Jagdlust krönt das Ganze.
Und Gottes lauer Hauch schwebt drüber hin
Und wärmt und reift und macht die Pulse schlagen,
Wie nie ein Puls auf kalten Steppen schlägt.
Drum ist der Österreicher froh und frank,
Trägt seinen Fehl, trägt offen seine Freuden,
Beneidet nicht, läßt lieber sich beneiden!
Und was er tut, ist frohen Muts getan.
's ist möglich, daß in Sachsen und beim Rhein
Es Leute gibt, die mehr in Büchern lasen;
Allein, was not tut und was Gott gefällt,
Der klare Blick, der offne, richt'ge Sinn,
Da tritt der Österreicher hin vor jeden,
Denkt sich sein Teil und läßt die anderen reden!
O gutes Land! O Vaterland! Inmitten
Dem Kind Italien und dem Manne Deutschland,
Liegst du, der wangenrote Jüngling, da:
Erhalte Gott dir deinen Jugendsinn
Und mache gut, was andere verdarben.

ANONYMUS

(1818)

Unter den Säugthieren

Unter den Säugthieren, die an diesem Flusse leben, sind der Fischotter und der Biber zu merken. Jener ist ein gefährlicher Räuber für alle Arten von Fischen, über 2 Fuß lang, und mit glänzend gelblich und kastanienbraunen Haaren bedeckt. Sein Fleisch ist eine gute Fastenspeise, und sein Balg dient als vortrefliches Pelzwerk. Dieser, der Biber, der eben so groß ist, und noch feinere braune Haare hat, wird nur äußerst selten noch im Oestreichischen angetroffen. Ehemals war er häufiger an der Donau, er scheint die Ufer dieses Flusses gänzlich verlassen zu wollen, weil es ihm an demselben zu unruhig und lärmend ist.

AUGUST GRAF VON PLATEN

(1796–1835)

Schneiderburg

Ein Schneider flink mit der Ziege sein
Behauste den Krempenstein,
Sah oft von felsiger Schwelle
Hinab zu der Donauwelle,
In reißende Wirbel hinein.

So saß er oft und so sang er dabei:
»Wie leb' ich sorgenfrei!
Meine Ziege, die nährt und letzt mich,
Manch Liedchen klingt und ergetzt mich,
Fährt unten ein Schiffer vorbei!«

Doch ach, die Ziege, sie starb und ihr
Rief nach er: »Wehe mir!
So wirst du mich nicht mehr laben,
So muß ich dich hier begraben,
Im Bette der Donau hier?«

Doch als er sie schleudern will hinein,
Verwickelt, o Todespein!
Ihr Horn sich ihm in die Kleider:
Nun liegen Zieg' und Schneider
Tief unter dem Krempenstein!

MANFRED HORVATH

(∗ 1962)

Stationen am Strom
Notizen von 19 Reisen zur Donau, geographisch gereiht nach Flußverlauf

Schwarzwald. Brigach-Quelle im Keller des Bauern-
hofes. Umleitung in den Garten wegen Schaulustiger:
Schwäbische Alb. Pater Pförtner von Beuron war
Schauspieler in Wien.

Ulm, Schwörmontag. Unangenehmes Brückengeländer, Ausrüstung absturzgefährdet. Isar-Mündung. Wasserratten beobachtet. Süßwassermuscheln auf Sandbank. Niederranna, Zillenbauer. Moos zum Abdichten der Boote wird am Dachboden gelagert. Schlögener Schlinge. Harziger Geruch nach Latschen oder Föhren.

Spitz, Sonnenwende. Vergnügungsschiffe kreuzen vor Tausendeimerberg.

Friedhof der Namenlosen, Allerseelentag. Begleitung des schwimmenden Sarges im Rettungsboot bis außer Sicht der Zuschauer. Einsammeln der Grablichter für das nächste Jahr.

Alberner Hafen, Eisbrecher »Eisvogel«. Minus zwölf Grad. Lederhandschuhe vergessen, ausgeborgte Wollhandschuhe fusseln. March-Mündung. Hochwasser ist versickert. Wathose schützt vor Gelsen.

Bratislava. An rostigem Blech Schienbein verletzt beim Fotografieren des slowakischen Kapitäns.

Donauknie. Stativ stürzt um. Kamera-Reparaturkosten würden Neuwert übersteigen.

Budapest, Staatsfeiertag. Soldaten sperren Zitadelle ab. In Zelten lagern Feuerwerksraketen.

Bugac-Puszta. Gänsestopfen mit motorbetriebenem Trichter. Am nächsten Morgen fällt Schnee.

Belgrad. Fernsehfernbedienung in Plastikfolie verschweißt.

Eisernes Tor. Verhaftung durch Grenzpatrouille, Paßkontrolle in Kaserne.

Ruse. Überqueren der Donaubrücke Rumänien-Bulgarien zu Fuß nicht erlaubt. Alle Fahrzeuge müssen

Desinfektionsbad passieren. Mitfahrt mit Zigaretten-
schmuggler-Pärchen.

Sfintu Gheorghe, Schwarzes Meer. Tante Maria ru-
dert über die Donau zum Gemüsegarten.

ROBERT BLACHFORD MANSFIELD

(1824–1908)

Die Strömung der Donau

Die Strömung der Donau ist sehr stark und birgt an
manchen Stellen – besonders zwischen Vilshofen und
Aschach und in der Nähe von Strudel und Wirbel viele
Gefahren in sich. An den breiteren Stellen türmen
sich bei starkem Wind schaumgekrönte Wellen wie
auf hoher See zu beträchtlicher Höhe. Wir lernten die
Besonderheiten des Stromes nach und nach kennen.
Hätten wir sie alle auf einmal zu bewältigen gehabt,
hätten wir bestimmt gezögert, uns in dieses Abenteuer
zu stürzen. Wir waren bald mit unserem Boot, seinen
Möglichkeiten und Eigenarten vertraut und fanden
heraus, daß wir, sofern wir ruhig saßen, kräftig und
gleichmäßig ruderten und vorsichtig steuerten, all die
sogenannten Gefahren der Donau vollkommen sicher
bewältigen konnten. Die Untiefen zwischen den Inseln waren für uns viel schwieriger zu passieren als
alle anderen Stellen, um die die Einheimischen ob
ihrer Gefährlichkeit so viel Aufsehens machten. Wir
mußten mehrmals aus unserem Boot springen, weil

wir auf Grund liefen und wir verhindern wollten, daß es dabei leck geschlagen würde.

Das Wasser der Donau erzeugt ein ständiges Zischen oder Säuseln, ähnlich jenem Geräusch, das man wahrnimmt, wenn man das Ohr über ein mit frisch eingeschenktem Sodawasser gefülltes Glas hält, nur entsprechend lauter eben.

Wir bemerkten dies zum ersten Male in Passau kurz nach der Einmündung des Inns, und wir dachten zunächst, bloß das Säuseln des Windes zu vernehmen, aber da es nicht endete, auch wenn keine Bäume in der Nähe waren, mußten wir schließlich zur Überzeugung gelangen, daß das Geräusch einzig und allein vom Wasser ausgehe. Wir konnten dies auf einem Großteil unserer Reise beobachten, allerdings nur bis Pressburg.

FRANZ TUMLER

(1912–1998)

Mit welcher Kraft sie hinkommt

Und mich fragte wie sie aufhört und wie sie es
                                        aushält
solange
mit welcher Kraft sie hinkommt
hier den Granit durchbohrt den Schotter heranhäuft
und sich als wäre sie selber ein Fisch Glasfisch
                                        Diamantfisch
hineinsägt mit Gräten in das alte Gestein

und mir antwortete daß es nur der Name ist: Donau
eine Art Ausdauer Gewöhnung unscheinbare Kraft
mit der sie aus ihrem Wiesen-Anfang kindlich lange
geht

nicht wie die Flüsse aus dem Gebirge: der Inn den sie
aufnimmt
der Rhein zu dem sie etwas hinüberschickt
sich vom Eis loskämpft

aber nach einer Täuschung von Spiel zwischen
Waldblumen
und Wiesen und weißen schönen Felsen
und nach Brücken schon und Städten mit
Domglocken und
Zimmerleutegeräusch als wäre sie ein häuslicher
Fluß
ihre Richtung durchsägt

für kurze Strecken solcher Durchbrüche: hinter
Passau
oberhalb Linz in der Wachau
an der Klosterneuburger Pforte der Thebener Pforte
die auch Ungarische Pforte heißt
und zuletzt am Eisernen Tor –

ERNST WALDINGER

(1896–1970)

Zwischen Hudson und Donau

Wie die Giganten der Vorwelt, Gewässer, geht ihr
dahin
hier,
Fühllos, wie Blut durchs Geäder einherläuft,
und nährt doch
die Nerven.
Hebt doch den Hammer des Herzens und gärt voll von
Unrast und Sehnsucht;
Wellengewaltige Väter des Lebens, so rollt ihr dahin
hier,
Breit in der Mündung, ihr Wale von Flüssen,
Feuchtigkeit
atmend,
Murmelnd, Columbia River, du, Hudson, und du,
Mississippi,
Bleigraue, wandellose Gelassenheit, wälzt ihr euch
seewärts.
Aber seid ihr nicht das Herzblut der Erde,
pumpt ihr die
Kraft nicht
In diese Schlote, die reihnweise fauchend die Ufer
begleiten?
Fährendurchglittene, tragt ihr die Schlepper nicht?
Hoch
über euch hin
Schwebt, in gebändigter Wucht erbebend,
das Wunder der

Brücken
Schlanker im Silbergestäng; es spiegeln die Türme der
Städte
Riesig mit schwankenden Schatten sich plump in
euch,
mittagsvergoldet,
Fangen mit tausenden funkelnden Fenstern den
purpurnen
Abend,
Daß mit der Glut, die im Wogenschoß schmilzt,
sich der
Widerschein gattet.

Mächtige Ströme Amerikas, Väter des mächtigen
Reiches,
Das uns die Herberge bot, und das unsre Kinder nun
großzieht,
Mitten im Binnenland führt ihr die Ahnung des
Ozeans mit
euch,
Wie die Prärie sogar selbst dem unendlichen Ozean
ähnelt.

Aber ich seh meiner Heimat legendenumwitterten
Strom
noch,
Einsam von Auen umkränzt, von den Erlengebüschen
und
Weiden;
Und von den Hängen, aus wehenden Reben,
aus schwärzlichem Weinlaub,
Quellen im Herbste die Trauben; es blicken herab
von den

Hügeln
Wälderumrauschte Ruinen und Burgen und
                                strotzende Stifte,
Kuppelgekrönt; stehn bestaubt von der Straße,
                                die Hütten
der Bauern,
Wie schon seit Ahnenzeit her; hinter grüngestrichenen
Gattern
Brennen die Blumen und strahlen im Astwerk die
                                blonden
Marillen.

Donau, du freundliche Mutter Österreichs,
                                schlingst durchs
Gedächtnis
Du mir den glitzernden Bogen, den zärtlich das
                                Sonnenlicht
streichelt,
Weiblich gewölbt, daß mir ist, als ob ein Heidengott
                                selber
Lächelnd die triefende Lende, die nackte, der Thetis
                                liebkose;
Mutterstrom, wie empfängst du die Töchter doch,
                                gleich
Nereiden,
Eiskalt und klar und geschwätzig, noch reißend von
                                Wildbach und Ache,
Springen sie her von den Alpen, es sänftigt sie
                                mühsam die
Ebne,
Zähmt sie die trächtige Flur, die dein mildes
                                Mutteraug'

segnet,
Das auch dem Wandrer noch nachblickt, obwohl er

dich

längst schon verlassen.

JOHANN HERMANN DIELHELM

(1711–1784)

Dieses Engelhardszell

Dieses Engelhardszell ist ein landsfürstlicher ober-
ennsischer Marktflecken und Mautamt, liegt 2 Meilen
von Passau, und besteht nur aus einer langen Gasse.
Nicht weit davon liegt das Bernhardinermoenchs-
kloster Engelhardszell in einem anmuthigen einsamen
Thal, davon der Flecken den Namen hat. Diese Abtey
hat Bernhard von Brombach, Bischof zu Bamberg, im
Jahr 1293 gestiftet. Ein jeweiliger Abbt hat auf den
oberösterreichischen Landtaegen Sitz und Stimme.
Im Jahr 1699 auf den ersten Ostertag brannte diese
Abtey voellig ab, ward aber nachgehends viel schoener
und besser wieder aufgebaut.

Bey diesem Flecken ist der Donaustrom gesperrt.
Die Sperrmaschine besteht eigentlich aus verschiedenen, mit Ringen an einander gehaengten großen
beweglichen Balken, welche vermittelst einer eisernen
Kette ueber den allda ziemlich breiten Donaustrom
gezogen werden. Sie ist verschiedentlich verbessert
worden, und soll eine ungeheure große Summa Gelds

gekostet haben, aber gleichwohl ihrem Zwecke nicht entsprechen, wie man in Oesterreich selbst sagt. Die Passauer Schwaerzer oder Schleichhaendler sollen oefters Mittel gefunden haben, ihre Schifgen ueber den Baum wegzubringen, ja sogar einmal den Baum entzwey gesaeget haben, welches, wenn es sonst moeglich ist, um desto sicherer geschehen, weil die bey den Ufern stehende Posten von Soldaten, wegen der weiten Entfernung, und bey dem bestaendigen Rauschen des Wassers, selten genau hoeren koennen, was in der Mitte vorgehet. An diesem Orte werden von den Mautofficieren allen fremden Passagieren ihre Sache ganz genau visitiert, ob keine confiscirte Waaren sich darunter befinden.

ROBERT BLACHFORD MANSFIELD

(1824–1908)

Unterhalb von Engelhartszell

Unterhalb von Engelhartszell liegen auf dem linken Ufer der Reihe nach die Schlösser von Rana Riedl, Marsbach und Hayenbach oder Kirschbaum. Die Szenerie nimmt an eindrucksvollem Reiz von Minute zu Minute zu. Der beeindruckendste Teil erschien uns die große Schlinge, die der Fluß bei Schlägen nimmt, wo er beinahe in die entgegengesetzte Richtung zurückfließt. Hier erheben sich Bergrücken tausend Fuß hoch vom Flußufer. Das Wasser um uns schien wie über einem Feuer zu kochen und zu brodeln, und unser Boot wurde tüchtig geschaukelt. Man fühlte sich wie in einem Hundekarren, der von einem galoppierenden Pferd gezogen wird. Dies ist, wie ich dem geneigten Leser versichern kann, schon ein ziemlich eigenartiges Gefühl. Wer einen Bruder hat, der ein solches Gefährt besitzt, sollte ihn bitten, ihm das Vergnügen einer Ausfahrt damit zu bereiten, dann wird er gewiß verstehen, wie wir uns fühlten, als wir um die gefährlichen Kurven und Biegungen der engen Schlucht schaukelten. Plötzlich wurde der Wind stärker, blies uns direkt ins Gesicht, türmte mächtige Wellen auf, sodaß es uns schließlich unmöglich war, unsere Fahrt fortzusetzen. Wir ruderten ans Ufer und warteten eine halbe Stunde lang, bis sich der Sturm etwas gelegt hatte und wir weiterfahren konnten. Murrays Handbuch berichtet, daß die Donau bei dem hübsch gelegenen Ort Ober Mühl auf eine Breite von 76 Fuß eingeengt wird; dies ist selbstverständlich ein Druckfehler, aber auch wenn 76 Yards gemeint sind, kann dies nicht stimmen. Ich bezweifle, daß der Fluß hier schmäler als bei Weltenburg ist, wo wir seine Breite auf hundert schätzten. Das riesige Schloß Neuhaus, das direkt auf einer Hügelkuppe liegt, ist das letzte Gebäude vor Aschach, das Beachtung verdient. Und hier weitet sich das Tal, der Fluß wird breiter, aber die Landschaft bleibt dennoch reizvoll wie zuvor.

ADALBERT STIFTER

(1805–1868)

An einem Tage wurde eine Jagd abgehalten

An einem Tage wurde eine Jagd abgehalten. Dazu kamen Marquard von Wesen, der Schenk des Hochstiftes Passau, Otto von Aheim, der Kämmerer des Hochstiftes von Passau, Chunrat von Heichenbach, der Marschalk des Hochstiftes Passau, Heinrich von Tannenbach, der Truchseß des Hochstiftes Passau, dann Cholo von Wilheringen, Werinhart von Martspach, Calhochus von Valchenstein, und andere Ritter und Kriegsherren. Die Bischöfe ritten mit Hüfthorn und Speer auf dem linken Ufer der Donau hinunter. Witiko war im Geleite des Bischofes Zdik. Dienstmannen, Edelknechte, Knechte, Jagdmeister und Hundemeister waren am Ende des Zuges. Sie ritten an hohem Waldlande, das mit dichten Bäumen jäh von dem Wasser empor stieg, dahin.

Der Bischof Zdik sagte zu Regimbert: »Das ist ein sehr schönes Gehege.«

»Es geht viele Wegestunden an dem Strome bis Aschach dahin, wo die Brüder von Jugelbach die zwei Burgen bauen wollen«, antwortete der Bischof von Passau. »Der Wald da neben uns steigt hoch hinan, und geht dann in Absätzen immer höher bis zu dem Lande Böhmen fort, wie es an dem Wege ist, auf dem du zu mir gekommen bist. Oben ist es vielfach gereutet, und es stehen Ortschaften und Burgen da. Von den Burgen sind manche dem Hochstifte noch nicht unterworfen. Wir suchen aber zu erwerben, und die Kirche zu verstärken. Unser Gericht Velden ist vor kurzer Zeit wieder ausgedehnt worden. Dort sitzt der Gaurichter, und hält die Dinge zum Urteile. Wir geben den Insassen mehr Rechte als die weltlichen Herren. Füchse und Hasen darf sich jeder nehmen, für einen Marder und Iltis bekommen sie Geschenke, wer einen Wolf bringt, darf sich einen Hirsch erlegen, und die Bauern haben drei Haghackenwürfe weit von ihrem Felde in den Wald hinein das Holzrecht.«

»Und wenn ihr noch manches zuwendet, so werden die Fluren ein höheres Gedeihen und einen größeren Reichtum gewinnen«, sagte Zdik.

»Der Krummstab soll segenreicher sein als das Schwert«, entgegnete der Bischof von Passau.

»Und möge sich im Glauben noch alles mehr mildern und sänftigen«, antwortete Zdik.

Und als sie so gesprochen hatten, erscholl das Hüfthorn zur Versammlung, und sie ritten in den Wald empor zu der Jagd.

Ein anderes Mal war ein Jagen auf dem Gebiete der Grafen von Formbach und von Neuenburg.

Es war auch ein Kirchenfest bei Konrad, dem Erzbischofe von Salzburg.

Als vierzehn Tage vergangen waren, seit Witiko sich in der bischöflichen Burg befand, meldete er sich zur Abreise. Er verabschiedete sich bei den Bischöfen und bei den älteren und jüngeren Herren der Burg. Die Bischöfe gaben ihm schöne Gewänder und Gold zum Geschenke. Er gab den jüngeren Rittern Geschenke, und sie gaben auch ihm Geschenke.

Am anderen Tage, ehe noch die Menschen in der Stadt ihren Geschäften nachgingen, und die Tore und die Fensterläden geöffnet waren, ritt er mit Raimund über die schwache Anhöhe zu der Donau hinab. Saumpferde mit seiner Habe folgten. Auf dem Wasser stand an dem Ufer ein schöngebordetes Schiff. Es hatte eine grüne Farbe und einen roten Schnabel. Auf dem Schiffe stand ein Haus von einer andern grünen Farbe und mit roten Zieraten. Es wurden Güter auf das Schiff geladen, und Menschen gingen auf dasselbe. Witiko und Raimund ritten zu dem Schiffe, stiegen von den Pferden, führten die Pferde über eine Brücke in das Schiff, brachten sie dort in ein Gelaß, in dem Borne und Heuleitern waren, und halfterten sie an. Dann wurde Witikos Habe in das Schiff geladen. Hierauf setzten sich Witiko und Raimund auf eine Bank, die auf dem Dache des Schiffhauses nach der Länge dahin ging. Als die Güterladung vollendet war, und alle Menschen sich auf dem Schiffe befanden, wurde die Brücke abgetragen, die Taue gelöset, und die Schiffer drückten mit Stangen den Schnabel vom Ufer. Als der Schnabel von dem Fahrwasser gefaßt worden war, wendete sich das Schiff, und glitt auf dem Wasser hinunter. Die Steuermänner walteten auf ihrem Gerüste mit dem langen Baume des Steuers, und die andern Ruder wurden in das Wasser gesenkt, und trieben das Schiff vorwärts. Es fuhr an den Häusern der Stadt vorüber, an der Mündung der schwarzen Ilz vorüber, und in das breite Wasser hinunter, wo sich die Flüsse Inn und Donau berührten. Die Stadt Passau rückte zurück, der klippige Ilzberg rückte zurück, und das Schiff ging in die Waldschlucht nieder, in welche Witiko mit den Bischöfen zur Jagd geritten war. Es war lauter Wald ohne eine lichte Stelle. An den Ufern waren Streifen Wiesen und Felder, und es stand hie und da ein Haus. Auf den Waldhöhen war manche Burg. Die Augen aller Menschen sahen auf die Burg Martspach, in welcher der Ritter Werinhart wohnte. An dem andern Ufer stand in der Niederung auf einer grünen Wiese das Haus Marquards von Wesen, des Schenken des Hochstiftes Passau. Wo die obere und die untere Mihel in die Donau mündeten, waren feste Gebäude. Das rotschnablige Schiff fuhr beinahe den ganzen Tag in der Schlucht fort. Als die Sonne schon gegen den Abend neigte, kam es mittagwärts in ebnes Land hinaus. Man sah hier in der Ferne die Alpenberge, wie sie Witiko von dem Walde des heiligen Thomas erblickt hatte. Wo die Waldschlucht endigte, war der Ort Aschach. Es wurde hier das Schiff an das Ufer gelegt. Es wurde die Wassermaut gezahlt, es wurden Waren ausgeladen und eingeladen, und Menschen gingen aus dem Schiffe, und andere kamen wieder auf dasselbe. Dann fuhr man weiter gegen breite Auen hinab. Man fuhr zwei Stunden zwischen den Auen fort. Dann kamen wieder Berge an den Fluß. Auf dem linken Ufer waren waldige Höhen. Auf dem rechten stand ein finsteres Waldhaupt empor, und die Leute sagten, dort sei die Burg der Herren vom Kürenberge, die man aber nicht sehen könne. Witiko zeigte Raimund das Waldhaupt, und sagte, von da stamme der junge Ritter vom Kürenberge, der mit ihm ein Knabe des alten Bischofes Regimar gewesen sei, und damals schön gesungen und die Fiedel gespielt habe. Das Schiff fuhr eine halbe Stunde zwischen den Bergen, dann kam es wieder in freies Land, und auf dem rechten Ufer lag die

Stadt Linz. Das Schiff wurde in dunkelm Abende an das obere Gelände der Stadt gelegt. Witiko und Raimund führten ihre Pferde über die errichtete Brücke auf das Land, und dort durch den Wasserturm in die Stadt. In der Wasserherberge fanden sie Unterkunft. Ehe sie aber die Ruhe suchten, rüsteten sie die Pferde, und ritten, damit die Glieder derselben bewegt würden, eine Strecke an der Donau abwärts, und dann in die Stadt. Sie ritten in der Stadt herum, und betrachteten, wo ein Schein aus den Häusern kam, die Gebäude und die wandelnden Menschen. Dann ritten sie in ihre Herberge, pflegten sich und die Pferde, und begaben sich zur Ruhe.

Als am andern Tage das erste Morgenlicht an dem Himmel war, fuhr das Schiff wieder weiter abwärts. Witiko und Raimund saßen wieder auf der Bank des Daches. Das Schiff fuhr gegen Auen hinab, und zwischen Auen fort. Nach zwei Stunden sah man auf dem rechten Ufer die Zinnen und Mauern der Stadt Enns, an welcher Stelle die alte Stadt Lorch gestanden war. Die Donau wurde nun ein großer Strom, weil die Flüsse Traun und Enns hinzu gekommen waren. Und wieder nach zwei Stunden sah man auf dem nämlichen Ufer die große Burg der Herren von Walse. Darauf fuhr das Schiff in eine finstere Schlucht ein, wie die gewesen war, welche man unterhalb Passau durchfahren hatte. Das Wasser wurde in der Schlucht eingeengt, und floß mit größerer Schnelligkeit dahin. Als das Schiff eine Zeit in der Schlucht gefahren war, kamen von einem hölzernen Hause, das auf dem Ufer stand, drei Männer in einem Kahne an das Schiff, hefteten den Kahn an dasselbe, bestiegen es, und die Schiffer übergaben ihnen die Leitung des Fahrzeuges. Sie lenkten es an dem Orte Grein vorüber. Unterhalb des Ortes wurde die Schlucht noch wilder. Es standen auf großen Felssteinen Türme, und auf einem Inselfelsen stand auch ein Turm. Über den Schiffschnabel hin sah man auf dem Strome eine Fläche, die so weiß wie Schnee war. Die Leute sagten, man komme zu den Stellen Strom und Wirbel, die den Schiffen sehr gefährlich seien. Alle sammelten sich nach und nach auf dem Dache des Schiffes. Als man zu der weißen Fläche gekommen war, stimmten die Menschen ein lautes Gebet an. Die Männer, denen die Leitung des Schiffes anvertraut worden war, späheten sorgsam, arbeiteten emsig, und lenkten das Schiff in ein schnelles tiefes Wasser zwischen dem Inselturme und der weißen Fläche, welche schäumendes tosendes Wasser über Geklippe war. Das Schiff ging geschwinde in dem tiefen Wasser hinunter, wurde um einen Fels gelenkt, und hinter dem Felsen sah man den Wirbel, der sich in großen Ringen drehte. Die Männer lenkten das Schiff an dem Rande der Ringe vorüber. Dann ruheten sie, blickten nach vorwärts, und ließen das Schiff in das breitere stillere Wasser hinaus gehen. Das Hilfegebet der Menschen verwandelte sich in ein Dankgebet. Als es geendiget war, erhielten die Männer, welche das Schiff gelenkt hatten, ihren Lohn, bestiegen den Kahn, und fuhren wieder an das Ufer. Dann kam ein anderes Schifflein herzu, aus welchem Menschen an einer langen Stange einen hölzernen Kübel empor hielten, und eine Gabe für die Armen und für eine Kirche zur Behütung der Schiffe verlangten. Alle legten eine Gabe in den Kübel. Hierauf kam noch ein größeres Schiff, und heischte

Wassermaut und Wasserzins. Die Wassermaut und der Wasserzins wurden bezahlt. Dann ging das rotschnablige Schiff zwischen kleineren Waldhöhen in freies Land mit Wiesen und Feldern und Wäldern und Kirchen und Burgen hinaus. Das Land war zu beiden Seiten des Stromes das des Markgrafen von Österreich. Auf dem rechten Ufer lag die Stadt Ybbs, und auf dem linken eine alte dunkelbraune Kirche. Dann kam an gerade emporstehenden Felsen der Ort Marbach. Dort legten sie das Schiff an, und hielten Nachtruhe.

JOHANN HERMANN DIELHELM

(1711–1784)

Linz

Linz hat einen nicht unbetraechtlichen Handel auf dem Donaustrom, mit Salz, Stahl, Eisen und Bauholz, als Producten des Landes; imgleichen mit Leinwand. Indessen ist es zu verwundern, daß diese so wohl gelegene und so schoen gebaute Stadt nicht so sehr bevoelkert ist, als man denken sollte. Es sollen nicht voellig 3500 Buerger allda seyn; wollte man auch die Familie zu 5 Personen rechnen, welches vielleicht nicht einmal anzunehmen ist, so wuerde dis kaum 16.500 betragen. Wenn man nun den Adel, die kaiserlichen Bedienten, die Garnison von 2 Bataillons und die Geistlichen und Klosterpfaffen darzu rechnet, so moechten doch nicht viel ueber 20.000 herauskommen. Es ist ein gesunder Ort, und soll ganz Oesterreich keinen angenehmern Ort als diese Stadt haben, derhalben auch verschiedene Grafen und Herren, wegen der Lustbarkeit, als der Jagd, der Fischerey, dem Vogelsang u. d. g. schoene Lustschloesser umher besitzen. Ihre ganze Gegend ist herrlich und wahrhaft mahlerisch, bey jeder kleinen Kruemmung des Weges oefnet sich eine neue Aussicht, und eine jede ist schoener als die vorhergehende, sonderbar ist die Aussicht von der Seite des Donaustroms unvergleichlich.

FRANZ KAIN

(1922–1997)

Über die Donaubrücke

Da sprach ihn an einem Sonntagnachmittag, als er über die Donaubrücke in die russische Zone hinübergehen wollte, Gisela an. Sie heiße Gisela, sagte sie, und er sehe vertrauensvoll aus. Er war verlegen über diese Einschätzung, kam sich wie ein alter Mann vor und machte ein spöttisches Gesicht, denn er meinte den Handel zu kennen, der nun wohl beginnen würde. Aber das Mädchen war in Not, es hatte seinen Ausweis vergessen.

Die amerikanischen Posten ließen zwar die Passanten ohne Kontrolle hinüber auf die andere Seite, aber alle, die von »drüben« kamen, wurden auf der Westseite des südlichen Brückenkopfes kontrolliert. Die sowjetischen Brückenposten kontrollierten auf ihrer Seite den Ein- und Ausgang.

Das Mädchen stand also im Niemandsland zwischen den Demarkationslinien.

WOLFGANG KAUER

(∗ 1957)

Der japanische Stifter

Am Spätnachmittag des 21. April des Jahres 1863 konnte man zwischen den Stacheln des Säulenkaktusses in einem der flußwärts gerichteten Fenster der Stifterschen Wohnung an der Linzer Donaulände zwei Gesichter abwechselnd auftauchen und wieder verschwinden sehen. Dort wurde offenbar jemand erwartet. Schließlich erschien vor der Silhouette des Dorfes Urfahr ein schwarz qualmendes Dampfschiff und drehte in elegantem Bogen am Kai der Stadt bei. Nicht viel länger als diesen Augenblick dauerte es, bis die Bewohner sichtlich nervös aus dem Haus eilten, Stifter in Gehrock und karierten Hosen, einen Zylinder auf dem Kopf, und seine Frau ein kostbares Tuch über die Schultern geworfen, jedoch ohne die Goldhaube im frischgelockten Haar. Nachdem der Steg schon übergeholt war, drängten die Reisenden mit Körben in den Armen ans Festland, auch einige Holztruhen wurden schon nachgereicht, als plötzlich ein bizarres, dreieckiges Haupt an Deck auftauchte, dessen ungewohntes Bild Schrecken und Bewunderung zugleich verursachte und die wogende Menge zum Schweigen brachte.

»A Chines'!« entfuhr es dem einen oder anderen Anwesenden, »Was hat denn der hier z'suchen?« Die Gestalt im langen grauen Gewand trat aufrecht in die gaffende Menge, doch konnten nur wenige Nahestehende das fremdartige Gesicht wahrnehmen, weil es im Schatten eines tiefsitzenden Kegelhutes versteckt lag.

BRIGITTE SCHWAIGER

(1904–2010)

Auf die Donaubrücke

»Ich will euch eine wahre Geschichte erzählen«, sagte die liebe Schwester. »In Linz ist einmal ein Mann auf die Donaubrücke gegangen. Er wollte sich ins Wasser hinunterstürzen. Er war sehr allein. Er dachte: Niemand hat mich lieb. Keiner will von mir etwas wissen! Das Leben freut mich nicht mehr. Und er wollte in die Donau springen. Auf einmal kam ein Schulkind daher. Es sagte zu ihm: ›Grüß Gott!‹ Der Mann freute sich so sehr über dieses Kind, daß er sich dachte: Ich bin ja gar nicht allein. Es gibt noch gute Kinder! Und

er ging über die Donaubrücke und nach Hause und
wollte nie wieder in die Donau hinunterspringen.

Wir merken uns: Wir wollen alle Leute grüßen.
Auch wenn wir sie nicht kennen.«

FRANZOBEL

(* 1967)

An der schönen greenen blauen Donau
Lied

Mei Liab war a Kassiererin,
bevurs beim Preis ziagn bled worn is.
Wor i a Zeitl mit aner Politesse zsam,
de hot se selbst verhaft,
lerne ich kennen eine Fleischerin,
de hot sich aus Versehen selbst faschiert.

Ja an der schönen greenen blauen Donau
sind die Maderln olle resch und frisch,
a paar sind aufgetaut, a paar sind früh versaut,
a paar sind verbaut, die meisten gut gelaunt.
Ja an der schönen greenen blauen Donau
gibt es Maderln schüberlweis, zu jedem Preis,
jeder Kategorie.

Ich verliebte mich in eine Verkäuferin,
die hat sich selbst verkauft,
wars als nächste eine Taxlerin,

ist gegen einen Baum gerast,
denke ich, jetzt reichts, es muß was Festes sein,
gerate an eine Krankenschwester,
hat man sie eingesperrt, weil sie angeblich,
beim Sterben nachgeholfen hat.

Ja an der schönen greenen blauen Donau
sind die Maderln olle resch und frisch,
a paar sind aufgetaut, a paar sind früh versaut,
a paar sind verbaut, die meisten gut gelaunt.
Ja an der schönen greenen blauen Donau
gibt es Maderln schüberlweis, zu jedem Preis,
jeder Kategorie.

Bei mir war eine Linzerin,
die sagt, ich bin nicht dicht, ich spinn,
das war auch die Gelegenheit,
verliebt ich mich in eine Psychiaterin,
die hat mich dann monatelang analysiert,
geheiratet aber hab ich eine Sängerin,
die singt mir wenigstens mein Lied:

Ja an der schönen greenen blauen Donau
sind die Maderln olle resch und frisch,
a paar sind aufgetaut, a paar sind früh versaut,
a paar sind verbaut, die meisten gut gelaunt.
Ja an der schönen greenen blauen Donau
gibt es Maderln schüberlweis, zu jedem Preis,
jeder Kategorie.

JOHANN PAUK

(1957)

Schiffmeister Perlohner

Manches Jahr verstrich, ohne daß man zu Linz von dem Schiffmeister Perlohner etwas hörte.

Die einen sagten, er fahre auf der unteren Donau oder zwischen Melk und Budapest, andere wollten gehört haben, daß er lange krank gewesen sei und von dem Brenninger, der nie von seiner Seite wich, zu Wien gesund gepflegt worden sei.

Die alten Freunde waren weniger geworden.

Dann wiederum waren die Perlohnerschen Schiffleute nur ganz selten in Linz zu sehen. Es gab längst kein ständiges Fahren mehr und nur dort, wo große Geschäfte mit Steinen oder Holz abgewickelt wurden, waren die Kelheimer noch am Werke. War man damit fertig, dann hub es ganz wo anders an, und so konnte es sein, daß der Schiffmann oft das ganze Jahr über nicht zu Hause war.

Viele Jahre schon waren vergangen, seit der Schiffmeister Martin Perlohner auf der oberen Donau tätig gewesen war. Wenn man in Au oder Mauthausen, zu Urfahr oder Linz einen der ganz alten Schiffleute, die sich auf der Bank vor ihrem Häuschen die Sonne auf die müde gewordenen Knochen scheinen ließen, fragte, wo denn eigentlich der Perlohner stecke, dann schüttelten sie stumm den Kopf, ohne weiter auf die Frage zu achten. Es war, als ob sie ein Geheimnis zu hüten hätten. Die jungen Leute kannten den großen Schiffmeister nicht mehr. Die älteren Linzer aber wollten ihn nie vergessen.

Ganz nahe am Strom, so daß man sein ewiges Rauschen in den kleinen Stuben immerfort hören konnte, da stand in Urfahr ein kleines Haus, das einen ruhigen Garten hatte.

Dort saß unter einem schattigen Baum ein Greis.

Er hatte eben einen Brief geschrieben. Hinter ihm stand ein hagerer, kräftiger Mann in grobem Gewande. Er mischte in einem Glas etwas Rotwein mit Wasser und Zucker.

Der Greis hatte den Brief mit einem Siegel geschlossen und er sprach:

»Hast du die Medizin hineingetan, Hans?«

»Wohl, Herr, zwölf Tropfen, wie's geheißen hat.«

»Dann kannst du einstweilen mit dem Brief fortgehen. Schau dazu, daß er mit der nächsten Post nach Wien abgeht, hörst du? Denn es wird Zeit, Hans …«

»Wenn der Herr nit so reden tät«, sagte der Knecht mit abgewendetem Gesicht.

[…]

So schlich der trübe Tag dahin und dann kam die lange Nacht.

Der Knecht wich nicht von der Seite seines Herrn, der seine rechte Hand in die groben Fäuste des Getreuen gelegt hatte.

Noch sprach er leise Worte, doch sie waren kaum mehr verständlich. Dann dämmerte nach endlos scheinenden Stunden der Morgen heran und mit ihm kam die Sonne über den Waldrändern des Pfenningberges herfür.

»Hans … näher zum Fenster, ich … ich muß … noch einmal da hinüberschauen.«

Der Greis sah es nicht mehr, wie die Tränen über das braune Antlitz seines Knechtes flossen.

Er sah den Strom nur und die Sonne und er sah sein ganzes Leben.

Und lange noch, nachdem die Augen gebrochen waren, hielt der Brenninger die Hände des entschlafenen Schiffmeisters in den seinen.

Martin Perlohner, der letzte Hohenauer, hatte heimgefunden.

KARLHEINZ MANLIK

(1994)

Donauschiffahrt stromab, stromauf und quer zum Strom

Flußschiffahrt im allgemeinen und Donauschiffahrt im besonderen kann in die Schiffahrt längs des Flußes, stromab oder stromauf, sowie in die Schiffahrt quer zum Strom, den Übersetzverkehr, eingeteilt werden. Dies zeigt sich schon in der Namensgebung; auf der Donau ist die *»Naufahrt«* die Fahrt flußabwärts, die *»Gegenfahrt«*, die Fahrt flußaufwärts und die *»Urfahr«* der Übersetzverkehr. Noch heute erinnern der Stadtteil Urfahr von Linz und der kleine gleichnamige Weiler am linken Donauufer oberhalb Melk an diesen Querverkehr. Die Urfahr war bis in das 19. Jahrhundert ein Recht und eine Verpflichtung von Personen oder Gemeinden, den Übersetzverkehr an bestimmten Stellen der Donau aufrechtzuerhalten.

(* 1944)

Auf dieser Fahrt

Auf dieser Fahrt macht die Prinzessin in Grein Halt
– das tut sie nicht immer. Die große Flußfaulheit hat
sich in uns ausgebreitet – was wird es in Grein schon
zu sehen geben! Wieder ein friedsames Barockstädtchen
mit einer alles beherrschenden Kirche, wieder Engel-
scharen und weißblaugoldene Gipsseligkeit. Wieder
ein wunderbarer Blick auf die Donau, die sich durchs
böhmische Felsmassiv wälzt. Auf dem Schiff tragen
sie bunte Drinks herum, es regnet leise und silbergrau, jetzt wäre im Schwimmbädchen Platz, und ein
vielversprechender Krimi ist erst halb gelesen. Meine
mitgebrachte Bordbibliothek will gar nicht schmel-
zen, wie immer ist meine Urangst unbegründet, daß
nämlich plötzlich der Lesestoff ausgegangen sein
könnte – und das Gott behüte vielleicht irgendwo in
den Weiten des Balkans, weit und breit kein Nach-
schub in Sicht!

Jemand sagt, in Grein gäbe es ein altes Theater zu
beschauen. Man kommt ja nicht so oft nach Grein,
denke ich. Und ein Theater, das wäre doch vielleicht
eine weltliche Abwechslung nach all der sakralen
Pracht. Ein Entschluß wird gefaßt, raus aus dem
überdachten Liegestuhl! Theater!

Das Städtchen ist »seit 1958 die kleinste Stadt
Oberösterreichs mit ca. 2800 Einwohnern.« Oh rät-
selhafter Reiseführer! Was war es denn vorher, das

hübsche, gelbe, blumenüberschüttete Grein? Oberösterreichs größtes Dorf? Nur zögerlich enthüllt sich die Greiner Geschichte und Bedeutung. Denn alles ist hier anders, die Donau kein kommod dahinströmender Fluß, das Örtchen schützt seine anmutig-schläfrige Bedeutungslosigkeit nur vor. Hier war früher die Donau fast bis zur Hälfte ihrer Breite von Felsen zusammengequetscht und verschaffte sich mit Strudeln und »Schwall, Schäumen und Tosen« Platz. Für die Schifffahrt war hier die gefährlichste Stelle des Stroms zwischen Quelle und Mündung. Aber auf den Riffen, zwischen denen das Wasser hindurchstürzte, saß keine Blondine und sorgte für den poetischen Überbau der Gefahr! Nur die Kaiserin in Wien, der offenbar keine Klippe ihres Riesenreichs entging, ließ Abhilfe schaffen, durch Schiffsringe und Hilfsmaschinen, Sprengungen und Kanalisierung.

Mit Schwierigkeiten läßt sich gut Geld verdienen, das wußten die Greiner. Sie stellten die notwendigen Flußlotsen, auch mußten Schiffe entladen und die Lasten auf dem Landweg transportiert werden, bis der Strom sie sich willig wieder aufbürden ließ. Das war vor allem bei niedrigerem Wasserstand notwendig – und nicht zum Schaden der Greiner Bürgerschaft, die sich das alles gut bezahlen ließ. Das müssen hier überhaupt ziemlich pfiffige Leute gewesen sein, wie wir noch merken werden. Vom sogenannten Ladstattrecht bis zu Raubritterei und Piraterie ist ja nur ein kleiner Schritt!

Uns erwartet tatsächlich eines der ältesten im Originalzustand erhaltenen Theater, die ich je gesehen habe. Ein Getreidescheunchen von bescheidener

Größe ist zwischen 1790 und 1791 in ein Rokoko-
theater verwandelt worden, mit einigen Extras, die an
dieser Stelle zur Nachahmung empfohlen werden sollen.

SEBASTIAN MÜNSTER

(1488–1552)

Die Thonaw laufft durch Oesterreich

Die Thonaw laufft durch Oestereich / und hat under
Lintz zwey gefehrliche örter / da die Schiffleut gar
bald mögen verfahren und verderben. Der erst heist
im Sewrüssel / und da fallt da die Thonaw oder stöst
sich mit grossem wüten an die Felsen so under dem
Wasser ligen / und wann der Schiffmann da nicht wol
erfahren ist / so verdirbt er mit dem Schiff. Darnach
eine kleine halbe Weil under dem Fläcken Gryn /
kompt ein Strudel / da laufft das Wasser alles gerings
umbher in einem zwirbel / gleich wie ein ungestürzte
Windsbraut / und erweckt je ein zwirbel den andern /
und die schlagen darnach grosse und wütende Wällen
in der Thonaw / dass diese Gefährligkeit etwas grösser
ist wie die vorige. Denn es gehn da viel Schiff under
mit den Menschen / die zu ewigen zeiten nicht wider
gesehen werden. Man hat an dem Ort offt ein grund
wöllen suchen: aber der Schlund ist also tief / dass
man zu keinem grund kommen mag / sonder es ist
Bodenloß da. Was da hineyn fallt / bleibt drunden /
und kompt nicht widerumb herfür.

JOHANN SIEGMUND POPOWITSCH

(1705–1774)

Untersuchung von den Wuerbeln
in der Donau

Da ich in dieser Untersuchung von den Seewuerbeln
gehandelt habe, fuehret mich der Zusammenhang auf
den bekannten oesterreichischen Wuerbel, der in der
Donau ist, weil derselbe eine Nachforschung sehr
wohl verdienet; von dessen eigentlicher Beschaffenheit, ich in dieser Abhandlung etwas zuverlaeßigeres
melden, und dabei eine irrige von demselben gehegte
Meinung widerlegen kann. Ich gedachte ehemals mit
vielen anderen, dass dieser eine halbe Stunde unter
Grein auf der Donau befindliche, und wegen vieler
Ungluecksfaelle uebel berichtigte Wuerbel, auch
eine wahre Charibdis waere. Hierzu verleiteten mich
theils gedruckte, theils muendliche Berichte, welche
mir diesen Begrif davon beibrachten, daß weder die
daselbst verschlungenen Menschen, noch etwas anders
irgend auf der Donau wieder empor käme. Ich schloß
demnach, wie es allbereits viele vor mir gethan haben,
daß eine grosse Oeffnung allda unter die Erde gehen,
das Wasser bei derselben hinein, und in einen ge-
raeumigen unterirrdischen, oder sichtbaren entlegenen See fliessen, vielleicht auch unmittelbar in das
Meer durch verborgene Wege, einen Ausgang haben
muesse. Dann daß es Fluesse gebe, welche unter der
Erde, so gut als diejenigen, welche wir sehen, nach
der Oberflaeche derselben dem Meere zu eilen, dessen

versichern uns, sowohl ungezweifelte Nachrichten der Bergknappen, als die Beschreibungen verschiedener Laender, nebst Untersuchungen der Naturkuendigen. [...]

Dies alles, spreche ich, ist falsch: Heutiges Tages, da der gute Geschmack allgemach beginnet auch des gemeinen unstudierten Mannes natuerliche Schluesse zu leiten und die Begierde des wundersamen, durch eine gluckliche Aufklaerung des Verstandes sich zimlich mindert, wuerde Herbinius von den Schiffleuten, welche des Donaustromes kuendig sind, ganz widrige Versicherungen empfangen. Folgende neuere Berichte erweisen, daß dasjenige, was erstgedachter Gelehrter mit Muenstern, Happelius, Kirchern, Berkenmeiern, Strahlenberg, u.a. an dieser Stelle geschrieben, ungegruendet seye.

Es ist vor ungefaehr 8 Jahren ein plattes Schiff (nach der regenspurgischen Fischer Mundart ein Fahrm, d.i. wie ich glaube ein Fahrn, eine Faehre) so Hafnerszeller Geschier aufhatte, in diesem Wuerbel gerathen, wegen allzuschwerer Ladung noch tiefer hineingezogen worden und untergegangen. Dasselbe blieb eine geraume Zeit am Boden des Wuerbels sitzen. Die Leute so bei kleinem Wasser darinnen fischten, sollen das Dach davon gesehen haben, bis der Strom einsmals angewachsen, das Fahrzeug umgestuerzet, und das Geschier ausgelehret hat. Da schwam jenes empor und davon, ward auch einige Stunden Weges unterhalb aufgefangen. Wenn jemand einwenden soll, dieses Schiff habe, seiner Groesse halber, nicht koennen verschlungen werden, so vernichten die Verteidigung eines Schlundes mehr andere Beispiele, bei denen sich keine dergleichen Ausflucht anbringen laeßt. Es werden naemlich auch kleinere schwimmende, in diesen Wuerbel geratene Koerper, eine Weile herumgetrieben, hinabgezogen, und ueber einige Zeit an einem anderen Orte eben dieses Bekens, wie es auch bei den beweglichen Wuerbeln zu geschehen pfleget, wieder heraufgebracht, bis sie ein seitwaertiger Schwall (Strom) gar wegfuehret; sowol nicht geschehen wuerde sofern das Wasser allda wirklich unter die Erde gieng. [...]

Es waere billig, daß man keine Muehe sparen sollte, mit erfahrenen Maennern sich zu berathschlagen, wie auch Vorschlaegen nachzusinnen, wie diese Hindernisse am besten aus dem Wege zu raeumen waeren, da es gewiß ist, daß sie nicht unueberwindlich sind, sondern nur grossen Aufwand erfordern. Denn so viel ich davon urtheilen kann, so waere der Wuerbel durch eine gaenzliche Zersprengung des grossen Felsens, daran sich das Donauwasser stoeßt, wie auch durch Ausfuellung seiner gar zu vielen Tiefen, und gar zu geraumigen Bekens (welches letztere zwar der Strom nachgehends selbst thun wuerde) ohne Zweifel zu vernichten. Der Strudel aber koennte sicher gemacht werden, wenn man durch Heraussprengung einiger Klippen den Gang der gewoehnlichen Durchfahrt erweiterte.

(1895)

Der Greiner-Schwall

Durch die immer enger werdenden Felsmassen werden die Donauwasser zu dem schon genannten *Greiner-Schwall* zurückgedrängt. Die Donau bildet hier eine jähe Biegung und an steilen Felsen stauen sich die Fluten des Stromes, durch deren Rückprall der *Greiner-Schwall* gebildet wird, in dessen Tiefen leider so mancher Schiffer seinen Tod gefunden hat. – Doch der reissende Strom eilt über die Klippen hinweg, und bald saust er, wie mit frisch gesammelten Kräften in gerader Richtung weiter. – Das Donaubett verengt sich stets mehr und mehr, dunkle Wälder und altersgraue Felsen verleihen der Gegend einen düsteren Charakter. Nur Reiher tauchen hin und wieder in das kühle Nass und bringen in die ernste Landschaft einige Poesie.

Bei dem *Rabenstein* ist es, wo wir die Insel *Würth* erblicken, und wo sich der Strom in zwei Arme theilt: rechts windet sich der eine durch den sogenannten *Hössgang*, während der andere links mit rasender Schnelligkeit über Felsen, die seinen Lauf zu hemmen suchen, dahineilt.

Bei der Ruine *Werfenstein*, deren schlanker Thurm sein Spiegelbild im Wasser erglänzen lässt, braust die Wassermasse am stärksten, und hier beginnt selbst unser Dampfercoloss zu schwanken.

FRIEDERIKE KEMPNER

(1828–1904)

Das Mädchen an der Donau

Frischer strahlt im Morgenglanze
Uns're junge Erde noch,
Und das Mädchen pflückt zum Kranze,
Klettert auf der Berge Hoch.

Schön ist's auf der Berge Rücken,
Schön im schatt'gen Talesgrund,
Und es lächelt voll Entzücken
Still des Mädchens kleiner Mund.

Auf der Höhe steh'n noch Reben,
Von der Trauben Zahl gebückt,
Und ein Körbchen dicht daneben,
Dem das Mädchen näher rückt.

Schnell sie's faßt, und stecket denkend
Von den Beeren in den Mund,
Und das kleine Köpfchen senkend,
Blickt sie abwärts in den Grund.

Bricht noch saft'ge Trauben viele,
Voll gepflückt schon's Körbchen steht,
Doch sie ist noch nicht am Ziele,
Still und rasch sie weiter geht.

Zu dem Strome, der hinunter
In die weite Ebne eilt,

Unser Mädchen, rasch und munter,
Gern beim wilden Strom verweilt.

Heller strahlen ihre Blicke,
Fröhlich färbt die Wange sich,
Und auf ein'ge Augenblicke
Setzt das wilde Mädchen sich.

Stiert hinunter in die Welle,
Stiert hinunter in die Flut,
In den Augen spiegelhelle,
Eine schöne Träne ruht.

JOSEPH WALCHER

(1719–1803)

Arbeiten in dem Strudel der Donau

Die auf allerhöchste Verordnung zu Verbesserung der
Schiffahrt unternommene Bearbeitung des berufenen
Strudels wollte man durch öffentlichen Druck nur zu
dem Ende bekannt machen, damit die Nachwelt von
dieser wichtigen Unternehmung eine zuverlässige
Nachricht habe.

Denn, weil die ganze Arbeit nur in Heraussprengung
der schädlichen Felsen aus dem Grundbette des
Strudelwassers bestehet, so kann hievon kein anders
Merkmal, als die Abwesenheit der vormaligen Gefahr
zurückbleiben; und Diejenigen, welche die Größe

dieser Gefahr nicht gekannt, oder die wirkliche Arbeit nicht gesehen haben, werden bei der ungeheuren Menge der rauen Felsen, die den Strom sowol, als beide Ufer noch anfüllen, und immer anfüllen werden, mittlerzeit kaum glauben können, daß da jemals eine Felsensprengung wirksam sey vorgenommen worden. […]

Nachdem die Strudelfelsen mit dieser Behutsamkeit weggesprengt sind, müssen die Trümmer, damit die Fahrtstraße gereiniget werde, mit gleicher Sorgfalt aus dem Wege geräumt, und entweder in tiefere Plätze, wo sie ohne Nachteil der Schiffahrt liegen können, oder aus dem Strom an das Land herausgebracht werden.

Wo der reißende Strom frei anfällt, ist das Herausbringen der zertrümmerten Grundfelsen oft mühsamer, und den Arbeitern gefährlicher, erfordert demnach größere Behutsamkeit als das Sprengen selbst; und in vielen Umständen ist es nicht so beschwerlich dieselben, nachdem sie einmal geschickt ergriffen sind, auszuwinden, als sie geschickt zu ergreifen, welches, (obwohl für die größeren eigene Steinzangen, für die kleinern aber, und für die glatten abgeschliffenen Steine, die sich mit Zangen nicht halten lassen, starke aus eisernen in einander geketteten Gliedern zusammengesetzte Steingitter oder Steinnetze in Bereitschaft sind,) oft größere Schwierigkeit verursacht, als man glauben sollte.

AMAND FREIHERR VON
SCHWEIGER-LERCHENFELD

(1846–1910)

Während der Blick noch an dem romantischen Geierhorst Werfenstein hängt

Während der Blick noch an dem romantischen Geierhorst Werfenstein hängt und sodann des Dorfes St. Nikola gewahr wird, das auf der Höhe des Ufers klebt, ist auch die Stelle, wo vor Zeiten der berüchtigte »Wirbel« den Schrecken der Schiffer bildete, bereits vom Dampfer durchsteuert. Nichts verräth die ehemalige Anwesenheit des »Hausstein« mit seinem Thurme, kein Anzeichen erinnert an die kreisenden Fluthen im sogenannten »Freythof«, wo Schiffstrümmer und Leichen zwischen dem »Langenstein« und dem Vorsprunge beim Dorfe Struden schwammen. Das sind vergangene Zeiten. Mitunter freilich, wenn die Wogen der Donau hoch gehen und sich durch die Enge brausend zwängen, haftet diesem Bilde noch immer etwas Beängstigendes an. Gefahr ist indeß keine dabei. In solchen Fällen beruhigt sich alsbald der Strom, wenn St. Nikola im Rücken ist.

Unterhalb der letztgenannten Oertlichkeit liegt Sarmingstein, an der Mündung des durch eine enge Schlucht strömenden Sarmingbaches. Hier ist ein Granitbruch, der Strom zeigt sich auch hier ziemlich eingeschnürt; hohe Ufer rechts und links, hie und da eine eng zusammengedrängte Niederlassung, malerische Baumgruppen und der Widerschein der steilen

Gehänge im unruhigen Wasser. Bei Isperdorf öffnet sich nach Norden das Isperthal, ein tief eingeschnittener, ziemlich düsterer Graben zwischen hoch hinauf bewaldeten Bergen, der sich in Schlangenwindungen hinanzieht, mit lebendigen Wassern, die über Wehren stürzen. Erst nach zwei Stunden Weges gestaltet sich der Thalboden freundlicher. Sehr malerisch nimmt sich der massige, eine dreifache Ringmauer überragende Thurm der Ruine Freynstein, gegenüber der Ispermündung, aus. Thalab liegt linker Hand Weins, ein Landeplatz der Isperer Schwemmholzes.

ANTON JOHANN GROSS

(1808–1873)

Jahrhunderte sind seit dieser Zeit der Barbarei vergangen

Jahrhunderte sind seit dieser Zeit der Barbarei verstrichen, alle Hindernisse der Schiffahrt beseitigt, die Felsen des Strudels sind gesprengt, die Raubnester liegen in Trümmern, aber die Schiffahrt hat nicht Theil genommen an dem allgemeinen Fortschreiten der Kultur und Industrie, und wir haben auf unserem Donaustrom fast noch dieselben »Kuhmäuler«[*], die unsere Vorfahren vor vielen Jahrhunderten gebrauch-

---

[*] So wurden manche Schiffstypen bezeichnet, die ihren Namen von ihrer unförmigen Gestalt erhielten.

ten. Vergebens haben sich die Regierungen bemüht, die Mängel der Schiffahrt abzustellen, und die Vorurtheile der Schiffer zu bekämpfen, das Bessere fand noch nicht Eingang und die Donau ist der einzige Strom der Welt, der die Ufer kultivirter Staaten bewässert, und weder Dampf- noch Segelschiffe trägt. Zwei Unternehmungen einer Dampfschiffahrt sind unmittelbar nach ihrer Entstehung verunglückt, und eine dritte, welche jetzt im Werke ist, lässt kaum ein günstigeres Schiksal für sich hoffen.

SIDONIE GRÜNWALD-ZERKOWITZ

(1852–1907)

Der Wassermann

Ich blickte hinab auf die Donau,
Da nahtest leise Du.
Mich zog es, ins Aug' Dir zu schauen
Ich hört' Deiner Rede zu. –

Und pflückte mir süße Blumen
Von Deiner Seel', die geglüht;
Die haben voll Zauber geduftet
Mir tief hinein ins Gemüt.

Gelauscht hab' ich und geschaut nur,
Und vergaß dabei, was ich wag' –
Und eh' ich mich konnte besinnen,
In Deinen Armen ich lag. –

Und als ich von Dir in die Fluten
Der Donau schaute hinein,
Fiel aus der Kindheit das Mährchen
Vom »Wassermann« mir ein,

Vom Wassermann, der die Kinder,
Die pflücken Blumen am Rand,
Zu sich zieht in die Tiefen …
Mit schmeichelnder Zauberhand. –

JOSEPH AUGUST SCHULTES

(1773–1831)

Ueber die Bewohner der Ufer der unter-oesterreichischen Donau

Der Charakter der Unter-Oesterreicher, der am linken
Ufer eigentlich erst um Maria Taferl beginnt, ist, wie
aus der Geschichte dieses Landes erhellt, ein buntes
Gemenge der Hauptzuge des celtischen und slavischen
Voelker-Stammes, dessen Aeste und Zweige beynahe
alle in verschiedenen Perioden in dieses Land ein-
gewandert sind, und täglich noch dahin wandern. Wer
die Eigenheiten dieser einzelnen Aeste und Zweige
kennt, der erkennt auch bald die einzelnen Reiser
derselben, wo er sie zerstreut findet: wem sie fremd
und unbekannt geblieben sind, dem wird man sie mit
wenigen Zuegen nicht deutlich zu machen vermögen.
Genug wenn jeder Fremde hier seine Landsleute wieder

erkennt. Was den Charakter des Unter-Oesterreichers an der Donau noch unbestimmter macht, ist der Weinbau und der Handel. Es ist eine laengst in allen Ländern erwaehrte Bemerkung, daß Weinbau den Charakter des Landmannes nicht so sehr veredelt, wie den Boden. Wenn selbst Leute von edlerem und festerem Charakter die Feuerprobe schnellen Wechsels der haertesten Armuth und des ueppigsten Ueberflusses nicht immer zu ihrem Vortheile bestehen, was darf man von jenen gemeinen Seelen erwarten, deren Gott der Bauch ist? Was darf man dem rohen Landmanne zutrauen, der, oefters in seinem Leben ganze Reihen von 6–8 unglücklichen Jahren ueber, haerter mit den Seinigen darben und arbeiten muß als ein Galeeren-Sclave; der sich, um nur sein Leben zu fristen, verschulden muß auf mehrere Jahre, und der, wenn ein segenreiches Jahr seinen Keller fuellt, nun in wenigen Stunden, während der Wein vom Kelter fließt, zum reichen Manne wird? Er mueßte mehr als ein Weiser seyn, wenn er nicht jetzt eben so leicht schwelgen lernte, als er ehevor darben und die boesen Künste harter Armuth treiben gelernt hat. Zu diesen Nachtheilen kommen noch alle Verderbnisse, die der Kleinhandel und der stete Umgang mit, und die ewige Abhaengigkeit von Wucherern in dem Charakter der ungebildeteren Classe erzeugen muß. Der Handels- oder vielmehr der Krämer-Geist hat übrigens auch bey denjenigen Strandbewohnern, die nicht Wein bauen, seinen nachtheiligen Einfluß. Daher das Abstechende im Charakter des weinbauenden und nach der Hauptstadt handelnden Unter-Oesterreichers von dem Ackerbau und Viehzucht betreibenden Ober-Oesterreicher; daher das Abge-

schliffene, Umsichtige, Argwoehnische, Uebervor-
theilende, Hinterhaeltige, Eigennuetzige, Kriechende,
welches man hier auf eine so sonderbare Weise mit
einem gewissen sorglosen, leichtsinnigen und hoch-
trabenden Wesen und zugleich wieder mit so vielen
anderen schoenen Zuegen gepaart findet.

DONAUZEITUNG

(1860)

Matthias Feldmüller

Als Sohn eines Kleinbürgers wurde er im Frühjahre
1770 zu Ybbs geboren. In frühem Kindesalter schon
starb ihm der Vater. Sein Stiefvater, der Schiffmeister
Rosenauer, erkannte bald die rüstige Gewandtheit
des Knaben und übergab Matthias im Alter von kaum
15 Jahren schon die selbständige Leitung und Führung
von Schiffen. Im Jahre 1789 führte Feldmüller die
Zimmermannstochter Eleonore Feyertag als Gattin
heim. Er begann nun als Schiffer und Holzhändler ein
Geschäft in Freyenstein an der Donau, wobei ihn eine
Verwandte seines Stiefvaters mit bedeutenden Summen
unterstützte. Dadurch wurde es ihm ermöglicht, im
Türkenkriege unter Kaiser Leopold, in den Jahren
1790–1791, die stärksten Proviantransporte für die
kaiserliche Armee auf der Donau nach Belgrad zu
bringen. Trotz der vielen damit verbundenen Gefahren
leitete Feldmüller diese Transporte stets persönlich.

In Anerkennung seiner Verdienste verlieh ihm der Kaiser eine goldene Ehrenmedaille, eine außerordentliche Auszeichnung, denn erst Kaiser Franz hat eine Verdienstmedaille gestiftet. Im Jahre 1801 übernahm Feldmüller das Geschäft des Schiffmeisters Stöger in Persenbeug, wo er bis zu seinem Tode verblieb. An der Stätte des durch einen Brand verwüsteten Schiffmeistershauses erbaute er sich ein einfaches Wohnhaus. Jährlich fuhren 500 seiner Schiffe stromaufwärts, gegen 1000 stromabwärts. Gegen 1000 Knechte und ebensoviel Pferde standen in seinem Dienste. Zugleich baute er selbst seine Schiffe, die sogenannten »Kellheimer«, mit einer Länge von 130 Fuß und einer Tragkraft von 1800 bis 3500 Zentnern.

KARL BIENENSTEIN

(1869–1927)

Der Schiffmeister setzte sich

Der Schiffmeister setzte sich und sah wieder auf den Strom hinab, auf dem sich das Gold des Abends allmählich in ein tiefes Rot wandelte, als schimmerte aus seinen Tiefen der Widerschein märchenhafter Korallenhaine. –

Die Donau!

Wie auf dem Bild einer Geliebten ruhte des Schiffmeisters Blick auf ihren würdevoll dahinziehenden Fluten. Sie war die liebste Freundin seiner Jugend gewesen und sie war nun die Liebe des Mannes. Sein ganzes Leben war an sie gebunden und würde es sein bis zum letzten Atemzug. Er sah sich wieder als Knabe unter den Weidenbüschen am Ufer sitzen und unverwandten Auges auf das unablässige Kommen und Gehen der Wasser hinaussehen. In breitem Zuge wallten sie einher, dehnten sich zu großen Ringen, drehten sich in flachen Wirbeln, als wollten sie sich in den Grund einbohren, um nicht weiter zu müssen, und ließen sich dann doch wieder fortziehen, immer weiter und weiter in die weite, unbekannte Ferne. Schier unheimlich wurde ihm dieses ewige Wogen und Wandern, und oftmals war es ihm, als müsse jetzt und jetzt aus den Wassern ein Arm greifen und ihn hinein- und mitziehen, fort, weit, weit fort. So stark wurde oft dieses Gefühl, daß er mit gesträubtem Haare aufsprang und fortlief. Aber immer wieder zog es ihn zu den wandernden Wellen, und wenn dann draußen ein Floß vorüberzog und er die Flößer betrachtete, die so ruhig und sicher an den mächtigen Ruderbäumen lehnten, als wären sie auf festem Lande, dann überkam ihn oft eine unendliche Sehnsucht, bei ihnen zu sein und mitzufahren in die unendliche fremde Welt hinein.

Bild auf Bild hob die Erinnerung aus dem Herzen des einsamen Mannes in dem blühenden Garten an der abendroten Donau empor und von jedem ging ein Glanz aus, der seinen blauen Augen einen weltentrückten Schimmer verlieh.

Dann kam einmal ein stolzes Leuchten in sie. Er war ein zwanzigjähriger Bursche und im Schiffswesen daheim wie der älteste Nauführer. Er kannte den

Strom bis Wien hinab so genau wie die Räume seines einstigen Vaterhauses, das im verblassenden Rosenlicht von Ybbs herüberleuchtete. So manches Schiff hatte er schon an den gefährlichen Klippen, die da und dort aus dem Strom aufragten, mit Sicherheit vorübergeführt und er fühlte auch die Kraft in sich, die unbekannten Wasser bis zur Türkei hinab zu befahren. Damals führte der Kaiser Leopold, der Bruder des geliebten Kaiser Josef, gerade Krieg mit den Türken und dem Heere sollten auf der Donau Lebensmittel nachgeliefert werden. Aber die Herren Schiffmeister hatten keine rechte Lust zu dem Wagnis. Allerlei Schauermären von den Gefahren der ungarischen Donau hielten sie ab, nach dem schönen Gewinn zu greifen, sie zogen ihren bescheidenen, aber dafür sicheren Erwerb dem unsicheren großen vor. Da war er, der junge Jagerbeck, in die Bresche gesprungen. In Freyenstein war eine Schiffmeisterei zu haben und in Hirschenau ein Schiffmeistertöchterlein mit lustigen braunen Augen und kußfrohen roten Lippen, die Lore. Nur eine Fahrt nach Belgrad kosteten sie.

»Bub, wenn du das zusammenbrächtest, das wär' etwas«, sagte die Lore und legte ihm die vollen Arme um den Hals. »Dann müßt' mein Vater, der Dickschädel, auch nachgeben.«

»Und wenn ich nicht mehr zurückkomme?«

Da löste die Lore die Arme von seinem Hals, blitzte ihn fast feindselig mit ihren braunen Augen an und sagte: »Na, ins Kloster geh ich deswegen nicht; dann muß ich halt den andern heiraten.«

»Untersteh dich!« war er aufgebraust.

»Na also, dann fahr!«

Und er war gefahren. Einen ganzen Schiffzug hatte man dem jungen Menschen anvertraut und ihn mit allen Vollmachten dazu ausgerüstet. Und die Donau, seine Freundin, hatte ihn nicht verlassen. Sanft hatte sie ihn mit seiner kostbaren Fracht durch das weite, ebene Ungarland bis nach Belgrad hinuntergetragen und mit klingendem Geldbeutel und geschmückt mit einer goldenen Medaille, die der Kaiser dem mutigen Schiffsführer verliehen hatte, kehrte er in die Heimat zurück.

AMAND FREIHERR VON SCHWEIGER-LERCHENFELD

(1846–1910)

Dem Zuge der Wellen folgend

Dem Zuge der Wellen folgen nun die Eindrücke, die sich in bunter Menge einstellen. Schon bei Ybbs hätten wir der Römer gedenken können, welche in ihrem Castell Ad pontem Ises die Stromwacht am Saume der hercynischen Wildniß bezogen hatten. An den Ufern von Persenbeug geht der »Schwarze Mönch« um, heilige Legenden umklingen die Stätte von Säusenstein und Maria Taferl. Dann aber vernehmen wir wieder den Lärm von Wehr und Waffen. Vom Lichte umwallt erscheint das Ufer von Pöchlarn, wo vor anderthalb Jahrtausenden die Hunnenbraut Kriemhilde eine

Vorahnung von den phäakischen Freuden in der Mark
»Osterich« erhielt. Von der Burg, in welcher der edle
Markgraf Rüdiger von Bechelaren Hof hielt, ist kein
Stein mehr vorhanden. Die Wünschelruthe, über welche
die Einbildungskraft verfügt, führt den Liebhaber
antiquarischer Dinge zwischen blühenden Obstbäumen
zu der Stelle, wo die offene Burghalle stand und die
rheinischen Gäste sich an Luft und Wasser ergötzten.

NIKOLAUS LENAU

(1802–1850)

Der Schifferknecht

Am Boden auf dem Rohrgeflecht,
Vom harten Glück verstoßen,
Da ruht der arme Schifferknecht
Mit seinen müden Rossen.

Er haust bei Tag und Nacht am Strand,
Der Herd– und Hüttenlose,
Und ihm gedeiht im Ufersand
Wohl keine Freudenrose.

Die Nacht ist kühl, es braust der Wind,
Still blickt der Mond hernieder;
Die Donau murmelt ihrem Kind
Gewohnte Schlummerlieder.

Sein Schlaf ist süß, er schlürft ihn ein
In starken, tiefen Zügen;
Berauschet ihn, ihr Phantasein,
Aus euren Zauberkrügen!

Laßt wandeln ihn am Wiesenhang
Im goldnen Morgenscheine,
Und ihm ertöne Vogelsang
Im aufgeblühten Haine!

Gebt ihm ein Häuschen still und traut,
Umrankt von grünen Bäumen,
Und eine schöne junge Braut
Gebt ihm in seinen Träumen!

Beim Hüttchen auf der Abendbank,
Da sitzen selig beide;
Heimkehrt mit frohem Glockenklang
Die Herde von der Weide.

Nun hört er nicht der Pferde Huf
Und nicht die Geißel knallen,
Hört nicht der Schiffer langen Ruf
Im fernen Wald verhallen.

Er sieht nicht, wie vom Strand hinab
Den armen Kameraden
Samt seinem Roß ins Wellengrab
Fortreißt der arge Faden*.

---

* Der Faden ist das Hauptseil, an dem die Donauschiffe gezogen
wurden.

ADOLF SCHMIDL

(1802–1863)

Immer ist noch das linke Ufer interessanter

Immer ist noch das linke Ufer interessanter; auf Schloß
Donaudorf folgt das pittoreske Persenbeug, kaiserliche Familienherschafft, einst Lieblingsaufenthalt
des Kaiser Franz. Das Schloß steht auf einem in die
Donau vorspringenden Granitfelsen, hinter und neben
demselben der Markt. Hier ist die bedeutendste Schiffswerfte an der österreichischen Donau, obwol durch
die Dampffahrt das Gewerbe gelitten hat. Die Zeiten
sind nicht mehr, als hier der Krösus der Donauschiffer,
Feldmüller, jährlich 20 große Kelheimer baute, 300
Knechte und 100 Pferde fortwährend unterhielt. Gegenüber von Persenbeug liegt das Städtchen Ips, an
der Mündung der Ips, welche gleichfalls ein großer
Rechen schließt. Ips ist sehr alt; schon eine römische
Ansiedelung, war es jedenfalls wieder unter Karl dem
Großen ein größerer Ort. Es enthält ein großes Ver-
sorgungshaus für Sieche, welches die Stadt Wien
unterhält.

Man befindet sich jetzt in einer weiten Thalbucht,
wo der Fluß eine so starke Krümmung nach rechts
herum macht, eine so »böse Beuge«, dass man von
Persenbeug (deshalb soll es auch Bösenbeug heißen)
dieselbe schneller zu Fuße am linken Ufer durchschneidet wie zu Schiffe sie umfährt. Die Ufer sind
hier unbedeutend, nur die hochgelegene Kirche Maria-
Taferl über Marbach, die bereits in Sicht ist, und der

Anblick der wieder erscheinenden Alpen mit dem imposanten Oetscher sind interessante Punkte. Am rechten Ufer zieht die Ruine des Schlosses Säusenstein die Aufmerksamkeit auf sich; es war ursprünglich ein Cistercienserkloster, die Franzosen steckten dann das Gebäude in Brand, das seitdem in Ruinen liegt. Den Namen hat es von dem Gesäuse des Flusses, der sich an den Uferfelsen bricht. […]

Melk (Mölk) ist nicht nur die prachtvollste Abtei an der Donau (eine der großartigsten überhaupt), sondern es gibt den imposantesten Prospect der ganzen Donau, wenn man Passau als Stadt ausnimmt.

Auf einem 180 Fuß hohen Granitfelsen thront die Abtei, welche sprichwörtlich soviel Fenster hat als das Jahr Tage. Das Gebäude selbst ist einfach und imponiert mehr durch seine Masse, aber die Kirche ist ein Prachtbau von Prandauer im italienischen Stile der Zeit von 1720–32.

SEBASTIAN MÜNSTER

(1488–1552)

Von Stätten / Dörffern / Schlössern und Clöstern / so an der Thonaw ligen

Es ligen uber die maß viel Stätt / Schlösser / Märckt / Dörffer unnd Clöster in Oesterreich an der Thonaw zu beyden seiten / nemblich under Passaw hinab / Bechlarn ein Stättlein und Schloß / und ein Marckt / da seind viel Töpffer / unnd haben einen Richter da. Weitneck ein Schloß / Melck ein Fürstlich Closter / ein Schloß darbey / und ein grosser Marckt. Emersdorf ein Marckt / Aggstein ein Bergschloß / Spitz ein Marckt / Trinstein ein Stättlein und Schloß / Stein ein Statt unnd Schloß / Krembß ein Statt / Rottwyg ein Bene-dictiner Closter auff einem Berg / Holenburg ein Schloß / Tullen ein Statt / Tulbing ein Schlößlein des Bischoffs von Passaw / Königstein / Zismaur zwey Märckt / Stockeraw auch ein grosser Marckt / Greiffen-stein ein Schloß dem Pfaffen Passawer Bisthumbs wol erkandt / Greiffenstein ein Begrschloß / Kritzendorf da wechst guter Wein / wie auch am Bysenberg / der da heist der Bysenberger / Closter Newenstein ein Schloß und Statt / da ist ein mechtig Closter gestifft von S. Leopold Marggraff zu Oestereich und Fraw Agnes sein Gemahel / Keyser Heinrichs des 4. Tochter. Item Kalberg ein Bergschloß und ein Dorff darunter / da der seltsam Pfaff von Kalenberg Pfarrherr ist ge-wesen / von dem man durch gantz Teutschlandt weiß zu sagen. Es wechst auch in derselbigen Gegne treff-licher guter Wein. Darnach kompt die Statt Wien / die nimpt nach etlicher sag / ihren Namen von dem Wasser genannt Wien / ligt an einem trefflichen guten Boden / da guter Wein wachst. Besser hinab ligen viel Schlösser unnd Fläcken / biß gen Pressburg die Statt / die zu der Kron Ungarn gehört (da wachst auch guter Wein) alß Krainberg / Haynburg Statt unnd Schloß / unnd darbey ein Berg genannt der Haynberg / da nisten die besten Falcken und Blawfüß / Rotenstein / Teben / Watenburg / Karolspurg / Kotzo / Altenburg / Schlös-ser / Raab ein Bischoffliche Statt.

RUPERT FEUCHTMÜLLER

(1920–2010)

Stift Melk

Gleich einer jubelnden Fanfare grüßen Kuppel und Türme über die Wipfel der Aubäume. Die Wachau ist erreicht.

Nähert man sich dem Stift vom stillen Seitenarm der Donau, dann steht man völlig im Banne dieses genialen Werkes, das man mit Recht das schönste Barockkloster Europas genannt hat. Wie ein Schiff Gottes ragt es auf schmalem Fels empor. Stolz erhebt sich die palastartige Südfront über den malerischen Giebeln der kleinen Stadt. Fürstliches Mäzenatentum strahlt wie eine Krone über die kleine bürgerliche Welt. Die lange Front führt unsere Blicke zu Kaisersaal und Bibliothek, zwischen denen die bewegte Doppel-turmfassade in kühnem Schwung der Pilaster und Gesimse emporragt. Die gewaltige Kuppel beherrscht den gesamten Komplex, der höchste weltliche Pracht und religiöse. Andacht zu seltener Einheit führt. In der Bibliothek ruht jahrhundertealte Gelehrsamkeit, im Festsaal bewundern wir in Trogers Fresko die Taten des Herkules, in der Kirche aber scheint sich der Himmel mit seiner Glorie der Engel und Heiligen herabzusenken. Bewegt von dieser barocken Poli-phonie, tritt man geblendet auf die von einem Tri-umphbogen getragene Altane und steht gebannt vor dem herrlichen Schauspiel der Natur. Unter steilem Fels sieht man die ruhigen Gewässer der Au und weiter draußen am jenseitigen Ufer über den Wipfeln der Baumkronen den Marktflecken Emmersdorf. Ein mildes Licht liegt über dem Land, es läßt uns an die zarten Farben in den Bildern Kremser Schmidts denken; doch immer wieder fesselt der Strom, sein tausendjähriges altes Geschick, sein geheimnisvolles Glänzen, das unsere Blicke in das enge, bewaldete Stromtal der Wachau hineinführt.

HELGE STREIT

(* 1966)

Sandras subaquatische Donaureise von Melk nach Wien

Bei Stromkilometer 2036 sprang von einer Brücke eine junge Frau in die Tiefe. Die nächsten Minuten werden für ihr Leben entscheidend sein. Geht alles nach Plan, geschieht nun folgendes: Beim Eintauchen in das Wasser wird die junge Frau, ausgelöst durch den Kälteschock, zunächst tief einatmen, dann aber instinktiv den Atem anhalten. Sie wird das 30 bis 60 Sekunden lang tun, während sie die sie umgebende Kälte spürt und wie die Strömung nach ihr greift und sie in die Tiefe zieht. Ohne ihr Zutun beginnt sie, ausgelöst durch den Sauerstoffmangel im Gehirn, Wasser in ihre Lungen zu pumpen, unterbrochen von krampfartigem Ausatmen. Wasser, Luft und Bronchialsekret vermischen sich zu einem Schaum, der aus dem Mund quillt. Etwa zu diesem Zeitpunkt verliert die junge Frau das Bewußtsein. Es folgen Erstickungskrämpfe, Atemlähmung, ein letztes vergebliches Schnappen nach Luft.

Niemand hat bemerkt, was auf der Brücke vorging, die doch viel befahren ist an diesem Tag Mitte August. Der letzte, der die junge Frau lebend gesehen hat, ist einer der zahlreichen Radfahrer, die jedes Jahr die Strecke Passau – Wien befahren. Ihm war die junge Frau aufgefallen, die mit den Schuhen in der Hand bloßfüßig über den heißen Asphalt ging und leise eine Melodie zu summen schien. Zusammen mit seiner Familie und Freunden hat er Melk gesehen und sich damit unterhalten, im Marmorsaal des Stiftes auf- und abgehend die Scheinarchitekturen an der Decke sich krümmen und wieder aufrichten zu sehen. Auf der Brücke war er zurückgeblieben, aber jetzt hat er aufgeholt, sie haben das Ufer gewechselt und setzen ihren Weg fort …

Die erste Wegstrecke, die schwierigste, ist geschafft! Schon ist die Brücke den Blicken entschwunden. Hier darf wegen der steilen Uferhänge die Donau noch Schleifen in die Landschaft zeichnen. Flott geht es dahin und ist fast lustig anzusehen. Bis nach Ungarn hinein bewahrt die Donau ihren Charakter als Gebirgsstrom. Nicht kopfunter, sondern am Rücken, wie auf weichen Daunen liegend, treibt die junge Frau in der Flußmitte dahin. Übermütig spielt die Strömung in dem luftigen Sommerkleid und wickelt sich in das lange, gewellte Haar. Alles an ihr wirkt jetzt weiß, fast bläulich, während es rund um sie her dunkelgrau, fast schwarz ist. Sie berührt nicht den Grund, sondern schwebt darüber hinweg. Überhaupt scheint alles um sie her grenzen- und schwerelos. Das Leben war in letzter Zeit nicht so grenzen- und schwerelos gewesen. Die Augen sind halb geöffnet, als genieße sie die tausendfachen Berührungen des Wassers. Sie trägt eine dünne Goldkette um den Hals, in dessen Anhänger »für Sandra, in Liebe« eingraviert ist. Der Schaum vor dem Mund ist weggespült und die blassen, schmalen Lippen scheinen jetzt zu lächeln. Neugierig schiebt das Wasser das Kleid über die Knie. Das wärmere Wasser der unterhalb von Melk in die Donau mündenden Pielach hat sich jetzt vollständig mit dem kälteren des Hauptstromes vermischt.

Aber dann, Sandra, paß auf, erste Gefahr! Ein Schwarm Quallen vor dir! Und du treibst darauf zu. Quallen? Es sind weiße Fetzen Plastik, vom Wind ins Wasser getragen. Im späten Frühjahr war darin auf einem Feld die erste Mahd des Jahres gewickelt. Jetzt schlingt es sich um Sandras Fuß, bläht sich wie ein Segel. Und als sich Sandras Körper in der wiegenden Strömung dreht, sieht es aus wie ein Taschentuch, womit sie dem verlorenen Leben hinterherwinkt. Der Fluß führt hier gegen Norden, bis er sich bei Dürnstein wieder nach Osten krümmen wird.

Aber was sind das für dumpfe, wühlende, knarrende Geräusche, wo wir es uns ganz still vorgestellt haben? Kommen sie näher, werden lauter? Schiffe, bergfahrend. Das kleinere Schiff, die *Prinz Eugen* und die großen Linienschiffe *Kaiserin Elisabeth* und die *Mozart*. Auch ein russischer Schlepper mit Kohle für Linz mischt sich darunter. Schiffsschrauben! Gierig wirbeln die Schaufeln ins Wasser, zerhäckseln alles zu Brei, was in ihre Fänge gerät. Wasser quillt kochend auf und geübte Hände fischen in der Bordküche der *Mozart* Rote Rüben aus den Töpfen und schneiden sie zu kleinen Würfeln. »Schnell! schnell!« ruft einer und klatscht in die Hände. Bald ist es Zeit fürs Mittagessen: Milchrahmmousse mit Limettengelee auf Flußkrebs-Selleriesalat. Eierschwammerlsuppe mit mariniertem Hecht und Basilikum. Huchen mit Safran auf geeistem Rote-Rüben-Ingwerkompott. Topfennockerl mit Marillensauce. Dazu Weine der Wachau: Grüner Veltliner von den Lößböden bei Loiben, der Neuburger von den Steillagen des Spitzer Grabens ... Aber unter Wasser reißen jetzt die Schiffsschrauben Sandra in die Höhe und hacken dem in der Strömung um die eigene Achse rotierenden Leib den kleinen Finger der linken Hand ab, zerwirbeln ihn in einer Wolke aus Blut. Sandra aber sinkt wieder in die Tiefe. Auf ihrem Gesicht ist jetzt ein Ausdruck, als hätte sie sich wieder zu sehr dem Leben genähert und als hätte dieses unbarmherzig nach ihr geschlagen.

Lustig sieht es aus von der luftigen Höhe der Burgruine Aggstein, die weißen Schiffsleiber auf dem blauen Fluß, darunter der geduckte, breite Kohlenschlepper. So sieht sie auch der elfjährige Manuel, der am Weg zurückbleibt, bis die Eltern aus seinem Blickfeld verschwinden. Er möchte sich in die Zeit der Raubritter versetzen und träumt von Grausamkeiten. Eltern mit bunten Rucksäcken stören die Illusion. Jetzt aber ist er Matrose, nein, nicht auf den weißen Schiffen, sondern dem geduckten, schwarzen voller Kohle, und er fährt in Gedanken damit über die Flüsse und das Meer. Aus großer Höhe scheinen die Schiffe fast stillzustehen.

Unter der jetzt wieder glatten, wie von einer weißlichen Ölschicht überzogenen Wasserfläche ist ein silbriges Flirren. Donaufische, kaum handtellergroß. Junge Flußbarsche. Sie schnappen nach den im Wasser treibenden Nahrungspartikeln und die mutigeren tauchen tiefer, folgen der Spur und knabbern dort an dem Fingerstummel, den ihnen Sandra bereitwillig hinzuhalten scheint. Weiß sie nicht, daß, wenn sie den kleinen Finger gibt, die Fische die ganze Hand haben wollen? Oder will diese Geste sagen: Nehmt nur, vielleicht ist wenigstens euch dieser Körper noch zu etwas nütze. Die wirbelnde Bewegung hat das Stück Plastik vom Fuß gerissen. Jetzt hockt dort Sandras rosafarbenes Höschen. Bald wird es sich lösen und hinauf an die Oberfläche treiben.

Stromkilometer 2024. An der Donau werden die Kilometer flußaufwärts gezählt, beginnend an ihrer Mündung. Eine Gruppe Jugendlicher von einem Ferienlager oben am Kamp drängt sich fürs Foto um die übergroße Nachahmung der Venus von Willendorf in grauem Stein, in den erhobenen Händen Kopien der steinzeitlichen Statuette. Hände weisen hinaus zu den sich flußauf mühenden Schiffen. Motorradfahrer stehen am Rand der Gruppe, die Köpfe über eine Karte gebeugt. Weiter in den nächsten Ort, oder hinauf nach Maria Laach zur Madonna mit den sechs Fingern? Mit den Motorrädern ist es nur ein Augenblick. Einer der Jugendlichen, ein dicker Junge, der einzige, der nicht in die Kamera lacht, sieht den Männern und Frauen in der bunten Lederkluft hinterher.

Er selbst fühlt sich schwer wie ein Stein werden und der Sommer und die Ferien scheinen niemals aufzuhören. Bald vermischt sich an den sonnenverwöhnten Uferhängen das Rascheln der Smaragdeidechsen mit den dröhnenden Motoren unten auf der Landstraße ...

Unbekümmert um die Welt draußen zieht Sandra in einigen Metern Tiefe dahin. Jetzt löst sich ihr Höschen vom Bein, schwebt in die Höhe, wobei es stetig an Farbe gewinnt und schließlich als dunkelrotes Stück Stoff an der Oberfläche treibt. Eine Reisegruppe drängt sich in den gotischen Karner von Sankt Michael und bestaunt murmelnd die Reste mumifizierter Leichen, die der Donausand konservierte, Sie sollten nicht vergessen, auch auf den Turm zu steigen, von wo sich neuerlich der Blick auf die vorüberfließende Donau öffnet. Würde man ihnen sagen, was der Fluß alles mit sich führt! Eine Plastikflasche, in deren Innerem sich eine Schlammschnecke gefangen hat. Die von einem Kinderkopf gewehte Kappe. Ein Präservativ, nach dem neugierig Fische schnappen. Ein Fahrradhandschuh. Bei der Routinekontrolle eines ukrainischen Frachters ging ein Teil der Fracht (Anschovis aus dem Schwarzen Meer, in Dosen verpackt) über Bord und jetzt treiben im Wasser kleine Plastiksäckchen mit darin eingeschweißtem weißem Pulver. Alles das schwimmt eine Weile neben Sandra einher, überholt sie, bleibt zurück, driftet in den grünen Dämmer links und rechts neben ihr.

AMAND FREIHERR VON
SCHWEIGER-LERCHENFELD

(1846–1910)

Wenn man das Loblied der oberen Donau singen hört

Wenn man das Loblied der oberen Donau singen hört, hat man vornehmlich zwei Abschnitte des Stromes sich vor Augen zu halten: die Enge zwischen Passau und Aschach und die Wachau. Die letztere ist die gepriesenere und auch die besuchtere, durch die Gastlichkeit seiner Uferortschaften und der nahen Lage zu der Kaiserstadt. An der Pforte dieses in Lied und Sage gefeierten Donaugaues liegt Melk. Sowie man die hohe Abtei hinter sich hat, schaut man in eine Spalte hinein, welche uns die kommenden Dinge ankündigt. Bis Emmersdorf, wo oberhalb der eng zusammengedrängten Häuser des Marktes das Trümmerwerk einer Raubburg liegt, ist nichts Bemerkenswerthes. Von rechts her kommt die ansehnliche Pielach, welche in den Strom fällt, weiterhin – auf derselben Uferseite – zeigt sich das Schloß Schönbichl des Grafen Beroldigen. Nun rücken die Ufer zusammen, es weht Kühlung von den Felsen, weiße Haufenwolken schweben wie ein Baldachin über der einsamen Enge. Als hier die Natur noch in voller Urwüchsigkeit schaltete und die Ufer mit Dickichten bekleidete, standen auf den weitausschauenden Höhen die Späherposten der Avaren. Karl der Große hatte das wilde, mordgierige Reitervolk vertrieben, aber an ihre Stelle setzten sich alsbald die raublustigen Ritter jener »herrenlosen, schrecklichen Zeit«, welchen der Graf von Habsburg den Garaus machte.

Bald sind wir mitten in der Enge drinnen. Links zeigt sich Groß-Aggsbach, gegenüber Klein-Aggsbach und darüber ein rauhes, verwittertes Gemäuer, wie von Cyklopenhand trotzig hingestellt auf die hohen Ufer-felsen. In diesem Gemäuer hausten, als es noch eine unüberwindliche Burg war, die schlimmsten der Donaupiraten, die Kuenringer, welche sich selber den Ehrentitel »Die Hunde« beigelegt hatten, und nachmals der Biedermann Georg Scheck vom Walde, dessen Beinamen »Schreckenwald« bezeichnend genug war. Diese Burg ist Aggstein, ein wahres Kleinod der Romantik, wenn auch diese nicht sehr anziehend sein mag. Der Pfad, der den steilen Hang hinan-klettert, bringt uns alsbald mit der fehdelustigen Ver-gangenheit in Berührung. Knorrig und steinig ist hier Alles, vom verkrüppelten Unterholz bis zu den eckigen Felsblöcken und den schwindelnd hohen Warten über den finstern Wipfeln. Man schreitet durch ein verwittertes Thor, Trümmer rechts und links, und kommt zuletzt in einen großen Hof, von hier durch einen Gang und über eine Treppe in die Hochburg auf der Zinne des Felsens. Ein leises Summen kommt aus der Tiefe, wo die Donaunixen in der Einsamkeit plät-schern. Das Schönste ist die Ausschau über den Ab-grund und die hohen Ufer stromabwärts bis zu der zackigen »Teufelsmauer«, die sich zu den eilenden Wassern herabschlängelt. Meterhohe Stauden schau-keln zwischen öden Lücken im Thalwinde. Der Er-bauer dieser Burg hatte es nicht nöthig, seinen Horst mit einem mehrfachen Mauerring zu umgürten; wie die Natur den Felssockel geformt hatte, erwies er sich tauglich für den Bauplan des nachmaligen Burgherrn. Was einen heiter stimmen könnte, etwa als Nachwirkung irgend eines minniglichen Geschehnisses aus der Troubadourzeit, findet man hier nicht; ja man verspürt nicht einmal den eisigen Schauer jener Ammenmärchen, welche solche öde Hallen und Gelasse mit »weißen Frauen«, zauberverschlafenen Burgvögten und anderem Gespenstergelichter bevölkern.

LUDWIG BOWITSCH

(1818–1881)

Schreckenwalds Rosengärtlein auf Aggstein

Unterhalb Melk auf hohem, von der Donau fast unzugänglichen Felsen liegt Aggstein, ein noch in seinem Verfalle großartiges Schloß. Trotzig und kühn heben sich die Mauern empor, Zeugniß gebend von der bis zur heillosen Verwilderung entarteten Kraft verrauschter Jahrhunderte. Ueber drei Brücken und durch drei Thore führen die Pfade in den innern Bau. In die eigentliche, von starken Wehrthürmen geschützte Burg konnte man nur mittelst steiler Leitern gelangen, wenn man es nicht vorzog, sich auf Knebeln emporwinden zu lassen.

Als Erbauer wird Albert von Kuenring genannt. Nach dem Erlöschen dieses berühmten und berüchtigten Geschlechtes ging Aggstein in den Besitz der steirischen Herren von Scheck über.

Die Wirren der Zeit benützend und auf die Unüberwindlichkeit seines Felsenhorstes bauend, machte Georg von Scheck als Räuber und Mörder sich auf Meilen im Umkreise furchtbar. Er pflegte sich selbst den Scheck vom Walde zu nennen, das Volk aber bezeichnete ihn als »Schreck vom Walde«, »Schreckimwald« und »Schreckenwald«. Und er erwies sich dieses Namens würdig.

Kein Schiff fuhr ohne Gefährde die Donau hinab; kein Kaufmann mochte sorglos auf der Landstraße ziehen; Klöster und Burgen, Dörfer und Städte wurden von ihm gebrandschatzt und geplündert, und nicht mit dem Raub allein gab er sich zufrieden. Die Gefangenen wurden in das Raubnest geschleppt und einem qualvollen Tode überliefert.

Am Rande des Felsens, dort wo er sich am steilsten hinabsenkt, war eine steinerne Platte angebracht, auf welche man durch ein eisernes Gitter gelangte. Durch dieses Gitter wurden die Gefangenen hinausgestoßen und ihnen die Wahl zwischen dem Hungertode und dem Verzweiflungssprunge in den Abgrund offen gelassen.

Diese Platte nannte »Schreckenwald« sein Rosengärtlein.

Einst war ein junger Ritter, Namens Hugo von Buchwald, ihm in die Hände gefallen. Der sollte die verhängnißvollen Reize des Rosengärtleins erfahren. Da stand er auf der Platte, deren Gitter sich hinter ihm verschlossen hatte und blickte hinab in die schwindelerregende Tiefe. Plötzlich zeigte sich ihm eine kurzstämmige, fast horizontal aus einer Felsenspalte hervortretende Tanne, und der Dämon der Verzweiflung wich dem tröstenden Engel der Hoffnung.

Als mit Anbruch des neuen Tages der Schreckenwald mit seinen Spießgesellen von dannen zog, rüstete sich Hugo zum gefahrvollen Sprunge. Dem Herrn des Schicksals den Erfolg überfassend, ließ er sich in der Richtung des Baumes hinab und erfaßte glücklich den schwankenden Stamm, nun galt es einen neuen Sprung auf einen vorgeschobenen Felsblock. Von da ab wurde durch zähes Gestrüppe, das die Stelle eines Seiles vertreten mußte, die weitere Reise ermöglicht. Endlich erübrigte als letztes Wagniß der Sturz in die Krone eines mächtigen Ahornbaumes, der da bereits im Thalgrunde fußte.

Obwohl todesmüde und aus unzähligen Wunden blutend, hatte Hugo von Buchwald die Schrecknisse des Rosengärtleins überwunden. Nachdem er sich durch einen Trunk aus lustig vorübersprudelnder Quelle gelabt und dankend sein Gemüth zu Gott erhoben, raffte er sich auf, wanderte von Burg zu Burg, erzählte sein furchtbares Abenteuer und forderte zum Rachezuge gegen den vermessenen Räuber auf. Die unfreiwillig erworbene Kenntniß von dem Gebahren des Schloßherrn, von der Lage der Burg und ihrer Umgebung leistete vortreffliche Dienste.

Als Scheck vom Walde eines Abends von einem Raubzuge heimkehrte, wurde er von den ihm auflauernden verbündeten Rittern überfallen, gefangen genommen und an einem Tannenbaum aufgehängt.

Der letzte Scheck vom Walde nannte sich ebenfalls Georg und ahmte seinen Ahnherrn würdig nach. Er sperrte mit einer großen eisernen Kette den Strom und plünderte die Schiffe nach Herzenslust aus. Seine Gewaltschaaren lagerten auf Straßen und Brücken und in den Kerkern des Schlosses seufzten Ritter und Bauern.

Natürlich kam endlich auch gegen ihn ein Rachebündniß zu Stande. Konrad von Starhemberg überrumpelte Aggstein während der Abwesenheit seines Besitzers und dieser selbst wurde in einer förmlichen Schlacht von einem Ritter von Graveneck aufs Haupt geschlagen.

In der Tracht eines Bauers entrann der Verfehmte, nachdem fast all' seine Leute gefallen waren, den Schwertern der Feinde und fand in den Hallen eines Klosters ein schirmend Asyl. Ehe jedoch ein Jahr abgeschlossen hatte, sahen sich die Mönche gezwungen dem ränkevollen und gefährlichen Ritter die Gastfreundschaft zu künden.

Nach längerer Wanderung durch unwirthliche Gegenden legte sich der letzte Scheck vom Walde in einer einsamen verfallenden Waldhütte, erschöpft von Mühsal und Hunger, zum Sterben nieder.

Man zählte das Jahr 1467 nach Christi Geburt.

ALBINE SCHROTH-UKMAR

(1862–1928)

Aggstein

Es rauscht der Strom, der kühle Wald,
Die klaren Wässerlein,
Ein preisen dich und huldigen
Dir, Feste von Aggstein.

Und Felsenzacken, Tannengrün,
Der Himmel klar und rein,
Sie grüßen dich, du Adlerhorst,
Du Feste von Aggstein!

MICHAEL W. WEITHMANN

(* 1949)

Venus in der Wachau

Bricht die Erdgeschichte der Donau mit den Urgewalten explodierender Asteroiden an, so debütiert die Menschheitsgeschichte an den Donaugestaden mit den sanft geschwungenen Formen weiblicher Anatomie. Die 1908 aus einer altsteinzeitlichen Kulturschicht bei Aggsbach am Ufer der Wachau geborgene »Venus von Willendorf« zählt heute zu den Attraktionen des Naturhistorischen Museums in Wien. Auf 11 Zenti-

metern bringt das Figürchen aus Kalkstein unmiss-
verständlich die Reize ihres Geschlechts – wenn
auch für postmoderne Betrachter in etwas zu üppiger
Weise – zum Ausdruck. Über ganz Europa, von den
Pyrenäen bis Russland verstreut, kamen ähnliche
Statuetten zum Vorschein, die größte, wiederum aus
Willendorf, fast 25 Zentimeter hoch. Als Fruchtbar-
keitssymbol gedeutet, klassifiziert sie die Forschung
als »Venus-Statuen«. Ob sie eine frühe matriarchale
Periode der Menschheitsgeschichte reflektieren, ist
gegenwärtig eine heiß diskutierte Frage. Im mährischen
Becken bei Dolni Vestonice (Wisternitz), also nicht
weit nördlich der Wachau, wurde 1924 bis 1952 eine
ganze Mammutjägerstation ausgegraben und mittendrin stieß man wieder auf eine »Venus«. Die Radio-
Carbon-Messung ergab ein Alter von 25.000 Jahren.

WOLFGANG KÜHN

(∗ 1956)

Wachau f!

Kalmukjanker – Heizöltanker
Marillenblüte – Einkaufstüte
Wachauerlandl – Langosstandl
Haubenkoch – in jedem Loch
Donaubläue – Bauernschläue
Leckerspeise – Wucherpreise
Hauerjausen – Essbanausen

Blondel Sänger – Bauernfänger
Löwenherz – alter Scherz!
Eiswein – Eisbein
Wachauertracht – sehr gelacht
Weltkultur – Touristen pur
Fotoposen – Radlerhosen
Träumerin – längst dahin
Weinbauer – Spitzenhauer
Jeder Gast – aufgepasst
Lauf davon – mit Marathon!

EDUARD EFFENBERGER

(1910)

Spitz an der Donau

Die günstige Lage des Ortes, die zahlichen Schiffe, welche am Donauufer landeten, besonders die stromaufwärts fahrenden Schiffzüge, wirkten höchst fördernd auf den Handelsbetrieb, namentlich auf den Handel mit Wein, Obst, Essig, Bau- und Brennholz, Brettern, Schindeln und Weinpfählen. Auch sonstiges Gewerbe und Handwerk war in Spitz zahlreich vertreten und fand lohnenden Erwerb. Besonders erträglich war zufolge der Schiffzüge, die viele Pferde beanspruchten, das Schmiedehandwerk, welches eine eigene Zunft bildete, der die Zünfte aus 21 Ortschaften der Umgebung einverleibt waren.

AMAND FREIHERR VON
SCHWEIGER-LERCHENFELD

(1846–1910)

Nun kommen wir nach Spitz

Nun kommen wir nach Spitz, einem beliebten Tummelplatze der Sommergäste. Eigemthümlich ist, daß der Ort den bis zum Gipfel mit Reben bepflanzten Burgberg einschließt, worauf sich die Redensart bezieht: »Auf dem Spitzer Hauptplatz wachsen tausend Eimer Wein.« Es ist ein ganz annehmbarer Tropfen. Von der einstigen Feste »Hinterhaus«, welche sich über Spitz erhebt, ragt ein trotziger Quaderthurm zwischen den von Rundthürmen flankirten Mauern noch ungebrochen in die Höhe […] Bei dem nun folgenden St. Michael seien die Reisenden auf die aus Thon geformten Hasen auf dem Kirchendache aufmerksam gemacht. Diese sollen an ein Elementarereigniß anspielen, das vor undenklichen Zeiten sich zugetragen. Damals lag der Schnee so hoch, daß die Hasen über das Kirchendach hinweglaufen konnten. Die Geschichte ist so unwahrscheinlich, ja unmöglich, daß hier offenbar die Erinnerung an die wahre Bedeutung jener Wahrzeichen verloren gegangen ist.

Auf der Weiterfahrt erscheint links der Marktflecken Weißenkirchen mit Rebenhügeln und einer hochthronenden alten Kirche, um welcher einst die Kugeln der Hakenbüchsen des schwedischen Mordbrennerheeres Torstenson's und später die Projectile der russischen und österreichischen Artillerie pfiffen, als die Franzosen hier durchbrechen wollten. Das war im

Jahre 1805 [...] Weiterhin beschreibt die Donau einen scharfen Bogen, indem sie rechtwinkelig nach Südosten umbiegt. Die beiden Ortschaften Rosatz und Dürrenstein bilden hier die Thorpylonen des unteren Einganges in die Wachau. Die Legende von Dürrenstein haben wir andernorts einer eingehenden Kritik ungezogen. Für die Illusion, welche mit dieser romantischesten unter allen Donauburgen zusammenhängt, ist der Umstand bedenklich, daß die heutigen Ruinen zum größten Theile gar nicht dem Mittelalter angehören. Als nämlich die Schweden während des dreißigjährigen Krieges sich in den Besitz der Feste setzten, nahmen sie einen den militärischen Zwecken entsprechenden Umbau vor; bei ihrem Abzuge wurde Alles wieder zerstört. Man hat alle Mühe, sich ein Bild von dem Zustande der Burg zu machen, welches einigermaßen mit den Vorstellungen der Einbildungskraft, die das ehemalige Gefängniß Richards vor Augen hat, zusammenstimmte. Dennoch umweht ein Hauch poetischer Verklärung das öde Trümmerwerk.

FRIEDRICH HOFBAUER

(∗ 1924)

Die sieben Hasen

Stromabwärts von Spitz an der Donau steht auf einem vorspringenden Felsen eine sehr alte Kirche. Sie heißt nach dem Erzengel Michael. Auf das Dach dieser Kirche haben sich einmal sieben Hasen gerettet.

Damals herrschte ein bitterkalter Winter, in dem es so viel schneite, dass die ältesten Leute sich nicht erinnern konnten, jemals so viel Schnee gesehen zu haben. Ein eisiger Sturm fegte von den Hügeln herunter über das Land und es schneite und schneite weiter. Der Schnee lag bald so hoch, dass von der Kirche nur noch der Kirchturm und ein Stück Dach herausschauten. Eines Abends kamen sieben halberfrorene Hasen den Atzberg heruntergerannt. Der Schneesturm hatte ihre Behausungen zugeweht und jagte hinter ihnen her, und die armen Hasen wussten nicht, wohin sie sich retten sollten. Da sahen sie den Kirchturm und ein Stück Dach aus dem Schnee ragen und rannten darauf zu. Dann saßen sie alle sieben auf dem Kirchendach. Der Kirchturm schützte sie vor dem eisigen Sturm. Die Hasen drängten sich eng aneinander und schliefen bald vor Müdigkeit ein. Als die sieben Hasen am nächsten Morgen aufwachten, war es windstill und die Sonne schien warm vom Himmel. Der Schnee war bis hinunter zum Erdboden geschmolzen, und die sieben Hasen saßen hoch oben auf dem Kirchendach und wagten sich nicht hinunter.

Aber sie mussten nicht erfrieren. Die lange Winterzeit, die sie nun auf dem Kirchendach saßen, verwandelte sie in Stein.

Seither sitzen die sieben Hasen auf dem Dach der Kirche und sind heute noch zu sehen.

LUDWIG DELLAROSA

(1772–1841)

Das Gefängniß

Nahe an den Ufern der majestätischen Donau liegt
das armselig gebaute, nur aus einigen und sechzig
Häusern bestehende Städtchen Dürrenstein, merkwürdig geworden in unserer Zeit, da dort der französische Reichsmarschall Mortier durch Golenitschew
Rutusow, und dem F. M. L. Heinrich v. Schmidt gänzlich geschlagen, und die Division Gazan aufgerieben
wurde; merkwürdig aber in der vergangenen Zeit,
durch Richard Löwenherz, welchem das feste Schloß
zum Gefängnisse dienen mußte. Der Felsen, worauf
die Ruinen dieser Burg stehen, strebt hart an die
Donau hin und gab eine vortreffliche Schußwehre
gegen andringende Feinde. Ueberhaupt bildet diese
Veste, die gewiß einst unter die stärksten in Oesterreich gehörte, ein Dreieck, dessen Grundlinie aus der
befestigten mit Mauern und Thürmen umgebenen
Stadt bestand. Die Mauern der Veste sind schon stark
zerfallen und immer lösen sich ganze Wände von ihrer
Verbindung los. Unter allen Schlössern in Oesterreich
findet sich keins, das auf einem solchen felsigen
Grunde angelegt worden war. Wenn man in den Ruinen
steht, und mit dem Gesichte gegen die Stadt gekehrt
ist, sieht man vor sich eine abschüssige Wand, welche
mit zahlreichen Felsensäulen besetzt ist, links hin
sind alle Wände mit noch größeren Felsenstücken
bethürmt, rechts ist eine fast ganz kahle Seite, die
durch einen tiefen Graben von gleichfalls nackten

Felsenwänden geschieden ist, rückwärts ist die Schloß-
anhöhe wie abgehauen, aber doch durch die Grundfelsen mit den nordöstlichen Höhen in Verbindung,
welche von schwarzen Kieferwaldungen beschattet
sind; unwillkürlich ergreift geheimer Schauer den
Wanderer, welcher diese Ueberreste der ehemaligen
finstern, und man kann sagen, herzlosen Zeit, besieht.

ALBINE SCHROTH-UKMAR

(1862–1928)

Auf Dürnstein

»Suche meines Königs Spuren
Mit der Treue mächt'gem Drang;
Hörst du, König, deinen Blondel,
Kennest du der Zither Klang?«
Da erhebt der König Richard seine Stimme,
      halberstickt in unermeßlichem Jubel –
»Blondel, Blondel, bist du 's wirklich,
Täuscht mich nicht verwirrter Sinn?
Jahrelang schlepp' dieses Leben
Als Gefangener ich hin!
Hat mich England ganz vergessen,
Lebt kein Freund mir außer dir?
Denn ihr lass't mich einsam trauern,
In dem Felsenneste hier.
Blondel, Blondel! Bist du 's wirklich?
Klimm' auf jenen Felsenhang;
Daß beim Mondenlicht ich schaue,

Ob dein kühnes Werk gelang.
Und dann eile heim, mein Blondel,
Sieh' den Wink von meiner Hand –
Ja, dein König ist gefunden,
Künd' es meinem fernen Land!«

HEINRICH KOLAR

(1871–1947)

Wann ist die »blaue« Donau wirklich blau?

Farblosigkeit des Wassers. Man spricht aber doch
vom »blauen Meer«, besingt den »himmelblauen«
See und tanzt nach den Klängen des Strauß-Walzers
»An der schönen, blauen Donau«. Die »alte« Donau
erscheint im Winter und Frühjahr zeitweise blau, der
Hauptstrom erscheint fast nie blau.

Regelmäßige Beobachtungen über die Farbe der
Donau wurden von A. Bruszkay in Mautern während
eines ganzen Jahres täglich zwischen 7 und 8 Uhr
früh gemacht. (Veröffentlicht in den Jahrbüchern des
Hydrographischen Zentralbureaus.) Die Farbe des
Donauwassers war: An 11 Tagen braun, an 46 Tagen
lehmgelb, an 59 Tagen schmutziggrün, an 45 hellgrün,
an 5 Tagen grasgrün, an 69 Tagen stahlgrün, an 46 Tagen
smaragdgrün, und an 64 Tagen dunkelgrün. […]

Penck sagt über die Farbe der Donau: Schon die
Iller hat bei Ulm das dunkle Schwarzwaldwasser licht
getönt und je mehr die Donau grüne und blaue Ge-

wässer aus den Alpen erhält, desto mehr rechtfertigt sich ihre Bezeichnung als blaue Donau.

[…]

Von Wien abwärts ist das rechte Ufer ein Steilufer, das linke Ufer aber ist flach. Unverkennbar drängt – nach Penck – eine Kraft den Fluß allenthalben nach rechts; es ist dieselbe Kraft, die den Wind auf der nördlichen Halbkugel nach rechts ablenkt, nämlich ein Teil der infolge der Achsendrehung der Erde sich entwickelnden Fliehkraft. Dieselbe bewirkt auch, daß dort, wo der Fluß sich schlängelt, die rechten Prallstellen tiefer als die linken sind.

EUGIPPIUS

(465–533)

Die Donau zu überschreiten

Einem Mann, der mitsamt seiner Frau und seinen Kindern losgekauft worden war, befahl [der heilige, Anm. d. Hrsg.] Severin, die Donau zu überschreiten[*], damit dieser am Wochenmarkt der Barbaren[**] einen bestimmten Mann suche.

---

[*] Diese Stelle zeigt, dass die Donau in der Endzeit des Imperium Romanum durchaus kein »Eiserner Vorhang«, keine stets umkämpfte Grenze war, sondern zum Handel und sonstigem Verkehr auch von einzelnen Privatpersonen überschritten werden konnte.
[**] Gemeint ist der germanische Stamm der Rugier.

AMAND FREIHERR VON
SCHWEIGER-LERCHENFELD

(1846–1910)

Mautern gegenüber

Mautern gegenüber, am linken Ufer, liegt Stein, zum Theile noch in seinem alten Mauerring eingeschnürt, mit hochragenden Thorthürmen und alterthümlichen Häusern. Der Ort hat etwas Antiquarisches, es haftet ihm der Reiz des alten, wehrhaften Bürgerthums an, der durch den Anblick von Söllern und Warten, versteckten Zinnen und Thürmchen nicht unwesentlich erhöht wird. Im Innern freilich wird die Hand der Modernisirung nicht vermißt. Den Freund des Alten werden die verwitterten Grabdenkmäler rings um die Pfarrkirche, das Rathaus mit den Schmidt'schen Fresken und die von Mathias Corvinus zerstörte alte Burg anziehen. In unmittelbarer Nachbarschaft von Stein befindet sich eine große Strafanstalt und ein Redemptoristenkloster; diese Oertlichkeit – eigentlich nur ein Vorort der Stadt – heißt Und. Mit Hinzuziehung des benachbarten Krems ergibt sich hieraus das sattsam bekannte Wortspiel: »Stein und (Und) Krems sind drei Orte.« […] Krems liegt sehr malerisch wie in einer grünen Muschel am Ausgange des Kremsbachthales, von sanft geschwellten Höhen umrandet, zur Seite weites ebenes Land, den gewaltigen Strom am südlichen Saume.

EGON SCHIELE

(1890–1918)

Blaugrünes Donauufer

24. März 1913
Lieber Herr Reininghaus!
[…] Die kleinen Bilder, die ich Ihnen hiermit über-
sende, wurden heute fertig; das eine ist die Stadt
Stein a.d.D. gegen einen Terrassenweinberg; das andere dieselbe Stadt von dem Terrassenweinberg aus
gegen die Donau gesehen mit dem jenseitigen Ufer
(blaugrün) oben, eine Daraufsicht. – Eines kostet
200 K[*]; Ihrem Wunsch gemäß habe ich die Bilder ge-
malt und schließe es nicht aus, daß diese zusammen-
gehörigen Ihnen gefallen. – Jetzt werde ich diese
Stadt erst größer malen auf Leinwand, natürlich werden Örtlichkeiten nicht mehr berücksichtigt, sondern
nach meiner Erinnerung, (nach den Studien die ich
mitbrachte), – noch vieles anders komponiert. – Wenn
ich ein Studium nicht mehr benötige, die ich dort-
selbst gezeichnet habe, so sende ich Ihnen diese. –

Mit herzlichen Grüßen
Egon Schiele.

---

[*] Kronen.

GEORG KREKWITZ

(1686)

Krembs

Krembs / Cremesia, ist eine vornehme Landsfuerst-
liche Stadt in Unter-Oesterreich an der Donau gelegen / allwo der Fluß Krembs / von welchen sie den
Namen hat in solche einfaellet.

Ihr Lager ist ungleich und bergicht. Hat 4 Thor / als
das Wiener / das Wachthor auf dem Berge / das Stein-
und das Hallthor / an welches letzten Thors Thurn
stehet: felix ilia civitas, quae tempore pacis bella
cogitat. Und wird diese Stadt vor groesser als Preßburg gehalten.

WOLFGANG KÜHN

(* 1956)

Fischerlied

Donau,
du bist de anzige,
de ma no zuaheart,
waun a jede aundare
scho wegaheart!

Donau,
du bist de anzige,

und dia wiard niemois fad,
a waun si jede aundare
schon wegadraht!

Donau,
du bist de anzige,
vo dea i mi net schenier
a waun a jeda aundaren
scho graust vor mia!

Donau,
du bist de anzige,
dera i no wos dazö',
weu du' waaßt,
daß i mi net vastö'!

Donau,
du bist de anzige,
dera i vatrau,
Donau,
des
waaßt du gaunz genau!

Donau,
du bist de anzige,
de net zruckredt,
a waun i maunchmoi
gern a Auntwurt hätt'!

Donau,
du bist de anzige,
auf de i hea,

i hoff, du dazöhst
ma no vü mea!

Donau,
du bist de anzige,
de mi net valoßt,
wir lebn net zsauman,
owa fost!

Donau,
du bist de anzige
fia mi!

JOSEF GERSTENDÖRFER

(1898)

Von Krems nach Tulln

Auf einem fest gearbeiteten Kahne, der freilich nicht
ganz so zierlich gebaut ist, wie jener in Linz, treten
wir wieder unsere Fahrt an. Die Donau durchfließt
von hier aus das sogenannte Tullner Becken, wendet
sich gegen Süden und nähert sich den Höhenzügen
am rechten Ufer, während links eine weite, fruchtbare
Ebene liegt, die zum Theile aus dem vom Strome ab-
gesetzten Sand und Schlamm gebildet ist. Hier will
ich dir auch mittheilen, wie man diese gewaltigen
Anschwemmungen zu erklären sucht.

Die Gelehrten haben nämlich gefunden, daß infolge
der Umdrehung der Erde die auf der nördlichen Erd-

hälfte von Norden nach Süden fließenden Ströme immer ihr rechtes Ufer stärker bespülen, die Gehänge desselben unterwaschen, bis Erde und Steine herabstürzen. Das Gerölle wird mit fortgeschwemmt und zum Theile an dem linken Ufer im langsam strömenden Wasser wieder abgesetzt. So entstehen dort niedrige Inseln, es bilden sich Flußarme, die endlich versanden; der Strom erzeugt links eine Ebene. So war es auch hier, wo wir jetzt sind, da unser Strom einen südöstlichen Lauf hat. Die Donau strömte früher im Bogen ziemlich weit nach Norden; ihre Wogen aber nagten beständig am rechten Ufer und führten die abbröckelnden Stücke dann weiter. Es entstanden auf der anderen Seite des Flusses niedrige Inseln, die sich mit Buschwerk bedeckten, und vom Schlamme der Donau gedüngt wurden. Das Flußbett rückte stets weiter gegen die Höhenzüge im Südwest, und links entstand eine weite Ebene. Die Nebenflüsse am linken Ufer fließen daher nicht sofort in die Donau, sondern in einem alten Bette derselben oft weite Strecken fast parallel neben dem Strome einher, bis sie sich endlich mit diesem vereinigen, während jene im Süden unter rechtem Winkel in den Fluß münden, der in viele Arme getheilt ist, welche waldige Inseln umschließen.

Rechts erblicken wir auf einer Anhöhe das einsame Kirchlein Wetterkreuz und unterhalb desselben auf einem bewaldeten Hügel die Ruine der Hollenburg, deren Trümmer ein mächtiges Viereck bilden. Ein Bäumchen wächst lustig auf der Mauer derselben, an der dem Strome zugekehrten Wand aber blickt ein großes Kreuz auf ein kleines unter Bäumen verstecktes Häuschen am Fuße des Hügels hernieder. Rechts, ziemlich weit, so daß es nicht sichtbar ist, liegt das uralte Traismauer, im Flusse selbst aber sehen wir viele niedrige Sandinseln, von denen wir eine besuchen wollen.

JOHANN GEORG KOHL

(1808–1878)

Einige Stunden oberhalb Tuln

Einige Stunden oberhalb Tuln lenkten wir wieder in die breite Hauptdonau, »wo das schwere Wasser rinnt«, ein. Meilenweit findet sich hier keine Ortschaft am Strom. Die Dörfer liegen auch hier alle mehr binnenwärts hinter den Auen, und es macht einen eigenen Eindruck, ein breites Gewässer eine so belebte Straße mitten durch Wälder ziehen zu sehen, ohne daß man die Märkte und Sammelplätze der Bevölkerung gewahrt, denen ein solcher Verkehr dient. Unsere Aufmerksamkeit war daher allein auf das Wasser und seine Schiffe beschränkt.

Uns begegneten mehrere Fahrzeuge, welche meine Ruderer »Niederländer-Schiffe« nannten. Sie sagten mir, sie hießen so von den Leuten des Tulner Feldes, die man oben in der Wachau und bei Melk meistens »die Niederländer« heiße. Es sind kleine leichte Schiffe, welche in der Umgegend von Tuln gebaut werden, und gewöhnlich nur zwischen Tuln, Wien und Stein (oder Krems) gehen. Durch den Wachauer Paß in das Becken bei Melk und Pöchlarn hinein fahren sie selten.

Tuln ist gewissermaßen die Haupthandelsstadt und Schifffahrtstation in dem Becken zwischen Wachau und Kahlenberg. Die Schiffe dieses Hafens zeichnen sich dadurch aus, daß sie vorn allmählig äußerst spitzig zulaufende Schnäbel haben. Scherzweise werden sie daher auch wohl »Schuhnaalen«, d. h. Schusteraalen, genannt. Ich möchte wohl glauben, daß jedes Flußbecken, jeder markirte Flußabschnitt zwischen zwei Engpässen seinen besonderen Verkehrsabschnitt bildet, seine besondere Schiffahrt und Schiffsbauart besitzt, und daß auch jedes seinen kleinen Hauptcentralort hat, der gleichsam seine Localgeschäfte besorgt, wie z. B. Tuln die zwischen Wien und Stein.

JOHANN HERMANN DIELHELM

(1711–1784)

Hierauf kommt der Donaustrom auf Tuln

Die um die Stadt auf der rechten Seite des Donaustroms liegende Gegend wird das Tulnerfeld genannt, das nicht nur wegen des schoenen Getraides und des guten Weinwachses, sonderbar aber wegen der gesunden Luft beruehmt ist; nichts desto weniger soll es in den Wirthshaeusern in Tuln theuer zu zehren seyn. Dieses Tulnerfeld gehoert groeßten theils mit den hier benannten Oertern dem Bischof zu Passau, als da sind, der Marktflecken Koenigstetten, die Doerfer Muggendorf, Stasdorf, Nitzing, Trichensee, St. Andrae, Tulbing und das Bergschloß Greiffenstein, Neusiedel aber gehoeret dem Spital in Tuln, und Klein-Schoen-buehel dem Jungfernkloster heil. Kreuz auch in der Stadt.

ALBRECHT PENCK

(1858–1945)

Von der oberen Donau transportiertes Material

Auf das Einzugsgebiet der Donau vertheilt, ergibt sich, daß von je einem Quadratkilometer des Donau-gebietes oberhalb Wien 56 m^3 Gestein fortgeführt werden, d. h. es wird jährlich eine 0.056 mm dicke Schicht Landes abgetragen, denudiert. In 18.000 Jahren wird daher durch die in der Donau schweben-den oder gelösten Bestandtheile die Landoberfläche oberhalb Wien um 1 m erniedrigt.

Dieses Quantum bezeichnet aber keineswegs die gesammte Masse des von der oberen Donau transpor-tierten Materials. Enorme Kies- und Sandmengen werden in Gestalt der Sandbänke am Grunde des Flusses fortgeschoben, ohne daß man dessen sehr gewahr wird. Erst Stromaufnahmen stellen fest, daß diese Bänke wandern, und daß sie jährlich um ein beträchtliches Stück abwärts rücken, so daß nach einer Anzahl Jahren eine Bank bis zum Orte der nächsten gelangt ist. Dieses Wandern der Kiesbänke ist seitens der Donauregulierungs-Commission mit großer Genauigkeit an der regulierten Donau verfolgt worden; fast alljährlich ist das Bett ausgelotet worden, und es haben sich ziemlich beträchtliche Veränderungen desselben herausgestellt.

EDUARD SUESS

(1831–1914)

Die großen Anhäufungen von Geschieben

Wer nun aufmerksam die großen Anhäufungen von Geschieben betrachtet, die innerhalb der Enge von Klosterneuburg durch die Herstellung des Durchstiches der Donau dem Auge näher gebracht wurden, gewahrt nicht ohne Staunen, daß unter ihnen in nicht geringer Zahl sehr harte, dem heutigen Flußgebiete der Donau ganz fremde Felsarten vertreten sind. Die auffallendsten sind Melaphyre, leicht kennbar an ihrer schwarzen Farbe, die weder aus den Alpen, noch aus dem höheren Quellgebiete der Moldau stammen, sondern eher auf das nordöstliche Böhmen, z. B den Jičiner Kreis. hinweisen. Der Weg, auf dem sie hierhergereist sind, ist aber unbekannt.

JOSEF R. RITTER VON LORENZ-LIBURNAU

(1825–1911)

Einfluss von Strombauten auf das Fahrwasser

Die verschiedenen Arten von Strombauten interessieren den *Schiffer* hauptsächlich nur insoferne, als sie das Fahrwasser beeinflussen, und er erkennt von seinem Standpunkte aus nur diejenigen als vortheilhaft, welche ihm eine möglichst constante Fahrbahn mit entsprechender Fahrtiefe bei genügender Breite herstellen. Das geschieht in Stromengen mit Felsenbetten hauptsächlich durch Sprengungen, in Weitungen bei meist losem Materiale durch Zusammenfassen des Wassers in ein einziges Bett und Sicherung der Ufer, in speciellen Fällen auch durch das Wegräumen localer Hindernisse, wie Steinkugeln, Reste alter, vom Wasser getränkter oder umgangener Sporne, Buhnen u. dgl., Ablenkung des Stromstriches von gefährlichen Stellen durch Leitwerke u. s. w.

FERDINAND GRASSAUER

(1840–1903)

Wagram

Diese unterwaschenen Uferränder bilden eine auffällige Unterwaschung des Reliefs der Oberfläche,
welche oberhalb derselben wellenförmig ansteigt und
unterhalb derselben als fast waagrechte Ebene sich
ausbreitet. Man nennt sie »Wagram«. Der bekannteste
Wagram der Donau zieht sich an der Kampmündung
unterhalb Krems bis in die unmittelbare Nähe von
Stockerau. Diese Wagrame gehen bei allen Flüssen
meist von der unteren Mündung der Gebirgsklemmen
an beiden Flussufern aus, und entfernen sich dann
voneinander, um sich gegen den oberen Eingang der
nächsten Stromenge wieder zu nähern.

THOMAS ROSS

(2005)

Über die Donau geschwommen

Mit zehn Jahren bin ich das erste Mal über die Donau
geschwommen, heimlich. Da ich schon unzählige
Male die Donau in Piringers Zille überquert hatte,
glaubte ich sie gut zu kennen. Die erste kurze Teil-
strecke war leicht, bis der tote Arm in den Strom

mündete. Dort endete ein massiver Steindamm, der »Sporn«, und hier, wo die stillen Wasser des Seitenarmes von den wilden des Stromes überwältigt wurden, bildeten sich reißende Strudel und tückische Wirbel. Wenn ich in diesen Mahlstrom geriete, würde ich jede Orientierung verlieren, nicht mehr wissen, wo oben und unten, links und rechts, vorne und hinten sei. Als Warnung dienten mir Bilder und Erzählungen vom *Greiner Strudel* in alten Zeiten, aufgewühlte Wassermassen schießen tosend dahin, prallen unter Donnergebrüll an Felsen, gähnend öffnet sich ein Schlund, der Woge auf Woge verschlingt, verzweifelt versuchen acht Männer auf einem großen Holzschiff dem Grabe zu entkommen, zerborstene Holztrümmer künden, daß er einem anderen Schiff bereits zum Verhängnis geworden ist. Auch kannte ich Grabinschriften, wie jene an der Kirche in Kahlenberg: »Martin Beuerl, Bürger und Schiffsmeister von Regensburg so den 21. September 1704 unglücklich in den Wirbeln der Donau ertrunken«: das war also unmittelbar vor Wien gewesen.

Darum hielt ich mich in gebührender Entfernung von den Strudeln stromabwärts. Nun galt es im richtigen Winkel und nicht der Vertikale dem anderen Ufer zuzustreben, auf diese Weise nutzte man die Strömung für das eigene Fortkommen, wie ich es von Piringers Bootsführung gelernt hatte. Steckte ich den Kopf unter Wasser, hörte ich ein gleichmäßiges Summen und Singen, wie von unsichtbaren Nixen, es waren Sand und Kiesel, ein unaufhörliches Reiben und Schieben. Hüten mußte man sich vor den Passagierdampfern mit ihren riesigen Rädern, und den Schleppzügen, denn in ihren Sog zu geraten endete oft tödlich. Je länger ich schwamm, desto breiter kam mir der Strom vor, Kilometer um Kilometer.

Endlich erreichte ich das andere Ufer, kroch keuchend, schwer atmend, erschöpft, doch stolzgeschwollen, die steile Grasböschung hinauf, ein zweiter Huckleberry Finn. Weit und breit kein Mensch, keine Ansiedlung, nur Auwald, der sich Kilometer tief nach Norden erstreckte. Hier war das Jagdrevier des Vaters, das ich nun mit den Augen des Abenteurers neu sah.

FRIEDRICH SACHER

(1899–1982)

Am Ufer stehen

Am Ufer stehen
und den Treppelweg
auf und nieder gehen,
fluchend,
suchend
nach einem Steg,
die Hälfte des Lebens,
vergebens!

Und dann niederknien,
die Schuh' ausziehen
und waten, waten …
Mög' es geraten!

Doch ohne Glück
mußt du zurück.

Aber nach und nach aller Hüllen ledig,
denn von drüben der dunkle Rufer
wird schon ungnädig,
bezwingst du schwimmend, kletternd Strom und
                                                    Katarakt
und erreichst das andere Ufer:
blutend und nackt.

SIGMUND VON BIRKEN

(1626–1681)

Nun kommen wir mit der Stroeme Kaeyserin / zur Staedte Kaeyserin

Nun kommen wir mit der Stroeme Kaeyserin / zur
Staedte Kaeyserin / nähmlich zu der Kaeys. Residentz
und Ertz-Hertzog-Oesterreichs Hauptstadt Wien / zu
Latein Vienna, vorzeiten von des Landes ersten Einwohnern / Vendobana, oder die Wendenwohne (Wenden-
wohnung/) genannt. Sie ist / unter den Hauptstaedten
an der Donau / in der Ordnung die Sechste / aber der
Groesse und Wuerde nach / die Erste.

ADALBERT STIFTER

(1805–1868)

Ein sanftes schönes Tal

Ein sanftes schönes Tal geht, wenn man die Straße an der Donau aufwärts gegen Klosterneuburg zieht, links aus den Bergen heraus, läßt ein glasklares Wasser gegen die Donau hervorschießen und schließt den Blick jenseits des Stromes mit den sanft dämmernden Wänden des Bisamberges. In dem Tale liegt der Ort Weidling mit seinen berühmten Rebenabhängen. Eine schöne Wanderung dem Bache entgegen führt in den Park von Dornbach, durch welchen man, sich links wendend, wieder zur Hauptstadt gelangt. Der Kahlen- und Bisamberg stürzen gegenüber so steil ab und lassen die Donau zwischen sich durch, daß sie wie zwei andere Säulen des Herkules dastehen und daß sich die Sage gebildet hat, sie seien eigentlich ursprünglich ein einziger von der Donau entzweigerissener Berg gewesen. Dann müßte das Tulner Feld notwendig ein See und die gegen dasselbe schroff absteigenden Tulner Höhen seine Ufer gewesen sein. Wir können uns in diese geognostischen Spekulationen nicht einlassen, sondern bemerken bloß, daß es ein wahrer Segen ist, daß jetzt die Donau zwischen den Bergen herausfließt und daß oberhalb ein so schönes gartenartiges Land liegt.

JOSEPH AUGUST SCHULTES

(1773–1831)

Der sanfte Bisamberg

Der sanfte Bisamberg, der am linken Ufer landeinwärts sich aus einer weiten Ebene erhebt, ist wegen
des guten Weines berühmt, den man hier baut, und
der einer der mildesten ist. Er ist der beste sogenannte
Donau-Wein.[*] Die alten Mauern des Schlosses der
Ritter von Pucinperche, die hier um d. J. 1135 hausten, und die als Busenberge noch um 1229 vorkommen, sind großen Theils in eine Mayerey an dem Gipfel dieses Berges verwandelt. Seit dem Jahre 1715 ist
Bisamberg ein Majorat der Grafen Abensberg und
Traun Eglofs. An diesem Berge entspringt der kleine
Büsenbach, der mit drey Armen in die Donau fällt.

Endlich ist auch Kloster-Neuburg erreicht, dessen
goldne Zinnen man schon ober Korneuburg funkeln
sah. Bis jetzt ist nur ein einziger Flügel, der nordöstliche, an diesem Gebäude ausgebaut, und man erstaunt über die Idee von Pracht, deren Männer fähig
waren, welche freywillige Armuth gelobten. Wäre
dieses Gebäude jemals ausgebaut worden, so würde
es selbst Melk an Pracht und Größe bey weitem über-
treffen.

---

[*] Man unterscheidet in Unter-Oesterreich die sogenannten Donau-
Weine am linken Donau-Ufer, über Strockerau hin östlich, von den
Gebirgs-Weinen am rechten Ufer, unter welche die Klosterneu-
burger, Grinzinger, Maurer, Brunner gehören. Letztere sind lange
Zeit über sauer und herbe (in Oesterreich resch genannt); die erste-
ren sind milder, haben aber einen lehmigen Geschmack.

JOHANN VON GOTT BUNDSCHUE

(1784–1851)

Die Stadt Wien hat eine so herrliche Lage

Die Stadt Wien hat eine so herrliche Lage, wie man sie gewiss bei so großen Residenz-Städten selten finden wird. Man sieht in ihren nächsten Umgebungen die majestätische Donau, welche hier in mehrere Arme getheilt ist, und in ihrer Nähe die fruchtbarsten Felder, und die angenehmsten Wäldchen von Laubholz. Durch einen Arm der Donau von der Nordseite her fließt ein Theil dieses Stromes zwischen der Stadt und den Vorstädten durch, welche mittels vortrefflicher Brücken mit einander verbunden sind. Dadurch wird der Verkehr auf der Donau ungemein befördert, indem auf diese Weise die Waaren hart an der Stadt auf dem so genannten Schanzel aus- und eingeladen werden können.

JOSEPH FREYHERR CRESSERI

(1801)

Das Flussbeth der Donau

Das Flussbeth der Donau, um zur Sache zu schreiten, erhebt sich sichtbar jährlich durch städte Schotter-Anfüllung, und verursachet häufige dem umliegenden Lande nachtheilige Überschwemmungen, woraus es sich ergiebt, dass man ernstliche Anstalten treffen müsse, noch grösseren Schaden zu verhüten; lässt man es jedoch beim Alten, so werden gewisse mit der Zeit stillstehende Moräste, und höchst schädliche Sümpfe entstehen, wie das bereits berührte mittägige Tyrol zum Beyspiel dienen mag.

Bevor ich zu den Hilfsmitteln dagegen übergehe, muss ich vor allen die Ursache des Übels anzeigen, welches unstreitig dem langsamen und unregelmässigen Laufe des Flusses zuzuschreiben ist. Alle Anstalten müssen demnach dahin zielen, jene Hindernisse aus dem Wege zu räumen, welche den Lauf des Wassers hemmen, Verschlemmungen verursachen, und so das Beth nach und nach erhöhen. Es ist diess um desto nothwendiger, da man weiss, dass die Donau mehr als die meisten Ströme in Europa auf sandigten Boden läuft.

Der langsame und unregelmässige Lauf der Donau rühret nun daher, dass sich selbe zu vielfältig zertheilet.

Dass ihre Bethe sich dort und da ungleich, und über die Massen in die Breiten dehnen.

Dass sie verschiedene starke Krümmungen macht.

Dass die Zertheilung eine Ursache des Übels sey, ist leicht zu beweisen; es wird in diesem Falle die Gewalt des Wassers getrennet und vermindert, der Sand, welcher unaufhörlich in Menge herbeygeschwemmet wird, setzt sich zu häufig an, wo im Gegentheil, wenn das Wasser vereiniget ist, es auch wieder Kraft hat, solchen fortzutreiben.

(1875)

Öffnung des Donaudurchstiches

Erst nachdem diese Brücke erprobt, nachdem die Collaudirung der Aushebungsarbeiten des Durchstiches vollendet und die, durch das verspätete Frühjahr in Folge starken Schneefalles begründete Furcht vor einem Hochwasser einigermassen geschwunden war, schritt die Donauregulirungs-Commission am 14. April d. J., um 3 1/2 Uhr Nachmittags, an der dem Anpralle des Stromes am wenigsten ausgesetzten Stelle, nämlich in der Nähe des rechten Ufers, an die Eröffnung des Rollers.

Die Eröffnung geschah mittelst Aushebung einer etwa 2 Fuss breiten Furche gegen den offenen Strom. Zuerst rieselte nur ein dünner Wasserfaden durch die Furche. Von Secunde zu Secunde wurde das Einfliessen aber immer mächtiger und mächtiger. Bald stürzte sich ein wilder Gebirgsbach, den Damm zu beiden Seiten unterwaschend, in das um 7 Fuss 6 Zoll tiefer liegende Bassin. Die Bruchsteine, welche zu beiden Seiten der Eröffnungsstelle in grosser Menge angehäuft waren, um hinabkollernd eine allzutiefe Aushöhlung des Flussbettes zu verhindern, hatten eine vortreffliche Wirkung.

Nichtsdestoweniger erweiterte sich die Oeffnung von Minute zu Minute und es griff der eindringende Strom auch das mit einem starken Steinwurfe und mit gepflasterter Böschung versicherte Ufer an, wodurch ein Uferbruch in der Länge von 40 Klaftern, der Einsturz eines auf demselben stehenden hölzernen Schoppens und eines hölzernen Steges der Unternehmung erfolgte. […]

In der Nacht vom 15. auf den 16. April trat der Stromstrich in das neue Bett ein. Die Tiefen im neuen Strome waren von Anfang an befriedigende. Schon am zweiten Tage nach Eröffnung des Durchstiches fuhren die Steinschiffe anstandslos in den Durchstich ein und am 18. April Früh passirte bereits der grosse Dampfer der Unternehmung die »neue Donau«, mit zwei Steinschiffen in Schlepp von Stadlau kommend, den ganzen Durchstich bis Nussdorf.

AMAND FREIHERR VON
SCHWEIGER-LERCHENFELD

(1846–1910)

Das schnurgerade, breite Bett des gebändigten Stromes

Wir gelangen nun in den nordwestlichen Theil der regulirten Donau. Vor uns erhebt sich der steile Leopoldsberg mit der Furche, welche uns daran erinnert, daß hier einst eine Drahtseilbahn die Höhe hinankletterte. Oben steht noch das verfallene Stations- und Maschinengebäude, eine auffällige architektonische Staffage im Gesichtskreise der aufblühenden Kaiserstadt. Am Fuße des Leopoldsberges liegt das Kahlenbergerdörfel, ein traulicher Winkel am beschränkten Gestade, welches mit knapper Noth den für die Eisenbahn und die Fahrstraße erforderlichen Raum freilässt. Von hier ist der nächste Zugang auf den Leopoldsberg, die classische Stätte im Bereiche von Wien, soweit die Erinnerungen des Mittelalters in Betracht kommen. Hier oben, von wo man auf der einen Seite die ganze Ebene des Marchfeldes bis zu den kleinen Karpathen überschaut, während auf der anderen Seite das zu Füßen liegende Klosterneuburg mit dem Kranze bewaldeter Berge und dem stillfluthenden Strom das Auge erfreut, stand die Burg der Babenberger, welche die Türken dem Erdboden gleich gemacht hatten. Der aus den Trümmern erstandene schloßartige Neubau rührt aus dem Jahre 1705, die Kirche daneben ließ Kaiser Leopold zur Erinnerung an die Abwendung der Türkengefahr erbauen.

Auf der nicht sehr weitläufigen Terrasse, auf welcher, im Schatten etlicher Bäume, Tische und Bänke einer Wirthschaft zu längerem Verweilen einladen, lässt sich angenehm die Zeit verträumen. Der Anknüpfungspunkte giebt es genug: vom Troglodyten, der hier in den Sandsteinklüftungen umherkroch, bis zu den römischen Wachtschiffen, von den brennenden Dörfern der Türkenbedrängniß bis zu den pustenden Dampfern der Gegenwart. Wo noch in halbvergangener Zeit ein Archipel von Buschinseln im Nebel der Ferne sich verlor und schlangenförmig gewundene Stromarme träge dahin schlichen, fällt der Blick auf das schnurgerade, breite Bett des gebändigten Stromes.

ANTON HOLZER

(* 1964)

Am neuen, geradlinigen Donauufer

Am neuen, geradlinigen Donauufer entstanden Anlege-
stellen für Waren- und Reiseschiffe. Immer mehr
Güter wurden per Schiff angeliefert und hinter den
Kaimauern errichtete man Lagerhäuser. Dahinter
entstanden – vor allem am rechten, teilweise aber
auch am linken Donauufer – neue Baugründe, die von
der Donauregulierungs-Kommission eingelöst, par-
zelliert und verkauft wurden. Die neuen Straßenzüge
wurden wie am Reißbrett parallel zur Donau gezogen.
Noch heute zeigt ein Blick auf den Wiener Stadtplan,
wie stark die Stadterweiterung im letzten Drittel des
19. Jahrhunderts von der Bebauung der neu gewon-
nenen Ufergebiete geprägt ist. Die schachbrettartig
angelegten Straßen im 2. und 20. Gemeindebezirk
(etwa zwischen Handelskai und Dresdner Straße)
gehen auf den Bauboom im Gefolge der Donauregulierung zurück. Von den 306 Wiener Neubauten, die
1884 entstanden, wurden 141, also knapp die Hälfte,
auf den neuen Parzellen der Donauregulierung im 2. und
20. Bezirk errichtet. Einzelne Baugesellschaften er-
warben größere Grundstücke, um drauf profitträchtige
Zinshäuser zu errichten. Daneben entstanden auch
eine Reihe von Fabriken (zum Beispiel Erste Wiener
Walzmühle, Gasanstalt, Lederfabrik Gerhardus & Co).
   Mit der ersten Donauregulierung (1870–1875) rückte
die Stadt näher an den Fluss heran. Hundert Jahre

nach diesem großen Bauprojekt veränderte die Donau noch einmal ihren Lauf und ihr Gesicht. Zwischen 1972 und 1987 wurde zum Schutz vor Hochwasser das so genannte »Entlastungsgerinne« gebaut. Mit dem Aushubmaterial entstand auch diesmal ein neuer »Stadtteil«: die Donauinsel. Nun teilte sich die Donau in Wien wieder in zwei Arme, und mit der Erschließung der »Insel« als Naherholungsgebiet war die Stadt jetzt tatsächlich an der Donau angekommen.

EGYD GSTÄTTNER

(∗ 1962)

Die Donau und ich

Während die Donau nämlich sehr schön durch Linz und auch noch recht ordentlich durch Krems fließt, fließt die Donau praktisch gar nicht durch Wien, der Bundeshauptfluß nicht durch die Bundeshauptstadt, jedenfalls nicht so richtig. Durch Floridsdorf und Kaisermühlen fließt die Donau und freut sich auf Albern und Schwechat. Sie bleibt gewissermaßen naserümpfend immer am Rand, immer in der Peripherie, und stets hat man den Eindruck, am liebsten würde die Donau an Wien vorbei oder um Wien herum kommen. Das ist die richtige Einstellung! Das macht mir Mut, der ich zwar berufs- und berufungsbedingt wohl ein Dutzend Mal pro Jahr nach Wien komme, zu Lesungen oder um mich mit Redakteuren, Dramaturgen,

Verlegern, Lektoren zu treffen – aber nicht in Wien lebe und auch nicht in Wien leben will: Sei das eigenwillig oder schon starrköpfig, karrieretechnisch ungeschickt oder bloß exzentrisch und egozentrisch. Was der Donau recht ist, ist mir billig. Bei Budapest geht's dann interessanterweise wieder.

Man muß ja immer mitbedenken, daß die Donau *der* österreichische Strom ist. Das sollte sich die Themse einmal erlauben, nicht durch London zu fließen! Die Seine, nicht durch Paris! Der Tiber, nicht durch Rom, die Moldau, nicht durch Prag, der Tejo, nicht durch Lissabon zu fließen! Das gäbe eine Aufregung! Und eine Empörung! Schäm dich, Donau! Das hätten wir nicht von dir gedacht! Hätte die Donau ein Einsehen und würde sie endlich mit der Österreichwerbung kooperieren, wäre sie heimattreu, patriotisch und pflichtbewußt, dann müßte sie aus ihrem Flußbett ausbrechen, an der Staatsoper vorbei durch die Kärntner Straße zum Stephansdom, den Dom auf einer kleinen Insel umspülen, dann weiter über den Graben zur Hofburg, zum Heldenplatz, zum Bundeskanzleramt, zum Parlament, Rathaus, Burgtheater, zur Universität fließen; vielleicht ein kleiner Abstecher in die Berggasse zu Sigmund Freud. Schönbrunn und Belvedere müßten selbstverständlich im Fließplan aufscheinen. Aber nein! Einen feuchten Dreck schert sich die Autistin Donau um das Wohl des Landes. Gar nichts kann man von ihr haben außer den Donaukanal, und auch den nicht freiwillig.

JOSEPH AUGUST SCHULTES

(1773–1831)

Agenda fuer Fremde bey ihrer Ankunft zu Nußdorf und Wien

Ich rathe jedem Fremden, der mit einem eigenen Fahrzeuge oder mit einer sogenannten Ordinari zu Nußdorf landet, seinen Koffer aus demselben hohlen, und in dem dicht am Ufer befindlichen Mauthhause beschauen zu lassen. Ohne diese Vorsicht muessen die Effecten zu Wien auf die sogenannte Mauth und Schanzel; man hat viele Umstaendlichkeiten mit denselben, und erhaelt sie erst des anderen Tages, zuweilen auch dann noch nicht; waehrend, wenn man sie hier zu Nußdorf beschauen ließ, ein Bleysiegel von der daselbst befindlichen Mauth angelegt, und dann an der sogenannten Linie (an den Barrieren) ohne weitere Umstaende von einem Mauthdiener abgeschnitten wird, so daß man alsogleich mit denselben ungehindert nach seinem Absteigquartiere fahren kann.

FERDINAND VON SAAR

(1833–1906)

Wiener Elegien

Ja, schon schwillt und reift am Rebengelände der
Donau
Saftig die Traube und blinkt unter den Blattern
hervor.
Bald auch naht sich der Winzer und hält ergiebige
Lese,
Die im Korb und im Faß Säckel und Keller ihm füllt.
Und nun zieht es hinaus in Schaaren nach Grinzing
und Nußdorf,
Oder nach Sievering, wo delphisch das »Brünndl«
entspringt.
Lauter, lebendiger wird's in den bunt sich färbenden
Wäldern:
Fröhliche Stimmen, Gesang – schweifende Menschen
ringsum.
Hier gelagerte Gruppen – und dort im schützenden
Dickicht
Liebende Paare, die sich seliger Einsamkeit freu'n.
Aber sie Alle gewahrt man zuletzt in Gärten und
Stuben,
Wo, am Eingang gesteckt, lockend der »Buschen«
ergrünt.
Sieh', da sitzen gedrängt sie an roh gezimmerten
Tischen
Bunt durcheinander: der Greis lockigem Jüngling
gesellt;

Mütter den Töchtern, und Väter den Knaben,
                    die müd' sich gelaufen –
Selbst der Säugling liegt dort an der nährenden Brust.
Fröhlich kredenzt, hemdärmlig, der »Hauer« den
                    labenden Tropfen,
Der als »Heuriger« licht blinkt im gehenkelten Glas.
O wie mundet der jetzt zu salzigem Käse und
                    Rauchfleisch,
Bei der »Bretzen« Geknack, die man an Stäben
                    verkauft!
Und man hört auch Musik: Harmonika, »Klampfe«
                    und Geige –
Rasender Töne Gemisch schrillt in den Abend
                    hinaus.
Lieder erschallen, urwüchsig und derb,
                    mit verfänglichen Texten,
Wie sie, satirischen Hangs, drastisch der Wiener
                    ersinnt;
Wasserverschmähende Oden manch eines
                    volksthümlichen Pindar,
Welcher den Pegasus nicht, aber den Kutschbock
                    besteigt.
Ja, hier lebt noch das Volk! Hier schmausen die
                    letzten Phäaken,
Denen hohläugige Noth noch den »Hamur« nicht
                    verdarb.
Wahrlich, ihr geht nicht unter, ihr Wiener! Dreht sich
                    auch nicht mehr
An dem Spieße das Huhn – brätelt noch immer die
                    Wurst.

JOHANN GEORG KOHL

(1808–1878)

Über die geographische Position von Wien

Wenn, wie ich sagte, auch nicht in seiner ganzen jetzigen Größe und Bedeutung, so ist Wien doch immer in vielfacher Beziehung eine Stromstadt. Es war ursprünglich nicht anders, wie Krems, oder Enns, oder Straubing ein Donauort, eine Geburt des Flußsystems, eine Frucht in seinem weitverzweigten Baume.

Es zog seine erste wachsende Bedeutung und Größe, wie Ulm, wie Regensburg, wie Linz aus seiner geographischen Position an der Donau und aus den Vortheilen, welche der Strom selber und seine Zweigkanäle ihr zuführten. – Ja, es lag sogar in den Stromverhältnissen begründet, daß es als ein Donau-Handelsplatz allmälig alle diese und andere Donauorte weit überflügelte.

Durch die Donau und durch die Position, welche Wien in dem Donausystem einnahm, wurden gleichsam auch die Fundamente der welthistorischen Größe Wiens begründet, und die Betrachtung dieser Fundamente gehört denn allerdings zu dem Bereiche eines Donauwerks.

Zur ersten und in verschiedenen Zeiten wiederholt versuchten Ansiedlung von Menschen auf dem alten Bauplatze von Wien mögen zuvörderst ganz nahe liegende Verhältnisse in der Beschaffenheit der Hauptader des Stromes und seiner Ufer selber Veranlassung gegeben haben. Ohne Zweifel sind diese Veranlassungen in dem durch Kahlenberg und Bisamberg gebildeten Engpasse und in dem sich abzweigenden Wiener Donauarme zu finden. Wir haben schon oft zu bemerken Gelegenheit gehabt, daß fast nirgend an der Donau ein Gebirgsausläufer oder Cap hervortritt, ohne daß sich auf seinem Gipfel eine Burg oder Festung und an seinem Fuße ein Dorf oder Städtchen ausgebildet hätte. Solche Engpässe bezeichnen gewöhnlich den Uebertritt des Stromes aus einem eigenthümlichen Flußabschnitt in einen andern. Meistens werden durch sie Veränderungen in der Art der Benutzung des Flusses, in der Schiffahrt nöthig, und daher ein Anhalte- oder Hafenpunct erwünscht gemacht.

Gleich hinter dem Thore des Kahlenberges geht die Donau in einen Irrgarten von Armen und Inseln auseinander. Der Wiener Donauarm, der ehemals viel breiter und schiffbarer als jetzt gewesen sein soll, und tief in's Land hineingreift, mochte den ältesten Beschiffern des Stroms als ein viel bequemerer Hafen zum Einlaufen erscheinen, als den jetzigen. – Hart an dem Südufer dieses Armes gab es eine kleine Erhebung des Bodens, auf dem Gebäude und Waaren vor den Ueberschwemmungen in Sicherheit gebracht werden konnten. Während alle Auen und Vorstädte Wiens bei hohen Donaufluthen unter Wasser stehen, ist noch jetzt diese Bodenerhöhung, die einen Theil ihres jetzigen innern Stadtkernes bildet, vom Wasser frei.

(1922–1998)

Donauhandel

1221 bekam Wien sein Stadtrecht mit dem »Stapelrecht«. Für den Transithandel war es eine »Stapelpflicht«: Ausländische Kaufleute mußten ihre Ware den bodenständigen Großhändlern zuerst anbieten. So begegneten einander Donauhandel und Mittelmeerhandel im Schnittpunkt an der Wien.

Leopold VI. sprach von seiner »goldenen Stadt«. Ein halbes Jahrhundert, nachdem der Großvater Jasomirgott vom Leopoldsberg herunter in das Nest am Strom übersiedelt war, rühmte der Enkel seine Residenz als zweitgrößte deutsche Stadt hinter Köln. Goldene Stadt: Das kam von der Goldschmiedezunft. Das Gold – neben Silber und Kupfer – lieferten die niederungarischen (heute mittelslowakischen) Bergbaugebiete. Das Kupfer übrigens sollte noch seine historische Rolle spielen, als dann die Habsburger über die Leitha hinaus nach Ungarn griffen.

Die Donaufracht kam auf großen Flößen oder mächtigen Kähnen, mühevoll stromaufwärts gezogen, von Pferdegespannen auf den Uferwegen, oft genug auch von menschlichem Zugvieh. Bevorzugte Zwangsarbeit für Gefangene. Die Hohenauerschiffe trugen bis zu 4600 Zentner; in Erdberg wurden sie entladen. Flöße wurden zu Bauholz verarbeitet.

Die Babenberger der letzten drei Generationen hegten ihre Hauptstadt mit immer weiterreichenden Privilegien, bis Wien jene Stadt des Lebensgenusses wurde, der dann auswärtige Berichterstatter intensiv beschäftigen sollte. Voll Neid oder voll Entrüstung, je nach der eigenen Einstellung. Den ersten Heurigen, sozusagen gesetzlich geschützt, gab es Anno Domini 1314; Geschichte läßt sich auch aus den Buschenschankgesetzen herauslesen. Die Einfuhr ausländischen Weins wurde verboten. Aeneas Silvius Piccolomini, später Papst Pius II., kam als Sekretär Kaiser Friedrichs III. nach Wien und zählte hier 600 bis 900 Wagen täglich, die während der vierzig Tage dauernden Weinlese Trauben in die Preßhäuser brachten.

Heinrich von Neustadt, ein Wiener Arzt, stieß damals eine Klage aus, die heutige Ärzte immer noch ausstoßen: »Freßsucht hat die Oberhand gewonnen … trunken, voll und übersatt ist mancher Mann in der Wienerstadt und etliche Frauen auch allda.«

Bis zum 16. Jahrhundert wuchs der Umsatz auf dem »Ochsengries«, Wiens Zentralviehmarkt, auf 60.000 Stück Schlachtvieh, meist ungarischer Herkunft, an.

Als die Nichtwiener Kaufleute Wiens Privilegien nicht länger finanzieren wollten und der Türkensturm den Ungarnhandel auf der Donau zu hemmen begann, führte schon eine zweite große Handelsstraße, der »untere Weg«, über Österreich: von Laibach und Triest über Villach und den Tauernpaß nach Salzburg und Süddeutschland oder über Linz nach Polen und Böhmen. Die Gewürzstraße. Gewürze machten damals fünf bis zehn Prozent des gesamten Warenwerts aus.

Die Mächtigen haben die Ökonomie immer schon richtig bewertet. Späteren Chronisten blieb es überlassen,

das Heldische in den Zeitaltern zu entdecken und
Schlachten interessanter als Schlachtvieh zu finden.
Wer die großen Handelswege kontrollierte, konnte sich
dem Lockruf der Weite nicht entziehen. Mit der Verteidi-
gung eines Bollwerks geben sich nur kleine militärische
Geister zufrieden. An der Donau träumten politische
Denker von größeren Räumen.

MARGARETHE KROCKNER-WEITZNER

(1928)

Die Wiener Bade-Mode

Hat man den Urlaub hinter sich, bleiben ja noch die
Enden der Wochen, die man in Sand, Sonne und Wasser
genießen kann. Ein paar Stationen Bahnfahrt und
schon ist man dem lauten Trubel der Großstadt ent-
rückt, hat alles, was das Herz begehrt, brennende
Sonnenglut, kühlende Fluten, glitzernden Sand, Musik,
Tanz, Flirt, Erquickung und Erholung. Und wenn
man über die nötige Phantasie verfügt, kann man einfach die freundlich grünen Ufer der schönen blauen
Donau übersehen, nur das bunte Durcheinander am
Strand ins Auge fassen und sich einbilden, man weile
in Deauville oder Biarritz oder sonst irgendwo in einem
fashionablen Bad. Graziös auf das Strandtuch gelagert,
gibt man sich voll Behagen dem Dolcefarniente des
Strandlebens hin, läßt sich von der Sonne bräunen
und beobachtet die Vorübergehenden, die alle gleich

munter und gleich elegant sind. Die einen tragen schicke, sportliche Badeanzüge aus Milanese in Trikotform mit Schulterspangen, eng anliegende Sprunghauben und Gummi- oder Leinenschuhe, die anderen, die hauptsächlich Luftbäder nehmen, geben dem flotten Badekleid aus Schafwolle den Vorzug, um das sich die Wiener Strickmode sehr verdient gemacht hat. Zum bunten Jumper wird ein einfärbiges Höschen getragen. Die schlanksten Damen favorisieren die Herrenmode und schließen das Beinkleid mit einem Gürtel über dem Jumper. Die nicht ganz schlanken Damen finden es vorteilhafter, den Jumper über das Höschen zu ziehen.

ANONYMUS

(1890)

Das Donau-Pumpwerk-Project.

Ein Project, Wasser aus dem Donaustrome, welcher zunächst Wien vorbeifliesst, zu pumpen, ist von dem berühmten Geologen und Vater der Hochquellenleitung Professor Eduard Suess zur Unterstützung der Hochquellenleitung in Vorschlag gebracht und vom Stadtbauamte befürwortet, aber vom Gemeinderathe wiederholt verworfen worden. [...]

Die Vortheile der Donauwasserleitung sind:

1. unbegrenzte, beliebig grosse Wassermenge und kein Streit mit Wasserrechtsbesitzern;

2. schon der Anfang der Wasserleitung liegt in Wien selbst;

3. weiches Wasser für industrielle Zwecke;

4. entspricht dieselbe dem Statthalterei-Erlasse vom Jahre 1882, nämlich als zweite unabhängige Wasserleitung und aus einem anderen Niederschlagsgebiete als die Hochquellenleitung;

Die Nachtbeile sind:

1. ungeheuer hohe Betriebskosten infolge der nöthigen Pumpwerke mit Dampfkraft, enorme gedeckte Filteranlagen (über 2 Hectare);

2. offene Reservoire in der unmittelbaren Nähe einer grossen Stadt;

3. Schwierigkeiten beim Einlass während des Eisstosses;

4. ungenügender Druck für Versorgung am der Vororte […]

JOSEPH ARENSTEIN

(1850)

Betrachtungen über den Eisgang der Flüsse

Die Unglücksscenen der Jahre 1830 in Wien, 1838 in Pesth, 1845 in Prag sind noch im frischen Andenken; daher steigert sich die Besorgnis nach einiger Massen anhaltendem Froste bei Eintritte des Thauwetters auf eine oft durch die Umstände keineswegs gebotene Weise.

Nicht leicht geht der Eissto vor einer Woche an-
haltenden Thauwetters ab. Man erwartet ihn oft früher,
versäumt den Zustand des Flusses genau zu erheben,
und ist die Katastrophe vorüber, so ist mit der Angst
auch der Trieb, selbst oft die Möglichkeit verschwunden, die genauen Umstände des physikalischen Vor-
ganges zu erörtern. Dennoch liegt in der Betrachtung
dieser ein leichtes Mittel vor, mit voller Sicherheit die
aufeinanderfolgenden Ereignisse zu leiten.

STANISLAV VINAVER

(1891–1955)

Geistige Bewahrer und Schöpfer Österreichs

Ich möchte, ich muß wie Turgenjew anfangen: »Wie
wunderschön, wie frisch waren nur die Rosen!« Wie
wunderschön, wie frisch war einst Wien! Heute sind
die Rosen etwas verwelkt. Doch sie blühen noch immer.
Ihr Blühen ist müde, aber immer noch lieblich.

An der blauen, ruhigen Donau am Fuße grauer
Berge und Hügel, am Rande des riesigen germanischen Waldes gab es verirrte, unruhige ungarische
Nester, deren Aufschrei leidenschaftlich und unver-
ständlich war, und von allen slawischen Seiten kamen
Wellen des Blutes und der Melancholie herbei. In der
Reichweite der nie gelösten, nie verstandenen Leiden
und Zuckungen des nahen Ostens sproß Wien, blühte
auf und schuf seine Seele, die Seele der liebenswür-

digen Kompromisse und der oberflächlichen Schwärmereien, die Seele des bunten, blendenden Glanzes, der leichten Gutmütigkeit und der ewigen Schwankungen. Diese Seele wurde geschaffen, aufgebaut, geschliffen und bewußt den anderen zugewandt, in dieser oder jener Richtung.

Die Beamten schufen ein eigenes, erfundenes, korrektes und gewissenhaftes, fratzenhaft seelenloses Österreich, das empfindlich auf die kleinste Abweichung von der bürokratisch streng überwachten Linie reagierte, aber kurzsichtig war und unempfindlich selbst den größten und tiefsten Erschütterungen und Ahnungen gegenüber, den Erdbeben in der heimischen Kruste und Scholle; gegenüber den schicksalhaften Ungerechtigkeiten und Lügen, den Völkern und Jahrhunderten. Die Kirche schuf ein eigenes Österreich, gottesfürchtig und dynastisch untertänig. Die Armee schuf ein eigenes Österreich, ein paradierendes, mittelalterliches Österreich, mit einer Begeisterung für den Glanz der Knöpfe, für den lächerlichen Luxus des adeligen Stolzes, diesem oder jenem Regiment anzugehören.

Wer weiß, wie viele Österreichs es gegeben hat? Sie existierten, gingen zugrunde und wurden von neuem geschaffen, sie kamen mit anderen Staaten in Konflikt oder schlossen Bündnisse, sie rangen mit ihnen oder fielen ihnen um den Hals. In einem homogenen Staat existieren alle staatlichen Einrichtungen nahezu parallel und erzeugen auf beinahe gleiche Art geistiges Gewebe, Mentalität, Überschwang und einen visionären Traum. Österreich befand sich in einem immer währenden Aufbau, in einem ununterbrochenen Prozeß, in einer permanenten leichten Gärung, in einem Suchen und Finden, im Verlust und in der Wandlung seines Ideals, eines Ideals für sich selbst und für die anderen. Es schuf gewaltsam und pragmatisch seine Seele im Laufe der Jahrhunderte, je nach Bedürfnissen und Gelegenheiten. Nicht aus eigenem Antrieb. Deshalb war seine Seele zynisch, bei all seiner lieblichen und ungezwungenen, leichten Melancholie eines Kämpfers für die Kultur. Denn dieser Kämpfer focht nicht für die Kultur, sondern für sich selbst. Dieser Kämpfer eignete sich nach Bedarf die Träume anderer Völker an, behielt oder verwarf sie und schuf aus all dem eine Rechtfertigung für die eigene Existenz.

FRANZ VON GERNERTH

(1821–1900)

An der schönen blauen Donau

Donau so blau,
durch Thal und Au
wogst ruhig du hin,
dich grüsst unser Wien,
dein silbernes Band
knüpft Land an Land,
und fröhliche Herzen schlagen
an deinem schönen Strand.

Weit vom Schwarzwald her
eilst du hin zum Meer,

spendest Segen
allerwegen,
ostwärts geht dein Lauf,
nimmst viel Brüder auf:
Bild der Einigkeit
für alle Zeit.
Alte Burgen seh'n
nieder von den Höh'n,
grüssen gerne
dich von ferne
und der Berge Kranz,
hell vom Morgenglanz,
spiegelt sich in deiner Wellen Tanz.

Die Nixen auf dem Grund,
die geben's flüsternd kund,
was Alles du erschaut,
seitdem über dir der Himmel blaut.
Drum schon in alter Zeit
ward dir manch' Lied geweiht,
und mit dem hellsten Klang
preist immer auf's Neu' dich unser Sang.

Halt' an deine Fluten bei Wien,
es liebt dich ja so sehr,
du findest, wohin du magst zieh'n,
ein zweites Wien nicht mehr.
Hier quillt aus voller Brust
der Zauber heit'rer Lust,
und treuer deutscher Sinn
streut aus seine Saat von hier weithin.

Du kennst wohl gut deinen Bruder, den Rhein,
an seinen Ufern wächst herrlicher Wein,
dort auch steht bei Tag und bei Nacht,
die feste treue Wacht.
Doch neid' ihm nicht jene himmlische Gab',
bei dir auch strömt reicher Segen herab,
und es schützt die tapfere Hand
auch unser Heimatland.
D'rum lasst uns einig sein,
schliesst, Brüder, fest den Reih'n,
froh auch in trüber Zeit,
Muth, wenn Gefahr uns dräut!
Heimat am Donaustrand,
bist uns'rer Herzen Band;
dir sei für alle Zeit
Gut und Blut geweiht!

Das Schifflein fährt auf den Wellen so sacht,
still ist die Nacht, die Liebe nur wacht,
der Schiffer flüstert der Liebsten in's Ohr,
dass längst schon sein Herz sie erkor.
O Himmel, sei gnädig dem liebenden Paar,
schütz' vor Gefahr es immerdar!
Nun fahren dahin sie in seliger Ruh;
Schifflein fahr' immer nur zu!

Junges Blut, frischer Muth,
o wie glücklich macht,
dem vereint ihr lacht!
Lieb' und Lust schwellt die Brust,
hat das Größte in der Welt vollbracht.

Nun singt ein fröhliches, seliges Lied,
das wie Jauchzen die Lüfte durchzieht,
von den Herzen laut wiederklingt
und ein festes Band um uns schlingt.
Frei und treu in Lied und That,
bringt ein Hoch der Wienerstadt,
die auf's Neu' erstand voller Pracht
und die Herzen erobert mit Macht.

Und zum Schluss bringt noch einen Gruss
uns'rer lieben Donau, dem herrlichen Fluss!
Was der Tag uns auch bringen mag,
Treu und Einigkeit
soll uns schützen zu jeglicher Zeit,
ja Treu und Einigkeit!

ADAM ZIELINSKI

(1929–2010)

Donau so blaaaau

Der Fremde wollte in dieser Stadt zuallererst einen
Blick auf den berühmten Fluss werfen. Seit Kindes-
jahren klang das unvergessliche »Donau so blau, so
blau, so blau …« in seinen Ohren. Aber der Strauss'sche
Walzer hat die Generationen, die in Österreichs Hauptstadt heranwuchsen, immer wieder betrogen, denn
vergeblich sucht man das besungene Blau des Flusses.
Der Fremde sehnte sich danach, entlang der Ufer dieses

angeblich blauen Flusses zu wandern. »Donau so blaaau …«, sang in seinen Jünglingsjahren der Herr Papa, und wenn der Fremde Glück gehabt hatte, auch der Herr Großvater, der alte, gemütliche Herr, der Einzige, der dem Fremden in seinen jungen Jahren alles, aber wirklich alles erlaubte. Sie alle sangen »Donau so blaaau …«, wenn es zu Hause mit den Weibern keinen Streit gab, was ohnehin selten der Fall war. Der Fremde war verzweifelt, denn die damals so oft besungene Donau war, wie er feststellen musste, eher silbergrau oder gar bleifarben, wirkte irgendwie metallisch. Ratlos stand er am Fluss und sah sich außerstande, dessen Farbe, die seine Familie sehnsuchtsvoll besungen hatte, zu bestimmen. Seine Ratlosigkeit steigerte sich ins Unermessliche, als er sich der Tatsache bewusst wurde, dass er nicht einmal erkennen konnte, in welche Richtung sich die Wasser der Donau bewegten.

Trotz größter Anstrengung konnte er nicht erkennen, in welche Himmelsrichtung die Donau und ihr schmutziger Inhalt trieben. Der Fremde war aber schlau, denn er kam aus dem Osten Europas. Jeder, der von dort nach Wien kommt, muss schlau sein, denn sonst hätte er es einfach nicht bis hierher geschafft. Und weil er schlau war, warf er ein Stück Holz in den Fluss – und atmete auf. Der Fluss lebte doch! Das Holzstück bewegte sich. Anfangs drehte es sich um die eigene Achse, dann kam es aber in Schwung und trieb gemächlich, aber stetig nach Nordosten. Und während der Fremde sich ausmalte, dass dort, in der Richtung, in die das Stück Holzstück steuerte, zunächst Pressburg, dann Budapest und schließlich

Belgrad und der Balkan liegen, blieb das Stück Holz plötzlich überraschend stehen. Verdammt noch einmal! Es bewegte sich nicht mehr! Es stand still!

In diesem Moment begann der Fremde, mit sich selbst einen Kampf auszutragen, denn seine angeblich so schöne und so blaue Donau war weder blau noch schön, dafür aber träge und still, was er am wenigsten erwartet hätte und was so ganz und gar nicht in seine Vorstellungswelt passte. Er erinnerte sich an das in der Schule Gelernte, an das in den Mannesjahren Gelesene, an das im Fernsehen immer wieder Gesehene, an die Fülle der Fakten, die er studiert und gehört hatte. Nun aber sah er, dass die Donau nicht blau war, sondern still, und er flüsterte vor sich hin: »Hat sich nicht das Schicksal Europas gerade an diesem viel, wenn nicht alles bewegenden Fluss unzählige Male entschieden und haben sich hier nicht die Geschicke der Völker vollendet?«

Das Holz war noch immer an derselben Stelle. Es bewegte sich einfach nicht. Der Fremde drehte der Donau den Rücken zu und fand es zwecklos, an diesen Fluss weitere Gedanken zu verschwenden. Er sinnierte resignierend: »Alles, was man mich gelehrt hat, ist offensichtlich falsch.«

Nicht verdrängen konnte der Fremde jedoch die Tatsache, dass zwei Türme das Bild der Stadt an diesem stillen Fluss beherrschten: jener der Kathedrale, die den Namen des heiligen Stephanus trägt, und jener der Kirche auf dem Leopoldsberg, dem zweithöchsten Aussichtspunkt des Wiener Beckens. »Vielleicht«, so dachte der Fremde unvermittelt, »kommt die Donau angesichts dieser beiden ehrwürdigen Kirchtürme,

die Zeugen der Geschichte Österreichs, der Babenberger und der Habsburger, somit auch der Geschichte
Europas sind und die auf so manche Krönung, auf
herrschaftliche Vermählungen, zahllose königliche
Taufen und auf Unmengen kaiserlicher Betrügereien
herabgeblickt haben, zum Stillstand. Vielleicht wird
die Donau angesichts dieser weisen und erfahrenen
Zeugen demütig, bescheiden und still?«

PÉTER ESTERHÁZY

(∗ 1950)

Wien ist keine Donau-Stadt

Wien ist keine Donau-Stadt. Wien schätzt die Donau
nicht, bemerkt sie gerade nur, bittet zum Vorzeigen
den Kanal herein und plätschert ein wenig in der
Alten Donau. Vielleicht liegt es auch an dieser Unaufmerksamkeit, daß Reisender – vergessen wir nicht:
Donau-Reisender! – hier angekommen, ein wenig
über sein Leben nachdenkt. Er setzt sich in einen
Park, einen Wiener Park, die Parks sind die Zauber-
spiegel Wiens, in denen die Stadt sich betrachtet, dort
sind alle auf einmal, Schnitzler und Trakl, »Rokoko-
Genußsucht« und »trocknes, braunes Todeslaub des
Herbstes«, Tote spazieren auf den gepflegten Wegen,
in Wien ist man leichter tot, im hinteren Trakt des
Burggartens offen mit Gräsern und Pulvern mau-
schelnde junge Leute, alte Herren mit Krawatten,

trippelnde vornehme Damen, Bilder irgendwoher, »Ansichtskarten, die niemand verschickt«, Wien ist eine Gegend reich an Toten, dies hat hier eine hübsche Bagatelltradition, das Lebendig-Totsein. Den Reisenden befällt heftiges und lächerliches Selbstmitleid.

JOHANN HERMANN DIELHELM

(1711–1784)

Ueberhaupt ist die Stadt Wien

Ueberhaupt ist die Stadt Wien zu einer Festung gar wohl gelegen, weil in der Naehe rings umher, keine sonderliche Erhoehung anzutreffen, von welcher die Stadt koennte beschossen werden. Auf der mitternaechtigen Seite aber wird solche von dem breiten Donaustrom vor allen feindlichen Anfällen zur Gnuege beschuezt und bedekt. Was die Sousterrains der Festung anlangt, so sollen solche sehr weitlaeuftig und wichtig seyn, welches wegen des starken Walls und Festungswerkern leicht zu glauben ist, ob man dieselben gleichwohl niemals zu sehen bekommen kann.

Die Stadt Wien hat 8 Thore, es werden ihrer aber nur 6 gerechnet, weil 2 davon unbetraechtlich, 6 aber stark und ansehnlich sind, nämlich 1) das Stubenthor, so auch das ungarische genennt wird, 2) das Kaerntnerthor, 3) das Burgthor, so mitten durch die kaiserliche Burg gehet, 4) das Schottenthor, so von der

Schottenabtey den Namen hat, 5) das Neuethor, so im vorigen Jahrhundert unter der Regierung Kaiser Leopolds anfaenglich erbauet worden, desto eher und bequemer zum Donaustrom kommen zu koennen, und 6) das Rothethurmthor, wodurch die staerkste Passage geht; weil alles, was nur ueber den Donaustrom herüberkommt, oder zu Schiffe anlangt, durch dieses Thor paßiren muß. Es hat den Namen von dem rothen Thurm, durch welches es geht.

ANDREAS DUSL

(1987)

Wien am Inn

»Letzte Donaumetropole, bevor sie Budapest erreichen«, steht auf einem Nußdorfer Straßenschild. Das kann nur ein Wiener geschrieben haben. Der Wiener ist nämlich ein böser Mensch, auf alles ist er bös, am meisten natürlich auf sich selbst. Und des Wieners Lieblingstugend ist demnach der Haß. Wenn aber der Wiener etwas mehr haßt als sich selbst und die anderen Bewohner seiner taubenverschissenen Stadt, dann ist es das Wasser. Nichts haßt der Wiener mehr als das Wasser.

Im Wienerwald entspringen gut zwei Dutzend Bäche, die alle durchs heutige Wien fließen. Aber in jedem Heurigenort »draußt« ereilt sie das gleiche Schicksal: Kaum an der Stadtgrenze angekommen, mutieren sie zu Kanälen. Unterirdisch und verdrängt in jedem Sinn des Wortes, fließen sie einem anderen Kanal zu, dem Donaukanal. Auf ihrem Weg durch Wien bilden sie eines der ausgedehntesten Kanalsysteme der Welt, das immerhin so berühmt ist, daß Millionen Westmenschen Wien mit dem Dritten Mann identifizieren, so, wie Australien mit dem Känguruh. Den Donaukanal, angereichert durch Wiens Abwässer und Bäche, halten sie dann auch für die Donau, so, wie sie ihre Filme vor der Votivkirche verschießen, die sie für den Stephansdom ansehen. Bei der Urania stößt der korsettierte Wienfluß dazu, gemeinsam geht's jetzt an Erdberg und Simmering vorbei, Richtung Winterhafen, der regulierten Donau zu, die dann noch ein Stück umkämpften Auwald sieht, bevor sie in den neuen österreichisch-ungarischen Stausee bei Nagymaros mündet. Die Geschichte der wienerischen Wasserverdrängung ist älter, als man zunächst vermuten könnte. Die wahrhaft barbarische, franziskojosephinische Monumentalverdrängung, vulgo »Generalregulierung«, steht erst am Ende einer langen Reihe von Bach- und Flußverlegungen.

Aber Franz Joseph war nicht der erste Bachverleger. Schon Herzog Leopold VI., der als Babenberger dem entspricht, was Franz Joseph I. als Lothringer Habsburger war – Leopold hatte Wien zur größten Stadt des römischen Reichs gemacht –, verlegte großzügig. Unter seiner Herrschaft wurde Wien endlich vom lästigen Ottakringerbach, der über Minoritenplatz und Tiefen Graben der damals noch nahen Donau zufloß, befreit. Das enge Wien brauchte Platz, und so wurde der Bach aus der Stadt gelegt und sein Wasser nach

Osten zur Wien und ihren vielen Mühlen geleitet. Auch Als und Ulrichsbach wechselten wiederholt das Bett. Nach jeder größeren Überschwemmung wurden Wiens Bäche durch Bettverlegung bestraft. Da die Wiener Bäche ja eigentlich Gebirgsbäche sind – sie entwässern das gesamte östliche Wienerwaldgebirge –, wundert es kaum, daß sie bei Unwettern zu reißenden, alles verheerenden Strömen wurden.

Dem zarten Wienfluß kann man während eines Gewitters heute noch beim Anschwellen zu imposanter Größe zuschauen. Zuletzt hat diese Eigenschaft der Wien eine Türkenbelagerung zum Guten gewendet. Gedankt hat man es ihr im Grunde weder damals noch heute. Im Gegenteil. Auch hier ist es die Stadtgrenze, von wo an auch die Wien im Gewande des Kanals fließen muß. Sie muß auch, kaum in Sichtweite der Wienerstadt, flugs unter die Erde, um angesichts soviel Imperialen nicht durch allzu Alpines, Bäuerliches aufzufallen. Erst hinterm Kursalon Hübner, im sogenannten Stadtpark, fließt die Wien wieder oberirdisch, im hohen Korsett, versteht sich. Der Hauptstrom jenseits des Augartens fiel, wie schon gesagt, der römisch-imperialen Begradigungswut Franz Josephs zum Opfer. Vom einstigen Donauurwald blieben nur die schon früher angelegte barocke Perversion zum Thema Wald, der – heute natürlich wunderbare – Augarten und ein zum Volk- und Wurstelpark degradierter, der jagdparadiesischen Größe früherer Zeiten beraubter, zwickelförmiger Prater.

Von der Donau und ihren fischreichen Armen blieb die sogenannte Alte Donau mit ihren schrebergartenschwangeren Ufern Neubrasilien und Arbeiterstrandbad übrig, dazu ein paar Kleinarme in der Lobau und der Nachenweiher Heustadlwasser im Prater, in denen jetzt das Streusalz der Südosttangente fließt. In der Simmeringer Heide soll es noch den geheimnisvollen Seeschlachtbach geben. Von allem noch fast unberührt, fließt im Süden Wiens die Liesing, die ihre Virginität wahrscheinlich nur ihrer Lage jenseits des Zentralfriedhofs verdankt und die via Schwechat bei der Erdgasbrücke in die hier schon (weil Stadtgrenze) einigermaßen krumme Donau mündet.

Die Wiener Bäche und Flüsse können dem Wiener also offenbar keine größere Freude machen, als möglichst schnell wieder Wien zu verlassen oder ihr Fließen prompt einzustellen. Sind sie doch alle Fremde in Wien. Wo Zuschütten nichts half, wurden sie überdacht, wo dies die Breite unmöglich machte, begradigt oder gestaut. Das Inundationsgebiet, beliebter Fußballplatz früherer Bubentage, an dem sich, wenigstens zu Überschwemmungszeiten, vermehrt Wasser oder der seltene Eisstoß aufhalten durfte, ist mittlerweile auch verschwunden.

Statt dessen gibt es die Neue Donau, einen Stausee, der bei Bedarf geflutet wird, das Wasser dann zwar bakteriologisch für einen Monat versaut, aber dafür Überschwemmungen in Wien (kompliziert »Inundation« genannt) nicht mehr zuläßt.

Mehr als die Wiener getan haben, kann man gar nicht gegen das Wasser tun, so scheint's. Aber die Stadtväter und ihre elektrischen Berater sind nicht faul. Nach dem Debakel von Hainburg soll ein anderer Stausee durchgeboxt werden. Der größte und schönste, der sich denken läßt. Die Donau, und zwar die beinamenlose, fließende, und ihre Schwester, die

Neue, sollen gestaut werden. »Wien am Stausee« heißt die brillante Idee; an einem Sporthotel am Handelskai, in den Mauern eines monumentalen Getreidespeichers, wird schon gebaut. Nur – die cloaca maxima wird auch die gesamten Abwässer aller Wiener Toiletten enthalten. Nennings »Klosee« wird Wirklichkeit.

Wie können wir das verhindern, was hier, nach all dem, was bereits geschehen ist, mit der Donau angestellt wird? Ganz einfach: Wien wird an den Inn gelegt!

ANTON VON KLEIN

(1746–1810)

Allein der Gott im Musenreich

Allein der Gott im Musenreich
Spricht: laßt durch feiges Kriechen,
Ihr Freunde an der Donau, euch
Vom Windegott nicht truegen.

Er wiss', oft stieg' ich vom Parnaß
Auf Wiens beglueckte Fluren,
Fand meine Maedchen, sah juengst, daß
Sie Betty's Freundschaft schwuren.

Bestaetigt sey, bey Pluto's Reich!
Der schoene Bund auf immer:
Der Seine und der Temse gleich
Glaenz' Miß in meinem Schimmer.

(1827)

Donau-Strom-Polizei-Vorschrift

Die zur Sicherheit der Personen und Güter auf den
Schiffen und der nächst diesem Strome gelegenen
Gründe, zur wechselseitigen Erleichterung in Benüt-
zung des Stromes, insofern diese unmittelbar von dem
Benehmen des Schiffleiters abhängt, nöthigen Anord-
nungen.

§ 1. Die erste Pflicht des Schiffers (Schiffleiters) ist:
dafür zu wachen, dass das zur Abfahrt bestimmte
Schiff sich im vollkommen gutem Stande befinde und
für diese Reise, zu der es verwendet wird, im Verhältnisse der Last, welche es zu tragen hat, hinlänglich
fest und dauerhaft gebaut sei.

Der Mangel entsprechender Festigkeit und Dauer
setzt das Fahrzeug und die darauf befindlichen Personen und Güter der Gefahr des gänzlichen Unter-
ganges aus. Ein Schiffer darf daher mit einem solchen
Fahrzeuge eine Fahrt nicht beginnen oder fortsetzen,
wenn erst während derselben das Schiff beschädigt
und unsicher wird. Um in Fällen, wo diese Vorschrift
übertreten werden sollte, den Schuldigen sogleich zur
Verantwortung ziehen zu können, hat jeder Schiffer
und Flösser dieser Provinz seine Fahrzeuge mit seinem
Namen vollkommen leserlich und mit so großen Buchstaben zu bezeichnen, dass der Name auch in einer

bedeutenden Entfernung gelesen werden kann, und
zwar die Schiffe auf dem Kranzel, die Flösse auf den
Flügelbäumen.

ANTON ZIEGLER

(1793–1869)

Vormaliger Gang des Flusses

In der Stadt zeigen noch ganz deutlich den vormaligen
Gang des Flusses:

Die Benennungen Salzgries, Maria am Gestade, die
Fischerstiege, das alte Fischer- oder Werderthor, und
St. Rupprecht auf der Höhe dem Werd gegenüber, so
wie die Thatsachen, daß noch vor ungefähr 80 Jahren
im unteren Passauerhofe an der Kirchenmauer die
großen eisernen Ringe zum Anhängen der Fahrzeuge
zu sehen waren, dann daß bei dem Bau der Salzgries-
Caserene, und in den neuesten Zeiten bei den Baulichkeiten in der Nähe des rothen Thurmes, starke hölzer-
ne Wehren gegen das Einreißen des Stromes ziemlich
tief aus der Erde gegraben wurden, und durch den
Zahn der Zeit so schwarz wie Ebenholz waren. Die
Sage ist zwar alt, ist aber auch wahrscheinlich, wiewohl sie auf keinem urkundlichen Grunde beruht,
daß schon unter jenen Passauer-Chur-Bischöfen zu
Fabiana, insgemein auf das Jahr 882 gesetzt, am Gestade (in landesüblicher Mundart auf der Gestette)
gegen die obere Donauinsel (heutige Rossau) durch

die Andacht der Schiffer, Kaufherren und Reisenden eine Capelle zu unser lieben Frauen am Gestade entstanden sei. An der Stelle, wo die Schiffe landeten, wo die Waaren, vorzüglich das Salz (am Salzgries) am Ufer ausgeladen wurden, am Fuße des Hügels, stiegen das Schiffsvolk, Pilger und Reisende, auf dem Steig zum alten Rupprechtskirchlein (die älteste Kirche Wien's, im Jahre 783 begründet) hinauf, oder näher, über die von den Fischern erbaute Stiege (Rupprechtssteig, Fischerstiege) und zu dessen Marien-Capelle am Gestade.

WILHELM GOLLMANN

(1876)

Hilfeleistungen bei Scheintodten durch Ertrinken

Da es bei aller Vorsicht in Strombädern von grösserer Tiefe wie in Schwimmschulen doch möglich ist, dass die Gefahr des Ertrinkens eintritt, füge ich eine kurze Anweisung für solche Fälle bei.

Das Erste ist immer das Herbeirufen des Arztes; allein bis dieser erscheint, darf kein Augenblick versäumt werden.

Man behandle den Patienten, wie er aus dem Wasser gebracht wird, indem man ihn mit dem Gesichte gegen den Boden legt, jedoch so, dass Gesicht, Hals und Brust dem freien Zutritte der Luft zugänglich sind.

Hat er Kleidungsstücke an Hals und Brust, müssen sie entfernt werden.

Die Hauptbemühung muss sein, eine Wiederherstellung des Athmens, dann der Körperwärme und Circulation des Blutes zu bewirken. Ausser dem Ausziehen der nassen Kleider und dem Abtrocknen der Haut dürfen aber *vor* dem ersten Anzeichen des wiederkehrenden und natürlichen Athems *keine* Bemühungen gemacht werden, *um die Wärme und Circulation des Blutes zu befördern*; denn *wenn die Blut-Circulation vor der Wiederherstellung des Athems in Gang kommt, ist das Leben in grösster Gefahr.*

Um den Athem herzustellen, legt man den Scheintodten, wie erwähnt, auf den Boden, mit dem Gesichte nach abwärts und mit einem Arme unter der Stirne. So kann das Wasser am leichtesten aus dem Munde fliessen, denn die Zunge fällt vorwärts und lässt den Eingang in die Luftröhre frei. Diese Operation muss durch Abwischen und Reinigen des Mundes unterstützt werden.

Erst wenn sich ein befriedigendes Athemholen zeigt, geht man an die Erweckung der Körperwärme. Ist der Athem noch schwach, bleibt er aus oder lässt er nach, so kann man ihn anregen, indem man den Patienten auf die Seite legt. Man reize die Nase mit Schnupftabak, Hirschhorngeist und englischem Salz, oder kitzle die Kehle mit Federn. Man reibe das Gesicht und die Brust mit warmem, oder besprize sie abwechselnd mit heissem und kaltem Wasser. [...]

Man kleide den Körper trocken und setze das Frottiren über den trockenen Kleidern fort. Zur Beförderung der Wärme nehme man heissen Flanell,

Wärmeflaschen oder mit heissem Wasser gefüllte Blasen. Man kann auch eine Klystier von warmem Wasser geben. Aderlassen ist verderblich; Stellen auf den Kopf kann einen Herzschlag zur Folge haben.

Wenn das Leben wiederkehrt, gebe man dem Patienten einen Theelöffel voll warmen Wassers, und wenn die Fähigkeit zum Schlucken wieder da ist, reiche man ihm kleine Gaben von Wein und warmen Branntwein mit Wasser oder Kaffee. Dann bringe man ihn zu Bette.

Man muss die Anstrengungen möglichst lange fortsetzen, denn solche Scheintode sind oft erst nach vielen Stunden, sogar nach halben Tagen zum Leben gebracht worden. Der Tod des Ertrinkens scheint demnach ein sehr langsamer zu sein.

VICTOR MEKARSKI EDLER VON MENK

(1831)

Das Schiff-Bad

Eine besondere Aufmerksamkeit verdient noch das Schiffbad nächst der Sophienbrücke. Am linken Ufer des Wiener-Donau-Canals; dessen Vorzüge sind schon längst bekannt; durch zweckmäßige Vorrichtungen wurden mit den kalten Bädern jetzt auch warme in Verbindung gebracht, eine ehrenvolle Unternehmung des hiesigen verdienten, praktischen Arztes Steinlein. Der Badegast ist hier vor jähem Witterungswechsel im Sommer geschützt; schirmt zarte Constitutionen, schwächliche Personen, Kinder und die es auf Anordnung der Ärzte gebrauchen, gegen den schädlichen Einfluss starker Winde, bewahrt sie vor den Stich der Sonne; es dient der bemittelten Classe des schönen Geschlechtes, welches sich wohl schwerlich zu den öffentlichen Armen-Bädern, wenn auch auf Zurathen sachkundiger Personen, entschließen würde, zur heilsamen Stärkung.

WILHELM GOLLMANN

(1876)

Das städtische Bad nächst der Reichsstrassen-Brücke in Wien

So reich und herrlich sich Wien, schon vorher als »die schöne Kaiserstadt an der Donau« gepriesen, in den letzten zwei Jahrzehnten entwickelte, und mit Prachtbauten zu öffentlichen Zwecken, wie mit imponirenden Privatgebäuden schmückte, ist doch dieser Eifer, trotz der financiellen Calamitäten der letzten drei Jahre noch keineswegs zum Abschlusse gekommen. Im Gegentheile, die imposantesten architektonischen Zierden dieser Weltstadt sind eben im Entstehen. Wir brauchen nur an den Bau des neuen Rathhauses, an die neuen Museen, Parlament und Universität zu erinnern, und man wird gestehen, dass die Stadt-Erweiterung gleichsam erst ihre Kronen erhält.

Unter diese, im metaphorischen Sinne, gehört auch die grosse neue communale Bade-Anstalt nächst der Reichsstrassen-Brücke am rechten Ufer des neuen Donaubettes, oder »Das städtische Bad«, wie es in vergoldeten Lettern, die oberhalb des östlichen Einganges prangen, gleichsam officiell genannt wird.

Dieses imposante, grossartige Strombad, nach einem Plane des Ingenieurs des Wiener Stadtbauamtes, Herrn Berger, errichtet, entspricht nicht nur in einem ungewöhnlich ausgedehnten Massstabe dem sanitären Bedürfnisse, sondern ist ein Prachtbau, wie er als Strom-Bad, unseres Wissens nirgends, in keiner der grossen Weltstädte seinesgleichen hat, und die Bevölkerung Wiens hat alle Ursache, sich dieses Unicums zu freuen und es mit dem Eifer zu benützen, den Jedermann in der geeigneten Jahreszeit zu Gunsten der Gesundheitspflege und physischen Entwicklung oder Kräftigung dem kalten Fluss- oder Strombade zuwenden sollte.

Wir wissen, dass eine Schilderung dieses grossartigen Baues theils Fachmännern, theils den Feuilletons der Journale vorbehalten bleiben muss, wobei sich besonders Illustrationen als unerlässlich erweisen dürften, und anderseits gehört jene nicht in den Rahmen, den wir uns für diese kleine Schrift vorgezeichnet, aber einige Worte erscheinen uns doch zu verlockend, als dass wir denselben hartnäckig ausweichen möchten.

Das »städtische Bad« nächst der Reichsstrassen-Brücke ist nicht nur ein sogenanntes Strom-Vollbad, sondern ein ganzer Complex von Vollbädern. Mit einem Kostenaufwande von 800.000 Gulden gebaut, von welcher Totalsumme 400.000 Gulden auf den Unterbau, der Rest auf den Oberbau entfallen, beweisen diese Ziffern, dass es sich um ein Werk handelt, wie es die Casse eines Privatunternehmers nicht leicht fundiren könnte, sondern wie es nur aus den Gesammtmitteln einer Weltstadt in Folge des Votums ihrer Gemeindevertreter hervorzugehen vermochte.

Fügen wir dem, zunächst den Ueberblick über das Ganze festhaltend bei, dass die Badeanstalt räumlich darauf berechnet ist, dass gleichzeitig 1214 Personen in derselben baden, schwimmen und Jede ihren Aus- und Ankleideplatz finden kann, ohne dass ein belästigendes Gedränge entstehen muss, so versteht es sich, dass wir es mit Dimensionen zu thun haben, die bisher derlei Anstalten ganz fremd geblieben.

Die Area, welche die Anstalt einnimmt, hat eine Länge von 250 und eine Breite von 70 Meter.

ALFONS PETZOLD

(1882–1923)

Abend an der Donau

Abend umspannt die Zeit,
Reglos starren die Sterne.
Aus der Matrosentaverne
Stapft die Dunkelheit.

Walzt mit wankendem Gang
Über die Donaubrücke,

In einer Gassenlücke
Vergröhlt ihr Gesang.

Flußauf nebelumdrängt
Schaukelt ein kleiner Nachen,
Drüber das helle Lachen
Froher Menschen hängt.

Lichtschwer dräut die Stadt,
Frißt das Licht der Laterne,
Das aus der Stromtaverne
Blinzelt scheu und matt.

OTTOCAR-FRANZ EBERSBERG

(1833–1886)

Nacht. Donauufer am Franz-Josefs-Quai

2. Scene
(Melodrama)

Theodor (etwas angestochen) **Robert** (sein Freund,
kommen über die Brücke)

   Theodor. Lustig war's, recht lustig – (mit der Hand
über die Stirn fahrend) aber dein Champagner hat mir
Kopfweh gebracht – Robert – ich muß nach Hause –
gute Nacht!

   Robert. Was hast du denn schon wieder? Rede,
Theodor – seit Wochen bist du so verstimmt – hast du
Verdruß gehabt?

Theodor (unruhig). Zu viel getrunken hab ich – sonst nichts! – Gute Nacht! (Ein schwacher Hilferuf ertönt) Was war das? –

Robert. Ein Hilferuf! – Ja – seh ich recht – kein Zweifel – ein Kopf taucht aus dem Wasser auf – es ringt dort jemand mit den Wellen –

Theodor. Ein Menschenleben in Gefahr? – (Reißt den Rock vom Leibe, wirft den Hut ab.) Ich will mir was zusammensparen für die Ewigkeit!! (Stürzt ab.)

Robert. Er springt in's Wasser – ein guter Schwimmer – schon nähert er sich der Gestalt – Bravo! er hat sie schon erfaßt – ein Teufelskerl! – wie er sie nun an's Ufer bringt – hieher, Theodor, hieher! –

Theodor. (kommt, die besinnungslose Juli auf den Armen tragend). Gerettet! Gerettet! (Sie lassen Juli in der Nähe des Kandelabers nieder.)

Robert. Wer mag sie sein?

Theodor. Was denn weiter? Irgend ein liederliches Ding, das nach dummen Streichen seinen Kopf verlor! Wie wir's in den Blättern lesen!

Robert. (ihr in's Gesicht sehend) Ein hübsches Gesicht!

Theodor. (betrachtet sie auch und fährt entsetzt zurück). Juli! – (Stürzt auf die Knie.) Heiliger Gott! Und ich – ich bin ihr Mörder!!

MARIE VON EBNER-ESCHENBACH

(1830–1916)

Der Vorzugsschüler

»Unglück, Unglück«, murmelte Georg und gab sich
alle erdenkliche Mühe, aufmerksam zuzuhören. In
seinem Kopfe ging es sonderbar zu. Es summte und
hämmerte darin, und der Stimme, die vom Katheder
zu ihm herübertönte – sonst eine laute, kraftvolle
Stimme –, fehlte der Klang. Die Worte, die sie sprach,
waren nicht artikuliert, flossen ineinander wie Wellen
… Noch etwas Sonderbares! Der breite Saal schien
sich zu verlängern ins Unglaubliche. Es war kein Saal
mehr, es war ein langer Gang, von merkwürdig kaltem,
weißem Licht erfüllt, und ganz weit am Ende stand
ein schwarzer Strich auf einem Piedestal. Georg mußte
mit Gewalt alle seine Denkkraft zusammennehmen,
um sich klarzumachen: das ist der Herr Professor, der
einen Vortrag hält.

Er schloß die Augen, lehnte sich zurück und dachte:
Ich werde heute nicht lernen können. Nach einer
Weile aber wurde es besser, er vermochte sich aus
dem unheimlich traumhaften Zustand, in den er geraten war, herauszureißen. Der zweite Vortrag hatte
begonnen. Der jetzt sprach, war ein sehr beliebter,
von der ganzen Schule verehrter Lehrer, der Professor der Geschichte. Er hatte einen sonst kaum mittel-
mäßigen Schüler aufgerufen, und der bestand mit
Ehren. Georg folgte. Ach, wenn er auch soviel Glück
hätte wie sein Vorgänger. Es schien beinahe. Der Pro-

fessor prüfte aus dem unlängst von Georg Wiederholten und sagte: »Gut, bis auf zwei Jahreszahlen. Sie bekommen ›Lobenswert‹. Ich möchte Ihnen aber gern ›Vorzüglich‹ geben können und stelle deshalb noch einige Fragen. Nennen Sie mir alle deutschen Kaiser bis zu Rudolf dem Ersten.«

Das war keine sehr schwere Frage. Voll Zuversicht begann er sie zu beantworten und gelangte glorreich bis zu Otto III. Da verriet ihn sein Gedächtnis – er ließ den gelehrten und frommen Kaiser ein hohes Alter erreichen und Heinrich II. den ersten Salier sein.

Der Professor zuckte bedauernd die Achseln und unterbrach ihn: »Das geht nicht gut. – Etwas anderes! Erzählen Sie mir die Geschichte von Konradin.«

Oh – die wußte er! Die hatte er seiner Mutter erzählt; so rührend, daß sie dabei weinen mußte. Konradin war ja – nun ja –, war ja König Enzio … Oder nein, richtig – Enzio war Konradin …

Ein kaum unterdrücktes boshaftes Kichern erhob sich, der Pepi lachte ihn aus. Die Augen des Professors hefteten sich fest auf ihn. Er verstand, daß diese guten, wohlwollenden Augen ganz besorgt fragten: Sind Sie bei Trost?

Er hätte schreien mögen: Nein! Ganz verwirrt und konfus bin ich!

»Sie tun mir leid«, sprach der Professor, »aber – sagen Sie selbst – welche Klasse haben Sie verdient?«

Georg flüsterte etwas völlig Unverständliches. Dem Lehrer schien, es sei ein Dank gewesen. Der Junge wußte heute nichts, erriet aber viel, erriet das innige Mitleid, das er seinem Lehrer einflößte.

Ehe der dritte Vortrag begann, verließ er die Schule und ging langsam die Straße hinab. Es war ein Frühlingstag mit sommerlichem Sonnenschein, der Himmel wolkenlos, die Luft noch frei von Staub und Dunst. Georg schritt mit weit aufgerissenen, verglasten Augen zwischen den Menschen dahin, die sich in der Hauptverkehrsstraße der Vorstadt drängten. Einem oder dem andern fiel auf, wie sonderbar »verloren« er aussah.

Keiner hatte Lust und Zeit, ihn zu fragen, was ihm sei. Ein Tischlerjunge nur, der einen Handwagen schleppte und an den er angestoßen war, rief ihm zu: »Hüo! Wo hast dein Schädel? Anbaut mitsamt der Mitzen?«

Unwillkürlich griff Georg nach seinem Kopfe. Er war barhaupt, hatte seine Mütze in der Schule gelassen und auch seine Lernsachen. Daran lag aber nichts. Ihn würde niemand nach ihnen fragen. Er könnte ja nicht mehr heim. »Komm mir nicht nach Hause mit einer schlechten Note!« Diese Worte dröhnten unablässig an sein Ohr. Jetzt mußte er sie bekommen, die schlechte Note, die erste wirklich schlechte. Was würde der Vater jetzt mit ihm tun? Und wie würde die Mutter sich kränken … Nein, nein, Vater und Mutter, er wagt es nicht, er kommt nicht mehr zurück, er geht, wohin schon mancher unglückliche Schüler gegangen ist: in die Donau. Und dieser eine Gedanke, je länger er ihn vor sich sah als das Unabwendbare, einzige, je mehr befreundete er sich mit ihm. Dieser Gedanke mit dem dunklen Kerne hatte eine blendende Atmosphäre und fing an eine große Helligkeit zu verbreiten. Er gestaltete sich jetzt so: Ich muß in die Donau, ich will aber auch, und gern. Wie gut ist es, tot zu sein, nicht mehr hören müssen: Lern! Wie gut auch, wenn es keinen Zwiespalt mehr zwischen den Eltern gibt. Aber du begehst einen Selbstmord, fuhr es ihm durch den Sinn, und ein Selbstmord ist eine Todsünde. Ihn schauderte. »Lieber Gott! Allgütiger!« stöhnte er und blickte flehend zum Himmel empor. »Rechne mir meinen Tod nicht als Sünde an! Ich will keine Sünde begehen, ich will sterben für den Frieden meiner Eltern. Mein Tod ist ein Opfertod.«

Ein Opfertod!

An dieses Wort klammerte er sich; es brachte ihm Trost. Es verwandelte die Tat der Verzweiflung in eine Heldentat und schwerste Schuld in ein Märtyrertum. Es ging auf vor dem armen, irrenden, suchenden Kinde wie ein Stern in der Nacht. Keine Erwägung, keine Überlegung, kein Zweifel mehr, nicht die geringste Fähigkeit, sich etwas anderes vorzustellen, nur die rasende, unbezwingliche Sehnsucht, Erlösung zu erfahren und Erlösung zu bringen.

Er war am Ende der Straße angelangt, bog in die Seitengasse ein, die auf den Kai mündete. Bleierne Müdigkeit lag ihm in den Gliedern, sein Kopf brannte und schmerzte bis zur Bewußtlosigkeit. Die Donau, die ist ein kühles, weiches Bett, da findet man Ruhe und Labung. Nur sie erreichen, nur bis zu ihr hinkommen! Eine dumpfe Angst: Sie mißgönnen mir die Erlösung, sind hinter mir, verfolgen mich, jagte ihn vorwärts. Er begann zu laufen, und dabei schien ihm, daß er immer auf demselben Fleck bliebe. Das war fürchterlich, noch einmal einen so argen Kampf mit dem Unüberwindlichen kämpfen zu müssen.

»Wohin? Was sind Sie so eilig?« sprach eine wohlbekannte Stimme ihn an. Der Hausierer stand vor ihm.

»Du?« sagte er, »du, Salomon?«

Ein wenig Zeit nahm er sich zum Abschied von dem Armen. Auch der war elend, dem es Seligkeit gewesen wäre, in der Schule zu sitzen, aus der Georg entflohen war, und der auf und ab wandeln mußte vom frühen Morgen bis in die späte Nacht in Staub und Sonnenbrand, und sah so krank aus, und seine schmächtige Gestalt war schon ganz schief vom Tragen des schweren Warenkastens. Ja, ja, wem zu Schweres auferlegt wird, der verkrüppelt. Armer Salomon, den der Wachmann aufscheucht und einzuführen droht, wenn er ganz erschöpft einige Augenblicke auf einer Bank ausruhen möchte. Fort, fort auf müden Füßen in den ausgetretenen, geplatzten Stiefeln … Georgs Blick glitt über sie hinweg und plötzlich beugte er sich, zog rasch seine neuen Halbschuhe aus und legte sie auf den Warenkasten.

»Nimm sie, ich brauche sie nicht mehr«, sprach er und – lachte. Ja, wahrhaftig, Salomon schwor später drauf, daß er gelacht habe, und wie unaussprechlich schmerzvoll dieses Lachen geklungen, kam ihm erst später zum Bewußtsein, nachdem alles vorüber war. Zuerst in seiner freudigen Verblüffung hatte er nur Augen für die schönen, guten Schuhe, die ihm wie aus dem Füllhorn des Glückes zugefallen waren. Als er sich besann, daß Georg seine Schuhe gar nicht verschenken dürfe und wohl nur einen Spaß mit ihm gemacht habe und er sich umsah und rief: »Junger Herr! Junger Herr!« – drang schon lautes, vielstimmiges Geschrei an sein Ohr: »Im Wasser!« – »Hineingesprungen!« – »Hilfe! Hilfe!« Von allen Seiten stürzten sie herbei, rannten, krochen die steile Böschung hinab, standen mit vorgestreckten Hälsen, Entsetzen oder stumpfsinnige oder abscheuliche Neugier in den Gesichtern, und deuteten: »Da! Dort! Siehst ihn?«

Anstalten zur Rettung wurden getroffen – vergebliche. Eine Stromschnelle hatte den schwimmenden Körper erfaßt und häuptlings an einen Brückenpfeiler geschleudert.

Mit gellenden Weherufen drängte sich Salomon durch die Menge zum Ufer hin. Die Schuhe hatte er von sich geworfen, streute seine Waren im Laufe achtlos aus ... Gott! Gott! Ins Wasser gesprungen – in den Tod gegangen, der, den er bewundert hatte und beneidet und der immer so gut gegen ihn gewesen war.

GRAHAM GREENE

(1904–1991)

Die Donau war ein breiter, schmutziggrauer Strom

Die Donau war ein breiter, schmutziggrauer Strom weit hinter dem zweiten Bezirk in der russischen Zone, wo sich der zerstörte und unkrautüberwucherte Prater in trostloser Öde hinbreitete. Einzig und allein das Riesenrad drehte sich langsam über den Fundamenten einstiger Ringelspiele, die wie verlassene Mühlsteine dalagen, über dem rostenden Eisen zerschossener Panzer, die niemand weggeräumt hatte, und über den im Frost erstarrten Stauden, die sich da und dort aus der dünnen Schneedecke reckten. Ich besitze nicht genug Phantasie, mir den Prater in seinem einstigen Glanz zu vergegenwärtigen, genau so, wie ich mir unter dem »Hotel Sacher« nur ein Durchgangshotel für britische Offiziere, und unter der Kärntnerstraße nicht die elegante Geschäftsstraße von ehedem vorstellen kann, sondern nur zwei Häuserzeilen, die größtenteils bis zur Augenhöhe reichen oder vielleicht bis zum ersten Stockwerk wiederaufgebaut sind. Ein russischer Soldat mit einer Pelzmütze auf dem Kopf und dem Gewehr über der Schulter geht vorüber, ein paar leichte Mädchen drängen sich um das amerikanische Informationsbüro, und in Wintermäntel gehüllt, schlürfen in den Fensternischen des Café »Old Vienna« ein paar Herren ihren Ersatzkaffee.

Bei Nacht tut man gut, in der Inneren Stadt zu bleiben oder in einer von drei Besatzungszonen, wenngleich auch dort gelegentlich Menschen geraubt werden – so sinnlos schien uns dieser Menschenraub bisweilen: ein ukrainisches Mädchen ohne Paß, ein alter Mann, der niemand mehr nützen konnte; manchmal freilich auch der Techniker oder der Verräter.

ADOLF HEIDER

(1893)

Beschaffenheit des Wassers im Donaucanale

Die Schilderung der physikalischen Beschaffenheit
des Wassers im Donaucanale muss bei den Ursachen
der Verunreinigung desselben, den Canalausmündun-
gen, beginnen, und es kann gleich erwähnt werden,
dass dieselben mit ihrem widerlich aussehenden Inhalte, der bei Niederwasser in Form ekelhafter Cas-
caden in den Donaucanal fällt, wohl den meisten
Anlass zu Klagen bilden; sie sind auch vornehmlich
die Ursache von Geruchsbelästigungen. Der Canalin-
halt bildet im Wasser Schmutzstreifen, die sich je
nach dem Wasserstande rascher oder langsamer ver-
wischen; es muss hierbei anerkannt werden, dass bei
Hochwasser im Allgemeinen kaum eine Veränderung
im Aussehen des Wassers zu bemerken ist. Bei Mittel-
und Niederwasser jedoch macht sich der Einfluss des
Unrathes sehr deutlich geltend und es ist ohne weiters
die schmutzige Färbung des Wassers zu erkennen.
Auch der bei den Analysen zu Tage getretene Umstand, dass das Wasser am rechten Ufer stärker ver-
unreinigt ist, als am linken, lässt sich an vielen Stellen
des Donaucanals schon aus der Färbung des Wassers
erkennen. Am Canale beschäftigte Personen, welche
das Wasser fortwährend zu beobachten Gelegenheit
haben, behaupten auch, dass sie die zeitliche Schwan-
kung der Verunreinigung des Wassers im Laufe des
Tages deutlich wahrnehmen.

Weit auffälliger noch, als durch die Färbung, verräth sich die Verunreinigung des Donaucanals durch die groben Sedimentstoffe, welche derselbe im unteren Theile führt. Wer sich die Mühe nimmt, bei kleinen Wasserständen die Ueberfuhr an der Sofienbrücke öfters zu besuchen, kann in dieser Hinsicht die interessantesten Studien machen. Kothballen, Gemüseblätter, Papierfetzen, Gewebsfetzen (Lumpen), Vogelfedern, Stroh, Holzpartikel, Thiercadaver (Ratten) u. s. w. schwimmen in bunter Mischung am Beschauer vorüber. Von der Menge grober Sinkstoffe, welche der Donaucanal führt, kann man sich aus dem folgenden eine Vorstellung bilden. Ich versenkte im Herbste vorigen Jahres bei der Sofienbrücke 2 Fläschchen an einem Seile ins Wasser, und liess sie einige Stunden lang untergetaucht. Als sie wieder herausgezogen wurden, war das Seil und Fläschchen völlig verschwunden hinter einer Umhüllung von Gemüseblättern, Kartoffelschalen, Papierfetzen (wohl Closetpapier) und ähnlichen schönen Dingen. Gar nicht selten schwimmt auch auf der Oberfläche des Wassers schmutziger Schaum, sowie ein wolkige Figuren bildendes fettig aussehendes Häutchen.

WILLIAM E. THURSFIELD

(1873)

Zum grossen Wohle des Volkes

Ein heute angestellter Vergleich zwischen der Sterb-
lichkeit in Wien und andern grossen Städten, wie z. B.
London und Paris, bietet ein höchst ungünstiges Resultat, und beweist, dass in Wien irgend ein böser
Feind der Gesundheit existirt, der bisher nicht ange-
griffen wurde, oder dass gewisse Verbesserungen bis-
her vernachlässigt oder übersehen wurden; denn im
Allgemeinen besitzt Wien klimatische Verhältnisse,
die mindestens ebenso gut sind, wie die anderer
Grossstädte. Jeder Fremde, mag er von Osten oder
Westen kommen, muss von der vorteilhaften natürlichen
Lage Wiens überrascht werden. An den Ufern der
schönen Donau gelegen, bietet Wien, umgeben von
Hügeln mit reizenden grünen Abhängen, einen prächtigen Anblick, ein ebenso wechselvolles als angenehmes
Bild für das Auge des Beschauers. Es steht auf einem
Boden, dessen natürliche Wasserschwankungen und
Strömungen eine herrliche Gelegenheit zur vollständigen nicht zu übertreffenden Drainirung bieten, und
befinden sich in der Umgebung Brunnen und Quellen,
deren Wasser an Frische und Klarheit dem der Krystall-
brunnen der alten Zeiten gleichkömmt. Dank einer
friedlichen Constitution besitzt Wien die Segnungen
der Freiheit und des Unterrichts; seinen Architekten
verdankt es die Paläste und Denkmale, die seine
Strassen und Plätze zieren; seinen Ingenieuren die

Verkehrswege und Eisenbahnen, die es mit dem Auslande verbinden, und durch die Freigebigkeit seiner Bewohner und die Fähigkeit seiner Aerzte werden die Leiden der Armen und Kranken gelindert; unzählige Anstalten zur Erholung und zum Vergnügen stehen allen Classen der Gesellschaft zu Gebote. Der Genuss all' dieser Vortheile wird theilweise illusorisch gemacht durch den Mangel der wohlthätigen Vorkehrungen zum Schutze einer guten Gesundheit der Bevölkerung! Es lauert in unserer Mitte eine ganze Legion von Dämonen, Krankheiten verbreitend und Menschenleben zerstörend; es ist dies eine Folge unreiner Luft und unvollständiger Drainirung, die sich von Zeit zu Zeit fürchterlich fühlbar macht. Diese heimtückischen, zerstörenden Elemente sind stets vorhanden; sie liegen in den Drainageröhren, und verbergen sich in den Watercloset und Durchgängen unserer Wohnungen; sie finden sich in Theatern und Concerträumen, und häufen sich in den Behausungen der Armen. Sie entstehen unversehens beim Ueberschreiten der Strasse und wandern in die Abzugskanäle, oder strömen, durch einen Regenguss aufgerüttelt, wild vorwärts, um sich mit den trüben Kanalwässern zu mischen, wo sie mit anderem Unrath sich vereinigend, sich vertheilen, um Krankheit und Tod in den Häusern zu verbreiten. [...]

Einer der grössten Uebelstände Wiens, und einer der schlimmsten die mitten in der Stadt in ihn einmünden. Zu jeder Zeit ist dieser Umstand vom Uebel, doch erlangt er zur Zeit der periodischen Frühjahrsüberschwemmungen eine entsetzliche Tragweite, da der Auswurf der Kanäle durch das Hochwasser in die

Strassen und Häuser der Leopoldstadt und anderer tiefer liegenden Stadttheile getrieben wird. Dieser Uebelstand schreit laut um Abhilfe, die Bemühungen für die Sache sind zahlreich und der Intelligenz eines der besten österreichischen Ingenieure ist es gelungen, in der Beseitigung der Ueberschwemmungsgefahr, hervorgerufen durch Aufstauen des Eises im Donaukanale, eine temporäre Abhilfe zu finden. Aber Wien und hauptsächlich die Bewohner der Leopoldstadt dürfen nicht mit temporärer Abhilfe zufrieden sein. Nichts als eine radicale Beseitigung und permanenter Schutz gegen Ueberschwemmungen für die Folge darf sie befriedigen und sie dürfen nicht ruhen, bis das Uebel gehoben ist. Der Arm der Donau, welcher durch das Herz der Stadt läuft, war dazu bestimmt, eine Hauptverkehrsader der Schiffahrt zu werden, nicht ein Abzugskanal; und wenn derselbe regulirt wird, wie hier beabsichtigt, muss obiger Zweck vollkommen erreicht werden. [...]

Die Verbesserung des Kanalbettes und des Flusstransportes kann leichter beurtheilt werden, wenn man betrachtet: Einerseits die bestehenden Schwierigkeiten des Schiffsverkehres bei zu hohem oder zu niederem Wasserstande; die schwimmenden Landungsplätze und Waschhäuser; das periodische Baggern, um den Ansatz der Fluth, der vom Strom angehäuft wird, wegzuschaffen; die unmittelbaren Gerinne mit ihrem die Luft und das Wasser verpestenden Inhalte, die von den Abhängen herabströmen; die Schwierigkeiten des Auf- und Abladens der Schiffe und den Sumpf von giftigen Substanzen, welche stets durch die Stadt laufen oder ihren Weg in die Drainageröhren nehmen, um, Strassen und Häuser überschwemmend, Unrath und Verderben mit sich zu bringen. Anderseits dürfen wir auf einen reinen, leicht und ununterbrochen befahrbaren Strom rechnen, der neben dem Vortheile der Luftreinigung auch sonst zu einer Quelle von Genüssen und Vergnügungen werden kann; ferner erhalten wir massive Quais statt haltloser und schlüpfriger Abhänge.

Der Canalthalhof würde ein Vereinigungspunkt aller Theile des Kaiserreiches werden und dem müden Geschäftsmanne die Mittel bieten, auf bequeme Weise zu dem Genusse der Ruhe des Landlebens und frischer Luft, die ihm die Stadt nie bieten kann, zu gelangen.

Diejenigen, die an den Ufern des Kanals und in den isolirten Theilen der Leopoldstadt wohnen, werden in diesen Vorkehrungen einen Schutz ihrer Gesundheit und ihrer Wohnungen ersehen; sie werden es erfahren, dass die gemeinschädlichen, aus dem Leben der Menschen nothwendiger Weise resultirenden Producte, auf eine geheimnissvolle, nie zu einem unangenehmen, sichtbaren Ausdrucke gelangende Weise weit weg gebracht werden um deodorisirt und dem Menschenleben schadlos gemacht zu werden, um aber als steigerndes Mittel des Bodenerträgnisses doch wieder nutzbare Verwendung zu finden.

FERDINAND GRASSAUER

(1840–1903)

Die Einführung der Dampfschiffahrt
auf der Donau

Die Einführung der Dampfschiffahrt auf der Donau
ist das Werk der Ersten k. k. privilegierten Donau-
Dampfschiffahrts-Gesellschaft und ist von so großer
volkswirtschaftlicher Bedeutung, dass die Geschichte
dieser Gesellschaft und ihres Wirkens gewiss für jeden
Gebildeten von Interesse ist. Kohl hat uns in seinem
ausgezeichneten Werke über die Donau eine kurze
Geschichte der Entwicklung der Dampfschiffahrt auf
der Donau zusammengestellt, aus welcher wir mehrere
der folgenden Daten herausheben wollen.

Bereits im Jahre 1817 machte der Fünfkirchner
Anton Bernhard den ersten Versuch, ein Dampfboot
auf die Donau zu setzen, seinem Unternehmen traten
aber örtliche, zum Theile technische Schwierigkeiten,
ferner Vorurtheile und Privatinteressen in den Weg.
In den folgenden Zwanziger-Jahren, als bereits auf
Impulse, die von England ausgingen, auf mehreren
deutschen Strömen Dampfschiffe in Gang gebracht
waren, wurde auch auf der Donau wieder die Frage
aufgeworfen, ob sich nicht auch dieser Fluß mit Dampf
befahren lasse. Einige schwache Versuche hiezu waren
aber wieder unglücklich abgelaufen, und man glaubte,
die Donau sei zu reißend für die Dampfschiffahrt.
Endlich erschienen im Jahre 1828 zwei unternehmende
Engländer, die Herren Andrews und Prichard, bereisten

die Donau und erklärten trotz der früheren mißlunge-
nen Versuche die Sache für ausführbar. Sie erboten
sich, den Bau eines Dampfschiffes zu unternehmen,
wenn sich Capitalisten fänden, welche die dazu nötige
Summe von 100.000 Gulden unterzeichnen wollten.
Diese erste Summe zusammenzubringen, kostete größere Mühe, als die Millionen, die man später brauchte.
Andrews und Prichard erließen nach vielfachen Be-
sprechungen mit einflußreichen Personen in Ungarn
und Wien endlich am 24. Januar 1829 ein Circular,
das sie vielen Wiener Capitalisten zusandten und in
welchem sie den Vorschlag machten, eine Actien-
Gesellschaft mit 200 Actien à 500 Gulden zum Zwecke
des Baues eines Dampfschiffes zu errichten. Sie selbst
gingen sogleich mit gutem Beispiele voran und zeich-
neten auf der Stelle 10 Actien. Mehrere reiche Wiener
Häuser folgten nach, doch stellten diese dabei sehr
vorsichtig allerlei Bedingungen und Vorbehalte, die
genugsam zeigten, mit welch ängstlicher und zögern-
der Hand sie diesem neuen Unternehmen ihre Unterstützung zukommen ließen. Obgleich die 200 Actien
nicht schnell vergriffen wurden und 30 von ihnen
noch lange Zeit schwebend blieben, so constituierte sich
doch, da die Mehrzahl der Actien an Mann gebracht war,
die Gesellschaft im Frühling des Jahres 1829, ließ
sich das Privilegium, welches Andrews und Prichard für
die Dampfbefahrung der Donau erlangt hatten, ab-
treten und nannte sich nun die »Erste k. k. privilegier-
te Donau-Dampfschiffahrts-Gesellschaft«, welchen
Namen sie auch bis zum heutigen Tage beibehalten
hat.

FERDINAND RITTER VON MITIS

(1835)

Die Dürre

Die Dürre, welche den heurigen Jahrgang besonders merkwürdig macht, hat endlich auch einen Wassermangel der Donau zur Folge, vermöge dessen der an der Residenzstadt Wien unmittelbar vorüberziehende, dieselbe von ihrer Vorstand Leopoldstadt trennende Seitenarm dieses Stromes, Wiener Donau-Canal genannt, durch mehrere Tage an seinen seichtesten Stellen vertrocknete.

Dieser Umstand hat umso mehr die Aufmerksamkeit des hiesigen Publikums angeregt, als eine heuer ziemlich allgemein eingetretene Missernte mancher der gewöhnlichsten und ausgiebigsten Lebensmittel, deren leichtere Zufuhr besonders erwünschlich macht.

Die Möglichkeit, diese Lebensmittel auf der Donau bis unmittelbar vor die Stadt führen zu können, stellt sich auch heuer noch um so erwünschlicher dar, als man sich in Oesterreich ob der Enns, im Vergleiche mit andern Gegenden, einer besonders ergiebigen Ernte zu erfreuen haben soll.

HANS MAX

(1863)

Die Wellen der wilden, unbändigen Donau

Munter. Mandelsaft.

Munter (in Balltoilette, darüber Mantel und Plaid, auf dem Kopfe einen Claque-Hut, tritt rasch ein, von Mandelsaft gefolgt, der mit einer Laterne leuchtet. – Zwei auf einander folgende Kanonenschüsse.)

Mandelsaft. Schöner Empfang – das könnt' mir gestohlen werden!

Munter. Die Gefahr scheint im Steigen.

Mand. Ja wohl, Herr Doktor, Sie können sich gratuliren, daß Sie im Trocken sind – den Parteien da drunten lauft schon das Wasser in's Maul.

Munter (gähnt.) Bedauere – doch der heutige Medizinerball hat mich schläfrig gemacht; – es ist bereits vier Uhr Morgens – also gute Nacht, Herr Hausmeister!

Mand. Sie wollen schlafen, – ah – das is kurios! –

Munt. Was soll ich denn thun?

Mand. Das werden Sie gleich hören. (Zieht ein Papier aus der Tasche und liest mit Pathos:) »Erlaß der Statthalterei für Niederösterreich vom 22. Dezember 1851 Zahl 42.942, §. 17: Die Kranken und Gebrechlichen sind bei Zeiten aus den Erdgeschossen, in dringender Gefahr auch die Gesunden aus den ebenerdigen Wohnungen in die oberen Stockwerke zu delogiren.« (Zu Munter.) Sie haben also, Herr Doktor, die Parteien von unten aufzunehmen.

Munter. Das ginge mir noch ab – ich wohne ja kaum acht Tage hier, besitze nur diese zwei Stübchen –

Mand. Und wenn'S nur a Nadelbüchsl hätten, eine zweite Partei muß herein!

Munter (für sich.) Eine fatale Geschichte! – (laut.) Großmüthigster Hausverweser, nehmen Sie einen Augenblick Platz!

Mand. (beobachtet Munter, welcher einen Wandschrank öffnet, in dem Flaschen sichtbar sind.) Damit ich Ihnen den Schlaf nicht austrag' – (setzt sich.)

Munter. (für sich, indem er aus einer Branntweinflasche in ein Stingelglas einschenkt.) Netz' ihm die Augen mit himmlischem Thaue, daß er die Donau – die verhaßte, nicht schaue! – Herr Inspektor! Auf Ihre Gesundheit! (Trinkt, schenkt wieder ein und reicht Mandelsaft das Glas.) Thuen Sie mir Bescheid! – Ein echter Doppelpolnisch!

Mand. Doppelpolnisch bei der Zeit! – Na, – in Berücksichtigung der durchnäßten und naßkalten Verhältnisse nehme ich keinen Anstand; – auf Ihr Wohl, Herr Doktor! – Ah, der is kurios gut!

Munter (schenkt ein.) Noch ein Glas, – liebenswürdiger Haushofmeister!

Mand. Der Herr Doktor ordinirt, da muß der Patient einnehmen. (Trinkt.)

Munter. Und – hier etwas zum Zubeißen. – (Reicht ihm eine Zigarre.) Eine echte Regalia!

Mandels. Küß' d'Hand, Herr Doktor!

Munter (nöthigt ihn die Zigarre anzuzünden und raucht auch.)

Mand. 's wirklich kurios! – Jetzt – weiß ich eigentlich nicht, warum ich hergekommen bin! – Ach ja, –

wegen der Ueberschwemmung! (Berauscht.) Ja – sehen Sie, Herr Doktor, es besteht bei uns in Wien das Gesetz (liest) »Erlaß der Statthalterei vom 22. Dezember –

Munter (unterbrechend.) Ich weiß schon! – (Für sich.) Ich kann den Kerl nicht loskriegen! (Gibt ihm die Branntweinflasche, laut.) Da, Herr Mandelsaft, weil Ihnen der Doppelpolnisch so wohl gemundet, bin ich so frei, Ihnen den Rest anzubieten.

Mand. Aber ich bitt', – berauben'S Ihnen nit.

Munter. Nehmen Sie's nur; – doch nicht wahr, großmüthigster Hausregent, Sie verschonen mich mit der Einquartirung? Denken Sie, wenn jetzt fremde Leute zu mir heraufzögen, jetzt – wo ich gerade zum Rigorosum zu studiren habe. –

Mand. Nun – wissen'S, Herr Doktor, weil Sie gar so a guter Herr sein und weil Ihnen meine ganze Familie so gern hat, so soll niemand Fremder herauf.

Munter. Ah, – Sie Engel von einem Hausinspektor; – ich bleibe also allein?!

Mand. Beileib' – ah – das is kurios! – ich hab' nur sagen wollen, daß keine fremde Partei zu Ihnen heraufziehen darf, sondern ich mit meiner Familie. –

Munter. Was – Sie – mit Ihrer Familie!?

Mand. Zu dienen. Mit meinem Weib, dem Natzi, dem Seppel, dem Christl und der Nanni. – Ich sag' Ihnen, Herr Doktor, das wird ein göttliches, ein famoses Leben werden! – Meine Alte kocht an guten Kaffee, mein Natzi blast d'Flöten, der Seppel spielt d'Zithern und die Nanni singt dazu die schönsten Schnadahüpfeln. Wir spielen zusammen a Tarok und führen während der Permanenz a so a recht angenehmes und gemütliches Familienleben! –

Munter. Gott bewahre mich vor so einem Familien-leben! – Ich will allein bleiben.

Mand. (aufgeregt.) Ah – das is kurios! – wenn aber die hohe Obrigkeit! –Para – –

Munt. (unterbrechend.) Ich werde mir schon Recht zu verschaffen wissen.

Mand. Was? – Ah – da muß ich gleich zu meiner Alten! – (nimmt die Flasche und Laterne und eilt fort.)

Munter (allein.) O Donau, warum hast Du mir das gethan! – (Fängt an sich zu entkleiden.) Wie war ich vor kurzem noch so glücklich! (Zieht eine Blume aus dem Knopfloch seines Fracks.) Diese Errungenschaft von ihr – von meiner Marie! Vor wenigen Minuten lag sie noch an meiner Brust, und wir schwebten dahin durch den glanzerfüllten Sofiensaal, lustberauscht von unserer Liebe und den Klängen Strauß'scher Melodien! – und nun – Alles dahin! – Zwischen mir und ihr die Wellen der wilden, unbändigen Donau.

GERNOT SCHÖNFELDINGER

(∗ 1967)

Der Donaugeist
Eine neue Sage aus Wien

Immer wieder stehen auf dem Franz-Josefs-Kai Leute von außerhalb, die enttäuscht auf das schmale Bett der so gar nicht blauen Donau hinabsehen, bis sie anhand ihrer hilfreichen Taschenreiseführer feststellen, daß es sich um die Wässer des gleichnamigen Kanals handelt. Eines aber verschweigt auch das bestinformierte Buch, und kein Einheimischer ist gewillt, darüber Auskunft zu geben: Es gab nämlich eine Zeit, zu der sich der Fluß mitten durch das Herz der Stadt seinen Weg bahnte; eine Zeit, zu der Wien an der Donau lag.

Hätte uns nicht ein furchtloser Schiffer, der bereits mit dem Klabautermann bei Kap Horn um die Wette gesegelt war, die folgende Geschichte erzählt, so wäre sie längst schon weggespült worden und in den Fluten des Schwarzen Meeres versunken.

Zu jener Zeit, als die Donau noch ihr blaues Kleid trug, spendete sie den Bewohnern nicht nur Freude, sondern das Wasser war Lebensquell für die ganze Stadt. Der natürliche Reichtum aber kehrte bei den Wienern, die damals wie heute allzu gern teuflischen Einflüsterungen erlagen, mit der Zeit unrechte Besitzansprüche, Neid und Geldgier hervor. So kam es, daß eines Tages all jenen, die nicht Bürger der Stadt waren, die Wasserentnahme nur gegen Entrichtung eines Entgelts gestattet wurde. Auch die durchfahrenden Schiffer mußten Gebühren zahlen. Da half kein Jammern und Zetern, kein Schimpfen und Fluchen, denn wer das Wasser hatte, der hatte auch die Macht.

Dann aber drang die Klage eines erschöpften Wanderers ans Ohr des Donaugeistes. Als Schiffer verkleidet fuhr der Herrscher des Flusses nach Wien und sprach eine Warnung aus. Das Wasser, so sagte er, sei von Gott geschaffen zur freien Verwendung und zum Wohle aller Menschen. Der Donaugeist, der eingesetzt sei, darüber zu wachen, werde die Anmaßung der Wiener gewißlich hart bestrafen. Diese hatten jedoch nur Spott für ihn übrig und berechneten aus Bosheit eine besonders hohe Gebühr.

In der Nacht desselben Tages brach der Zorn des Donaugeistes über Wien herein. Das gewaltigste Unwetter seit Menschengedenken ließ die Fluten des Flusses über die Ufer treten, verwüstete die Häuser und Straßen und forderte Hunderte Tote. Als es vorüber war, mußten die verzweifelten Wiener feststellen, daß sich die Donau ein neues Bett gesucht hatte, weit vor den Toren der Stadt, und daß ihr Wasser unbrauchbar geworden war. Es blieb ihnen nichts anderes übrig, als das Trinkwasser von weit her über aufwendige Aquädukte nach Wien zu leiten.

In späterer Zeit, als der technische Fortschritt den Menschen vorgaukelte, die Natur und die ihr innewohnenden Geister bezwingen zu können, wollte man den Fluß in die Stadt zurückholen. Das beschämende Ergebnis dieses anmaßenden Unternehmens ist heute noch vom Franz-Josefs-Kai aus zu bestaunen. Viele meinten, man habe sich einfach übernommen, andere aber erinnerten sich des Donaugeistes, dessen Zorn man womöglich erneut entfacht hatte.

Heutzutage unternehmen die Stadtväter alles, um die unrühmlichen Ereignisse der Vergangenheit vergessen zu machen, und preisen die Donau als Erholungsgebiet für die Wiener. Die Fremden jedoch irren weiterhin durch die Innenstadt, auf der Suche nach dem vielbesungenen Fluß und landen schließlich beim Donaukanal.

(1946–2009)

Reichsbrücke

Vor einigen Jahren ging ich oft am Ufer der Donau von
Brücke zu Brücke, unschlüssig, an welcher Stelle der
Fluß einmal täglich hin und wieder zurück jeweils am
günstigsten zu überqueren wäre, wobei ich in der
Mitte der jeweiligen – meistens handelte es sich um
die damals sogenannte alte »Reichsbrücke« – eine
Zeit ans Geländer gelehnt verblieb, den darunter vor-
übertreibenden Augen des Flusses zuschaute und
dann noch vor der Fortsetzung der Stromüberquerung
ins Wasser hinunterspuckte. Ich glaube noch heute
ganz sicher, keineswegs deswegen von der Brücke ins
Wasser gespuckt zu haben, weil das gemäß simpler
volkstümlicher Meinung Glück bringt, sondern als
eine Art Ersatz dafür, daß ich mich nicht in der Gesamtheit meiner Körperausmaße vom Geländer des Himmels-
gewölbes hinunterspuckte. Anstatt mich also in den
Strom zu stürzen, als eine Form von »pars pro toto« nur
ein paar in meiner Mundhöhle vom vielen Schweigen
verflüssigte unaussprechbar zerronnene Worte oder
Sätze abwärtsgleiten zu lassen, am Rücken des Stromes
weiter ins Schwarze Meer stellvertretend für mich
insgesamt selbst, und die vielleicht etwas mehr von
der sogenannten Weite der Welt kennenzulernen die
Möglichkeit haben sollten als mein aufgrund seiner
Trägheit und Schwere des Körpers an dieser Ebene
festgeklebter Rumpf meines restlichen Daseins oder
so ähnlich. An jenem ganz bestimmten Morgen schon

ganz in der Früh um höchstens fünf Uhr – ich war
schon mehrere Tage unfähig einer annehmbaren Tätigkeit hindurchgetaumelt und viele Nächte schlaflos
unruhig ziellos umhergeirrt – warum, das ist eine
andere, nicht hierhergehörende Geschichte – war ich
wieder wie üblich durch die Donaugegend gestreift
und wollte abschließend natürlich wieder die mir
schon traditionell gewordene Flußüberquerung vornehmen, die mir übrigens immer wieder als eine Art
von »Grenzüberschreitung« hin, aber auch gleich
wieder zurück anmutete, aber diesmal, und dessen bin
ich mir auch heute noch ganz sicher, hätte ich nicht
mehr »pars pro toto« in den Fluß gespuckt, sondern
mich selbst in meiner Gesamtheit endlich auf alle
Fälle nach der gelungenen Überkletterung des Brücken-
geländers hinunter fallen lassen in den Strom zwischen
dessen grauen unzähligen wassergeknüpften Augen-
schnüren einwärts, wobei es diesmal somit wohl bei
einer nur einseitigen Grenzüberschreitung hinüber
geblieben wäre.

Als ich am Brückenkopf angelangt war, sah ich
aber, daß sich dort eine verhältnismäßig vielköpfige
Menschenmenge zusammengerottet befand. Das war
mir gar nicht sehr recht, und als ich gerade begonnen
hatte, diese Wiener Morgengrauenversammlung um
fünf Uhr früh zu durchschreiten, erfuhr ich aus den
Stimmen der Leute, daß die Reichsbrücke, die ich
soeben hinauf wollte, um mich an diesem Tag in den
Strom hinein abwärts ins Schwarze Meer zu stürzen, daß
die Reichsbrücke, ja, so erfuhr ich aus dem Gerede
der Leute, soeben vor ein paar Minuten, zusammen-
gebrochen, in den Fluß hinein, hinuntergeborsten
war. Das war vielleicht ein Schock. Weniger für die

fröhlich schaulustige Menge dieses Morgengrauens, die von jeder ihr unterkommenden Katastrophe immer wieder erneut wie zum ersten Mal gefesselt ist, sondern für mich, der ich mich natürlich irgendwie hintergangen, meine weiteren Pläne von dieser Brücke durchkreuzt, überkreuzt oder überquert und einfach zum Narren gehalten vorkam. Zumindest empfand ich es als eine eigentlich empörende Frechheit. Ich will mich gerade von der Reichsbrücke hinunter in die Donau und weiter ins Schwarze Meer hinabstürzen, da aber, noch ehe ich die Pläne vernünftig in die Tat umsetzen könnte, stürzt sich die Reichsbrücke mir vor der Nase weg selbst in die Donau in den Strom hinein hinunter Richtung Schwarzmeerstrand. Gott sei Dank, übrigens, wie ich aus dem freudig erregten Morgengrauengesprächsgemurmel dieser Wiener Frühversammlung erfahren konnte, niemand verletzt, habe es keinen einzigen diesmal erwischt, weil um diese frühe Stunde noch niemand auf der Brücke sich befand.

LEOPOLD I.

(1673)

Ordnung der Donau-Brucken bey dem Tabor

Was ein Jeder / so sich der Donau-Brucken bey dem Tabor in dem hinueber oder herueber Reisen bedienet / ordinarie zur Mauth / und Bruck-Gelt zu reichen / unnd zu bezahlen schuldig ist.

Von einem Reitt-Roß. 2 kr.

Von einem grossen Boehmischen Schlessisch /
auch anderen außlaendischen Wagen / wann selbiger
laehr gehet von jedem Roß. 6 kr.

Von einem solchen geladenen Wagen von jedem
Roß. 7 kr. 2 pf.

Von einem Karn darauff allerley Gueter unnd andere Sachen gefuehrt werden vom Roß. 6 kr.

Von einem gemeinen Bauern Wagen laehr oder geladen / von jedem Roß. 3 kr.

Von einem Gutscher / und dergleichen Wagen / von
einem Roß. 3 kr.

Von einer jeden Persohn / so in denen Waegen sitzen /
und ueberfahren / absonderlich. 2 pf.

Von einer Person / so laehr zu Fuß durchgeht. 1 kr.

Von einem Stuck Rind-Vieh / Ochsen und Kuehe.
2 kr.

Und wann durch dieselben ein Nidergang / oder
Zertrennung der Joch verursacht werden sollte / so
solle der Jenige / dem das Vieh gehoerig / deß Scha-
dens halber sich nach billigen Dingen zu vergleichen
schuldig seynn. […]

Demnach auch vorkommen / daß die hin unnd her
Reisenden / zur Zeit deß Urfahrs von denen Schiff-
Knechten mit Drinckgeltern unnd Verehrungen be-
schweret worden. Als wollen wir solches hiemit bey
unausbleiblicher Straff abstellen / und nur so dann
eine leidentliche Verehrung / jedoch anderst nicht /
als nach der Discretion und Belieben deß Reisenden
zugelassen haben / wann die Schiff-Knecht / wegen
Hereinbringung der Roß unnd Wagen auff die Zillen /
oder in ander Weeg / absonderlich und gleichsamb
extraordinari Muehewaltung gehabt haben.

Und letzlichen sollen die auß dem Reich / Boeheimb / Schlesien / Maehren unnd andern hierumb ligenden Orthen / mit was Gueter / Wahren / Wein / oder Victualien / auch weme es zugehoert / und dem Oesterreicherischen Boden unterhalb Crembs erreichen unnd beguettet seyn / der verbottenen und unzulaessigen Uhrfahrt / als Hollenburg / Thullen / Closter-Neuburg / Tuttendorf / Vischa / unnd Teutschen Altenburg / unnd Uberfuhren zwischen Brespurg und Crembs gaentzlichen enthalten / sondern am Land herzu und hindan an der Thonau-Prucken allhier / oder an dem daselbst angeordneten Urfahr ueberkommen / da einer oder der ander / wer der auch sey / ohne sonderlich habender Privilegia, mit was Gueter / Wahren / Wein / und Victualien sich ausser der Donau-Brucken oder Urfahrt bedienet / erdapt wurde / soll derselbe mit dem, was er fuehret / und zugleich der Schoefffahrter seiner darzu gebrauchten Roß / Schoeff und Zeug bestraffet / und alles zu Contrabant erkennet und verfallen seyn / darnach sich Jedermaeniglich zu richten / und es geschicht auch hieran unser Gnaedigster Will und Meynung.

(1877)

Herr Redacteur!

Herr Redacteur! In Ihrem Morgenblatte vom 26. Februar erschien ein Aufsatz: »Die Ueberschwemmung und ihre Ursachen«, in welchem ein ungenannter Fachmann behauptet: Die Trace des neuen Donaulaufes bei Wien sei schlecht gelegt, und der Durchstich, weil er zu wenig ausgebaggert, bilde eine Sandbank im Flussbette; dies seien die Ursachen der heurigen gefährlichen Eisstellung im Strome. Glücklicherweise habe das Sperrschiff seine Schuldigkeit nicht gethan; dadurch, und nur eben dadurch sei Wien vor einer grossen Ueberschwemmung bewahrt geblieben.

Die eigenthümliche Weise, in welcher das Donau-Regulirungswerk dargestellt wird, die behauptete Unrichtigkeit der dem Projecte zu Grunde liegenden Principien, und die grelle Farbe der Darstellung haben, wie dies nicht anders zu erwarten war, den Widerspruch der mit dem Werke Vertrauteren hervorgerufen.

Bei der Wichtigkeit der Sache werden Sie keinen Anstand nehmen, eine von fachmännischer, der Donau-Regulirungs-Commission nahestehender Seite diesbezüglich zu Theil gewordene Information über die leitenden Motive für die bisherige Ausführung der Arbeiten und ihre Wirkungen im Vergleiche mit früheren Zuständen Ihren Lesern mitzutheilen.

RUTH ASPÖCK

(* 1947)

Donauinsel

Hinaufradelnd
zur Schnellbahnbrücke
und zurück
zur neuen Reichsbrücke
sehe ich sie:
schwarzäugig
schwarzhaarig
Ball spielend
Kinder wiegend
Rad fahrend
im Kreise sitzend
friedlich
freundlich
sonntäglich fein.

Auf den Heurigenbänken
sitzen hellhäutige Wiener
gefüllte Biergläser
gefüllte Weingläser
gefüllte Brieftaschen.
Breit geratene Formen
bei Mann, Frau und Kind.

Der größere Beitrag
zum Bruttonationalprodukt?

EVA DEMSKI

(∗ 1944)

Die Donauinsel ist das Grauen

Die Donauinsel ist das Grauen und der Sumpf von heute, wahrscheinlich kein Haar anders als damals, aber nicht durch den göttlichen Filter der Poesie getrieben. Nur Bruch und Gestank und Flimmer, Drogendealer aus aller Herren Länder. Eine entsetzliche Brücke – eine der häßlichsten, die ich je gesehen habe – mitten hinein ins andere Donauufer, wo eine Architektur aufgetürmt ist, die niemals einen Gedanken an Menschen verschwendet hat. Es ist ein Pandämonium, ein Schrecken. Zum Donauinselfest, sagt man uns begeistert, werden zwei Millionen Menschen erwartet, Und was wir für ein Glück hätten, ausgerechnet an diesem Wochenende hier zu sein!

Die Donauinsel haben die Wiener dem Auwald abgerungen, sie lagen ja überhaupt Hunderte von Jahren in Fehde mit ihr, die sich verzweigte und Stadtteile im Osten auffraß, unberechenbar und launisch, indessen die Stadt immer größer wurde und Siegerin sein wollte über den Strom. Ihn nutzen und anzapfen, herrichten, ihn – sie – zum Befehlsempfänger wechselnder Herrschaftsformen machen. In den Sechzigern und Siebzigern, jener Ära des brutalsten Machbarkeitswahns, bauten sie mit Millionen von Kubikmetern Beton einen Kanal und eben jene Insel. Beide sind einundzwanzig Kilometer lang, und die Insel etwa

zweihundert Meter breit. Die frühere Donauinsel gehörte den Nackerten und den Liebespaaren. Geschwommen und gegrillt wurde natürlich auch, und
als das neue Gelände lukrativerer Nutzung – Büro-
häuser und Malls – zugeführt werden sollte, hat das
irgendwie nicht geklappt. *Dort* beschlossen die Wiener
sich zu amüsieren, es mußte nicht unbedingt in aus-
gezogenem Zustand sein, und weil sich erst fünfzig-
tausend und dann hunderttausend in der freien Natur
tummeln wollten, werden jetzt zum Donauinselfest
zwei Millionen erwartet.

PETER F. N. HÖRZ

(∗ 1966)

Erotische Entgrenzungen

Die Geschichte der (Freizeit-)Kultur am Strome auf
brav-bürgerliche und ›moralisch einwandfreie‹ Frei-
zeitgenüsse, sportliche Betätigung und sonntägliche
Lustbarkeiten reduzieren zu wollen, wäre verfehlt.
Wollte man an dieser Stelle die historische Genese
erotischer Entgrenzungen in der Donaulandschaft
vollumfänglich darstellen, so würde dies zweifellos in
eine Sittengeschichte der Geschlechterbeziehungen
und der Sexualität münden. Da aber Fragen der Sitt-
lichkeit und sexuellen Entgrenzung ganz unmittelbar
zur Kulturgeschichte des Wiener Donauraumes ge-

hören, soll im folgenden dieser Aspekt auch einer Betrachtung unterzogen werden, wenngleich in eher bescheidenem Umfang.

Die obrigkeitlichen Befürchtungen vor moralischem Verfall und sittlicher Entgrenzung am Strome mögen uns heute als übertriebene Hysterie und Panikmache und die zahlreichen Erlasse und Verbote, welche das Baden am Strom einzuschränken oder gar zu verbieten trachteten, geradezu lächerlich erscheinen. Und doch fußten all diese Befürchtungen durchaus nicht nur auf den Fiktionen aristokratischer, klerikaler oder bürgerlicher Moralapostel, sondern auf erlebbarer Realität: Die Donauauen, weitgehend unkontrollierbare Räume an der Peripherie der Großstadt, boten eben tatsächlich für Freizeitaktivitäten unterschiedlichster Form Gelegenheit: So ist der Beschreibung des ›Sankt Brigitten Kirchtages‹ aus dem frühen neunzehnten Jahrhundert zu entnehmen, daß es etwa im Bereich der von Flußarmen, Bächen und Gräben durchzogenen Brigittenau in sittlicher Hinsicht nicht allzu streng zugegangen sein soll.[*] Und aus den fünfziger Jahren desselben Jahrhunderts wird berichtet:

»So wurden häufig in den fünfziger Jahren in den Auen, die an den Prater angrenzen, und überhaupt in dem waldigen Theil der Umgebung Wiens Männer von jungen, oft kaum sechzehnjährigen Mädchen angelockt, in das Dickicht hineingezogen … Der Betreffende eilte ihr nach, aber in der Tiefe des Waldes

---

[*] Vgl.: Eder/Spanlang: Lust am Wasser, S. 89.

harrten seiner zwei bis drei von den Strolchen, die ihn dann seiner Habseligkeiten beraubten.[*]

Gegen die gültigen Sexualnormen verstoßende Handlungen in der Donaulandschaft konnten, ungeachtet aller Gebote und Sanktionen, seit Anbeginn der Entdeckung der Auen als Freizeitgebiet nie wirksam unterbunden werden. Im Gegenteil: die Tradition des Auslebens libidinöser Sehnsüchte in der Aulandschaft wurde sprichwörtlich, was freilich der ganzen Landschaft stets den ambivalenten Charakter zwischen (bürgerlichem) Erholungsraum und subversiv-verrufenem Bereich eintrug. Die Verfechter einer rigiden Sexualmoral betrachteten den (nackten) Aufenthalt in schwer kontrollierbaren, herrschaftsperipheren Räumen, sei es nun zum Baden, Bootfahren oder Feste feiern, für schlechterdings untragbar.[**] Noch in der ersten Hälfte dieses Jahrhunderts wurde das Treiben in unversperrten Praterhütten, hinter Bäumen, in ›altbekannten Gegenden‹ beklagt und besonders erwähnt, daß Mädchen wie Buben das unmoralische Handeln beobachteten, um dieses sodann in gemischtgeschlechtlicher Gesellschaft zur Nachahmung zu bringen.[***]

Während der Gründerzeit, aber auch noch in den beiden Jahrzehnten zwischen den Weltkriegen, trieb vor allem die Wohnungsnot eine große Zahl vornehm-

---

[*] Schrank, Josef: Die Prostitution in Wien in historischer, administrativer und hygienischer Beziehung; Bd. 1. Wien 1886; zitiert nach: Eder/Spanlang: Lust am Wasser, S. 90.
[**] Vgl.: Eder, Ernst Gerhard: An den Grenzen des Sittlichen.
[***] Vgl. hierzu: ebd., S. 91.

lich junger Menschen zum Zwecke des Auslebens von Sexualität in die Stromlandschaft. Unter dem wachsenden Einfluß sozialistischen Gedankengutes kam schließlich noch die Motivation zur Realisierung von Kameradschaftsehe und ›neuer Sexualität‹ hinzu, welche freilich nicht im Elternhaus (Wohnsituation, Moralvorstellungen der Eltern) erfolgen konnte. Um die in fortschrittlichen Kreisen der Partei propagierten neuen Wege, zu welchen eben auch das Ausleben vorehelicher Sexualität zählte, beschreiten zu können, fehlte der Mehrheit der Jugendlichen die materielle wie räumliche Basis, so daß die Aulandschaft zu einem bevorzugten Ort der Lusterfüllung für die betreffenden Gruppen wurde.

CARL MERZ / HELMUT QUALTINGER

(1906–1979 / 1928–1986)

Im Inundationsgebiet

Da waren im Inundationsgebiet, Überschwemmungsgebiet – so Standeln … san mir g'sessen mit de Madln … Ribiselwein abig'stessen … dann hab i g'sagt: Gemma Schwimmen, meine Damen? San ma abi zum Wasser, ham si umzogen … i hab s' a bissel einkocht … Gebüsch is eh überall. De Donauauen sind ja wunderschön …

Nexten Tag hab i Gelsentippeln g'habt … frage nicht … Sunst wars ja traurig. Wia alt san Se? Hörn S', i kunnt ja Ihna Vater sein! *Lacht*

Ernst I hab ja nie Kinder wollen. I hätt ja haben können … Aber die Verantwortung? I bin a verantwortlicher Mensch … bei solche Zeiten …!

I maan … der Schilling hat scho an Wert g'habt … das muß ma ihm lassen … aber er war net zum derwischen. Man hat sich ja bemüht, de ganzen Bundeskanzler … wia s' da warn … der Seip… der Bur… der Scho… is ja wurscht … aber bein Heirigen – da hats Persönlichkeiten geben!

Der Petzner-Masl, de Woitschkerlbuam, der Nezwerka-Pepi. Is Ihna des a Begriff? Ah naa – Se san ja jung … Sie wissen ja gar net, was Heiterkeit war, echte Fröhlichkeit! So a Hetz wia damals ham ma nie mehr g'habt! In Prater … an der Donau … mit de Madln … bein Wasser …

I bin ja nie einiganga … i hab net schwimmen können … I hab Ihna ja eh derzählt, wia i s' mitn Schmäh einkocht hab. I hab nia ins Wasser gehn müssen … maan scho: i wasch mi. I hab scho z'haus a Waschbecken, aber des genügt ma eigentlich. I brauch net ans Meer … weil i hab kaan Bedarf an viel Wasser … da kriag i a bledes G'fühl, wann i viel Wasser siech. Das ängstigt mich. So a bissel in an Waschbecken oder an Lawur is grad gnua … net?

BERNHARD FREIHERR VON WÜLLERSTORF-URBAIR

(1816–1883)

Die Verbindung der südlichen Theile des österreichischen Kaiserstaates mit dem österreichischen Meere

Die Verbindung der südlichen Theile des österreichischen Kaiserstaates mit dem österreichischen Meere, die Herstellung solcher Verkehrsmittel, die es ermöglichen können, unmittelbare Handelsbeziehungen mit dem fernsten Auslande anzubahnen, bedingt in directer Weise die Verwerthung unserer reichsten Producte, unserer natürlichen Schätze und der Kräfte des Volkes, welche ungenutzt keinen Ertrag für den Staat, keine Vortheile für die Bevölkerung, keine Fortschritte in der Entwickelung dieser so wenig berücksichtigten Landestheile zu bieten vermögen.

Der Grundsatz, dass eine Einigung verschiedener Völkerstämme, verschiedener Gebiete nur dann erzielt werden kann, wenn deren materielle Interessen dauernd durch Handelsverbindungen an einander geknüpft werden – dieser Grundsatz, der so richtig für unsere Beziehungen zu dem übrigen Deutschland aufgefasst, in den jüngst vergangenen Jahren zur Geltung gebracht werden sollte – dürfte doch vor Allem auf die österreichischen Kronländer Anwendung finden, um bei Ausführung derjenigen Massregeln, welche geeignete Handelsbeziehungen nothwendig machen, das Resultat einer Verschlingung nationaler Interessen

zu erzielen, welches die staatsökonomische Reichs-
einheit, den Wohlstand der Völker, die Belebung der
wirthschaftlichen Verhältnisse des Gesammtstaates
zur Folge haben muss. Dadurch wird in keiner Weise
die autonome oder nationale Stellung der einzelnen
Kronländer verrückt, es wird nur verhindert, dass sie
sich feindlich oder eifersüchtig gegenüber stehen,
dass sie ihre Kräfte in nutzlosem Zwiste fruchtlos
versplittern, ohne an der allgemeinen Weltbewegung
als ein grosses Ganze theilzunehmen.

KAISER FRANZ JOSEPH I.

(1830–1916)

Aus der Thronrede Seiner Majestät 1901:
der Ausbau der österreichischen
Wasserstrassen

Der erfreuliche Aufschwung unserer Seeschiffahrt in
den letzten Jahren bestärkt Mich in der Erwartung,
dass Sie die zur Hebung der Handelsmarine, sowie
zum Ausbaue von Hafenanlagen, insbesondere in
unserem bedeutendsten See-Emporium, erforderlichen
Mittel gerne bewilligen werden. Weiters ist für die
Sicherung unserer Flusschiffahrt auf der Donau vor-
zusorgen.

Es ist Mein nachdrücklichster Wunsch, dass Sie
Meine Herren, getreu den Traditionen des Reichsrathes,
sich den nothwendigen und dringenden Arbeiten

widmen, indem Sie sich Ihrer verfassungsmässigen Rechte bedienen, auch Ihren Verpflichtungen gegenüber der gesammten Bevölkerung gerecht werden. Sie können dabei mit voller Bestimmtheit auf Meine Regierung zählen, welche den Parteien die Sicherung des normalen Ganges der parlamentarischen Thätigkeit mit allem durch die Lage gebotenen Ernste nahelegen wird.

Ein weiterer Stillstand der Gesetzgebung wäre umso beklagenswerter, als theils schon infolge mehrerer, mit Zustimmung des Reichsrathes in Kraft getretener Gesetze, theils im Zusammenhange mit unaufschiebbaren socialen Reformen, wie der Vollendung der Arbeiterversicherung durch die Einführung der Alters- und Invaliditätsversicherung, der immer näher rückenden Eventualität der Herstellung grosser Wasserstrassen innerhalb des Reiches und mit der Lösung anderer unabweislicher Fragen im Laufe der Zeit neue, sehr bedeutende Opfer werden gebracht werden müssen, ohne dass der Staatshaushalt dadurch in Unordnung gerathen darf und auch ohne dass die fleissige Arbeit unter der ihr aufgebürdeten Last ertraglos bleibt. Die Steuerzahler können verlangen, dass ihnen die Möglichkeit erhalten werde, neben der Erfüllung der Pflichten gegen den Staat auch für ihre eigene und die Zukunft ihrer Familien zu sorgen.

OSKAR WELTEN

(1844–1894)

Ein herrlicher Regen!

Friederike (zum Fenster hinausblickend). Ein herrlicher Regen! – Wenn das wirklich eine Ueberschwemmung werden sollte – es wäre zu gottvoll!

Burgenstein (außer sich). Madame, Ihre Leidenschaft für Ueberschwemmungen ist … ist … kindisch!

Friederike (stolz). Mein Herr! …

Burgenstein. Ja, geradezu kindisch! Ich kann der Sache bei aller Schonung keinen anderen Namen geben. Uebrigens sind Sie eine schöne junge Dame, vornehm, vom Glück verwöhnt – und zudem haben Sie noch keine Ueberschwemmung erlebt. Das entschuldigt, erklärt vieles! …

Friederike (scheinbar gereizt). Wirklich? Wie Sie gütig sind!

Burgenstein. Ja, in der That! Ich aber, Madame – ich mag Ihnen vielleicht lächerlich erscheinen mit meiner Antipathie gegen Ueberschschwemmungen –, doch wenn Sie Alles wissen, werden Sie Ihre Meinung wohl ändern. Ich … habe eine Ueberschwemmung bereits erlebt.

Friederike. Was Sie nicht sagen! (Lacht).

Burgenstein. Und da können Sie lachen? – O wohl! Ich verstehe! Sie lachen, weil Ihnen das Lachen reizend steht, und weil Sie die Macht Ihrer Schönheit an mir üben, erproben wollen, indem Sie mich …

Friederike (vornehm). Was?

Burgenstein. Indem Sie mich die dräuende Gefahr vergessen machen wollen. Das aber wird Ihnen nie gelingen!

Friederike (kalt). Ich danke Ihnen für die beruhigende Versicherung! (Setzt sich gemächlich in ihrem Stuhle am Fenster zurecht und schlägt ihr Buch auf).

Burgenstein. Beru... beruhi... aber, in Teufels Namen, ich will Sie gar nicht beruhigen, in gar keiner Beziehung beruhigen! Im Gegentheil, ich will Ihnen Angst machen – O! Sie lesen – Sie können lesen, während meine Seele zittert für mein – für Ihr theures Leben! – Hören Sie mich nur einen Moment an, wir haben ja keine Zeit zu verlieren, denn nicht immer läuft eine Ueberschwemmung schließlich so gut ab, wie jene im Carltheater ...

Friederike. Im Carltheater?

Burgenstein. Das heißt, ich ging damals in's Carltheater, ganz so leichtsinnig, wie Sie, und keiner Warnung Gehör gebend! Das Sperrschiff war nämlich damals noch nicht erfunden, Janner dagegen noch Direktor, Hedwig Raabe spielte die Andrea und ich wohnte in der Kärntnerstraße. – Was geschieht aber nun? Das Stück ist aus, ich trete auf die Straße – große ungewöhnliche Aufregung daselbst! Ich eile zur Ferdinandbrücke – die Passage von Policisten versperrt – der Eisstoß geht – die Gefahr einer Ueberschwemmung ist eminent – und ich abgeschnitten von meiner Wohnung – gezwungen, in der Leopoldstadt zu übernachten! Ich – damals war ich noch leichtsinnig, Madame – denke mir: auch gut! Nimmst Dir ein Zimmer im Hôtel! – Vorsichtshalber, denn etwas überlegt war ich doch – lasse ich mir eines im vierten Stock geben. Es sah zwar nicht comfortabel aus – aber bei Wassergefahr kommt's Einem darauf nicht an. Ich lege mich also nieder – ich schlafe sogar ein – aber nur zu bald wache ich wieder auf! Nicht aus Furcht – o bewahre! – sondern weil – mein Gott! unter der Blume läßt sich das schwer sagen: mit einem Wort es juckte mich wie wahnsinnig! Ich mußte Licht machen und nun begann eine Parforcejagd auf verschiedenartiges Wild mit dem Licht in der Hand. Ich vergaß dabei ganz auf die Ueberschwe… Aber wir sind ja mitten d'rin! Also nur rasch zu Ende! Plötzlich kracht das Bett, ich erschrecke, verliere das Gleichgewicht – stürze – das Licht fällt mir aus der Hand rollt unter die Gardine, die Gardine brennt – Feuer! Feuer! Feuer!

Anselm's Kopf (erscheint in der Thüre). Wo brennt's denn?

Burgenstein (zornig). In deinem Kopf gewiß nicht!

Anselm (verschwindet). Einverstanden!

Burgenstein. Nun können Sie sich meine Situation vorstellen!

Friederike (lachend). Sehr lebhaft!

Burgenstein. Immer noch nicht genug! Oben Feuer, unten Wasser, und ich mit zerschundenen Schienbeinen, unfähig, aufzustehen, auf der Erde, im Rauche fast erstickend! – Natürlich wurde ich gerettet, – aber war das eine Situation?

Friederike. Entsetzlich! (Lacht).

Burgenstein. Und begreifen Sie nun meine Antipathie gegen Ueberschwemmungen?

Friederike. Vollkommen! Denn eine Ueberschwemmung mit Verbrennungsgefahr muß ganz besonders unangenehm sein!

BARBARA FRISCHMUTH

(* 1941)

Sehnsucht nach dem Wasser

Ich habe Sehnsucht nach dem Wasser. Nach einem
Fluß, einem Bach, einem Tümpel. Und wäre er noch
so klein. Man müßte das Wasser wittern, ja riechen
können, spüren, wie es verdunstet.

Ich stelle mir vor, wie das Donauweibchen durch
die Wasserleitung bis in unsere Wohnung herauf-
kommt, sich an den Rand des Spülbeckens setzt und
eine Zigarettenlänge mit mir plaudert. Endlich könnte
ich es danach fragen, ob die landläufigen Geschichten über Wassernixen auch richtig kolportiert werden.

JULES VERNE

(1828–1905)

Am Ufer der Donau

Am Ufer der Donau, die im Nordosten das Ende des
Praters begrenzt, befanden sich an diesem August-
nachmittage nur einige Spaziergänger. Ob diese wohl
Ilia Brusch erwarteten? Wahrscheinlich, denn der
hatte es sich ja angelegen sein lassen, den Tag und
fast die genaue Stunde seines Eintreffens durch die
Zeitungen anzukündigen. Wie sollten aber die auf

sehr großem Raum verstreuten Neugierigen die Jolle, auf die sie nichts besondres hinwies, herausfinden?

Ilia Brusch hatte diese Schwierigkeit vorausgesehen. Sobald sein Fahrzeug festgelegt war, beeilte er sich, ein Paar Stangen aufzurichten und dazwischen ein langes Stück Leinen anzubringen, worauf man die Worte »Ilia Brusch, der erste Preisträger des Angelwettkampfs von Sigmaringen« lesen konnte. Auf dem Dache seines Unterschlupfs – stolz »Koje« genannt – veranstaltete er mit den am Vormittag gefangenen Fischen eine Art Ladenauslage, in der der große Hecht den Ehrenplatz einnahm.

Diese echt amerikanische Reklame hatte einen ungeahnten Erfolg. Einige Lustwandelnde blieben vor der Jolle stehen und lockten dadurch andre an. Die Ansammlung nahm in kürzester Zeit einen solchen Umfang an, daß die wirklich Neugierigen nichts andres tun konnten, als sie zu betrachten. Als sie alle diese Leute in derselben Richtung hinlaufen sahen, schlossen sie sich ihnen an, ohne eigentlich zu wissen, warum. In weniger als einer Viertelstunde hatten sich gegen fünfhundert Menschen in der Nähe der Jolle zusammengedrängt. Ilia Brusch hatte einen solchen Erfolg niemals erwartet.

Bald kam es auch zu einem Gespräch zwischen dem Publikum und dem Fischer.

»Herr Brusch? fragte einer der Nächststehenden.

– Wie Sie sagen, antwortete dieser.

– Erlauben Sie mir, mich vorzustellen: Claudius Roth, einer Ihrer Kollegen vom Donaubunde.

– Sehr erfreut, Herr Roth.

– Es sind übrigens auch noch andre Kollegen zur Stelle. Hier die Herren Hanisch, Tietze und Hugo Zwiedinek, außer noch andern, die ich nicht kenne.

– Ich zum Beispiel, Matthias Kasselick aus Budapest, meldete sich ein Zuschauer.

– Und ich, fügte ein zweiter hinzu, Wilhelm Bickel aus Wien.

– Ich bin entzückt, meine Herren, hier unter Bekannten zu sein«, rief Ilia Brusch.

Fragen und Antworten kreuzten sich weiter, das Gespräch wurde allgemein.

»Haben Sie eine gute Fahrt gehabt, Herr Brusch?

– O, eine ganz vortreffliche.

– Jedenfalls eine schnelle Fahrt. Man hatte Sie hier nicht so bald erwartet.

– Nun, ich bin doch bereits vierzehn Tage unterwegs.

– Von Donaueschingen bis Wien ist es aber sehr weit.

– Ungefähr neunhundert Kilometer; das macht für vierzehn Tage durchschnittlich wenig über sechzig Kilometer.

– Die Strömung legt so viel aber kaum in vierundzwanzig Stunden zurück.

– Das ist auf verschiedenen Strecken verschieden.

– Ja freilich. Nun aber Ihre Fische; haben Sie die gut verkaufen können?

– Sogar sehr gut.

– So sind Sie also mit Ihrer Reise zufrieden?

– Gewiß; in jeder Hinsicht

– Heute haben Sie offenbar einen recht glücklichen Fang getan, vorzüglich an dem prächtigen Hecht.

– Ja, der ist wirklich schön.

– Wieviel soll er kosten?

– Soviel Ihnen dafür zu zahlen beliebt. Ich denke, mit Ihrer Erlaubnis, meine Fische zu versteigern, und den großen Hecht zuletzt.

– Nun ja, das Beste zuletzt, meinte einer scherzend.

– Ein vortrefflicher Gedanke! sagte Herr Roth. Der Ersteher des Hechtes könnte ihn dann, statt sein Fleisch zu verspeisen, zum Andenken an Ilia Brusch ausstopfen lassen. «

Diese hingeworfenen Äußerungen hatten einen großen Erfolg, und die Versteigerung war bald lebhaft im Gange. Eine Viertelstunde später hatte der Fischer eine hübsche runde Summe eingeheimst, wozu der berühmte Hecht nicht weniger als fünfunddreißig Gulden beigetragen hatte.

Nach Beendigung des Verkaufs setzte sich das Gespräch zwischen dem Preisträger und der Gruppe seiner Bewunderer, die am Ufer standen, noch eine Zeitlang fort. Über das Vorhergegangene unterrichtet, wollten diese auch noch etwas über seine Zukunftspläne erfahren. Ilia Brusch antwortete da ganz zuvorkommend und erklärte, ohne daraus ein Geheimnis zu machen, daß er morgen noch in Wien bleiben und dann am Abend des nächsten Tages in Preßburg zu schlafen gedenke.

Mit der fortschreitenden Stunde verminderte sich allmählich die Zahl der Neugierigen, die sich zum Abendessen zurückzogen. Da nun Ilia Brusch meinte, daß er Ursache habe, auch an das seinige zu denken, zog er sich zurück und überließ seinen Passagier der öffentlichen Bewunderung. So kam es, daß zwei Umherschlendernde, die durch die noch immer gegen hundert Köpfe zählende Ansammlung herangelockt worden waren, jetzt nur Karl Dragoch sahen, der allein unter dem leinenen Schilde saß, das urbi et orbi den Namen und die Eigenschaft des Preisträgers vom Donaubunde verkündete.

Der eine der neuen Ankömmlinge war ein großer Bursche etwa von dreißig Jahren mit breiten Schultern und blondem Haar und Bart, von dem slawischen Blond, das ein Erbteil dieser Rasse zu sein scheint, der andre, ebenfalls eine kraftvolle Erscheinung, der sich durch ungewöhnlich viereckige Schultern auszeichnete, war älter und seine leicht ergrauten Haare ließen darauf schließen, daß er schon die Vierzig überschritten habe.

Beim ersten Blick, den der Jüngere auf die Jolle warf, erzitterte er ein wenig und machte eine Bewegung zurückzuweichen, wobei er seinen Begleiter mit sich zog.

»Das ist er, sagte er mit verhaltener Stimme, als beide aus der Menge heraus waren.

– Glaubst du? …

– Ganz sicher! Hast du ihn denn nicht erkannt?

– Wie sollte ich ihn erkannt haben, ich habe ihn doch noch nie gesehen?«

Jetzt folgte ein kurzes Schweigen. Die beiden Sprecher dachten nach.

»Und er ist allein in der Jolle? fragte der Ältere.

– Ganz allein.

– Ist das auch wirklich die Jolle Ilia Bruschs?

– Da ist kein Zweifel möglich. Der Name stand ja auf dem Leinenstreifen.

– Das ist nicht zu begreifen.«

Ein erneutes Schweigen, worauf der Jüngere wieder das Wort nahm.

»Er wäre es also, der unter lautem Tamtam diese Reise unter dem Namen Ilia Brusch macht?

– Jedenfalls, doch zu welchem Zwecke?«

Der Mann mit dem blonden Barte zuckte die Achseln.

»Nun, in der Absicht, unerkannt die Donau hinunterzufahren. Das ist doch klar.

– Zum Teufel! stieß sein halbergrauter Genosse hervor.

– Das nimmt mich nicht besonders wunder, meinte der andre. Er ist ein Schlaukopf, dieser Dragoch, und sein Streich würde gewiß gelungen sein, wenn wir nicht zufällig hier vorübergekommen wären.«

Der ältere der beiden schien noch nicht völlig überzeugt zu sein.

MORIZ BERMANN

(1823–1895)

Das Donauweibchen wird aufgefischt

Eine dunkle Frühlingsnacht breitete ihre Schatten über die Erde.

Zerrissenes Gewölke jagte, vom Winde gepeitscht, am Himmel dahin und das bleiche Licht des Mondes übergoß nur von Zeit zu Zeit durch die Lücken des Wolkenschleiers die weiten Auen des Wiener Praters, den rauschenden Strom, der den grünen Wald umfing – die schöne blaue Donau mit ihren Armen und Buchten.

Wir führen die freundlichen Leser an das Ufer des Donau-Kanales, an eine Stelle in der Nähe des heutigen Sofiensteges.

Zehn bis zwölf große gedeckte Frachtschiffe, auf denen man die Waaren aus den baierischen Landen nach Wien zu führen pflegte, lagen zu zwei Dritttheilen ihrer Länge an den Strand gezogen da, und harrten der Stunde, in welcher sie zerschlagen werden sollte. Das Wasser rauschte um ihre halbversteckten Schnäbel und die absonderlichen, roh bemalten und geschnitzten Köpfe an denselben schienen düster und traurig in die murmelnde Fluth zu blicken.

Aus dem inneren Prater kommend, schlendert ein Mann dem Donauufer zu. Wenn der Mond einen Lichtstrahl auf dessen Antlitz wirft, entdecken wir einen jungen, höchstens zwei bis dreiundzwanzig Jahre zählenden Menschen mit hübschen, offenen Gesichtszügen, einfach aber anständig gekleidet. Das runde Hütchen hat er weit in den Racken geschoben, so daß der kühle Wind seine Stirne fächelt und das blonde Kraushaar emportreibt. Die Enden des buntfärbigen Tüchleins, das er lose um den Hals geschlungen trägt, flattern gleichfalls lustig in den Lüften, der Rock ist offen, die Brust der kühlen Nachtluft bloßgegeben. Die Miene des jungen Mannes ist bekümmert und traurig.

Endlich erreicht er das Donauufer; dann steigt er auf eines der Schiffe, schreitet bis an die äußerste Spitze desselben vor und setzt sich dort, den Drachenkopf, in welchen sie ausläuft, mit dem rechten Arme umschlingend, auf den Boden, den Kopf auf den am Schiffsborde aufliegenden linken Arm stützend.

Düster blickt er hinab in die Wellen.

»Wär's mir doch gleich lieber«, murmelt er vor sich hin, »ich läg' da unten, den berühmten Donau-Karpfen und Hechten zum Fraße, als daß ich den ewigen Jammer bei mir zu Hause anhören muß, ohne demselben im Mindesten abhelfen zu können! Es muß doch gut sein, wenn man alle die Last und Plag' hinter sich hat und schlafen kann, ohne fürchten zu müssen, daß Einen der nächstbeste unwillkommene Patron gerade im schönsten Träumen aufweckt! – Was hab' ich auf der Welt? Mein Handwerk, an dem ich meine Freude gehabt hätte, kann ich nicht ausüben … an's Meisterwerden ist nicht zu denken … und als Ausrufer vor einer Praterhütte! – Nein, nein! 's wär besser in dem nassen Grab da unten! – Wie das Wasser glänzt, wenn der Mond so d'rüber hin scheint … hm, ob's wahr ist, was sich die Leut' von den Nixen, oder wie's die gemeinen Leut' heißen, den Wasserfrauen erzählen? – Ah, 's muß doch nicht wahr sein, denn ich bin ja schon so oft da herob'n gesessen, in der sternhellsten Nacht, so wie im Regen und Sturm; aber es hat sich mir nie eine Wasserfrau gezeigt. Die Leut' reden halt' so viel … und die Sage von dem ›Donauweib'l‹ g'hört in den Topf so vieler schöner, aber unhaltbarer G'schichten, die man sich über die prächtige Kaiserstadt erzählt.«

Der junge Mann verstummte plötzlich und neigte lauschend den Kopf zur Seite während seine scharfen Augen in jene Richtung spähten, auf welcher das Geräusche von Schritten an seine Ohren drang.

Das Schiff, auf dem er sich befand, war stromabwärts das dritte in der Reihe und der Schnabel desselben war besonders hoch und ragte so weit über die
seiner beiden Nachbarn, daß man von ihm aus einen
ziemlich weiten Ueberblick hatte.

Der Lauscher, der sich sofort derart zusammen-
kauerte, daß nur Stirne und Augen sich über den
Rand des Schiffbordes erhoben, sah drei Männer, aus
dem Innern des Praters kommend, dem Stromufer
zuschreiten.

Zwei derselben trugen einen Gegenstand in ihren
Armen, der mit einem weiten Mantel verhüllt war.
Der dritte Mann hatte gleichfalls einen Mantel um
Schultern und Kinn geschlungen und folgte den beiden
andern knapp auf dem Fuße.

So viel konnte der junge Mann bei dem schwachen
Scheine des Mondes, vor dem eine Schnur leichter
Wolken lagerte, wahrnehmen; als nun aber ein Wind-
stoß das Gewölkte zerriß, als der treue Begleiter der
Erde seine hellen Strahlen hinsandte über dieselbe,
da entdeckte der Lauschende, daß die Last, welche
die zwei Männer trugen, sich regte und bewegte, und,
wiewohl vergebliche, Versuche machte, sich von der
Umhüllung zu befreien.

Am Ufer des Kanales angelangt, setzten die beiden
Männer ihre Last zu Boden und nahmen ihr, auf den
Wink des Dritten, den Mantel ab.

Es war ein Weib, das zum Vorscheine kam. Ein langes
Kleid von dunkler Seide umfloß die Gestalt und vom
Haupte fiel in reichen Locken und Ringeln eine Fülle
blauschwarzen, durch keine Anwendung des damals
modernen Puders entstellten Haares nieder auf den
Hals und die halbentblößten runden Schultern.

Das Angesicht dieser Frau war von hoher Schönheit; der Schnitt desselben, die schwarzen feurigen, von dichten weitgeschwungenen Brauen überwölbten Augen, sowie die eigenthümliche, leichtgebräunte Hautfarbe verriethen, daß sie ein Kind der heißen Zone sei.

Ihre kleinen, schöngeformten Hände waren lose gefesselt, ebenso die Füße und die, jetzt freilich farblosen Lippen waren durch ein zum Knebel geballtes Tuch auseinander gehalten.

Die Brust der Unglücklichen rang mühsam nach Athem, aus dem Antlitze war das Blut gewichen, nur die Augen sprühten noch Blitze des grimmigsten Hasses auf den Mann im Mantel, der hochaufgerichtet vor der Gefesselten stand.

Die beiden Träger waren wild und unheimlich aussehende Burschen, nachlässig gekleidet, eine Musterkarte aller Laster in ihren Mienen.

Der Mann im Mantel winkte ihnen, einige Schritte zurückzutreten.

»Eliza«, begann er in fremdartiger Sprache mit dumpfer, grollender Stimme, »noch ist es Zeit; noch bin ich geneigt zur Gnade, wenn Du ein offenes Bekenntniß thun willst.«

Die Gefesselte schüttelte heftig den Kopf, so daß ihr die dunklen Locken schlangengleich um's Antlitz flogen.

Der Fremde biß die Zähne übereinander und stampfte mit dem Fuße.

»Eliza«, begann er nach einer Pause wieder, auf die Wellen zeigend, »sieh dorthin – in zehn Minuten werden Dich die Wellen verschlingen, wenn Du in Deinem

Trotze verharrest. Du bist noch jung. Du bist noch schön – warum willst Du sterben?

Die Frau antwortete mit einem stolzen Zurückwerfen des Kopfes und einem haßerfüllten Blicke.

»Ich verstehe Dich … aus Haß gegen mich … um Deine Rache zu befriedigen. O, was erreichst Du aber damit? Du wirst todt sein, ich aber habe, so lange ich lebe, noch immer Hoffnung, zu finden, was ich suche. Und ich werde finden, sollte ich auch eine Million daran wenden.«

Eliza lächelte höhnisch und schüttelte den Kopf.

»Ich werde finden, sage ich Dir«, betonte auf das Bestimmteste der Fremde, »denn mit Deinem Tode wird das größte Hinderniß beseitigt sein.«

Wieder trat eine Pause von wenigen Augenblicken ein.

»Ich will Dir den Knebel abnehmen, Eliza«, sagte dann der Fremde, »wenn Du sprechen willst, um Dein Leben zu retten. Du bist noch immer von dem Glauben befangen, daß ich nicht zum Aeußersten schreiten würde … Du hast mich schwach gesehen … ich liebte Dich damals, bis ich Dein dämonisches Wesen ganz kennen gelernt. Du kannst nicht sagen, ich hätte schlecht an Dir gehandelt. Ich gab Dir die Freiheit und ein Vermögen zum Danke für die Stunden des Genusses, welche Du mir geboten und die ich, als Dein Herr über Leben und Tod, nicht so hätte zu belohnen brauchen. Du rächtest Dich für die Enttäuschung, welche Du selbst mir bereitet, Du stahlst mir mein Kind. Eliza, ich bin ein Anderer geworden durch Dein Verbrechen … Du hast mein mildes Herz verwandelt in das Herz eines Tigers, Du hast den Menschen zu Teufel umgeschaffen und die Sclaven, die früher meine Milde gepriesen, fluchen seitdem meiner Grausamkeit. Ich habe Dich durch Jahre gesucht und suchen lassen, um Dich endlich doch zu finden, und bei dem Andenken an Alles, was ich jemals geliebt habe, schwöre ich Dir, daß Du in zehn Minuten den Tod in diesem Strome findest, wenn Du nicht bekennen willst, wohin Du mein Kind gebracht hast.«

Die Stimme des Mannes im Mantel klang so unheilvoll drohend, daß Eliza erzitterte und zum ersten Male ein Ausdruck namenloser Angst in ihren Mienen sichtbar wurde.

Aber es schien so, wie der Unbekannte gesagt; sie hing der Ueberzeugung nach, er würde seine Worte nicht zur Wahrheit machen, und abermals zeigte sich ein höhnisches Lächeln in ihren Zügen.

»Eliza«, frug er dumpfen Tones, »ist dies höllische Lachen Deine einzige Antwort?«

Sie neigte das Haupt trotzig zu Boden.

Da winkte der Verhüllte den beiden Männern, die rasch herbeitraten und die Widerspenstige erfaßten.

Wohl wurden nun ihre Augen schreckensstarr – ihr Angesicht bleifarben; wohl streckte sie flehend die Hände empor und sträubte sich gegen die Fäuste der Mörder, aber der Mann im Mantel hatte das Angesicht abgewendet und die rohen Schergen, welche sie angefaßt, kehrten sich nicht an die Todesangst, die aus ihre Zügen sprach, noch an die flehenden Geberden ihrer gefesselten Hände.

Sie warfen ihr den Mantel über und traten dicht an den Rand des Wassers.

Dort schwangen sie den Körper einige Male hin und her und – warfen ihn dann in die Fluth, die hoch über ihrer Beute zusammenspritzte.

Ein zweiter dumpfer Fall schien dem ersten zu folgen.

»Hollah, Speckbauer, hast Du nicht gehört?« frug einer der beiden Mörder.

»Was sollt' ich denn g'hört haben?«

»'s war just, als ob noch Einer in's Wasser g'fallen wär'.«

»Bah, Du bist ein Narr! Die alten Schiff' da geben ein Echo – sonst nichts. Schrei' einmal, so wirst Du's hören.«

»Schreien? – Bist D' verrückt!? Soll ich uns den Praterjäger in's G'nick setzen? Du weißt, der Forstmeister Ott macht kein'n G'spaß, umsonst heiß'n s'n nit den ›blutig'n Hans-Jörgl‹.«

Aber auch der Verhüllte war näher getreten.

»Ich habe noch einen Fall gehört«, sagte er.

»Das Echo, Eu'r Gnaden!« antwortete der Mann, den wir Speckbauer nennen gehört.

Der Fremde schien sich nicht so leicht zu beruhigen.

»Kommt mit mir!« sagte er.

Die drei Männer liefen die Reihe der Schiffe entlang, bis sie das letzte passirt hatten und den Fluß übersehen konnten.

»Hab's ich's nicht gesagt«, rief Speckbauer, auf einen dunklen Gegenstand zeigend, der in einiger Entfernung, gerade wo der Stromstrich am stärksten war, dahinschwamm, »dort ist sie! Der Mantel trägt sie noch, in einer Minute wird er vollgesaugt sein, dann zieht sie's hinunter.«

Wie um die Worte des Mannes zu beweisen, riß im selben Augenblicke ein Wirbel den dunklen Gegenstand in die Tiefe.

»Es ist gut«, murmelte der Fremde. »Da nehmet – Euren Herrn und Meister habe ich bereits bezahlt – das ist für Euch.«

Die beiden Männer zogen die Mützen und nahmen mit vergnügtem Lächeln die Börse in Empfang, welche ihnen der Verhüllte gereicht hatte.

Dann schritten alle Drei wieder dem inneren Prater zu.

Sie waren schon weit vom Ufer entfernt, da trat zwischen den Schiffen hervor ein Mann, aus dem Wasser steigend und ein lebloses Weib in den Armen haltend, das er darauf zu Boden legte und durch Reiben an den Händen und Schläfen in's Leben zurückzurufen versuchte.

Es war der junge Lauscher, dessen wir anfangs erwähnt. Er hatte, wenn er auch die Worte nicht hören konnte, doch die ganze Scene beobachtet, und als die beiden Mörder den Körper in das Wasser geworfen, war er gleichfalls in dasselbe geglitten, hatte als vortrefflicher Schwimmer die nahe am Schiffsschnabel vorübertreibende Frau erfaßt und rasch aus dem Mantel gewickelt, den er den Wellen überließ.

Zwei kräftige Stöße brachten ihn wieder zu den Schiffen. Das vorletzte in der ziemlich langen Reihe bot ihm Schutz und Versteck, da es auf ziemlich seichtem Grunde lag; er drückte sich an dessen vom Monde nicht beschienene Seite und blieb, das ohnmächtige Weib, dem er den Knebel aus dem Munde genommen, im Arme, regungslos, mit angehaltenem Athem stehen.

Erst als die Männer sich entfernt hatten, trat er hervor.

Seine Bemühungen, die Bewußtlose wieder zu sich zu bringen, waren vergebliche.

»Ei was, ich bring' sie in unsere Hütte«, sagte er endlich, den Körper wieder auf seine Arme ladend, »sonst stirbt sie mir da. Die werd'n schauen, wenn ich eine neue Kostgängerin bring', wo die alten nichts zum Beißen haben. Na, wer weiß übrigens, wozu 's gut ist.«

Raschen Schrittes, sorgsam um sich spähend, eilte der Retter mit seiner Last dem Prater zu, möglichst schattige Stellen suchend.

Wenn er, über lichtere Punkte schreitend, zuweilen im Mondlichte das bleiche Antlitz der Geretteten sah, da konnte er sich nicht erhalten, die Worte zu flüstern:

»Ah, wie sie schön ist! … aber – man könnte sich beinahe fürchten von ihr!«

Der junge Mann hatte nicht Unrecht damit.

Das bleiche Antlitz, die feuchten schwarzen Haare, die dichten Brauen, dazu das lange dunkle Gewand, das einen herrlich geformten Körper umfloß, gaben der Ohnmächtigen ein eigenthümlich schönes und doch beängstigendes Aussehen.

Es war die Schönheit eines Dämons, die Schönheit jenes Zauberweibes, dem die Alten Angesicht und Oberleib einer herrlichen Frau, aber Krallen und Unterkörper des Löwen gegeben – der Sphinx, welche Jene, die ihre Geheimnisse ergründeten, zerfleischte. Oder aber – den gegenwärtigen Verhältnissen anpassender – sie glich einer jener märchenhaften, phantastisch schönen Nixen, mit welchen die Phantasie des Menschen die Ströme und Seen bevölkert hat und deren reizend Leiber in Fischschwänze enden. Mischen sich solche in die Gesellschaft der Menschen, so haben sie wohl vollkommene Menschengestalt, sind aber an dem nassen Zipfel ihres Gewandes zu erkennen; auch erscheinen sie im Verkehr mit Menschen oft tückisch. Indem sie dieselben an sich locken und in den Abgrund ziehen. Auch der schönen blauen Donau wurden solche gespenstische Frauen zu Einwohnern gegeben und der ordinäre Volksmund nannte sie recht bezeichnend »Donauweibchen«.

Es ist somit begreiflich, daß der junge Retter, unwillkürlich zusammenschauernd, murmelte: »Sie sieht fast aus, wie ein Donauweibel!«

ADALBERT STIFTER

(1805–1868)

Im Prater

Die Donau ist hier so breit, daß die Tiere nur wie kleine verschiedenfarbige Lämmer herüberschauen. Wie wohltuend und sanft ist die Stille und die weiche Frühlingslandschaft auf das Getümmel, das wir eben verlassen haben! Fast kein Mensch mehr stört uns hier, und jeder einzelne Fischer, der den ersten Mai dadurch feiert, daß er mit einer unerhört langen Rute unbeweglich am Wasser steht, ist eher eine zur Landschaft gehörige Staffage als eine Störung. Immer weiter führt unser Weg abwärts, und jener glänzende, feine Turm, der über die Auen herüberblickt, bezeichnet schon ein Dorf, das über eine Meile unterhalb von Wien liegt, Ebersdorf. Hier stehst du am Gestade der ganzen vollen Donau, und dort, wo jene Mühlen sich drehen, die sogenannten Kaisermühlen, das ist der Platz, an dem die Dampfboote landen, die stromabwärts gehen, und weiter hinab wird es immer ländlicher und einsamer.

AMAND FREIHERR VON
SCHWEIGER-LERCHENFELD

(1846–1910)

Der am Praterquai landende Reisende

Der am Praterquai landende Reisende wird vielleicht mit einigem Befremden das Bild, welches sich ihm darbietet, betrachten. Er ist in Wien und ist es dennoch nicht. Von der Stadt ist weit und breit nichts zu sehen; nur einzelne verstreute Gebäude unterbrechen die grüne Wand des Praters, in welchem sich der Ankommende befindet. In dieser Beziehung ist nichts auffälliger, als der Gegensatz zwischen Wien und Budapest. Während sich ersteres von dem Strome, der sein eigentlicher Lebensnerv sein sollte, scheu ferne hält, und alle Bemühungen, die Bauthätigkeit an seinem Ufern zu beleben, vergeblich sind, bietet die Donau, welche die ungarische Hauptstadt mitten

durchschneidet, auf der einen Seite eine unübersehbare Reihe von Palästen, auf der anderen Seite die
malerischen Uferhöhen von Ofen: ein wahrhaft impo-
santes Bild.

Der Prater bildet bekanntlich einen Abschnitt der
weitgedehnten Auen, welche unterhalb der Kaiserstadt die Donau auf beiden Ufern begleiten. Daß diese
Gründe sehr viel von ihrer früheren Urwüchsigkeit
verloren haben, wurde andernorts auseinanderge-
setzt. Trotzdem bildet der Prater noch immer eine
kleine Welt für sich. Der Wiener liebt diese Landschaft inniger, als irgend eine andere in der an Natur-
reizen so reichen Umgebung der Kaiserstadt. Im Allgemeinen ist dem Wiener der Prater Erholungs- und
Belustigungsort zugleich. Hierbei kommt kein Stand,
kein Geschmack zu kurz. Das Volk findet in dem unter
der früheren Bezeichnung »Wurstelprater« (modernisirt:
»Volksprater«) weltbekannten Abschnitte des Praters
alle naiven Zerstreuungen und Belustigungen, nach
denen die Herzen der großen und kleinen Kinder
begehren. In der Hauptallee, dem sogenannten »Nobel-
prater«, überwiegt das vornehme Element mit seinen
eleganten Staffagen an Fußgängern, Reitern und
Equipagen. In einem entlegenen Theile des Praters
– der »Freudenau« – ist die Sportwelt daheim, und
noch weiter draußen ist Wald- und Jagdgrund … Die
Wenigsten kennen den Prater in seinem ganzen Um-
fange, da mit dem Besuche desselben nur persönliche
Neigungen befriedigt werden.

ELFRIEDE HASLEHNER

(∗ 1933)

Haiku – Donau

Unter der Brücke
zieht ruhig der Fluß dahin –
darüber die Bahn

Hinter den Hügeln
versank die Sonne.
Ihr Schein liegt noch auf dem Fluß

Wie grün die Donau!
Schon braun und gelb gefleckt
die Hügel darüber

Im Nebel sind die
Hügel verschwunden.
Der Fluß endet im Nirgends

Tausende Lichter
spiegeln sich im dunklen Strom
Wo sind sie am Tag?

PÉTER ESTERHÁZY

(∗ 1950)

Die Wiener Wende

Bis Wien ist in der Donau viel Wasser zusammen-
gekommen, da gibt es kein Zurück mehr, da kann
man sich auf nichts berufen – hier muß nun geflossen
werden. In Wien denkt die Donau zum erstenmal an
das Schwarze Meer. Aber das ist noch weit. Wien ist
der Tiefpunkt der Donau. Kein Vorwärts, kein Rückwärts. Wollen kann man hier nichts mehr. Wien ließ
sich immer als stürmisches Fehlen des Willens beschreiben. Als Stadt des Abwinkens.

Ach, Wien … Walzer … Cafés … leichte Mädchen
… Brathendl … Fiaker … Parlamentsskandale. Ach.
Nach Wien kommen die Ungarn einigermaßen hochmütig. Dazu haben sie keinerlei Grund, nicht einmal
einen Gegengrund, auch das ständige Zuspätkommen
ist keiner; das alles fördert ihre Überheblichkeit nur.
Einen Grund hat es also nicht, wohl aber eine Grundlage, und zwar sind Traum und Täuschung die Grundlage dieser Überlegenheit, der Traum und die Täuschung, denen sich die Ungarn in Bezug auf Budapest
hingeben. Jeder Ungar ist ein Woody Allen, der sich
bekanntlich New York täglich erfindet.

(1988)

An der alten Donau

Die Uferpromenade bist du entlanggegangen, also immer neben dem Wasser, das eine beruhigende Wirkung auf dich ausübt, wie du gesagt hast. Es hat dich tatsächlich beruhigt, auf dieser Promenade, von der ich schon so oft gesprochen habe, zwischen dem Wasser auf der einen und den Wiesen mit den alten Bäumen auf der anderen Seite zu spazieren. Daß eine der Wiesen »Rehlacke« heißt, hast du mir erzählt, und daß dieser Name im Zusammenhang mit der Wiese und dem Wasser die angenehmsten Assoziationen hervorrufen würde. Daß es sich bei der Gegend, die du besucht hast, um fünf Uhr früh besucht hast, um meine Kindheitsgegend, um meine Jugendlandschaft handelt, weiß ich natürlich, daß eine der Wiesen an der Alten Donau »Rehlacke« heißt, ich weiß aber auch, daß es dort seit mehr als 30 Jahren keine Rehe mehr gibt, da sich diese Tiere, abgeschreckt von Straßenlärm und Menschenlärm, abgehalten von sinnlosen Zäunen und schmerzenden Stacheldrähten, nicht mehr in diese Gegend wagen, doch während du so begeistert erzähltest, glaubte ich, in deinen blauen Augen, deinen Maleraugen, die ehemalige Rehlacke wiederzusehen, es gelang mir sogar, mir Rehe an der Alten Donau und an der Rehlacke vorzustellen. Es wird nie wieder Rehe an der Alten Donau geben, dachte ich, sagte aber nichts.

Daß du jetzt bereit bist, diesen Weg, meinen Kindheitsweg, gemeinsam mit mir zu gehen, hast du zu mir gesagt, und daß du bereit bist, diese Gegend, die meine Kindheitsgegend, meine Jugendlandschaft ist, gemeinsam mit mir zu besuchen. Unsere unterschiedlichen, nahezu gegensätzlichen Betrachtungsweisen werden ineinander verschmelzen, so wie der Baum mit dem Wasser verschmilzt, sobald er beginnt, sich darin zu spiegeln. Alles wird eins, Auflösung und Vereinigung gleichzeitig, Auflösung und Verschmelzung in einem, hast du zu mir gesagt, während du mich, in unserem Kaffeehaus sitzend, mit deinen blauen Maleraugen ganz genau beobachtetest.

GÜNTHER BLÜHBERGER

(1996)

Die Alte Donau

Die Alte Donau war der nördlichste Hauptarm der Donau. Noch heute erinnern verschiedene Straßennamen an die verzweigten Gerinne und die sie umgebenden Auen. Die Namen Kaiserwasser, Heustadlwasser, Lusthauswasser, Mühlwasser, Krebsenwasser, Dechantlacke, Panozzalacke, Augarten, Augasse, Auwinkel, Brigittenau, Leopoldau, Schüttau, Schwarzlackenau usw. weisen auf eine Vielzahl derartiger Augebiete hin.

In den abgelagerten Schottermassen fanden sich auch sogenannte Driftblöcke. Dies sind von Eisschollen herangebrachte große Felsblöcke, die zum Teil deutliche Spuren von Gletschermarken aufweisen. Obendrein verweisen auch die Funde von Mammutzähnen und Geweihen von Riesenhirschen auf eiszeitliche Verhältnisse. Spätere Überflutungen führten zur Ablagerung von feinstkörnigem Schluff und Aulehm, dazwischen aber auch immer wieder Schotter.

INGEBORG BACHMANN

(1926–1973)

Die Prinzessin von Kagran

Es war einmal eine Prinzessin von Chagre oder von Chageran, aus einem Geschlecht, das sich in späteren Zeiten Kagran nannte. Denn der heilige Georg, der den Lindwurm in den Sümpfen erschlagen hat, damit nach dem Tod des Ungeheuers Klagenfurt erstehen konnte, war auch hier in dem alten Marchfelddorf, jenseits des Donaustroms, tätig, und es erinnert eine Gedenkkirche an ihn, nahe vom Überschwemmungsgebiet.

Die Prinzessin war sehr jung und sehr schön und sie hatte einen Rappen, auf dem sie allen anderen vorausflog. Ihre Gefolgsleute beredeten und baten sie, zurückzubleiben, denn das Land, in dem sie waren, an der Donau, war immer in Gefahr, und Grenzen gab es noch keine, wo später Raetien, Markomannien, Noricum, Moesien, Dacien, Illyrien und Pannonien waren. Es gab auch noch kein Cis- und Transleithanien, denn es war immer Völkerwanderung. Eines Tages ritten die ungarischen Husaren aus der Pußta herauf, aus dem weiten, ins Unerforschte reichenden Hungarien. Sie brachen mit ihren wilden asiatischen Pferden herein, die so schnell waren wie der Rappe der Prinzessin, und alles fürchtete sich sehr.

Die Prinzessin verlor die Herrschaft, sie geriet in viele Gefangenschaften, denn sie kämpfte nicht, aber sie wollte auch nicht dem alten König der Hunnen oder dem alten König der Awaren zur Frau gegeben werden. Man hielt sie als Beute gefangen und ließ sie bewachen von den vielen roten und blauen Reitern. Weil die Prinzessin eine wirkliche Prinzessin war, wollte sie sich lieber den Tod geben, als sich einem alten König zuführen lassen, und ehe die Nacht um war, mußte sie sich ein Herz fassen, denn man wollte sie auf die Burg des Hunnenkönigs oder gar des Awarenkönigs bringen. An Flucht dachte sie und sie hoffte, daß ihre Bewacher einschliefen vor Morgengrauen, aber ihre Hoffnung wurde immer geringer. Auch ihren Rappen hatte man ihr genommen, und sie wußte nicht, wie sie aus dem Heerlager je herausfinden und in ihr Land mit den blauen Hügeln zurückkommen sollte. Schlaflos lag sie in ihrem Zelt.

Tief in der Nacht, da meinte sie, eine Stimme zu hören, die sang und sprach nicht, die raunte und schläferte ein, dann aber sang sie nicht mehr vor Fremden, sondern klang nur noch für sie und in einer Sprache, die sie bestrickte und von der sie kein Wort verstand. Trotzdem wußte sie, daß die Stimme ihr allein galt und nach ihr rief. Die Prinzessin brauchte die

Worte nicht zu verstehen. Bezaubert stand sie auf und
öffnete ihr Zelt, sie sah den unendlichen dunklen
Himmel Asiens, und von dem ersten Stern, den sie
erblickte, fiel eine Sternschnuppe herab. Die Stimme,
die zu ihr drang, sagte ihr, sie dürfe sich etwas wünschen, und sie wünschte es sich von ganzem Herzen.
Vor sich sah sie plötzlich, in einen langen schwarzen
Mantel gehüllt, einen Fremden stehen, der nicht zu
den roten und blauen Reitern gehörte, er verbarg sein
Gesicht in der Nacht, aber obwohl sie ihn nicht sehen
konnte, wußte sie, daß er um sie geklagt und für sie
voller Hoffnung gesungen hatte, mit einer nie gehörten Stimme, und daß er gekommen war, um sie zu
befreien. Er hielt ihren Rappen am Zügel, und sie
bewegte leise die Lippen und fragte: Wer bist du? wie
heißt du, mein Retter? wie soll ich dir danken? Er
legte zwei Finger auf seinen Mund, das erriet sie, er
hieß sie schweigen, er bedeutete ihr, ihm zu folgen,
und schlug seinen schwarzen Mantel um sie, damit
niemand sie sehen konnte. Sie waren schwärzer als
schwarz in der Nacht, und er führte sie und den Rappen,
der leise seine Hufe aufsetzte und nicht wieherte,
durch das Lager und ein Stück in die Steppe hinaus.
Die Prinzessin hatte noch immer seinen wunderbaren
Gesang im Ohr und sie war dieser Stimme verfallen,
die sie wiederhören wollte. Sie wollte ihn bitten, mit
ihr stromaufwärts zu ziehen, aber er antwortete nicht
und übergab ihr die Zügel. Sie war noch immer in der
größten Gefahr, und er gab ihr ein Zeichen, zu reiten.
Da hatte sie ihr Herz verloren, und sie hatte doch sein
Gesicht immer noch nicht gesehen, weil er es verbarg, aber sie gehorchte ihm, weil sie ihm gehorchen

mußte. Sie schwang sich auf ihren Rappen, sie sah stumm auf ihn nieder und wollte ihm in ihrer und in seiner Sprache etwas sagen zum Abschied. Sie sagte es mit den Augen. Doch er wandte sich ab und verschwand in der Nacht.

ROLF SCHWENDTER

(∗ 1939)

Neuer Donauwalzer
(aus dem Programm »Eine Welt brennt«)

Donau, so grau, so grau, so grau,
wohin ich schau, wohin ich schau,

die Armut wird, die Armut wird
noch ganz gut kaschiert, noch gut kaschiert.
Am Opernball mit Sekt und Frack,
da denkt niemand nach im Walzertakt
über die Obdachlosigkeit in unserer Zeit,
und über'n Wohnungsmarkt, der ist entzweit.

Denn das rote Wien vor Jahrzehnten schon
hat Vorkriegsmieten eingefroren,
dadurch fiel meist an ein gering'rer Lohn,
die Hausherrn fühlten sich geschoren.
Was an Substandard noch der Veränd'rung harrt,
ist auf nied'rer Höh' geblieben.

Was an neuem Bau durchfrißt Tal und Au,
ist auf deutsches Niveau gestiegen
und es gibt immer mehr davon.

Mieten steigen, flüstern Geigen, in die Höh',
Mindestrentner, Erwerbslose, meiner Seel' [= Söh]
können sie nicht mehr zahlen,
müssen sie sich malen,
kriegen jedes Wahljahr einen neuen Schmäh.

Und das Karlsplatzkind, das neue Gifte find't,
wird ganz human polytoxikoman,
lebt von Tabletten hier der Pharmaindustrie,
nimmt den Shit auch mit, Alkohol, wie's soll,
mal auch Heroin im schönen Wien.

Und beinah' die Welt, Weltausstellung,
hätt' 'bracht eine weit're Verschärfung,
denn die japanischen Investoren,
die haben sich Grund und Boden erkoren,
zeigt Wien wie es singt und tanzt und geigt,
der Mietspiegel steigt und steigt und steigt,
und in ein paar Jahr, in ein paar Jahr,
sing ich Euch, wie's zwischenzeitlich war:
sicher wird alles wunderbar.

(1847)

Der erste Ort ist Simmering

Der erste Ort, an welchem man vorüber kommt, sobald
man Wien verlassen, ist Simmering, auf dem rechten
Donauufer, an und für sich unbedeutend und nur in
historischer Hinsicht einigermaassen bemerkenswerth. Hier soll eigentlich, nach der Bemerkung einiger Geschichtsschreiber, Richard Löwenherz, der
sich in das Gewand eines Templers gesteckt hatte,
gefangen genommen worden sein, auch war hier das
Hauptlager Soliman's im Jahre 1529; jetzt werden die
Wettrennen meist dort gehalten. Etwas weiter hinab
auf dem linken Ufer, jedoch vom Schiffe aus meist
durch Gebüsch versteckt und nur selten vortretend,
liegen die in der neueren Geschichte so berühmt gewordenen Dörfer Aspern und Eslingen, so wie in der
Donau selbst die Insel Lobau, bekannt durch die daselbst am 21. und 22. Mai 1809 gelieferte Schlacht.
Napoleon hatte sich Wiens bemächtigt, sein Heer
zwischen der Kaiserstadt und Ebersdorf aufgestellt
und eine Schiffbrücke nach Lobau geschlagen, um
auf das linke Ufer der Donau hinüber zu gehen.

ADOLF SCHMIDL

(1802–1863)

In raschem Laufe passiren wir die Kaiser Franz-Kettenbrücke

In raschem Laufe passiren wir die Kaiser Franz-Kettenbrücke, die Eisenbahnbrücke und die Sophien-Kettenbrücke, unterhalb welcher am Prater die leeren Ruderschiffe stehen, die von Linz herabkommen und nun verkauft werden sollen. An der großen Gasfabrik vorbei haben wir das äußerste Ende von Wien erreicht und fahren nun zwischen dem Prater und der Simmeringer Heide in einer solche Einsamkeit dahin, daß man sich meilenweit von einer Residenz entfernt glaubt. Aber schon ist die Ausmündung des Donaukanals erreicht, wo links am »Prater-Eck« der große Dampfer von Anker liegt, den wir nunmehr betreten; unsere bisherige niedliche Dampfnußschale kehrt in den Kanal zurück, wo sie anlegt, um das nachmittags von Pesth kommende Boot zu erwarten, und wir steuern mit Vollkraft stromabwärts.

Nach wenigen Minuten öffnet sich uns der Blick in den Hauptarm aufwärts, wo am Ufer der Praterinsel die Hauptstation der Dampfschiffe sich befindet. Es ist eine kleine Colonie von Hütten, weitläufigen Magazinen, Waarendächern u. dgl., wo immer ein paar Dutzend Schiffe aller Art, Schlepper, Remorqueure und Propeller in Ladung oder Löschung begriffen sind, und Passagierboote in Reserve stehen. So sieht der eigentliche Donauhafen von Wien aus, der am

Mississippi nicht urwüchsiger sein könnte; gewiß
verräth diese Station bei den Kaisermühlen nicht die
Nähe einer Kaiserstadt! Uebrigens ist das Treiben
dort bunt und lebendig genug, und mancher Wiener
macht einen Spaziergang durch den Prater hierher;
auch die kaiserlichen Kriegsdampfer legen hier an,
und so kann man oft genug 10–12 Dampfer hier stehen
sehen. Aber diese Stelle ist über eine Stunde vom
Stephansthurme entfernt, und wenn man das Verhältnis
zur Donau berücksichtigt, so wird man versucht zu
sagen, dass Wien trotz seiner Lage, aber nicht durch
seine Lage das wurde, was es ist. Auf einen wichtigen
Donauplatz war es bei der Gründung Wiens keineswegs abgesehen; selbst die Römer hatten nicht in
Vindobona-Wien, sondern weiter abwärts in Carnuntum-
Hainburg eine Station ihrer Donauflotte, wo die Donau
den mächtigen Zufluss der March erhält und unge-
theilt vorbeiströmt.

AMAND FREIHERR VON
SCHWEIGER-LERCHENFELD

(1846–1910)

Der Reisende, welcher Wien zu Schiff verlässt

Der Reisende, welcher Wien in der Richtung nach
Ungarn zu Schiff verlässt, besteigt das letztere an der
»Weißgärberlände«, wo das große Amtsgebäude der
Donau-Dampfschiffahrts-Gesellschaft steht. Ein be-
sonderes Vergnügen ist diese Fahrt auf dem Donau-

canale nicht, aber der Abfahrtsplatz liegt weit bequemer als der entfernte Praterquai … Außerhalb des Canales, der auf der linken Seite die Pratergründe bespült, wird auf das große Passagierschiff umgestiegen. Von den Eindrücken, die man zunächst gewinnt, gilt das an anderer Stelle von den Praterauen Gesagte. Wir kommen an der großen Strominsel »Lobau« (linker Hand) vorüber, denkwürdig als Schauplatz der Schlachten von Aspern und Wagram, sehen rechts Schwechat und weiter stromab Fischamend mit seinem geräumigen Winterhafen und steuern weiterhin zwischen Auen und hohem Bruchufer dem »Thore von Ungarn« zu. Unübersehbar dehnt sich zur Linken das Marchfeld mit seinem Dörfern und einzelnen alten Schlössern aus. Hinter dem hohen Bruchufer dehnt sich classischer Boden – jener von Carnuntum – aus. Wir haben auf dieser Stätte früher einmal verweilt und verweisen auf das dort Mitgetheilte. Der Beginn dieses geschichtlich denkwürdigen Bodens ist bei Petronell, wo sich hinter Wipfeln das gräflich Traun'sche Schloß zeigt. Dann hält der Dampfer in Deutsch-Altenburg, der Station für Carnuntum. Das hübsche Curhaus, das eine Strecke landeinwärts liegt, verräth uns den Badeort. Es ist eine Jodschwefeltherme, die sich guten Zuspruches erfreut. Das bemerkenswertheste Baudenkmal von Deutsch-Altenburg ist die uralte Kirche auf den Anhöhe, mit dem räthselhaften Tumulus – in welchem man neuerdings das Grab Arpad's gefunden zu haben glaubte – zur Seite.

Nach den unglücklichen Schlachten zu Landshut, Eggmühl und Regensburg hatte sich Erzherzog Karl vor dem siegreichen Napoleon nach dem südlichen Böhmen zurückgezogen, während dieser direct auf Wien losrückte. Hier schlug er in Schönbrunn sein Hauptquartier auf. Friedenanerbietungen seitens des Erzherzogs wurden von dem übermüthigen Sieger in den Wind geschlagen. Zugleich erließ er eine Proclamation an die Ungarn, durch welche sie aufgefordert wurden, sich nach der Art ihrer Vorfahren auf dem Rakosfelde zu versammeln und die Verbindung mit Österreich zu lösen. »Gebt euch den König, der nur euerer Wahl die Krone verdankt«, war der Kern der Proclamation. Sie verlief wirkungslos im Sande. Unterdessen hatte der Erzherzog Verstärkungen an sich gezogen und auf dem Marchfelde in der Stärke von circa 80.000 Mann Stellung genommen. Am 20. Mai 1809 ergriffen die Franzosen die Offensive, indem sie vom rechten Ufer auf die Lobau übersetzten, während die beiden Corps Lannes und Massèna den Uferwechsel etwas weiter nordwestlich bewerkstelligt hatten. Schon an diesem Tage begannen die Kämpfe; der entscheidende Tag aber war der 22. Schon früh am Morgen begann der Kampf zwischen den Dörfern Eßling und Aspern und wurde den ganzen Tag mit großer Erbitterung auf beiden Seiten bis gegen Abend fortgesetzt, nachdem der Erzherzog in eigener Person, die Fahne des Regimentes Zach schwenkend, eine Sturmcolonne gegen das Dorf Aspern angeführt und den Feind geworfen hatte. Die Franzosen zogen sich in die Lobau zurück, wo sie eine böse Nacht verbrachten. Der Kampf war außerordentlich opferreich: 24.000 Oesterreicher und wohl 30.000 Franzosen waren gefallen oder verwundet. Es war kein entschei-

dender, kein vernichtender Schlag, aber ein unzwei-
felhafter Sieg über den gefürchteten Unbesiegten.

Die Franzosen setzten sich in der Lobau, die sie mit
Verschanzungen umgaben, fest und behaupteten ihre
Stellungen, wodurch der glänzende Sieg der Oesterreicher ohne Nachwirkungen blieb. Vom 1.-5. Juli
hatte Napoleon sein Hauptquartier auf der Insel und
drang dann mit 15.000 Mann Infanterie, 3.000 Reitern
und 700 Geschützen ins Marchfeld vor. Am 5. und 6.
Juli fand die für die Oesterreicher unglückliche Schlacht
bei Wagram statt, welche nach Znaim zurückgeworfen
wurden.

MANFRED CHOBOT

(* 1947)

Regatta

An der Regatta Linz–Wien nehmen Motorboote, Ruder-
boote, Tretboote, Luftmatratzen und Schwimmer teil.
Beim Start ist das Feld geschlossen. Im Verlauf des
Rennens kommt es zu Positionskämpfen und Ver-
schiebungen an der Spitze. Die Zuschauer feuern die
Wettkämpfer an und ergötzen sich an den Führenden.
Der saturierte Lenker einer kolossalen Jacht steuert
die langgezogene Zielkurve in den Wiener Hafen hart
am Schleudern und gewinnt das Rennen. Durch die
von ihm verursachten Wellen kentern zahlreiche
Luftmatratzenpaddler, die Schwimmer ertrinken. Um

sie kümmert sich indes keiner, denn Wasser gilt allgemein als Naturgewalt, und alle wollen bei der Sieger-
ehrung dabei sein. Der Sieger wird überschwenglich
gefeiert.

ELFRIEDE JELINEK

(∗ 1946)

Bis zur Donau

Erika schreitet weiter voran. Saugend öffnen menschen-
leere Auen ihre Schlünder. Es geht sehr weit in die
Landschaft hinein und jenseits der Landschaft weiter,
in fremde Länder. Bis zur Donau, zum Ölhafen Lobau,
zum Hafen Freudenau. Alberner Getreidehafen. Die
Auurwälder am Alberner Hafen. Dann das blaue
Wasser und der Friedhof der Namenlosen. Der Handelskai. Heustadlwasser und Praterlände. Wo die Schiffe
anlegen und wieder weiterfahren. Und jenseits der
Donau das riesige Überschwemmungsgebiet, um das
die Naturschutzjugend kämpft, sandige Uferland-
schaften, Weiden, Erlen, Gestrüpp. Leckende Wellen.

ANTONIO FIAN

(∗ 1956)

An der Donau

Den schönen kreisrunden, zur Scheibe abgeflachten
Stein, den ich am Donauufer gefunden und mitgenommen hatte, habe ich, weil mir bald klar wurde, dass
ich später doch nichts mit ihm würde anfangen können,
übers Wasser tanzen lassen und gedacht: Wie umständ-
lich er untergeht!

H. C. ARTMANN

(1921–2000)

dod en wossa

waun s me aussezan
waun s me aussezan
aus da donau
untan wintahofm
bei oewan
wiad ma des monogram
was ma mei muta r amoe
en s hemt zeichnt hod
lenxt fawoschn sei:
a monogramdintn
is aa nua r a mendsch
und hoet ned ewech …

waun s me aussezan
waun s me aussezan
untan wintahofm
bei oewan
en heabst
how e a neix monogram
a leichz und a schweas
wau s me amoe auffedrad hod
und amoe owe aum grund
und hii und hea
wia s en wossa scho is.
und da suma woa laung
und de schdrömung ned schdoak
und de wassreche gengd
hod es iwreche gmocht …

a fisch fia de wön
und a r aunka fia n grund
oes monogram unta d aung
is bessa r oes kans –
owa drozzdem ka easoz
fia des schene blaue
wos mei muta seinazeid
en s hemad einezeichnet hod …

waun s me aussezan
waun s me aussezan
en heabst
bei oewan
untan wintahofm …

ALBRECHT GRAF WICKENBURG

(1839–1911)

Tief im Schatten alter Rüstern

Tief im Schatten alter Rüstern
Starren Kreuze hier am düstern
Uferrand.
Aber keine Epitaphe,
Sage uns wer unten schlafe,
Kühl im Sand.

Still ist's in den weiten Augen,
Selbst die Donau ihre blaue
Wogen hemmt.
Denn sie schlafen hier gemeinsam,
Die, die Fluten still und einsam
Angeschwemmt.

Alle die sich hier gesellen,
Trieb Verzweiflung in der Wellen
Kalten Schoß.
Drum die Kreuze die da ragen,
Wie das Kreuz das sie getragen,
»Namenlos«.

CHRISTINE BUSTA

(1915–1987)

Friedhof der Namenlosen bei Albern

Leicht hat der Strom sie getragen.
Wo sie ihr Leben noch schleppten,
Waren die Ufer nicht sanft.
Zögernd sind sie gelandet.
Aber unter den Erlen
Warteten Fremde als Brüder
Und holten sie ein, gewährten
Für nichts als ein schweres Geheimnis
Erde, Gebet und Gras.

ADELBERT MUHR

(1896–1977)

Die Wasserprozession

Vier Tage später bewegte sich ein seltsamer Leichenzug die Donau aufwärts. Seltsam der Ort, von dem er
auszog, das einsame Endlicher-Wirtshaus am Strom,
seltsam der Ort, dem er zustrebte. Es war jener Friedhof, der allen Wienern nicht nur als der traurigste
Friedhof, sondern als das Unheimlichste überhaupt
gilt, das sie sich vorstellen können: der Friedhof der
Namenlosen.

Auf dem Friedhof der Namenlosen wurden, wie schon sein Name sagt, Menschen ohne Namen begraben, Unbekannte, die man nicht agnoszieren konnte, Tote, von der Donau angetrieben, Wasserleichen, welche Tage, Wochen oder Monate mit dem Strom gezogen waren, von ihm getragen, gerollt, verändert, von ihm bald hochgehoben, bald in die Tiefe gedrückt, Unschuldige und Schuldige, Gesegnete oder Verfluchte, elend Gestorbene, Verdorbene. Ihnen war das ewige Rauschen des Stromes schon die Offenbarung der anderen Welt, der Einton jener Musik, die erst das Jenseits hören läßt, ihnen rauschte schon die Donau Verdammnis zu oder Halleluja.

Viele blieben auf dem Grunde des Stromes, eingehüllt in Schlamm; viele aber wurden an dieser abseitigen Stelle angeschwemmt, kraft der Kehre, die seit jeher die Eigenschaft besitzt, die Menschenkörper aus dem Treibgut herauszugeben. So kam es dazu, daß hier der Friedhof der Namenlosen entstehen mußte.

Auf dem Friedhof der Namenlosen begraben zu werden, war zeitlebens der Wunsch der Endlicher-Wirtin gewesen. Sobald sich eine Gelegenheit geboten, hatte ihn die lebenslustige Frau unmißverständlich geäußert, und man erfüllte ihn selbstverständlich. Übrigens schien es den vielen Leuten, die den Trauerzug bildeten, gar kein seltsamer Wunsch. Ihnen galt er für mehr oder weniger natürlich. Manche von ihnen, auch der alte Endlicher, hatten den gleichen. Sie liebten den stillen Platz am Wasser, und wer ihn längere Zeit nicht besucht hatte, benützte den Leichenzug als willkommene Gelegenheit, ein Wiedersehen mit den namenlosen Grabhügeln zu feiern.

Freilich kam auch noch etwas hinzu. Eine solche Fahrgelegenheit, wie sie sich heute bot, war noch niemand zur Verfügung gestanden. Viele drängten sich zu dieser Fahrt, sie sollten mit einer neumodischen Errungenschaft, auf einem Motorboot, das sonst nur als Fähre beide Ufer verband, eine längere, eine wirkliche Wasserreise machen, mit Musikbegleitung, ein feierliches Abenteuer.

Manche Trauergäste allerdings nahmen an dem Leichenzug einfach deshalb teil, weil sie um die beliebte Wirtin trauerten. Ihnen war es gleichgültig, ging es sogar gegen den Strich, was da alles geboten wurde. Zu diesen gehörte zweifellos Frajo. Sosehr er das Formale liebte, ja ihm opferte, wie mehr oder weniger alle Menschen, die eine Spur Musisches haben, so zuwider war ihm das Formale hier. Aber der Vater hatte darauf gedrungen und es durchgesetzt. Der Vater hatte sich mit Pfarrern besprochen, er hatte mit Bürgermeistern und Kerzlweibern verhandelt, er erwies sich Leichenbestattern, Blumenhändlern und anderen gegenüber großzügig, er hatte eine umsichtige Tätigkeit entfaltet, die nach seinem Zusammenbruch um so erstaunlicher war. Er hatte sich auch die Einladungen an Bekannte und Verwandte allein vorbehalten, was ihm Frajo, der von Verwandtschaft wenig hielt, gerne zubilligte.

OTTWALD JOHN

(∗ 1942)

Stromlinie
(Sissi verduftet – Franz Josef bleibt!)

RHEIN, MAIN ODER
zwa löbn pfeifn auf de luft.
 NUSSDORF
  SCHLEUSE
  SKYLINE
   URANIA
   broda
    lusthaus
     wintahofn
     lobau –
      gaunz untn
       laung nach'm friedhof da naumenlosn
       weit hinta da lezdn peiplein
       wo sich wien um die donau
       auf deitsch nix mea scheissd
       do heasd in da nochd
        – maunchmoe gaunz leise –
        es schwoaze mea –
         tschorni more – –
         tschorni mor – – –
         a schwara russischa daumpfa
         schnaufd oda schnoachd
          a diakischa zwiawed sein schnuaboad
          arabisch
           rauchd a schneweisse fata moagana
           aus da schwechata raffinarie:
            INSCHALLAH!
            (jessasna)!!
             Ö.M.V.
             KISMET
              KOSMOS
               FIRMAMENT
                ATMOSPHÄRE
                HORIZONT
                AIRPORT

JACOB-JULIUS DAVID

(1859–1906)

Dabei aber lebte noch

Dabei aber lebte noch ein eigentümliches Sehnen in ihr. Verwöhnt, empfand sie doppelt hart, daß der Vater ihr diesen Wunsch beharrlich weigerte. Noch hatte sie keine Nacht auf dem Rücken der Donau verbringen dürfen, so schön sie sich das auch ausmalte. Und dann war sie Weib, und eine lüsterne Neugierde quälte sie. Was mochte es sein, das ihr Vater allnächtlich auf den Fluten trieb? Soweit sie einem Menschen gut sein konnte, war sie es ihm. Warum verhüllte er sich vor ihr, warum verwehrte er ihr Einblick in das, was er tat?

Eine dumpfe Erinnerung war ihr aus den Kindertagen geblieben; damals hatte ihr ein neidiges Mädchen ein hartes Wort zugerufen; mit jener Grausamkeit, wie sie nur Kinder besitzen, hatte es ihren Vater geschmäht. Wie dieses Schmähwort gelautet, des konnte sich Gabi nicht mehr entsinnen, so sehr sie auch ihr Gedächtnis abquälte. Aber es war sehr schlimm gewesen und hatte sie doppelt getroffen, weil es mit ihrem eigenen Empfinden zusammengeklungen. Wohl hatte sie sich damals achselzuckend gewendet, und doch verfolgte sie das Gedenken daran all die Jahre her, und das Verlangen übermeisterte sie, einmal Zeugin einer solchen nächtlichen Fahrt werden zu dürfen.

Oft und oft drang sie bittend in den Alten. Und ihr Flehen war nicht ungestüm aufdringlich; verhalten, sehnsüchtig war es und darum doppelt bezwingend. Immer schlug er ihr es ab; aber mit jedemmale war auch sein Nein schwächer. Er ertrug es nicht, sein Herzenskind trübsinnig werden zu sehen; die immer fahlere Blässe seiner Wangen schnitt ihm in die Seele. Und eines Abends sagte er schwer: »Ich hab' dir's hehlen wollen. Du hast's erzwungen, merk dir das. Und nun komm.« Er faßte sein Ruder.

Beide traten hinaus in die sinkende Nacht, die reglos und überaus dunkel war. Sie bestiegen den Kahn und stießen ab. Auf die leise verrinnende Flut fielen zwei Schatten: der riesenhafte des Fischers und der von Gabis zierlicher Gestalt. So stille war es, daß des Mädchens feines Ohr das Seil durch das Wasser nachschleifen hörte. Langsam glitten sie stromabwärts, bis dorthin, wo der Strom einen Bug macht und seine Wellen sachter strömen. Hier wendete der Alte und fuhr unablässig mit starken Ruderstreichen in die Kehre; sein Netz hatte er ausgeworfen, und die Gewässer rauschten mächtig an die Bordwand des Nachens. Mit gespannter Aufmerksamkeit spähte der Vater in die Tiefen; Stunden verrannen so in atemloser Erwartung.

Plötzlich durchzuckte es Gabi, der Vater hatte sich erhoben und zog an den Schnüren des Netzes. Langsam tauchte es auf, in seinen Falten brachte es etwas mit. Gabi erschrak. Eine schöne Frau kam mit herauf, mit aller Anstrengung hob sie der Fischer in den Kahn. Das reiche blonde Haar war gelöst und umklebte hässlich die Glieder; das seidenstarrende Kleid umschloss enge den Leib. Die Augen waren offen. Ein goldener Reif, von Juwelen leuchtend,

351

spannte sich um den Oberarm, in den Ohren, an den Fingern glitzerte Geschmeide. Behutsam löste es der Alte. Vor Gabis Seele aber war alles versunken, wie sie so dasaß und dem Tode in das verglaste Auge sah. Ein neuer Gedanke hatte sich ihr sieghaft aufgedrängt, während sie mit verlangender Seele das Besitztum und den Schmuck der Leiche prüfte. Von oberhalb des Stromes war die gekommen, aus jener Stadt, die der Vater immer wieder aufsuchte, ohne daß er sie jemals hätte mitnehmen wollen. Was musste dort für ein herrliches Leben sein, wenn selbst die, welche aus eigenem Entschlusse daraus schieden, noch über solchen Glanz verfügen konnten!

FRIEDRICH PETER KREUZIG

(1890–1958)

Die andere Donau

Ich bin nicht schön und mag nicht blaue Wellen,
hört auf, mit dummen Walzern mich zu schwängern!
Ich fluche der Geburt aus deutschen Quellen
und hasse Wien mit seinen Dudelsängern.

Viel eher laufe ich in Csárdásschellen
Zigeunern nach und dunklen Bauernfängern.
Ihr braucht mir nicht mein Schicksal vorzustellen –
was ist das Ziel? Das üble Sein verlängern?

Mir ist es gleich, ob Männer oder Weiber:
ich teil mein Bett, gewohnt den Spaß der Schande,
und werfe fort die ausgeschwemmten Leiber.

Dann strecke ich mich selbst in das banale
Genug, siech und verschlampt, total am Rande
wie eine alte Hure im Spitale …

RAIMUND HINKEL

(* 1924)

Die Donau wandert

Die Donau *wandert* auch auf geradlinigen Stromab-
schnitten. Wie alle Flüsse auf der nördlichen Erd-
halbkugel drängt sie ständig nach rechts, dem Äquator
zu (Baer'sches Gesetz)[*]. Dieses ununterbrochene
Nach-rechts-Drängen hatte zur Folge, daß die Donau
zwischen der Wiener und der Hainburger Pforte allmählich das Marchfeld links liegen ließ und somit
nach Süden zu »durchhängt«. Der abgewanderte
Strom und die entstandene Aulandschaft ließen An-

---

[*] Im Wiener Raum verhält sich die Donau höchst merkwürdig und
verstößt gegen dieses Gesetz: Sie drängt nach links! Ob diese
Eigenart, die nur zwischen Nußdorf und Fischamend zu finden ist,
auf Senkungen des linken Ufers, auf das Anprallen der Wogen an
den Fuß des Nußbergs oder auf ablenkende Ablagerungen der
Wienerwaldbäche zurückzuführen ist, konnte bislang noch nicht
eindeutig geklärt werden.

siedlungen hier keine Chance: Zwischen Wien und der Marchmündung gibt es keine Ortschaft und kein Dorf und mit Ausnahme der Orther Uferwirtschaft nicht einmal ein einziges Haus! Weil das für Uferorte lebenswichtige »schiffbare Wasser« – die Naufahrt – im gesamten Verlauf der Donau meist am rechten Stromrand liegt, befinden sich auch die meisten bedeutenden Ansiedlungen und Städte am rechten, südlichen Ufer.

Einen weiteren deutlichen Beweis für das Rechtsdrängen des Flusses liefert der »Wagram«. Dieser Geländerücken, am deutlichsten bei Goldgeben, Hausleiten oder Kirchberg erkennbar, war einst das linke Donauufer. Heute ist der Strom von hier bis zu 8 km entfernt!

ALWIL VON PACHER

(1840–1904)

Die Eisbildung in der Donau

Nicht der schon gebildete oder in der Bildung begriffene Eisstoß soll durch die Pflugschiffe gestört, gelockert oder beseitigt werden, sondern die im langsam fließenden Wasser, vom Ufer, von Sandbänken oder sonstigen Anhaltspunkten aus entstehenden, nach und nach in den Stromstrich hineinwachsenden und diesen verengenden Eisfelder sind als Angriffspunkte zu wählen und zwar schon zu einer Zeit, die dem Feststellen des

Eisstoßes lange vorhergeht. – Es soll hiedurch eben verhindert werden, daß dem Eisstoße die Basis für seine Entstehung vom Strome selbst geboten wird und der eigentliche Stromstrich in genügender Breite freigehalten werden, um dem vom Strome selbstständig fortgeführten Treibeise freien Durchgang zu gestatten.

Ein Ueberschwemmungsgefahr in Folge der Eisstöße tritt nur oberhalb jener Stellen im Strome auf, in welchen das Wasser durch die unterhalb derselben sich zu langsam oder gar nicht fortbewegenden Eismassen zurückgestaut wird und es muß daher die unterhalb der zu schützenden Gegend gelegene Stromstrecke als Objekt für die Thätigkeit der Eispflugschiffe betrachtet werden, das ist mit Bezug auf Wien von dem unteren Ende der regulirten Donau bis über jene Gegenden in Ungarn hinaus, in welchen erfahrungsgemäß in Folge der großen Ausdehnung des Stromes nach der Breite die Eisschoppungen ihren Anfang nehmen.

PETER ALTENBERG

(1859–1919)

Strandbad in den Donau-Auen

Ich sah eine 15jährige, in hechtgrauem Seiden-Trikot und mit hechtgrauer Seiden-Mütze, mit schneeweißen langen schmalen Füßen; ich sah einen 14jährigen, der noch schlanker, noch biegsamer, noch zarter war als die hechtgraue. Er trug schwarze, seidene, ganz kurze Höschen. Ich sah den Damm in Sonne gebadet, mit den graugrünen Weiden, und der russische Gefangene führte in brauner Jacke die braune Überfuhr-Fähre. Niemand sprach vom Kriege. Alle waren auf ihre Gesundheit konzentriert, auf ihr Braun-werden, sogar das Wasser war Nebensache, sie hielten mehr von der Sonne. Im Wasser wird Einem bald zu kalt, aber in der Sonne nie zu heiß! Auch ein Standpunkt. Ein falscher!

Ich ging stundenlang in dem keller-kühlen Donau-Buschwerk und traf keine Liebespaare. In den herrlichen dichtumlaubten Tümpeln vermisse ich nur Flamingos, Reiher und Krokodile. Dafür gab es kleine blaue Schmetterlinge. Eine Stunde von unserer »Kapitale«. Da kann man nur träumen: »Pfui, Lido!«

AMAND FREIHERR VON
SCHWEIGER-LERCHENFELD

(1846–1910)

Carnuntum ist eigentlich unsichtbar

Carnuntum ist eigentlich bis auf das imposante, wie ein riesiger Meilenzeiger in der Ebene stehende »Heidenthor« unsichtbar. Durchstreift man die Ruinengebiete des Nilthales, so ist der Eindruck von dem, was man sieht, groß; in Syrien nicht minder, wo der Cyklopenbau des Sonnentempels von Baalbek, die schlanken Säulencolonnaden von Palmyra nachhaltig auf die Einbildungskraft wirken. Der Anblick der Akropolis von Athen über dem blauen Meere, dem einst die Schönheitsgöttin entstieg, ist ein ästhetischer Stimulus außergewöhnlicher Art. Von den Alterthümern zwischen dem Golfe der Parthenope und den Schaumstürzen bei der Villa d'Este zu Tivoli wissen nicht nur greise Archäologen, sondern auch jugendlichste Hochzeitspaare zu schwärmen.

Und so geht es fort, rings im Umkreise des Mittelmeeres. Carnuntum aber ist unsichtbar. Es liegt nicht über der Erde, sondern unter ihr – ein ungehobener Schatz der – Phantasie. Wer also das ehemalige Bollwerk von Ober-Pannonien, die Stadt, in welcher mehr als einmal das Schicksal des lateinischen Weltreiches entschieden wurde, genießen will, muß die Einbildungskraft schaffen lassen. Und das eben ist nicht Jedermanns Sache. Vom Gros der Wiener Ausflügler, welches sich zwischen Deutsch-Altenburg und Petronell herumtreibt, voraussetzen zu wollen, es möchte sich in Dinge einleben, die nur dem geistigen Auge sichtbar find, wäre ein ungewöhnliches Verlangen. Nur mit Hilfe eines gründlichen einschlägigen Wissens und eines gewissen Grades dichterischer und künstlerischer Begabung lassen sich historische und archäologische Luftschlösser bauen.

AULUS GELLIUS

(2. Jh. n. Chr.)

Von den Flüssen

Von den Flüssen, die über das Imperium Romanum hinausfließen, sei – wie meiner Erinnerung nach Varro schreibt – von besonderer Größe der Nil, gefolgt von der Donau, als nächstes käme die Rhone. Von allen Flüssen, die ins Meer münden, wo das Imperium Romanum ist – was die Griechen »Binnenmeer« nennen – ist man einhellig der Meinung, dass der Nil der größte sei. Sallust schreibt, dass der nächste Fluss bezüglich der Größe die Donau sei. Als Varro aber über den Teil der Erde, der Europa genannt wird, Erörterungen anstellte, setzt er die Rhone unter die ersten Flüsse dieses Erdteils, wodurch er die Donau zu deren Rivalin zu machen scheint. Die Donau nämlich fließt auch in Europa.

JOHANN HERMANN DIELHELM

(1711–1784)

Von Petronel begiebt sich der Donaustrom

Von Petronel begiebt sich der Donaustrom in 2 Stunden nach Deutschaltenburg, so ein Schloß und Marktflecken 4 Stunden oberhalb Presburg und eben so weit von Ungerischaltenburg liegt. Es gehoert einem Freiherrn von Ludwigsdorf. Bey diesem Ort sieht man ein aufgeworfenes Erdreich, und ein Stueck von einer Mauer, so noch ein Ueberbleibsel von einer ehemaligen allda gestandenen Bruecke seyn soll, die dort ueber den Donaustrom gegangen. Bey dem Flecken steht ein Bad, und unweit davon an dem Donaustrom ein Markstein, so der Eselshuf genennet wird.

Unweit Deutschaltenburg liegt am Donaustrom das alte und kleine Staedtgen Haimburg, oder Hainburg, lateinisch Hamburgum Austriae und ehemals Comagenum genannt, 2 Stunden oberhalb Presburg und 18 unter Wien, dem Wasser nach, gegen den Ausgang des Marchflusses, unweit der ungarischen Graenze, wo wegen dem Gebirge sich ein Paß eroefnet. Doch ist zu merken, daß das alte Comagenum ungefehr etliche Meilen oberhalb dem heutigen Haimburg gelegen, und dieses letztere, oder das unweit davon gelegene Dorf Petronel, viel eher an dem Ort steht, allwo der Roemer Carnuntum gelegen.

AKTIONSGEMEINSCHAFT GEGEN DAS
KRAFTWERK HAINBURG

(1984)

Wie es zur Ablehnung des Kraftwerkes Hainburg kam

Noch vor wenigen Jahren lehnten nur wenige Naturschützer das Kraftwerk Hainburg – von dem man ja wußte, daß es geplant wurde – grundsätzlich ab. Man war entschlossen für eine »auschonende« Bauweise einzutreten, die eine Erhaltung der wertvollen Landschaft möglich erscheinen ließ. Man vertrat die Auffassung, es sei gar nicht vorrangige Aufgabe der Naturschützer, pro oder kontra Kraftwerke zu agieren, sondern Konzepte zu verwirklichen, mit denen unersetzliche Lebensräume mit ihrer besonderen Flora und Fauna für die Zukunft erhalten werden können.

Ganz in diesem Sinne erfolgte 1979 die Verordnung der NÖ Landesregierung, die wichtige Bereiche der Auen unter Landschaftsschutz stellte. Im April 1983 trat außerdem das Ramsar-Abkommen in Kraft, in dem sich Österreich zur Erhaltung der unersetzbaren Feuchtgebiete, darunter der wertvollsten Teile der Donauauen, verpflichtete. Damit war die rechtliche Basis für einen vorausschauenden Naturschutz in dieser Region geschaffen. Man konnte optimistisch die konstruktiven Arbeiten der PGO verfolgen, die auf die Errichtung eines Nationalparks-Ost abzielen und damit die Rahmenbedingungen einer langfristigen Erhaltung der noch vorhandenen Donau- und Marchauen schaffen.

Alle Versuche, in einem frühen Planungsstadium Informationen von der DoKW zu erhalten, schlugen fehl. Sogar das BMGU, das Vorarbeiten zu einer Umweltverträglichkeitsprüfung des Kraftwerks Hainburg beabsichtigte, erhielt auf Anfrage von der DoKW keine Unterlagen. Die Möglichkeiten, in frühen Stadien der Planung die zahlreichen offenen Fragen, die ein Kraftwerksbau aufwirft, gemeinsam mit sachkundigen Wissenschaftlern verschiedener Fachbereiche und mit den Betroffenen zu erörtern und eine vertretbare Lösung zu suchen, wurde wegen mangelnder Kooperationsbereitschaft der Kraftwerksgesellschaft versäumt. Alle jene, die ihre Hoffnung auf auenschonende Donaukraftwerke noch bewahrt hatten, wurden nach einer genauen Besichtigung der Baustellen bei Melk und Stockerau von der rauhen Wirklichkeit einer gigantischen Naturzerstörung überzeugt.

Weiters wurden Erfahrungen aus dem Ausland bekannt, die zeigen, daß es nirgends gelungen ist, neben Flußkraftwerken Au-Ökosysteme zu erhalten – trotz aufwendiger Begleitmaßnahmen, wie sie auch heute von der DoKW und ihr nahestehenden Fachleuten propagiert werden. Es sind nicht nur die direkten Flächenverluste, sondern längerfristig besonders die indirekten Folgen des Kraftwerksbaus, die den Lebensraum Auwald zerstören.

Das Nein zum Donaukraftwerk Hainburg bedeutet keine grundsätzliche Verneinung der Wasserkraft, sondern die Ablehnung eines für die Energieversorgung nicht notwendigen Kraftwerks, das die Option auf den Nationalpark Donau-March-Thaya-Auen zunichte machen würde. Das in immer breiteren Kreisen der Bevölkerung vorhandene Verständnis für die Notwendigkeit des Natur- und Umweltschutzes steht in krassem Gegensatz zu einer von den Bedürfnissen der Menschen losgelösten Kraftwerksplanung, die vor allem den Interessen der E-Wirtschaft dient. Unsere Aktionsgemeinschaft umfaßt eine sehr breite Basis von Umweltverbänden, Bürgerinitiativen und anderen unterstützenden Organisationen; sie bringt die Meinung einer repräsentativen Mehrheit jener mündigen Staatsbürger zum Ausdruck, die sich seit Jahren zur

Erhaltung der Natur und zum Schutz der Umwelt bekannt und sich uneigennützig für die Allgemeinheit eingesetzt haben.

ADELBERT MUHR

(1896–1977)

Auf der Donau untergehen

»Kann man auf der Donau untergehen, Herr Kapitän?«

»Gewiß. Auch wenn man nicht Petsch oder Patsch heißt.«

»Mit wehender Flagge?«

»Du liest also doch Romane? Und noch dazu Schundromane? Na wart nur, du Techniker und Motorfanatiker!«

»Ich meine nur …« Gerhard errötet. »Weil es den Maschinisten am ersten trifft, wenn Wasser eindringt.«

»Er darf sich retten. Aber der Kapitän nicht, er hat als letzter auszuharren, das weißt du doch?«

»Natürlich weiß ich das. Der Kapitän ist der Held!«

»Nein, der Kapitän ist der Kopf des Schiffes. Und der Maschinist das Herz.«

»Nein, Herr Kapitän. Die Maschine ist das Herz.«

»Nicht so bescheiden, Gerhard, das ist man mit siebzehn oder achtzehn nicht.«

Eine Schar Möwen flattert von der Wasseroberfläche auf, und ihr Flügelblitzen, in der Donau gespiegelt, zaubert dem Kapitän wieder das Flattern des Briefes in der Hand der Haushälterin vors Auge. An seiner schwarzen Augenbinde rückend, unschlüssig, ob er die Vision verscheuchen oder aufnehmen soll, fühlt er ein leichtes Fröstelln, so daß er Gerhard bittet, ihm die Kappe zu reichen und in die Jacke zu helfen.

Gerhard befolgt es um so bereitwilliger, als er damit wieder das Bild des uniformierten Kapitäns vor Augen hat, des Kommandanten und des – er läßt das Wort auf der Zunge zergehen – Kom-mo-do-re, des unumschränkten Herrn an Bord, des Gebieters über Leben und Tod der ihm anvertrauten Mannschaft.

»Schön liegt Hainburg«, sagt der Kapitän, »an der Donau und den letzten Bergen Österreichs.«

»Ja, so in der Sonne, und die alten Stadtmauern und die alten Türme. Und das Riesengebäude am Ufer?«

»Das ist die Tabakfabrik. Da macht man das, was ich nur zum Mokka brauche. Ja, als Abschluß wär jetzt ein Mokka gut.«

ERHARD WALDNER

(∗ 1955)

Zurück zum Schiff

Zurück zum Schiff (um es nicht zu lange alleine zu lassen; Schiffe mögen das nicht, sie werden erst rebellisch, später dann nachtragend und eigenbrötlerisch). Was sicherlich als erstes interessiert, ist, wie das so war an Bord – ja, also: Wir hatten da Hühner, Schweine,

eine Ziege, je nach Saison Schwarzstörche oder Kormorane; weiters einen Maschinisten, einen Steuermann, eine Kapitänin und natürlich einen armen Schnauz (der war ich). Alles klar?

Die Kapitänin hieß Sabinchen, nach ihrem Schiff, und war, unähnlich diesem, sehr groß; das vor allem deswegen, weil sie ja immer alles überblicken mußte. Sie trank gerne und heimlich Früchtetee.

Siegfried, der Steuermann, hatte keine Steuerschule besucht oder sich sonstwie in orthodoxer Manier ausbilden lassen, sondern arbeitete als ganz gewöhnlicher Autopilot. Das bedeutet nicht, daß er vor allem und am liebsten Auto fuhr, sondern, daß er von selbst funktionierte (während die Kapitänin z.B. wenigstens einen Kaffee benötigte am Morgen, ehe sie ansprang, knatterte und zu überblicken begann).

Unser Maschinist war – nach eigenen Angaben und ohne Gewähr ein selbsternannter Rumäne, der sich Boleslaw nannte; daß er verfälschten Ottakringer Dialekt sprach und kaum ein Wort Rumänisch, machte ihn zwar suspekt, doch nicht unleidlich, denn nachdem die Ostblockstaaten sich aus der diktatorischen Ein-Parteien-Herrschaft befreit und ihre Grenzen geöffnet hatten, waren die der westlich orientierten Länder geschlossen und Einreiseverbote verhängt worden, die problemlos die Wirkung der alten Ausreiseverbote ersetzten. Einem, der sich als Rumäne ausgab, war also das bürgerliche Interesse allem Exotischen gegenüber von vornherein gesichert. Mit der Maschine hatte Boleslaw nicht viel zu tun, da sie nur über einige Ventile verfügte und sonst keinerlei technische Einrichtungen aufwies. Boleslaws Hauptaufgabe bestand also darin, im jeweiligen Zielhafen am Schwarzen Meer die Schwarzstörche gegen Kormorane einzutauschen und die, zurück in Wien, gegen Bargeld. Trotz seiner Sprachprobleme (welcher Rumäne, welcher Favoritner versteht schon unverfälschtes Ottakringerisch?) erwies Boleslaw sich im Handel und Tausch als auffällig geschickt. Überdies zeichnete ihn ein Faible für schöne, große Frauen aus, und das war vermutlich der Grund, warum er bei uns angeheuert hatte.

PUBLIUS CORNELIUS TACITUS

(wahrscheinlich 55–116/120 n. Chr.)

Donauflotte

Vannius* räumt die Kastelle und wird in der Schlacht besiegt. Er wurde trotz der widrigen Umstände doch gelobt, weil er in der Schlacht selbst mitgefochten hat und auch Wunden an der Brust davongetragen hatte. Dann nahm er Zuflucht bei der auf der Donau bereitliegenden Flotte.

---

* Hintergrund: Der römische Klientelkönig der Sueben, Vannius, steht im Kampf gegen die Jazygen (an der Donau, nördlich der Provinz Pannonien). Er muss sich zurückziehen.

JOHANN WILHELM LUDWIG GLEIM

(1719–1803)

Die Donau und der Leuta-Bach

Die stolze Donau ging, mit ihrem stolzen Gange,
Das stolze Wien vorbei.

Der kleine Leuta-Bach
Ging ihrem stolzen Gange nach.
Die stolze Donau sprach:
Ist dein Geschick, du kleiner Schäker, nicht
Ein herrliches Geschick?
In der Gesellschaft meiner, welch ein Glück!

Die kleine Leuta spricht:
Durch das Gefilde, welches mich
Den kleinen Silberbach einst nannte,
Floß ich so glücklich zwischen Blumen, ich,
Eh' ich dich kannte!
Kaum aber kenn' ich dich, so werd' ich fortgerissen,
Und muß, was alle Sklaven müssen,
In deinem Strudel fort, nicht meiner mächtig, ach!

Man läuft den großen Herrn an ihre Höfe nach,
Und seufzt dann oft, wie du, o kleiner Leuta-Bach!

ADOLF SCHMIDL

(1802–1863)

Das Schiff steuert nun der Porta hungarica zu

Das Schiff steuert nun der Porta hungarica zu, wie wol
der Engpass genannt wird, den die Donau sich hier
durchgebrochen hat, zwischen dem Leithagebirge,
das in den hainburger Bergen endet, und den kleinen
Karpaten, die mit den Felsen beginnen, auf welchen,
dicht oberhalb der Mündung des Marchflusses, die
pittoresken Ruinen von Theben stehen, eins der an-
ziehendsten Donaubilder. Die alte Burg muß nach der
in halber Höhe des Berges noch zum Theil stehenden
Ringmauer einen bedeutenden Umfang gehabt haben
und noch überdies mehrere Vorwerke. Das Ufer selbst
beherrscht ein kleiner, wohlerhaltener Thurm, auf
eine einzelne kegelförmig aufsteigende Klippe merkwürdig keck hingebaut, hinter demselben erhebt sich
der Rest des sogenannten Nonnenthurms.

LOTHARIUS VOGEMONT

(1700)

Über den Nutzen, eine Verbindung von der Donau bis zur Oder, Weichsel und Elbe mittels eines schiffbaren Kanals herzustellen

Es steht außer Zweifel, dass es in Zukunft von größtem Nutzen für den Handel und zum Vorteil aller Regionen, die im Westen und Norden Europas liegen, ist, wenn eine schiffbare Verbindung von der Donau bis zu den wichtigsten Flüssen jener Regionen – nämlich der Elbe, der Weichsel und der Oder – hergestellt würde. Diese Verbindung wird dann von unseren Nachfahren leicht weiter vorangetrieben werden können.

Es ist hinlänglich ersichtlich, wie wünschenswert es nicht nur für Ungarn und Böhmen, sondern auch für ganz Süddeutschland, Polen, Schweden, Dänemark, und sogar Holland, England, Moskau und so weiter ist, dass ungarischer, kroatischer, österreichischer und Tiroler Wein und andere Güter leicht in jene Gegenden, ohne Gefahr innerhalb kurzer Zeit und zu geringen Kosten am Wasserweg transportiert werden können; und umgekehrt, dass in die Erblande des Hauses Österreich vom germanischen Meer und dem baltischen Meer verschiedene Güter, besonders der warmen indischen Regionen, die jene Provinzen (der Erblande) brauchen, leichter transportiert werden können. So, dass wir von der Donau, nicht weit von Pressburg entfernt, bis nach Hamburg, Stettin und Danzig innerhalb von acht Tagen fahren können.

Die Handelsbewegungen auf Flüssen haben nämlich den Vorteil, dass sie weder so von Piraten, Stürmen oder Unwägbarkeiten des Wetters, noch von so großen Kosten abhängig sind wie solche am Meer. Es ist also nicht mehr notwendig, den Nutzen einer solchen Einrichtung länger darzulegen.

Man fragt nun nur noch nach der optimalen Art und Weise sowie dem günstigsten Ort für die Herstellung einer solchen Verbindung.

Eine günstigere Zeit kann man nicht mehr erwarten, als (jetzt) am Beginn dieses Friedens[*], weil ein solches Projekt verlangt einige Jahre und Ruhe. Es bestand nämlich nicht die Möglichkeit dies durchzuführen, als entweder die Türken nur zehn Meilen von jener Stelle entfernt waren, an der der Kanal beginnen muss[**], oder als die Österreicher und Ungarn nicht mit dem Haus Österreich verbunden waren, oder als die politischen Umstände in jenen Ländern oder in Deutschland turbulent waren; oder schließlich als nur wenige oder gar barbarische Völker jene Gegenden bewohnten wie vor 1000 Jahren.

Endlich gab es nie eine günstigere Gelegenheit, dieses Werk zu vollbringen, im Schatten des ruhmvollen Friedens, den Leopold der Große uns gefügt hat, zumal in diesen letzten Zeiten der Nutzen und die Kunst der Wirtschaft in Europa bekannt wurden, die vor zweihundert Jahren allzu wenig bekannt waren und gar nicht gepflegt wurden.

---

[*] Friede von Karlowitz mit den Türken 1699.

[**] An der Mündung der March in die Donau.

Der Fluss March ist sehr geeignet für dieses Vorhaben, da er nahe den genannten drei Flüssen ist und nahe den Provinzen, die diesem Handel am besten nützen können.

KÖNIGLICHE BÖHMISCHE GESELLSCHAFT DER WISSENSCHAFTEN

(1814)

Die Wasserbindung der Moldau und Donau

Die Wasserbindung der Moldau und Donau wodurch K. Karl IV den Sitz seiner Regierung zum Mittelpunkt der teutschen Handlung erheben wollte, ist von allen böhmischen Geschichtsschreibern als ein Denkmal der wohlthätigen Absichten dieses Monarchen für sein Vaterland und für ganz Deutschland angeführet, und in Böhmen durch vier Jahrhunderte mit vielen Wünschen für die Zustandebringung einer so nützlichen Landesanstalt verehret worden. Die Wichtigkeit dieses Gegenstandes, derselbe Wunsch, und der Umstand, daß von allen seit dem Bogemonte hierüber erfolgten Untersuchungen keine umständliche Nachrichten auf uns gekommen sind, schienen mir um so mehr die Verbindlichkeiten aufzulegen, die neusten Resultate einer ähnlichen Untersuchung mit den hieraus erfolgten Betrachtungen hiemit öffentlich bekannt zu machen, als durch die Zahl derjenigen, welche an der Beurtheilung solcher Gegenstände

Theil nehmen, vermehret, folglich um so früher die
Gelegenheit herbeigeführt werden kann, zur Verminderung der menschlichen Beschwernisse irgendwo
hievon einen nützlichen Gebrauch zu machen; welches
ich vorzüglich für mein Vaterland von ganzen Herzen
wünsche.

DUŠAN DUŠEK

(∗ 1946)

Von hier bis zur Donau

Die Kinder bekamen eine zahme Füchsin, Zerza. Der
Großvater nahm sie immer wieder mit zum Wirten: Er
trug sie auf der Schulter, um den Hals gelegt, ein leben-
der Pelzkragen, sollen sie nur alle staunen – und ihn
vielleicht auch beneiden. Zerza gewöhnte sich schnell
an den Rauch seiner Virginias und an das schummrige
Licht im Gasthaus Zu den drei Hasen; hie und da nur
fauchte oder nieste sie. Wenn wo in einer stillen hellen
Ecke Sonnenstrahlen durchs Fenster fielen, wurde
ihr Fell eins mit seinem Schnurrbart. Rieb sie sich an
seinen Ohren, tat der Großvater immer so, als würde
er es nicht bemerken. Und wenn er einmal ohne sie
kam, verbat er sich sofort Fragen danach, wo er sie
gelassen habe, wo sie geblieben sei und was die Füchsin mache. Er wiederholte das so oft, bis einmal einer,
der es nicht begriffen hatte, rundheraus fragte: »Na,
was macht denn Ihre gute Füchsin?«

»Sie hebt den Schwanz, damit du ihr den Arsch lecken kannst, wenn du es schon so genau wissen willst.«

»Aha.«

Alle mochten sie. Besonders Dorotka: die Farbe ihrer Haare glich der ihres Pelzes. Der Großvater kaufte auch noch einen Fuchs, damit es Zerza nicht zu traurig hatte, doch der hat sie nach kaum einer Woche überredet: zusammen sind sie vom Hof verschwunden. Plötzlich waren sie weg. Als sie entlang des Weges hinter der Scheune liefen, bemerkte der alte Zázvor, der gerade beim Holzschneiden war, im Gras den buschigen Schwanz, der Großvaters Glatze geziert hatte. Er näherte sich ihr, redete ihr zu, die Füchsin leckte ihm die Hand – und da schlug er ihr mit einem Stück Holz über den Kopf: aus war's mit Zerza. Seither trug Tante Oskoruga einen Mantel mit Pelzkragen und behauptete jedem gegenüber, sie habe ihn bei einem Kürschner in Bratislava gekauft. Günstig, sehr billig, fast umsonst.

Tante Jula hätte ihr mit hochgehobenen Röcken gesagt: »Du kannst mich …: von hier bis zur Donau!«

AMAND FREIHERR VON
SCHWEIGER-LERCHENFELD

(1846–1910)

Das Strombild hat hier einen Zug ins Große

Das Strombild hat hier einen Zug ins Große, wozu vornehmlich die außergewöhnlich malerische Gestaltung der Stromverengung aus Felsen von Theben beiträgt. Es ist ein gewaltiger Sockel, der von der linken Seite vortritt, bespült von den Wassern der Donau und der March, welch letztere hier mündet. Die Abhänge und der Gipfel des Thebener Berges tragen Ruinen, die einer alten Burg angehören. Welche Bewandtniß es mit der Sage hat, die auf diese Höhe einen Tempel der slavischen Göttin »Dewa« (Dewoja) verlegt, ist nicht aufgeklärt. Der ungarische Ortsname – Dévény – knüpft an die Ueberlieferung an, welche aus jenem Tempel eine Mädchenburg macht, vielleicht auf Grund eines Zwischenfalles, der sich in der Römerzeit hier abspielte. Eine Priesterin der Vesta aus Carnuntum hatte ihr Herz entdeckt und war mit einem schönen Markomannen-Jünglinge auf den Fels von Theben entflohen, um anstatt das heilige Feuer der keuschen Göttin zu hüten, sich der verzehrenden Flamme der Liebe hinzugeben. Ausgeforscht und von Häschern verfolgt, stürzte sich das Liebespaar, eng umschlungen, in die grausige Tiefe, wo es vom Strome verschlungen wurde. Merkwürdigerweise heißt noch jetzt ein ansehnlicher Rest der Ruinen der »Nonnenthurm«; zu seinen Füßen wälzt die March ihre Fluthen.

Auffällig schlanke Thürmchen, wie aus den Felsen herausgemeißelt, erheben sich auf den Graten.

Die Höhe des Thebener Berges ist ein Aussichtspunkt allerersten Ranges. Wer nie in Ungarn war, erhält auf dieser Stromwarte die ersten mächtigen Eindrücke von dem schwermüthigen Zauber unübersehbaren ebenen Landes mit all den wundersamen Wirkungen der Luftperspective innerhalb eines weitgezogenen Rahmens. Diesen letzteren bildet die im Himmelsblau verschwimmende Wand des fernen Gebirges, der Alpenkette, die an den hohen Schneeberg sich stützt und ihre letzten Ausläufer in die Ebene hinausschiebt. Vom Neusiedlersee im Süden bis zu Waldbuchten des Marchfeldes im Norden ist ein herrliches Stück Land ausgebreitet. Und mitten darin windet sich das breite Stromband mit den grauen, schier campagnisch anmuthenden Hügelwellen von Deutsch-Altenburg. Alterthum und Mittelalter reichen sich hier die Hände; auf diesem stimmungsvollen Hintergrunde spielt sich das moderne Leben ab.

JOHANN HERMANN DIELHELM

(1711–1784)

Von Deven fliest der Donaustrom

Von Deven fliest der Donaustrom in 2 Stunden nach Presburg. Presburg, auf ungarisch Posony, vor Alters und auf lateinisch Posonium, aber unrichtiger Pisonium, ehedessen auch Istropolis und Precislaburgum genannt, soll von einem roemischen Edelmann namens Pison, durch welchen der Kaiser Tiberius Pannonien bezwungen, ihren Anfang genommen haben, der allda auf dem Berge, wo nun das koenigliche Schloß steht, eine Burg aufgerichtet, die man nach ihm Pisonium genennt hätte. Lazius aber will den Namen Pauson, von dem Lacus Peisonis oder dem Neusiedlersee, welcher 4 Meilen von Presburg, jenseit dem Donaustrom liegt, und aus dem Otto Frisingers erweisen, daß die Lateiner vor Alters nicht Pisonium, sondern Pauzonum geschrieben, und daß der deutsche Name Presburg von dem alten Bregetion entstanden sey. Einige wollen sie auch vor des Ptolomaei Ad Flexum halten, weil sich unterhalb dieser Stadt der Donaustrom in vier Arme zertheilt, und die Insel Schuett formirt.

Heutiges Tages ist Presburg die erste, schoenste und volkreichste Stadt, anbey eine koenigliche Freistadt des Koenigreichs Ungarn. Sie liegt an dem noerdlichen Ufer des Donaustroms, etwa funfzig Schritt davon, unten an einem Berge, darauf das Schloß steht, und zwar in einer sehr angenehm Gegend, so vor vielen andern ungarischen Staedten eine gesunde Luft, nebst einem guten Weinbau hat, und ungefehr 10 Meilen von Wien liegt.

Die eigentliche oder innere Stadt Presburg hatte sonst nicht mehr als 300 Haeuser, welche ehedem mit einer doppelten Mauer und einem Graben umschlossen war; Seit der letzten Kroenung 1741 der Koenigin Maria Theresia aber ward der groeßte Theil dieser Mauern verbauet, mit den innern Vorstaedten vereinigt, die Thore eingerissen, und neue Gassen durch die Stadtmauern gebrochen.

RUDOLF JUROLEK

(∗ 1956)

Ein Stein

Ein Stein
den ich suchte und fand
am Fluss

und gleich daneben
Diplomat
Rasierschaum
sensitive
mit Aloe Vera
und Allantoin.

GEORG KREKWITZ

(1686)

Preßburg

Preßburg / zu Latein Posonium genannt; ist dermaln
/ nach dem Ofen und Stulweissenburg in Tuerckische
Gewalt verfallen / die Hauptstadt des Koenigreichs
Hungarn / so viel davon annoch in Haenden der
Christen. Liegt unten an einem Berg / worauf das
Koenigliche Schloß stehet / darinnen die Krone und
andere Kroenungs-Zierrathen verwahret werden /
hart an dem voelligen Donaustrom. War vor kurtz-

verwichenen Jahren noch schlecht verwahret / nun aber seit des vergangenen Türcken-Kriegs durch eine Regular-Fortification bevestiget; auch das hohe Bergschloß mit verschiedenen Wercken verstaercket.

Ist eine kleine Stadt mit weitschweiffigen Vorstaedten umbefangen / in welchen des Ertz-Bischoffs Residentz und trefflicher Garten / nebenst des Palatini / und etlich Hungarischer Magnaten Lusthaeuser; in der Stadt aber einige fein-erbaute Kirchen / Kloester neben der Jesuiten Collegio zu sehen. Die Religion alhier ist seit juengster Reformation Catholisch.

ADOLF SCHMIDL

(1802–1863)

Presburg (Posony)

Hat man den Engpaß der Donau unterhalb Theben passiert, so sieht man auch schon das Schloß und die Schiffbrücke von Presburg vor sich: von der Stadt selbst gewahrt man noch wenig, aber eine Reihe netter Häuser am Donaukai macht schon aus der Ferne einen freundlichen Eindruck. Die Schiffsbrücke ist für unseren Dampfer geöffnet, wir schießen pfeilschnell hindurch, das Boot wendet (»macht ein Rondeau« in der Schiffssprache) und legt an; eine ansehnliche Menschenmenge harrt am Ufer, das Kommen und Gehen des Schiffs oder des Eisenbahntrains ist für eine Landstadt immer ein Ziel der Spaziergänge und Neugierde. Wir halten zwar gegen eine halbe Stunde, aber zu kurz, um das Schiff verlassen zu können, und einen ganzen Tag in Presburg zu verbringen möchten wir nur bei viel Muße anrathen. Presburg ist eine freundliche, liebe Stadt, ihre Umgebungen sind reizend, aber eigentliche Sehenswürdigkeiten für den Touristen von Profession hat es nur wenige. Die Glanzperiode Presburgs ist vorüber; als es noch Sitz des ungarischen Landtags, und wenn gar der König von Ungarn hier gekrönt wurde, da wurde ein elend Kämmerlein nicht mit Gulden, sondern mit Dukaten bezahlt. Man glaube aber nicht, daß Presburg deshalb etwa im Verfall sei, es hat, ohne Militär, 45.000 Einwohner (um 1800 mehr als 1850, um 13.000 mehr als 1830) und an die Stelle der zeitweilig rauschenden Landtagszeiten ist ein zwar stilleres, aber stetig aufblühendes Leben getreten. Presburg ist das Eldorado der Pensionisten aus dem Zivil und dem Militär, denn es gehört zu den wenigen Städten der Monarchie wo man um 80 Fl. Noch zwei bis drei bewohnbare Zimmer findet, und auch sonst ist die Existenz wohlfeiler als anderswärts. Eine Merkwürdigkeit Presburgs sieht man vom Schiffe aus, zunächst am Ufer, den Königsberg, einen niederen aber regelmäßig mit Steinen versehenen Hügel, welchen der König von Ungarn nach der Krönung hinaufsprengt und oben das Schwert des heiligen Stephan gegen die vier Weltgegenden schwingt. Hinter demselben stehen zwei stattliche Gebäude, die Kaserne und ein Kornmagazin. Mit wenigen Schritten ist man vom Landungsplatz auf der Promenade, eine dreifache Allee auf dem Theaterplatz, wo die schöne Welt Presburgs sich hauptsächlich versammelt.

HEINZ SIEGERT

(∗ 1924)

Eine Stadt mit drei Namen

Bratislava, Pozsony und Preßburg, drei Namen für eine Stadt. Mit annähernd dreihunderttausend Einwohnern ist Bratislava die drittgrößte Stadt der Tschechoslowakei und Hauptstadt der autonomen slowakischen Republik. Bis 1918 war Bratislava als Pozsony eine der wichtigsten und bedeutungsvollsten ungarischen Städte. Für die überwiegend deutsche Bevölkerung der Stadt (1880 waren es 63 Prozent) hieß die Stadt Preßburg. Nach der Vereinigung der Slowakei mit Böhmen und Mähren zur Tschechoslowakei (1918) nahm die deutschsprachige Bevölkerung rasch ab, sie betrug 1921 nur noch 28 Prozent und ist heute bedeutungslos geworden.

Dabei: Preßburg war von ihren städtischen Anfängen her – wie die meisten Donaustädte – eine deutsche Stadt. Aber ihr eigentlicher Gründer war ein Ungar, Stephan der Heilige, der sie um das Jahr 1000 mit bayerischen Kolonisten besiedelte. Die Grenzstadt an der Donau bekam 1217 das deutsche Stadtrecht, wurde 1405 königliche Freistadt und erlebte unter der Herrschaft von König Matthias Corvinus im 15. Jahrhundert eine wirtschaftliche und kulturelle Blüte. 1467 gründete Matthias Corvinus hier die erste ungarische Universität, an der zahlreiche deutsche und italienische Humanisten lehrten.

Am 17. Dezember 1526 wurde der in Spanien erzogene Erzherzog Ferdinand von Österreich (der spätere Kaiser Ferdinand I.) in Preßburg zum König von Ungarn gewählt. Damit kamen die deutschen Alpenländer sowie Ungarn und Böhmen gemeinsam unter die Herrschaft der Habsburger und blieben es bis zum Ende der österreichisch-ungarischen Monarchie im Jahre 1918. In Pozsony wurde Maria Theresia 1741 zur Königin von Ungarn gekrönt, und hier appellierte sie – mit dem neugeborenen Joseph auf dem Arm – eindrucksvoll an den ungarischen Landtag, ihr im Kampf gegen den Preußenkönig Friedrich II. beizustehen.

Das Land um Preßburg war seit alters her von Slawen besiedelt, wobei Donau und March seit Jahrhunderten unverändert die Sprachgrenze bilden. Nach 1918 wurden die Sprachgrenzen zu Landesgrenzen zwischen der Tschechoslowakei, Ungarn und Österreich. Mit einer einzigen Ausnahme: Die Tschechoslowakei erhielt aus politischen und militärischen Gründen einen einige Dutzend Quadratkilometer umfassenden Brückenkopf am rechten Donauufer. Sie grenzt südlich der Donau somit sowohl an Ungarn sowie auch an Österreich.

GERALD BISINGER

(∗ 1936)

Donauabwärts

Nun sitze ich also in Bratislava und
schwitze wie gestern etwa in Wien in
Berlin im Juli donauabwärts bin ich
gereist doch nicht auf dem Fluß mit der
Bahn durch das Marchfeld ich ging an
der Donau spazieren kurz heute am Rande
von Bratislava nicht gern denk ich
allzuweit donauabwärts an den Wahnsinn
des Kriegs der tobt unter Slawen 88
ging an der Donau entlang in Novi Beo-
grad ich irgendwann überquerte ich diesen Fluß im Zug in Rumänien in der Nähe
glaub ich von Cemavodăă nicht besucht
hab ich das Donaudelta da rohe Natur
zutiefst zuwider mir ist ich glaube am
schönsten ist diese Donau in Budapest
zivilisatorisch gerändert von Architektur ich habe den Fluß überquert dort
auf der Kettenbrücke Lánchíd zu Fuß
ich glaub im Jahr 90 nicht gern denke
heut ich an Belgrad sitz friedlich ge-
ruhsam in Bratislava trink Becherovka
im POLOM-Café Mineralwasser auch bald
besteig einen Zug ich der Straßenbahn-
linie 13 fahre zum Hauptbahnhof von dort

aus bin in etwa fünfundsechzig Minuten
ich wieder in Wien zu mir selber sag
jetzt ich NOROC*

Bratislava, den 12. August 1992

JOHANN GEORG KOHL

(1808–1878)

Die Donau treibt beständig

Die Donau treibt beständig so zu sagen ihr Spiel mit
den Inseln und Auen, sie macht neue Anlagen, wie
es ihr gefällt, und reißt alte wieder ein, ohne daß der
Mensch sie daran hindern kann.

Bei einer neuen Anlage geht es so zu: Bei irgend
einem wilden Hochwasser, bei dem der Fluß große
Sand-, Schlamm- und Schottermassen herbeiführte,
legte er eine große Partie derselben oft mitten in seinem
breiten Bette nieder. Es entstand der Anfang zu einer
Sandbank oder einem Schotterhaufen der nun, wenn
er einmal existirt, den Keim des Wachsthums in sich
trägt. Er wird im Laufe der Jahre durch stets neu hin-
zugeführtes Material immer breiter und höher, und
ragt endlich trocken über die gewöhnliche Wasserhöhe hervor, als ein frischgeborenes Land für die Vögel,
darauf zu ruhen, und für die Schilfe und Gräser, dar-

---

* NOROC = rumänisch »Prost«.

auf zu wurzeln und zu wachsen. Die Winde schütteln den Wäldern der benachbarten alten Auen die Gipfel und schaffen schnell allerlei Pflanzengesäme herüber, das bald in Gebüschen und Bäumen aufsprießt.

Wenn die Hauptmasse der Donauströmung sich fern von dieser neuen Anlage hält, wie sie dies denn meistens thut, da gewöhnlich mit der Ausbildung einer neuen Anlage auch schon die Zerstörung einer alten angefangen und der Fluß die Tendenz zu einer andern Bahnrichtung bekommen hat, so geht es dann mit der Bewaldung sehr rasch, ich habe schon gesagt, daß diese Donau-Auenvegetation etwas »Wucherndes« habe. […]

Sehr häufig ist unter den Auen der Name »Schütt« als Andeutung der Entstehung der Inseln in Folge von Aufschüttung des Flußmaterials. Es gibt z. B. »eine Schüttau«, »eine Neuschütt«, »eine Altschütt«, »einen Schüttwinkel«. Sehr berühmt ist die große Donauinsel »Schütt« in Ungarn, von der wir später sprechen werden. Das Wort »Schütt« wird zuweilen in »Schüttel« verwandelt, wie z. B. bei der Au »die Mühlschüttel«.

ÁRON PETNEKI

(1994)

Neue Konflikte an der Donau

Man würde vielleicht denken, daß in den letzten Jahrzehnten keine neuen Konflikte an der Donau aufbrechen,
jedoch können auch friedlich aussehende Bauarbeiten
Ursachen für Feindseligkeiten sein. Seit den achtziger
Jahren herrscht eine politische Spannung im Bereich
des Naturschutzes: die Regierungen der ungarischen
Volksrepublik und der tschechoslowakischen sozialistischen Republik hatten 1977 ein Abkommen geschlossen, im Rahmen der sozialistischen Planwirt-
schaft das Wasserkraftwerk Gabčikovo/Nagymaros
aufzubauen. Dieser überdimensionierte »Donau-
saurier«, geplant im Sinne des Prinzips »der Mensch
besiegt die Natur«, löste heftige Diskussionen und
Einsprachen aus. Die Stellungnahme der ungarischen Akademie der Wissenschaften im Jahre 1983
wurde von der Regierung überhaupt nicht akzeptiert
und der sogenannte Donaukreis wurde unter polizei-
liche Beobachtung genommen und Schikanen ausgesetzt. Die Demonstrationen 1988 und im April 1989
hatten schon eine politische Dimension und wurden
zu einer der Ursachen des Zusammenbruchs der
kommunistischen Macht. Die neue ungarische Regierung löste des Abkommen auf, entschloß sich, den
Visegrád-Nagymaroser Damm abzubauen und wandte
sich im Streit mit der slowakischen Republik, die in-

zwischen ein neues Donaubett gegraben und so den Verlauf der Grenzen verändert hatte, an den Haager internationalen Gerichtshof.

PÉTER ESTERHÁZY

(∗ 1950)

Fortsetzung der Wahrheit

Vor lauter Donau und lauter Mitteleuropa-Gebetsgemurmel wurde mir – nein, das ist kein gutes Wort: übel, sagen wir lieber, es machte mich wütend. (In patriotischen Angelegenheiten muß eben doch Thomas Bernhard maßgebend sein, nur wäre, was Ungarn betrifft, der Hochgebirgstrottel in Tiefebenetrottel abzuändern.) Diese Unmenge an Donaugedanken, Donauethos, Donauvergangenheit, Donaugeschichte, Donauschmerz, Donautragödie, Donauwürde, Donaugegenwart, Donauzukunft! Wovon reden wir? All dies Fließen ist verdächtig geworden. Donaunichts, Donauhaß, Donaugestank, Donauanarchie, Donauprovinzialismus, Donaudonau. Arme Gertrude Stein, wenn sie das hätte erleben können: die Donau ist die Donau ist die Donau …

Auf die Frage, was eine Fußballmannschaft zusammenhält, antwortet ein alberner Witz, einerseits der Alkohol, andererseits der unverbrüchliche Haß gegen den Trainer. Das. Das und nicht mehr war Mitteleuropa. Zumindest wurde Kunderas Definition nur von der Sowjetunion am Leben erhalten. Wie sie mir doch seinerzeit gefiel! Oder wie unverständig und unreif mir Handke vorkam, als er Mitteleuropa nur einen Begriff der Meteorologie nannte. Dabei hat er so recht! Und es wäre durchaus keine Geringschätzung des Gegenstands. Die Natur, auf die man sich berufen kann, ist nichts Geringes. Man versuche, mit einem aus Murmansk über die Kälte zu sprechen. Mit einem Inder über die Wärme oder den Regen. Es ist kalt, es regnet, ein Unwetter tobt, der Inn steigt, ich weiß, wovon wir reden. Wolken, Sterne, Winde und Stürme, Wasserstand, Niederschlagsmenge, Volkserfahrungen (Matthias bricht das Eis, Maienregen, Siebenschläfer).

Zusammenfassend: Wir sind Nachbarn. Uns blickt dasselbe Pferd ins Fenster, wir schauen auf denselben Garten, wir können uns darauf berufen, daß wir Hagelschauer und Hochwässer, die Zacken der Blitze, den Horizont im August, die Nebelfetzen, die morgendliche Glätte, eine zauberkräftige Frau, einen engelsgleichen Knaben, einen unerschütterlichen Mann, die großen, gemeinsamen, orgiastischen Mißverständnisse kennen.

Der Nachbar ist der, der existiert; wir sind nicht und können nicht allein sein, der Nachbar ist ewig. Und er sieht. Und auch wir sind Nachbar, der Nachbar unseres Nachbarn. Wir kennen einander also ein wenig besser als nötig. Nie bleibt etwas verborgen. Von Angesicht zu Angesicht: »Liebe, Haß, Hinterlist und Güte, Verlierer und Sieger, Leben und Tod.« Allem müssen wir ins Auge schauen. Der Nachbar zwingt zur Freiheit. Wir wissen alles – über den anderen. Über uns selbst weniger, deshalb ist der Nachbar der

Fremde. Der uns Schranken setzt. Behindert. Der Nachbar ist Gefangenschaft, ist der Zaun. Und wenn sein fettes Huhn noch einmal durch diesen Zaun zu uns kommt, drehe ich ihm eigenhändig den Hals um. Oder koche Hühnersuppe daraus, à la Újházy, und lade ihn ein. An unsere kolossale Völlerei werden wir noch jahrelang denken. Gurkensalat eingeschlossen. Später wird er mich verleumden, das Huhn habe ihm gehört. Was für ein Huhn?! Bloß gut, daß nicht auch der Gurkensalat durch den Zaun gekrochen ist. Dann lädt er mich zu einem hübschen kleinen Essen ein.

JOHANN GEORG KOHL

(1808–1878)

Die große Donau sendet

Die große Donau sendet, nachdem der Neuhäusler Arm sich von ihr getrennt hat, noch viele andere kleinere Arme aus, die aber beständig zu ihr zurückkehren, und auch beständig sich wieder von ihr lösen. Einer dieser Arme jedoch, der sich südwärts abtrennt, bildet ein Seitenstück zur Neuhäusler Donau, indem er wie diese weit in die Ebenen hinausirrt und erst nach einem ziemlich langen Laufe von fast 15 Meilen wieder zu dem Hauptsammler zurückkehrt. Er ist jedoch viel kleiner und schmäler, als die Neuhäusler Donau, und wird erst durch die Leitha und die Raab bedeutend, die er in ähnlicher Weise, wie die Neuhäusler Donau die Waag und die Dudvag, aufnimmt. Unter Raab kommt er mit diesen Flüssen verstärkt in die Donau zurück.

Durch alle diese bezeichneten Donauarme wird eine unendliche Menge von Inseln aus dem Flachlande herausgeschnitten. Diejenigen, welche durch die kleinen kurzen Arme gebildet werden, und die der Reihe nach in dem Hauptkanale der großen Donau liegen, sind eben so beschaffen, wie die andern Donauinseln, die wir schon früher bei ähnlichen Flußabschnitten schilderten. Es sind kleinere und größere meist bebuschte Auen.

Diejenigen aber, welche von den längeren Donauarmen eingeschlossen werden, sind so große und eigenthümliche Inseln, wie sie uns bisher an der deutschen Donau noch nicht vorgekommen, wie sie sich aber später innerhalb des pannonischen und dacischen Stromgebiets noch oft wiederholen werden.

Die größte unter diesen Inseln umfängt die Neuhäusler Donau im Norden des Hauptkanals, und die zweitgrößte wird durch die Raaber Donau abgeschlossen im Süden des Hauptsammlers. Jene wird von den Deutschen die »große Schütt«, diese die »kleine Schütt« genannt. – Die Ungarn nennen die »große Schütt« Challokòz – sprich: Tschallo-Kös –. Es soll so viel bedeuten, als unser deutsches »Eck« oder »Keil«, oder »etwas zwischen zwei Dingen Eingeschlossenes«.

Ich habe schon oben gezeigt, daß der Name »Schütt« für die Bezeichnung von Donauinseln häufig gefunden wird, und daß derselbe seine Entstehung auf sehr natürliche Weise daher bekam, daß das Volk diese Inseln als ein Werk des Flusses, als etwas von ihm Aufgeschüttetes und Angeschwemmtes betrachtete. Schütt ist gewissermaßen der deutsche Volksausdruck für den wissenschaftlichen Terminus: »Alluvium«.

Die große Insel Schütt ist etwa 24 Stunden lang und 6 bis 8 Stunden breit. Die kleine Schütt hat nur ein Viertel der Ausdehnung der großen. Man spricht daher auch oft bloß von »der Insel Schütt«, womit man dann die große vorzugsweise bezeichnet.

Im Ganzen ist diese Insel Schütt im Osten von Preßburg jener flachen Halbinsel zwischen Donau und March im Westen von Preßburg (dem Marchfelde) ziemlich ähnlich. Wie dieses, besteht sie in ihrem Untergrunde aus vielen Ablagerungen von Flußgeröll, auf welche Schlamm, Lehm und Humusschichten abgesetzt wurden. Daß Geröllablagerungen, oder wie die Oesterreicher sagen, Schotterschichten in der Insel Schütt vorhanden sind, davon hat sich Jeder überzeugt, der die großen Geröllanhäufungen gesehen hat, welche die Preßburg-Pesther Eisenbahn zu Tage gelegt hat. Diese Bahn folgt von Komorn aus beständig dem Neuhäusler Donauarme auf seinem nördlichen Ufer und durchschneidet zuweilen eben solche massenhafte und weitausgedehnte Kieselsteinablagerungen, wie die Eisenbahn, welche das Marchfeld durchschneidet.

AMMIANUS MARCELLINUS

(330–390)

Krieg an der Donaugrenze

Valentinian* entbrannte von Beginn seiner Regierungszeit an im ehrenvollen, aber allzu großen Eifer, die Grenzen zu sichern, und befahl jenseits der Donau im Gebiet der Quaden, das er ja schon unter römischem Recht stehend ansah, Grenzbefestigungen zu errichten. […]

Das Gerücht über diese Schandtat** verbreitete sich sofort in alle Richtungen, sowohl zu den Quaden als auch zu den ihnen benachbarten Stämmen. Sie beweinten den Tod des Königs, sammelten armselige Massen von Plünderern zusammen und schickten sie gegen uns. Diese überschritten die Donau, als [bei den Römern, Anm. d. Hrsg.] kein feindseliger Akt erwartet wurde, griffen die mit dem Einbringen der Ernte beschäftigten Leute an, erschlugen den größten Teil von diesen und entführten alle Menschen, die noch lebten, gemeinsam mit einer großen Menge von verschiedenem Vieh mit sich nach Hause.

---

* Kaiser Valentinian (364–375) möchte offensiv gegen die Bedrohung durch die nördlich der Donau lebenden Quaden vorgehen.
** Nach einem gemeinen Meuchelmord, den die Römer an einem germanischen König begingen, kommt es zu brutalen Racheaktionen der Germanen.

JULIA AKTORIES

(∗ 1993)

Stehe am Fluss

stehe am fluss.
wasser rauscht
in meinen ohren.
wind im haar und
umflüstert sanft die schultern.

ich sehe
und kann doch nicht glauben,
dass der fluss fließt.
denn wie,
wie kann er
einfach weiterfließen
wo doch mein herz zerbrochen ist?

und wie,
wie kann die erde sich
einfach weiterdrehen
wo doch ein mensch auf ihr fehlt,
gegangen
in ewigkeit?
lange
habe ich ihn gehalten,
meinen fluss.
doch jetzt
keine kraft mehr und
die lider können ihn nicht halten,
meinen fluss.

tränen brechen aus,
suchen den weg.
von der wange zum kinn.
dann wie ein stein ins wasser.
auf nimmerwiedersehen.

wasser rauscht
in meinen ohren.
wind im haar und
umflüstert sanft
die schultern und
brennt in den nassen spuren
die meine tränen hinterlassen.

Stehe am Fluss.

SIGMUND VON BIRKEN

(1626–1681)

Die Vestung Comorra

Die Vestung Comorra / zu Latein Comoranum, ligt im
Triangel / zwischen der Waag und den zweyen Armen
der Donau / ist von Kaeyser Ferdinando I. erbauet /
und mit gewaltigen Werckstücken bevestiget worden.
Der Einan Bassa hat sie An. 1594 nach Eroberung
der Vestung Raab / den 7. Octob. zu belagern angefangen: ward aber von dem Obersten darinnen Erasmo
Praun / der zwar dißmal einen toedlichen Schuss be-

kommen / tapffer abgewiesen / und muste / als Ertz-
Hertzog Marthias mit 40.000 Mann zum Entsatz
anzoge / den 24. mit Spott und Verlust 8000 Mann
wieder abziehen.

Nicht weit unter Comorra faellt der Fluß Neutra in
die Donau / dessen Ufer von den zweyen Vestungen /
Nitria und Neuhaeusel geadelt wird.

JOSEPH ALOIS MOSHAMER

(1800–1878)

Komorn, eine Stadt und Festung

Komorn (Komarom), eine Stadt und Festung, der
Hauptort des Comitats gleichen Namens und liegt am
östlichen Ende der großen Insel Schütt, das ist am
Einfluße des Neuhäusler-Donau-Armes und der Waag
in den Hauptstrom, der von hier an bis zur Mündung
von den Römern gewöhnlich schon Ister, statt Danubis
genannt wurde. Es soll an der Stelle des alten Bregetium
stehen, doch wird Matthias Corvinus für den Gründer
des neueren Komorns gehalten, welches die Kaiser
Ferdinand I. und Leopold I. vergrößert haben. Die
alte Stadt ist ziemlich eng und eben nicht freundlich
gebaut, enthält 1770 Häuser mit 72 Freihäusern, und
zählt gegenwärtig 18.400 Einwohner, worunter mehr
als die Hälfte Katholiken.

GERTRUD FUSSENEGGER

(1912–2009)

Bruchlinien

Wieder verengt sich die Donau, das Višegrader Gebirge rückt heran, Kuppen und Riegel aus Laven und
Tuffen zwischen vier- und siebenhundert Meter Höhe,
eine bewegte zerklüftete Landschaft, in der vulkanische
Kräfte jüngere Schollen auf die Horste der Grund-
gebirge türmten, von Höhlen, Gängen und Schloten
durchsiebt, mit turmartigen Felsenburgen und grotesken
Pilzfelsen durchsetzt. Über höher gelegene Leiten
erstrecken sich als Spätprodukte der Erosion weite
Blockmeere, von Krüppelbüschen überkrochen.

Doch diese eher melancholischen Landschaftsbilder
bleiben dem Stromlauf fern. An den Ufern dehnen
sich gesegnete Gefilde. Hier scheint sich die Wachau,
ins Madjarisch-Deftigere variiert, zu wiederholen.
Weinberge und Weinbauernsiedlungen zeigen buko-
lischen Charme. Dann steigt die Silhouette einer
Stadt auf, sie wird von einer riesigen Kuppel dominiert, die in disharmonischem Verhältnis steht zu dem
eher bescheidenen Häusergewürfel rundum: Wir landen
in Esztergom oder Gran. Es ist die Wiege des ungarischen Christentums. Hier wurde vor tausend Jahren
über den Resten einer römischen Siedlung Stephan
der Heilige geboren und gekrönt, er war der erste
bewußte Mitteleuropäer aus Arpadischem Stamm,
hier in Esztergom gründete er im Jahr 1001 ein Erz-
bistum.

Er hat maßgeblich an der Christianisierung des Karpatenraumes mitgewirkt.

Stephan war sicher der größte Herrscher aus dem Stamm der Arpaden. Er machte sich mit der Gründung des Graner Erzbistums frei von der kirchlichen Vorherrschaft der Deutschen und versuchte die Staatskonstruktion der Karolinger und Ottonen in seinem Raume nachzuvollziehen. Er stellte den merkwürdigen Grundsatz auf: *regnum unius linguae imbecillum et fragile,* ein Königreich, in dem nur eine Sprache gesprochen wird, ist haltlos und brüchig, oder sollen wir zutreffender übersetzen: ist geistlos und deshalb brüchig? Damit wäre freilich deutlich gemacht, daß sich in einem lebenskräftigen Staatsgebilde über der Kraft der nationalen Solidarität noch eine andere übergeordnete solidarisierende Idee darstellen sollte, darstellen müßte? Reichsgedanke also auch im Karpatenraum? – oder vielleicht doch nichts weiter als ein hochtrabend verklausulierter Versuch, aus der Not des vielsprachigen Landes eine Tugend herauszuschlagen?

DIETER MAIER

(2001)

Donauknie

»Donauknie« ist die arg untertreibende Bezeichnung für den landschaftlich zweifellos schönsten Abschnitt der gesamten ungarischen Donau. Auf rund 20 Kilometer wird der Strom noch einmal eingezwängt zwischen dunkle Berghänge – Zeugen eines Kampfes über Jahrmillionen um den Durchlaß, Zeugen des Kampfes zwischen Wasser und Fels.

Auf der Höhe von Kismaros teilt sich der Strom und bildet die 31 Kilometer lange Insel Szentendre. Ihr nördliches Ende liegt noch im Bereich des Börzsöny-gebirges, während ihr südlicher Zipfel schon beinahe in den Stadtbereich von Budapest hineinragt. Verständlich, daß die ganze Insel von den Budapestern am liebsten völlig als Wochenendparadies vereinnahmt würde. Wesentlich stiller ist es dagegen in den Pilis-Bergen zwischen Esztergom und Szentendre und erst recht auf der anderen Seite der Donau mit ihren noch höheren Bergen.

Am rechten Donauufer locken vor allem der Szent László-hegy (590 Meter; von Viségrad aus), der Dobogó-kö (700 Meter) oder der Pilis selbst (757 Meter; beide von Esztergom aus). Sehr viel eindrucksvoller sind allerdings die Berge am linken Donauufer. Sie sind nicht nur höher, sondern auch schon eher richtige Berge. Die passende Einstimmung ergibt sich, wenn man das Auto an der Donau läßt und von Kismaros aus mit der Wäldler-Bahn durch das Morsótal nach Királyrét fährt. Von dort aus sind dann gleich mehrere, zwischen 800 und 900 Meter hohe Gipfel besteigbar. Der schönste und zugleich höchste ist der 939 Meter hohe Csóványos, für dessen Besteigung man jedoch unbedingt Bergschuhe benötigt. Wer dann aber auf dem Gipfel steht, erlebt die Gegend um das Donau-knie aus einer völlig neuen Perspektive.

(1912)

Als die Donau das ungarische Mittelgebirge durchbrach

In der Zeit, als die Donau das ungarische Mittelgebirge durchbrach, war das große ungarische Becken
noch von einem Binnensee ausgefüllt und es wurden
die Terrassen gebildet, die wir auch zwischen Groß-
und Klein-Maros etwa 40 m hoch über dem Donau-
spiegel wahrnehmen. Der Strom baute bei seiner
Mündung in den See, ähnlich wie hinter dem Durchbruch bei Theben, ein mächtiges Schotterdelta auf,
über das er seinen diluvialen Schotterkegel ablagerte.
Auf diesem spaltete sich die Donau in mehrere Arme
und bildete so die Inseln in der Nähe von Budapest.
Der Durchbruch durch die mit Kastanien, Buchen- und
Eichenwäldern bedeckten Berge, die hier ganz nahe
an den Strom herantreten und am linken Ufer nur
knapp für die Eisenbahn Raum geben, ist in Einzel-
heiten oft im Bilde festgehalten worden. Die schönste
Stelle befindet sich wohl dort, wo der 485 m hohe
Teufelsberg von der Donau umflossen wird und die
Ruinen der ehemaligen Königsburg Vyšegrad das
Auge des Beschauers gefangen nehmen. Auch Vyšegrad
war einst ein bedeutender Ort, unter Karl Robert von
Anjou sogar Residenzstadt. Die Blütezeit erreichte
diese Stadt zur Zeit König Matthias, der auch sie för-
derte. Die einstige Bedeutung ist geschwunden, doch
lebt die Erinnerung an die frühere Größe von Vyšegrad

bei den Ungarn weiter, da ja Matthias' Regierung als Goldenes Zeitalter gepriesen wird.

Beim Verlassen der Berge und Eintritt in die große ungarische Ebene wendet sich der Strom in einem scharfen Bogen nach Süden. Hier beobachten wir wieder auf der rechten Seite ein Steilufer, während das linke flach ist. Zur Erklärung hat man die vorherrschenden NE-Winde mitherangezogen, die das Wasser gegen das rechte Ufer treiben. Die Donau fließt hier in zwei Armen, dem Waitzener und dem St. Andräer, die beide für die Schiffahrt geeignet sind und die 30 km lange und fruchtbare Insel St. Andrä bilden. An der Biegung des Waitzener Armes nach Süden liegt die Stadt Waitzen, ein wichtiger Punkt für den Handelsverkehr, dem früher auch strategische Bedeutung zukam. Als Vorboten unseres Zieles sehen wir am linken Ufer zahlreiche Fabriken und in der Ferne blinken unzählige Lichter, denn inzwischen ist es dunkel geworden. Am Südende von St. Andrä befinden sich wie auf der weiter stromabwärts liegenden Insel Palota Brunnen der hauptstädtischen Wasserleitung. Zwischen dem linken Ufer bei Neupest und der Neupester Insel befindet sich eine Winterhafenanlage und die Danubiusschiffswerfte, zwischen der Altofner Insel und dem rechten Ufer, ein zweiter Winterhafen und eine Werfte der Donau-Dampfschiffahrtsgesellschaft. Wir fahren noch an der 2,2 km langen Margareten-Insel vorbei und betreten am Batthyány-Platz die Hauptstadt.

SÁNDOR PETŐFI

(1823–1849)

Aus der Ferne

Am Donaustrand ein Häuschen schlicht und klein,
Mein Teuerstes auf Erden schließt es ein;
Der Rührung Träne aus dem Auge quillt,
Seh' ich im Geiste dieses Häuschens Bild.

Hätt' ich es doch verlassen nimmermehr!
Doch wildes Sehnen jagt uns hin und her,
Mich trieb es aus diesem Paradies.
So daß ich's Mütterlein verließ!

Die gute Seele! Wie sie grausam litt
Beim Abschied, da ich aus dem Hause schritt!
Die Glut des Schmerzes griff nach ihr so rauh,
Und nicht zu löschen durch der Tränen Tau!

Ihr zitterndes Umarmen fühl' ich noch,
Noch höre ich ihr Flehen: »Bleibe doch!«
Hätt' ich nur damals schon die Welt gekannt,
Wer weiß, ob diesem Flehn ich widerstand!

Doch Hoffnung zauberte mir armem Tor
Die Zukunft, einen Feengarten, vor, –
Erst in des Lebens wirrem Labyrinth
Gewahren wir, wie schwer genarrt wir sind!

Auch mich verlockt' ein falscher Hoffnungsstrahl,
Nur Leiden fand ich ohne Wahl und Zahl,
Und wo ich durch die Welt zog, früh und spät,
Mit spitzen Dornen war mein Weg besät …

Ihr Freunde, kommt in meine Heimat Ihr,
Sucht meine Mutter auf und grüßt sie mir!
Am Donaustrand ein Häuschen schlicht und klein,
Liegt's euch am Weg, werft einen Blick hinein!

Sagt ihr, daß ohne Grund sie um mich weint,
Sagt ihr, daß mir des Glückes Sonne scheint –
Es bricht ihr ja das Herz, wenn sie errät,
Wie's ihrem Sohn, wie mir es elend geht!

FRANZ TUMLER

(1912–1998)

Hier und an vielen Orten

Hier und an vielen Orten
heute weiß ich kann es nachrechnen
komme aber nicht auf mit den von Natur
                                    zugänglichen oder
zu Öffnung einladenden oder für Zugang
                                    geöffneten Ufern
gegen ihre ungeöffneten von niemand besessenen
                                                Ufer
die ihre Hauptsache sind:

wenig Brücken so daß wer hinüber will die Überfuhr
braucht
und sie selbst eine Grenze
als wäre es verschiedene Zeit an den 2 Ufern

das aufzuzählen: hier viele Menschen dichte Siedlung
auf der anderen Seite so viel weniger

Und wieviel Orte an denen zwischen Häusern und
Ufer
ein Hin- und Hergehen ist als Alltäglichkeit:

ein paar Wasserorte Dörfer Märkte
die in den verschiedenen Ländern gleich aussehen
die Häuserfronten gegen den Fluß davor ein freier
Raum
aber nicht Straße sondern freier Raum für
Überschwemmung
und ich lernte hier
Sprache und Land sind ohne Bedeutung bei diesen
Orten
sie haben ihr Gesicht von der Donau

und wieviele Städte bekommen von ihr etwas wie
ihr Gesicht Schönheit
geben ihr Bewohnbarkeit Spiegel und Echo
durch ständige Anwesenheit an ihrem Ufer
Stimmen Daheimsein Vermehrung des Lebens

Eine einzige große Stadt Budapest

sonst Festungen die Vortäuschungen von Städten sind
und ihren Namen in Abstand von der Donau
                                        behaupten
vorsichtig auf der Landseite

nicht auf der Donauseite wo sie Vorstädte sind
Verminderung zu Abräumhalden schlechteren
                                        Vierteln

sie wissen hier haben sie oft verloren
durch Hochwasser bei ähnlich freiem Streifen wie
die kleinen Wasserorte

– und durch Kriege: auch wenn es sie nichts angeht
weil es in Kriegen hier immer gegen sie die
                                        Festungen geht
die den Übergang besetzen

Daher sie auf der Uferseite ein Kriegsgegenstand sind
der verliert   ·
aber nicht verlieren auf der Landseite
wo sie längst Landstädte und Hauptstädte sind
und von ihrem anfänglichen Namen als Plätzen an
                                        der Donau
zurücktreten

Daher es ein Name für sie ist: Donau
der vorübergeht durch ihren Namen von Ländern und
                                        Geschichte
ohne Übereinstimmung
unzugänglich für ihre Anwohner

Außer es wäre Nichtübereinstimmung und
                              Nichtzusammensein
die wirkliche Bekanntschaft und Einwirkung:
am deutlichsten in Wien das sich von der Donau
                              fortgebaut hat
sie wegläßt und nach außen setzt wie einen
                              Steppenfluß
den sie nicht kennt

und doch überall mitfließt in ihr als wären sie
                              derselbe Stoff
unbesprochen nur 2 Namen für flüssig und fest
oder für 2 Arten derselben Bewegung
oder damit man Namen hat

für etwas das ohne Sätze dahingeht
als Verzweigung –

Sätze von damals: Zieh mir den Schiefer aus dem
                              Nagel
tritt nicht in die Glasscheibe

und die sich vorandrehn
wie sich die Drehscheibe dreht

leg mich auf das Holz auf die Teer-Ritze
und darunter sind Würmer
es zieht durcheinander
eine Verkleinerung wie Geweih
und unbenutzter Fischleib glänzt wie Teer
und die Gräser bleich –

Und Verzweigung:
keine angeborene Farbe sondern Verzweigung
Österreich
das hier wie eine Münze auf die Strömung gelegt
einsinkt
Kopf oder Adler gewesene Farbe und mitgeht
Donau Donauarm Dunav
nicht mehr in ein Haus –

Und welchen Namen zuletzt ich aus der Flußkarte las
hier auf dem Stück wo Wien ist

den Namen »der Donau Strom«

den sie weiter oben nicht hat
erst von hier an wo Wien ist und sich festhält gegen
seine Verzweigungen

Aber ihm ein anderes Geschlecht auch gibt jetzt
bei seinem Stromkilometer 1.934
mit Abzweigung des Donaukanals und
Inundationsgebiet
und Kaninchenhöhlen Holzlagerplätzen und
neuerdings
Raffinerien und Aufsaugung von Säften einer
Großstadt

Und es sich selber mitteilt: als Vereinigung während
Nichtzusammensein hier
wo das Viereck der Flußkarte im gleichen Maßstab
durch das oben die Donau als scharfblauer dünner
Faden ging
jetzt ganz ausgefüllt ist von Verzweigung

weißer Aufschüttung Überflutung und 2 Gestalten
Ausbreitung des Fließens

weil es Umarmungen sind: dieselbe Bewegung
Verzweigung Umarmung.

ERSTE DONAU-DAMPFSCHIFFAHRTSGESELLSCHFT

(1927)

In rascher Fahrt

In rascher Fahrt nähern wir uns der ungarischen
Hauptstadt. Links erscheint Ujpest, wir durchfahren
die Brücke, rechts beginnen die Häuser von Óbuda
(Altofen), an einem Donauarm gelegen. Hier besitzt
die D. D. S. G. ihre größte Schiffswerfte, eine der
bedeutendsten Binnenschiffahrtswerften auf dem
Kontinent. Der Dampfer verlangsamt seine Fahrt,
rechts zieht die Margaretheninsel mit ihren Bauten
und Spielplätzen vorbei, quer über den mächtigen
Strom führt die Margarethenbrücke den Weg von
Ofen nach Pest. Wir haben die ungarische Hauptstadt
Budapest erreicht, die ihr schönstes Angesicht bei
der Schiffseinfahrt zeigt.

Bei eingebrochener Dunkelheit fährt das Schiff in
die Stadt ein. Im breiten Strom spiegeln sich die Lichter der weitgespannten Brücken, heller Lichtschein
am linken Ufer weist uns die Stelle, wo die Stadt ihre
großen Hotels errichtet. Rechter Hand heben sich ge-

spenstisch die Baumassen der Burg und der Blocksberg vom Abendfirmament ab. Einzig schön aber dieses
Bild am Morgen, wenn noch ein zarter Nebel dieses
Bild zusammenschließt, ein Städtebild, prächtig in
seiner Art. Monumental die Kettenbrücke mit ihren
schönen Pylonen, kühn die stromab gelegene Elisabeth-
brücke mit ihrem 290 m weiten Bogen, ein Meister-
werk der Ingenieurkunst. Die Altstadt liegt am rechten
Ufer, im Gebiet von Altofen, wo die Erste Donau-
Dampfschaffahrtsgesellschaft ihre große Schiffswerft
besitzt.

JOHANN HERMANN DIELHELM

(1711–1784)

Der Stadt Ofen gegenueber

Der Stadt Ofen gegenueber an dem oestlichen Ufer
des Donaustroms, in einer schoenen Ebene, liegt
Pesth, lateinisch Pestum, oder Pestinum, eine koenigliche Freistadt, so eine der schoensten und ansehn-
lichsten Staedte in Ungarn ist. Wie Bonsinius glaubt,
so soll sie ihren Namen von den Pesthanischen Soldaten, und von den Roemern, welche sie sollen erbauet haben, Trans Acineum seyn genennt worden.
Ihre Befestigung besteht in guten Mauern, Graeben
und in einer starken Besatzung, und macht beinahe
ein Viereck aus. Sie hat praechtige Kirchen, und die
dasige Hauptkirche ist ein ansehnliches geraeumiges

Gebaeude, deren Thuerme gegen Osten hinstehen, in welcher ehedessen die Könige von Ungarn sind gekroent worden. […]

Ueber den allda 300 Klafter breiten Donaustrom nach Ofen ist seit dem Jahr 1769 eine neuerbaute Schiffbruecke, die aus etlich und sechzig Schiffen besteht, welche von beiden Staedten gemeinschaftlich unterhalten wird. Sigmund, Kaiser und König in Ungarn, war willens, diese Stadt mit Ofen durch eine steinerne Bruecke zu vereinigen, welches aber durch seinen Tod verhindert worden.

In dieser Stadt giebt es noch verschiedene alte tuerkische Gebaeude, als Moscheen, Rondellen u. d. gl.

DONAU-DAMPFSCHIFFAHRTS-GESELLSCHAFT

(1844)

Sendschreiben an die Aktionäre der k. k. privilegirten Donau-Dampfschiffahrts-Gesellschaft

Diese und manche andere Thatsachen zeigen nur zu deutlich, wie sehr es uns an einer erprobten und sachverständigen Leitung in Alt-Ofen, und im Vorbeigehen gesagt, auch in der Therapia Noth thut. In Triest oder Venedig würde es nicht schwer seyn, eine solche aufzutreiben.

Daß das Personal auf den Schiffen, ohne dem Dienste Abbruch zu thun, vermindert werden könne, ist nicht

zu bezweifeln. Weder beim Lloyd, noch bei der Köllner
Dampfschiffahrtsgesellschaft ist es so zahlreich, als
bei uns.

I. K. K. PRIV. DONAU-DAMPFSCHIFFAHRTS-GESELLSCHFT

(1895)

Die Personendampfer

Die Personendampfer der I. k. k. priv. Donau-Dampfschiffahrts-Gesellschaft sind vortrefflich eingerichtet
und genügen allen Ansprüchen an erhöhtem Comfort
und vorzüglichster Verpflegung. Es werden Fahrkarten
für den I. und II. Platz und solche für das Verdeck
ausgegeben, doch kann allen Reisenden, welche die
Fahrt angenehm und bequem geniessen wollen und
Wert auf eine möglichst lohnende Aussicht nach allen
Richtungen legen, nur die Benützung des I. Platzes
anempfohlen werden. – Für Fahrten von einer Zwi-
schenstation zur andern wird wohl auch der II. Platz
genügen, doch bieten seine Räumlichkeiten namentlich bei garstigem Wetter und Regen nicht immer die
wünschenswerte Unterkunft.

Jenen Reisenden, welche besonderen Wert darauf
legen, eine Separatkajüte zu benützen, wird empfohlen, nebst den Fahrkarten auch eine Anweisung auf
eine Separat-Cabine zu lösen, für welche eine tarif-
mässige Extragebür zu entrichten ist. – Die Cabine

bietet Raum für 2, eventuell 3 Personen, und wird als Bedingung vorausgesetzt, dass die betreffenden Passagiere mit Fahrkarten für den I. Platz versehen sind.

An Reisegepäck sind pro Person 25 kg frei; für Kinder zwischen 2 und 10 Jahren, welche mit halben Fahrkarten reisen, werden 12 kg Freigewicht gewährt.

Hinsichtlich der Verpflegung können die auf den Schiffen befindlichen Restaurationen bestens empfohlen werden. Dieselben servieren sowohl per Couvert aus der Table d'hôte, als auch à la carte. Im allgemeinen erfreuen sich Küche und Keller des besten Renommés, und sind die Restaurateure bemüht, den Passagieren jederzeit das Beste, was die Jahreszeit zu bieten vermag, zu servieren. [...]

Im Sommer müssen die Getränke und das Trinkwasser nach Thunlichkeit eingekühlt, die Weine in versiegelten Flaschen, das Wasser in weissen Krystallflaschen serviert werden. Am ersten Platze wird gegen 1 Uhr table d'hôte serviert, und zwar zu fl. 1,20 bestehend aus: Suppe, Rindfleisch garniert und Sauce, Braten mit Salat und Mehlspeise (mit Brod, ohne Wein). Die table d'hôte wird nur an den zu diesem Zwecke bestimmten Tischen serviert, – die Anzahl der Theilnehmer ist unbeschränkt, so zwar, dass selbe auch nur für einen Reisenden verabfolgt werden muss. Nur von 11 Uhr vorm. bis 2 Uhr nachmittags können keine Portionen-Speisen verabfolgt werden, wenn während dieser Zeit eine table d'hôte serviert wird, in der übrigen Zeit von 8 Uhr früh bis 10 Uhr abends müssen alle im Speisen-Tarif angeführten Speisen und Getränke verabfolgt werden.

AMAND FREIHERR VON
SCHWEIGER-LERCHENFELD

(1846–1910)

Bald nachdem wir die Südspitze der Andreasinsel hinter uns haben

Bald nachdem wir die Südspitze der Andreasinsel hinter uns haben, zeigt sich links Neupest mit dem ausgedehnten und musterhaft angeordneten Winterhafen der Donau-Dampschiffahrts-Gesellschaft, während rechts, wo die lange Uferzeile von Altofen sichtbar wird, die große Hauptwerfte der selben Gesellschaft liegt. Bezüglich Altofens, das die Stelle des römischen Standlagers Aquincum bezeichnet, erinnern wir an das an anderer Stelle Mitgetheilte. An den Schiffmühlen von Neupest vorüber, im Vorblicke die Uferhöhen von Ofen mit dem »Blocksberge«, der breiten Kuppe des »Schwabenberges« und dem »Johannisberge« mit der Sternwarte dahinter, nähern wir uns rasch den Schwesterstädten, deren Lage sie berechtigt, zu den schönsten Städtebildern des Erdtheiles zu zählen. Alsbald tritt auch Pest aus seiner Verhüllung, wir sehen bereits die reizende Margaretheninsel, unterfahren hierauf die schöne Margarethenbrücke und halten am Bombenplatze von Ofen. Einen Stromquai gleich dem von Pest findet man nirgends in Europa. Unübersehbar weit zieht sich eine einzige Reihe von palastartigen Gebäuden, hell und weiß vom blauen Himmel sich abhebend. Der Strom ist bedeckt von Dampfern und Fähren, und mitten durch sie steuert der große Dampfer stromab, unter der hochspannenden Kettenbrücke hindurch, um am linken Ufer zu landen.

Wir sind am Ziele. Der in der ungarischen Hauptstadt zu Schiff Ankommende hat vor dem Eisenbahnreisenden, der außerhalb der Stadt sein enges Gefängnis verläßt, nicht nur den Genuß eines unvergleichlichen Strompanoramas voraus, er befindet sich zugleich, wie er das Land betritt, sofort in demjenigen Abschnitte von Budapest, der ihm die glänzendsten Bilder der Stadt vermittelt. Der Blick auf den belebten Strom, auf die hochragende Königsburg und den Blocksberg eröffnet die Rundschau; alsdann bedarf es nur weniger Schritte, um in den Bannkreis des großstädtischen Lebens einzutreten. Hart am Landungsplatze spannt die Kettenbrücke, die Schlagader, welche die beiden Schwesterstädte mit einander verbindet. Den würdigen Rahmen zu diesem großartigen brückentechnische Werke bildet auf der Pester Seite der »Franz Josephs-Platz« mit den Standbildern Széchenyi's und Eötvös' und dem Palaste der ungarischen Akademie und das Handelsstandsgebäude. Stromauf und stromab erstreckt sich fast unübersehbar weit die großartige Quaifront der Stadt. Hier ruhen Handel und Wandel fast keinen Augenblick. Der Kettenbrücke zunächst erhebt sich auch der Palast der Donau-Dampfschiffahrts-Gesellschaft, jenseits der Akademie – am »Rudolfquai« – das neue Abgeordnetenhaus.

Wir schlagen die entgegengesetzte Richtung ein – den »Franz Josephs-Quai« hinab – die große Promenadestraße der vornehmen Welt. Es ist eine einzige Reihe von Palästen.

411

HANS CHRISTIAN ANDERSEN

(1805–1875)

Sankt Medardimarkt

Die Gebäude in Pest, längst dem Ufer des Flusses, scheinen Palast an Palast; welches Leben und Getreibe! Ungarische Dandies, Handelsmänner, Juden und Griechen, Soldaten und Bauern, drängen sich zwischen einander. Es ist Sankt Medardimarkt. Am Fuß des hohen grasbewachsenen Berges erstrecken sich am entgegengesetzten Flussesufer kleinere, aber bunte Häuser; einige Reihen liegen im Glied an der Bergseite. Es ist Ofen, Ungarns Hauptstadt; die Festung, die ungarische Akropolis erhebt ihre weißen Mauern über die grünen Gärten. Eine Brücke auf Böten verbindet die Städte; welches Gedränge, welcher Tumult! Die Brücke schaukelt, indem die Wagen über sie fahren; Soldaten marschieren, Bajonette blinken in der Sonne; eine Prozession Bauern wallfahrtet, nun sind sie mitten auf der Brücke, das Kreuz funkelt, der Gesang tönt zu uns herüber. Der Fluß selbst ist halb mit Schiffen und kleinen Fahrzeugen angefüllt. – Horch, Musik! Eine Menge Böte wird gegen den Strom hinauf gerudert; dutzendweis weht die ungarische Flagge von jedem Boot, der ganze Strand füllt sich mit Menschen; was ist das für ein Zug? Alle Personen in den Böten sind so gut wie nackend, aber mit dreifarbiger Mütze. Musik ertönt, Flaggen wehen, Ruderplätschern! Was bedeutet doch dieses? Ich fragte eine junge Dame, die auch diesen Aufzug ansah, und sie erklärte mir, dieses sei eine militärische Schwimmschule, Offiziere und Kadetten, die alle in der Wette mit dem Strom zum St. Gerhardsberg hinabschwimmen, es ist aber unmöglich schwimmend den Weg zurück zu machen, und daher rudern sie mit Fahnen und Musik in Böten! Es sieht gut aus, es ist eigentümlich! Alles ist Jubel, Festlichkeit, die Kirchenglocken läuten, es ist Pfingsten!

ANTON HOLZER

(∗ 1964)

DDSG-Werft Österreich

1835 hatte die DDSG auf Initiative von István (Stephan) Széchenyi zwei dem Stadtteil Óbuda vorgelagerte Donauinseln gekauft. Im Jahr darauf wurde auf der kleineren Insel mit dem Bau einer Schiffswerft begonnen. In den Donauarmen rund um das Werftgelände entstand ein Winterhafen. Wenn die Donau zugefroren war, überwinterten entlang der hochwassersicheren Insel bis zu 300 Schiffe. Die ersten Dampfschiffe waren in Wien/Floridsdorf gebaut worden, doch Mitte der 1830er Jahre verlagerte sich die Schiffsbauindustrie nach Ungarn. Auf der Werft in Óbuda wurden unter der Leitung des englischen Schiffsbaumeisters Robert Fowles bald auch die ersten Dampfschiffe (»Árpád«, »Maria Anna« und »Erös«) gebaut. Innerhalb kürzester Zeit wurde Óbuda zur größten und wichtigsten DDSG-Werft an der Donau (und zur größten Binnenschifffahrtswerft weltweit). Weitere kleinere Werften des Unternehmens entstanden später im rumänischen Turnu-Severin (ab 1857) und in Regensburg (ab 1862). Um die Mitte des Jahrhunderts (1852) wurde nördlich von Wien, in Korneuburg, eine Reparaturwerft errichtet. Sie stand zwar mit rund 180 Arbeitern (1893) lange Zeit im Schatten von Óbuda, begann aber bald ebenfalls mit dem Bau von kleineren Schiffen (vor allem Warenbooten). Seit der Zwischenkriegszeit nahmen ihre Bedeutung und ihr Personalstand (ca. 1.300 während des Krieges) deutlich zu, da sich nun die Bautätigkeit der DDSG zunehmend nach Korneuburg verlagerte. Auch nach 1945 wurden hier zahlreiche Schiffe gebaut, bis man 1993 die Werft, die zuletzt noch rund 550 Arbeiter beschäftigt hatte, stilllegte.

Die Werftinsel Óbuda galt im 19. Jahrhundert als Attraktion des Industrie- und Maschinenzeitalters, als ein High-Tech-Betrieb ganz auf der Höhe der Zeit. Viele Donau- und Budapest-Reiseführer rühmten die Werft als »größte Sehenswürdigkeit« (Alexander F. Heksch). Auf dem Werftgelände wurden laufend Besichtigungen und Führungen angeboten. Hier konnte man »einen Sprung in die modernste Gegenwart, in das Zeitalter des Dampfes und der Mechanik« machen. Die Besucher erhielten im Verwaltungsgebäude eine Karte, um sich auf dem Gelände orientieren zu können, und einen kostenlosen Führer.

ERWIN HAUKE

(2001)

Die Donau in Kriegszeiten

Die Donau hatte immer schon als Transportweges für
militärische Aktivitäten gedient. Bereits die Römer
betrieben auf dem Strom eine Flotte von schnellen
Ruderkriegsschiffen und Transportschiffen. Zum ersten
Mal unmittelbare Bedeutung für das Militär erlangte
die Donau während der Türkenkriege. In dieser Periode kamen Ruder- und Segelkriegsschiffe zum Ein-
satz, von denen einige mit bis zu 60 Kanonen be-
stückt waren. Das war für das 18. Jahrhundert eine
gewaltige Feuerkraft. Nach dem Friedensschluss
zwischen der Pforte und der Habsburgermonarchie
herrschte einige Jahrzehnte Ruhe auf dem Strom.
Kriegerische Aktivitäten auf der oberen Donau fanden
erst wieder während der napoleonischen Kriege zu
Beginn des 19. Jahrhunderts statt doch spielte der
Strom selbst dabei nur eine untergeordnete Rolle.

Im Jahr 1848 bestanden von ungarischer Seite
Bestrebungen, sich von der Gesamtmonarchie abzu-
spalten.

In Erwartung von militärischen Operationen kaufte
die ungarische Regierung von der DDSG den *Franz I.*
und ließ ihn zum Kriegsdampfer umbauen. Nach dem
ungarischen Kriegsminister bekam das Schiff den
Namen *Mészáros* und war anschließend in einige
Kampfhandlungen verwickelt. Im Winterstand in
Budapest wurde der eingefrorene hilflose *Mészáros*

von den Kaiserlichen erbeutet und im Zuge weiterer Aktionen nach Wien gebracht; er wurde umgetauft und hieß nun *General Schlick*. Im Sommer 1849 war der Krieg zu Ende, den Kriegsdampfer ließ man aber armiert. In der Folge bildete er den Kern der ab 1850 in Budapest stationierten Donauflottille.

FERDINAND GRASSAUER

(1840–1903)

Die Fische des Donaugebietes

Das Donaugebiet erfreute sich einst eines großen Fischreichtums und der Betrieb der Fischerei, sowie der Fischhandel waren nicht unbeträchtlich. In unserem Jahrhunderte aber ist es anders geworden. Die Zahl der Fische überhaupt und besonders die der großen hat seit einigen Jahrzehnten bedeutend abgenommen. Die Wellenbewegung, welche die Dampfschiffe verursachen, stört und verjagt die Fische, überdeckt die Eier an den Laichstellen mit Schlamm und Sand oder wirft sie mit zahlreichen unbehilflichen Jungen an den Strand, wo sie zu Grunde gehen. Durch die Flußregulirungs-Arbeiten werden die Seitenarme trocken gelegt und der Fortpflanzung der Fische durch die Beseitigung der ruhig fließenden oder stehenden Gewässer die geeignetsten Laichplätze entzogen. Indem die Ufer von Bäumen und Wasserpflanzen entblößt werden, wird vielen Fischen die Nahrung entzogen und die Entwicklung des Sauerstoffes im Wasser verringert; die Fabriken, welche mit scharfen Chemikalien arbeiten, leiten ihre Abzugscanäle in die vorüberfließenden Gewässer, verpesten diese auf weite Strecken mit ihren Abfällen und tödten dadurch Tausende von Fischen. Dazu kommt, daß durch die Gesetzgebung für die Fischzucht wenig oder gar nicht bisher gesorgt wurde. Während der Ausrottung des Wildes dadurch Schranken gezogen sind, daß durch die Gesetze für viele Wildgattungen eine Schonzeit festgesetzt wird, giebt es für die Fische keine Unterbrechung der Fangzeit. Aus diesen Ursachen, sowie aus der Art und Weise, wie die Fischerei ausgeübt wird, ist die außerordentliche Abnahme des Fischreichtums im Donaugebiete leicht erklärlich.

SÁNDOR PETŐFI

(1823–1849)

So wie der Zweig erzittert

So wie der Zweig erzittert,
schwingt sich der Vogel darauf,
zittre auch ich, steigt dein Bildnis
vor meiner Seele auf.
Dein muß ich immerdar denken,
Mädchen, Herzliebste mein,
bist dieser schönen Erde
herrlichster Edelstein.

So wie im Frühling die Donau
über die Ufer drängt,
wogt mir im Herzen die Liebe,
daß mir's die Brust fast sprengt.
Liebst du mich noch, süße Rose?
Heiß wie dereinst lieb ich dich!
Vater und Mutter lieben
treuer dich nicht als ich.

Sommer war's, als wir uns fanden,
da warst du zärtlich und lieb.
Seit uns der Winter trennte,
scheint alles kalt und trüb.
Gott mag dich segnen, Herzliebste,
wenn du mir treu nicht bliebst …
Tausendmal soll er dich segnen,
wenn du wie einst mich liebst!

HELMUT HAUPTMANN

(1957)

Es war in der Pußta

Es war in der Pußta, dort, wo die Sommerluft wie glü-
hendes Metall ist und wie Metall schwer auf den Gliedern lastet, dort, wo die Sonne in heißem Wrasen
schwimmt und die Rinder bis zum Hals im Strom
stehn. Dort, wo es sonst sein kann, daß die Temperatur
des Nachts 10, 12, ja 14 Grad unter den höchsten

Tageswert sinkt, wollte die Luft nicht kühler werden. Wir wälzten uns nicht in, sondern auf den Schlafsäcken hin und her. Der Maschinist hatte Alpträume und schnarchte laut und mühsam. Räuspern oder Rufen half nichts. So wurde ein (rein zufälliger) sanfter Rippenstoß angesetzt. Der Erfolg war verblüffend: Das Schnarchen erstarb. Eine himmlische Ruhe trat ein, für Sekundenbruchteile. Dann fuhr unser Maschinist hoch, flüsterte heiser: »Da ist jemand am Boot!!«, griff mit schlafwandlerischer Sicherheit die Stablampe von der Seite des Steuermanns und stürzte aus dem offenstehenden Zelt und leuchtete.

Überm Boot aber stand nur der Orion, und links, tief über der Pußta hängend, die Venus, wie wir sie noch nie gesehen hatten, weißglühend, wie ein Felsbrocken vom Strand in Brotbeutelgröße.

Als sich unser Maschinist gefaßt hatte, kehrte er zurück und sagte überzeugend: »War Probealarm. Seid aber nicht sehr schnell gewesen.«

SÁNDOR PETŐFI

(1823–1849)

Auf der Donau

Wie oft, du stolzer Strom, verwundet deine Brust
Des Bootes scharfer Kiel, des Sturmes wilde Lust!

Wie ist die Wunde tief, wie tief ist da der Schmerz,
Wie schneidet's da so weh und grausam dir ins Herz!

Und doch – enteilt das Schiff und schweigt des
                                        Sturmes Wut,
Dann ist die Wunde heil, und alles, alles gut.

Fürs Menschenherz jedoch, ward einmal es
                                        verwundet,
Gibt's keinen Balsam mehr, durch den es je gesundet!

FRANZ HUTTERER

(1964)

Gäste aus Amerika

Als der Dampfer Preßburg verlassen hatte, gelangten
sie in die große ungarische Tiefebene. Die Donau floß
sehr langsam, die Ufer traten weit auseinander. Kleine
Sandinseln, mit Schilf und Weiden bewachsen, ragten
aus dem Wasser, die Ufer waren auf weite Strecken
versumpft und unfruchtbar. Riedvögel flogen auf,
Fischreiher, Störche, Rohrdommeln, Wildenten und
Schnepfen. Hier möchte ich gerne leben, dachte Peter.
Eine Hütte am Ufer, eine Flinte, ein Netz und einen
Kahn möchte ich haben. Und dann jagen und fischen,
und mit dem Kahn in den Wellen der Donau schau-
keln. Er war den ganzen Tag und die halbe Nacht
nicht von der Reling wegzubringen. Schiffe kamen
ihnen entgegen, Passagierdampfer und Schlepper, die
stampfend und rauchend vier oder fünf Kähne zogen.
Auf den Kähnen standen Kajüten, in denen die Schiffs-

leute mit ihren Familien wohnten. Die Frauen hängten Wäsche an die Leine, Kinder liefen barfuß umher, als wären sie an Land, und sogar Hunde und Katzen tummelten sich auf den Planken, bellten und miauten und rauften manchmal.

»Gefällt es euch?« fragte Peters Vater.

Peter schaute ihn froh an und nickte. In ihm regte sich eine große Freude.

»So sieht die Donau auch bei uns daheim aus.« Peters Vater sagte »bei uns daheim«, obwohl er seit Jahren in Amerika lebte. Doch in Gedanken weilte er oft in jenem Dorf an der Donau, das seine Heimat blieb.

»Setzt euch zu mir!« Peter, Michael und Brigitte setzten sich auf die Bank hinter dem mächtigen Schornstein. [...]

Am Sonntag gingen alle um acht Uhr in die Kirche. Die Kirche war fast leer, nur in den vorderen Bänken knieten einige Frauen und Männer und Kinder.

Nach dem Gottesdienst trafen sie den Pfarrer.

»Michael hat mir von Ihnen erzählt«, sagte der Pfarrer. »Sie sind zu Besuch in Ihre Heimat gekommen. Es ist jetzt alles ganz anders als früher.« Peter sah, daß der Pfarrer gebeugt und alt und traurig war. Warum ging er nicht nach Deutschland oder nach Amerika? Durfte er die Kirche nicht verlassen?

»Du bist in dieser Kirche getauft worden, Peter«, sagte seine Mutter.

»Ich?« fragte Peter erstaunt. »War ich denn schon einmal hier?«

»Du bist hier geboren, und der Herr Pfarrer hat dich getauft. Du warst ein Jahr alt, als wir flüchteten.«

Das kam Peter seltsam vor; er hatte noch nie darüber nachgedacht. Er wußte den Namen seines Geburtsortes, doch das war für ihn ein fremder Name.

»In dieser Kirche?« fragte er.

»Kommt mit, ich zeige euch etwas«, sagte der Pfarrer, und die Kinder folgten ihm.

Er zeigte ihnen den Taufbrunnen, der neben der Kommunionbank stand.

»Bin ich auch hier getauft worden?« fragte Brigitte.

»Du bist doch in Österreich geboren, Brigitte«, sagte Michael. »Aber ich bin hier getauft worden.«

»Deine Eltern haben hier geheiratet, Brigitte«, sagte der Pfarrer. »Ich weiß es noch genau, denn das war eine große Hochzeit. Ich denke oft an eure Eltern und an eure Großeltern und an alle meine Freunde und Bekannten.«

Sie standen allein in der großen Kirche. »Früher war die Kirche am Sonntag voll«, sagte der Pfarrer und nickte und dachte an die Zeit des Friedens, als die Menschen noch in ihrer Heimat lebten.

»Ich will euch noch etwas zeigen«, sagte der Pfarrer und führte alle in das Pfarrhaus und in das Zimmer, in dem in den Büchern die Geburten, die Hochzeiten und Todesfälle aufgeschrieben waren. Es war ein großer Schrank mit alten und schon gelb gewordenen Büchern. Der Pfarrer zog eins heraus und blätterte darin. Dann sagte er: »Komm her, Peter. Lies, was hier steht.«

Peter schaute in das Buch und las laut: »Peter Burger, geboren am 12. März 1942, getauft am 19. März 1942.«

»Das bin ich«, sagte er.

»Und hier«, sagte der Pfarrer.

»Michael Burger, geboren am 15. Dezember 1945, getauft am 21. Dezember 1945.«

Peter und Michael schauten sich an und freuten sich, daß ihre Namen in dem dicken Buch standen. Brigitte war betrübt, denn sie blieb die einzige, die nicht hier geboren war. Der Pfarrer zeigte ihr die Namen ihrer Eltern und Großeltern und Urgroßeltern. Die ganze Familie Burger.

»Du gehörst auch zu ihnen«, sagte der Pfarrer zu Brigitte. »Und darum ist das auch deine Heimat. Wenn es keinen Krieg gegeben hätte, dann wärst du hier geboren und getauft wie alle anderen und würdest sonntags in diese Kirche kommen.«

Brigitte hatte in den letzten Tagen viel erlebt. Die Reise auf der Donau, das fremde Dorf, das ihre Heimat war, die Menschen, deren Sprache sie nicht verstand, Tante Theresia und Onkel Andreas, die Kahnfahrt und Michaels Freunde. Und jetzt las sie in alten Büchern des Pfarrers die Namen ihrer Ahnen, die Burger hießen wie sie.

Es war ein merkwürdiges Gefühl, das Brigitte dabei hatte. Jetzt konnte sie erst verstehen, warum die Eltern und die Großeltern so oft von daheim erzählten. Sie hatten ja hier gelebt.

HANS HOCHHOLZER

(1929)

Der Eisstau der Donau Februar-März 1929

Eisstaue und Eisstöße vermögen unter Umständen
sehr starke morphologische Wirkungen hervorzubrin-
gen; obwohl der heurige Eisstau der Donau wohl einer
der längsten war, der in neuerer Zeit an diesem Strom
beobachtet wurde, blieb es nur bei der ersten Ent-
wicklungsphase, dem Stau, dem kein eigentlicher
Eisstoß folgte. Einige morphologische und morpho-
dynamische Beobachtungen mögen mitgeteilt werden,
da sie unter Umständen Vergleichsstoff für Flußeis-
beobachtungen an anderen Strömen abgeben können.

Der Eisstau begann sich Ende Jänner an mehreren
Stellen der Donau zu bilden, so beim Eisernen Tor,
bei Mohacs, bei der Schüttinsel, in Bayern oberhalb
der Innmündung: Flußengen, starke Flußkrümmungen
und verwilderte Flußstrecken waren also seine ersten
Ansatzstellen. Trotz der großen Kälte und des starken
Eisrinnens brauchte der Strom zwei Wochen, um die
600 km lange Strecke von Mohacs bis in die Wachau
mit Eis auszufüllen. Besonderes Augenmerk verdienen
die Schließungsvorgänge: Die Anlagerung der Schollen
aneinander verlief kilometerweit gleichmäßig, um
gelegentlich einer raschen Änderung in der Anlagerung Platz zu machen; diese Änderungen zeigten sich
in einer Diskontinuität der Anlagerungslinie (d. i. der
oberen Grenze des Staues), die ziemlich deutlich
noch innerhalb der geschlossenen Eisfläche zu be-

merken war; die treibende Kraft dieser plötzlichen Änderungen in der Anlagerungsweise war der Wind, dessen Richtungsänderungen auch der Anlagerungswechsel entsprach: Die Schollen werden nämlich bei ihrem Weiterschwimmen stark von der Kraft des Windes beeinflußt, der sie dem leeseitigen Ufer zutreibt; daher überwiegt das Eistreiben auf der einen oder der anderen Stromhälfte.

RUDOLF FRANZ KARL JOSEPH, KRONPRINZ VON ÖSTERREICH-UNGARN

(1858–1889)

Auf einem Boote

Auf einem Boote verliessen wir alle zusammen den Dampfer und fuhren in einem canalartigen Arme, der sich oberhalb unserer Fischercolonie am rechten Ufer abzweigt, eine kurze Strecke stromaufwärts. Bald langten wir an einer Brücke an, die von hohen Dämmen aus über den Arm führt; hier wurde Halt gemacht und ausgestiegen. Herr von Rampelt empfing und geleitete uns zu den Wagen, die auf dem Damme postirt waren. Es waren Herrschaftsfuhrwerke, mit sehr guten Pferden bespannt, sie wurden uns für den ganzen Tag zur Verfügung gestellt. Nicht diese grosse Liebenswürdigkeit allein, sondern auch die ganzen Arrangements für diesen Tag bezeugten, ohne dass man es eigens erwähnen müsste, in welchem Maasse die ganze

Güterverwaltung und alle ihre Organe von dem so überaus vornehmen, gastfreundlichen Geiste des Gutsherrn durchdrungen sind.

Unsere Fahrt begann: Im ersten Wagen fuhr der Güterdirector, uns den Weg weisend, ihm folgten mein Schwager und ich, und an uns reihte sich eine ganze Caravane von Wagen; wir hatten ziemlich viel Mannschaft mitgenommen, alles Leute, die wir bei unserer Jagd unbedingt brauchten.

Zuerst lief der Weg in ganz gerader Richtung auf dem Damme fort, etwas holperig und ermüdend, doch immerhin hätten wir ihn wenige Tage nachher in Slavonien eine Chaussée genannt. Rechts und links erhoben sich anfänglich stattliche Wälder, die theilweise überschwemmt waren; zu unserer Rechten verschwanden sie allmälig und an ihre Stelle traten ausgerodete Holzschläge und sumpfige Hutweiden. Wir waren am Rande der Auen angelangt; es interessirte mich immer sehr zu wissen, wie die äussere Umgebung der südungarischen Auwälder aussehe, mein Wunsch war erfüllt.

Ungemein erinnerte mich der Charakter dieser Gegend an den nördlichen Rand unserer herrlichen niederösterreichischen Auen bei Stadtl-Enzersdorf und Mühlleuten.

In Weidenwälder verliefen die zusammenhängenden Auwälder, dann kamen fast stillstehende Arme, ihnen folgten nasse Hutweiden, von Singvögeln reich bevölkerte Gebüsche, geziert durch einzelne hohe Bäume, und endlich getrennte Parcellen von schönen Eichenbeständen mit buschigem Unterwuchse. Durch die ganze gartenartige Gegend führte uns der Weg aus den echten Auen bis an ihren äussersten Rand; je mehr wir hinauszu kamen in das Gebiet der Feldgehölze, desto lebendiger und artenreicher wurde die Welt der kleinen Vögel, desto mehr mussten Hieroglyphen – denn nichts Besseres liess der immer mehr und mehr ungarisch werdende Weg zu – in unsere Notizbücher eingetragen werden.

Die eigentlichen Auwälder, die Inseln und Wildnisse sind arm an der kleineren Vogelwelt; sie beherbergen manche stattlichen Kämpen unter dem Vogelgeschlechte, doch jene, welche die Gegenden beleben, die vielen artenreichen Sänger und Körnerfresser sind in jenen Gebieten nur spärlich angebaut.

Unser Weg schlängelt sich durch die lieblichsten Gehölze; ein kleiner Eichenwald, geschmückt durch riesige Eichen und dichtem Unterwuchs, machte einen besonderen Eindruck auf mich.

Er war auffallend schön und erklang von den fröhlichen Stimmen unzähliger Sänger. Als wir ihn verliessen, waren wir ganz im Freien, die Ebene hatte uns aufgenommen, rechts von uns Felder und Sümpfe links ein kleines Gewässer zwischen tief eingeschnittenen Ufern, das seine bescheidenen Fluttheil der Donau entgegentrug; am anderen Ufer desselben ebenfalls nichts als flaches Land. Vor uns sahen wir in weiter Ferne Höhenzüge, deren blaugraue Contouren undeutlich im Höhenrauche verschwammen; rechts vorwärts, auch noch in ziemlicher Entfernung, erblickte ich abermals den spitzen Berg mit seiner marquanten Form, den ich schon zwei Tage früher, von einer ganz anderen Seite, vom Verdecke unseres Dampfers aus betrachtet hatte.

Wildenten strichen allenthalben ober dem Sumpfe, der Kibitze zahllose Schaaren schwangen ihr buntes Gefieder in den Lüften und Rohrweihen und schwarze Milane sahen wir auf Schritt und Tritt, Krähen, Elstern, Sperlinge, Lerchen, Ammern, Bachstelzen und noch verschiedene andere Species belebten das Bild. Auf einzelnen hohen Eichen, die hie und da neben dem Wege standen, und in einem kleinen Eichenwäldchen unfern einer Puszta (Meierhof) nisteten Dohlen in grosser Menge.

Abermals führte uns der Weg zu einem Bache, an dessen beiden Ufern sich der kleine Geselle, die Donau nachahmend, ein schmales Band von Auen, in Gestalt einzelner Weiden hielt. Purpur und Fischreiher strichen da auf und nieder und ein prächtiger Fischaar zog ober dem Wasser dahin, entzückt sahen wir dem munteren Räuber bei seinem Fischfang zu, bald folgte ihm ein zweiter und wenige Augenblicke darauf ein dritter, es schien daselbst ein besonders günstiger Fischplatz zu sein

Nach einiger Zeit gelangten wir zu sumpfigen und überschwemmten Wiesen; unser Weg führte abermals auf einem hohen Damme. Rechts und links schwammen, trotzdem gar kein Rohr Deckung bot, Blassenten in grosser Menge umher, Reiher standen bedächtig im Wasser und leichtbeschwingte schwarze Seeschwalben und Fluss-Seeschwalben jagten fischend ober den Fluthen. Am Ufer liefen Staare und Steinschmätzer zwischen den weidenden Pferde- und Rinderheerden umher, und ein weisser Storch zog schweren Fluges nach dem nahen Dorfe.

Vor uns in einiger Entfernung bemerkten wir eine steile, gleichmässig fortlaufende Abstufung im Terrain, es war dies die erste Erhebung der Erdoberfläche vom Niveau der Donau. Auf der Kante dieses Abfalles steht ein grosses Dorf, das den echt ungarischen, etwas urwüchsigen Charakter an sich trägt. Auf der Höhe desselben angelangt, führte uns der Weg zwischen den ersten Häusern hindurch in eine lange gerade Akazienallee.

Von hier aus bemerkten wir ungefähr auf tausend Schritte vor uns einen grossen Wald; auf meine Frage, ob dies der »Keskendi erdő« sei, antwortete der Kutscher, ein echter Magyare, mit einem stummen Kopfnicken; dies sollte also unser heutiges Jagdgebiet, der berühmte Keskender Wald sein.

MANUEL RAMOS MARTÍNEZ

(2000)

Am Ufer der Donau

Vielleicht liegt es am Winter mit seinen zwölf Grad unter Null, mit seinen grauen Morgen und seinen schwarzen Raben.

Vielleicht liegt es am Licht des Frühlings, das wie goldfarbener Regen vor seiner Zeit auf unsere Gefühle fällt, und am Grün, das sogleich unsere Herzen erklimmt und alles überflutet.

Vielleicht liegt es an den Geigen im November, an der Liebe im Herbst oder vielleicht spornt der letzte Brief uns an, der eintraf aus dem fernen Land.

Gewiß liegt es an allem zugleich und an vielem
mehr. Es liegt nämlich auch an einem Bedürfnis, das
zu neuen Ideen führt, an einem kulturellen Vakuum,
das zum Impuls wird und diesen Augenblick entstehen
läßt, in dem wir gemeinsam dieses Blatt Papier vom
Ufer in die Donau werfen, die es flußabwärts trägt,
und uns mit ihrer Hoffnung und ihrem belebenden
Geruch zu Schöpferischem anregt.

HELMUT HAUPTMANN

(1957)

In Mohács vor der Paß- und Zollstation

Den halben Nachmittag vertrödelten wir in Mohács
vor der Paß- und Zollstation. Der diensttuende Offizier mußte um Weisungen nach Budapest telefonieren.
Irgendwelche Vorschriften verlangten, so behauptete
er, daß wir dort ausreisten, wo wir eingereist waren,
in Szob also. Dazu hatten wir gar keine Lust. Wir
wollten ja weiter nach Süden.

Wir ließen also die Beine vom Kai baumeln und
warteten, sahen hinüber ans andere Ufer, wo noch
immer die Staubwolken von an- und abfahrenden
Lkw hinter den Lastkähnen standen.

Es hat uns etwas angeweht von der uralten ewig
erregenden Goldsucheratmosphäre, dort auf Mohácsziget,
genau wie ein paar Tage vorher in Stálinváros[*], das

_____
[*] Heute: Dunapentele

430

uns in der Pußta begegnete: mit blumenblanken neuen Nebenstraßen, die – hell angezogen und mit einem bunten Latz – in die Sonne träumten, und mit Bauplätzen, holprig, sperrig, staubig und roh, mit der erst zur einen Hälfte fertigen und ständig in Anspruch genommenen Ladenstraße und dem ein wenig dahinter schwitzenden gläsernen Kinopalast – eine Stadt voller Leben selbst in der heißesten Stunde, eine Stadt, von der vor wenigen Jahren noch nichts existiert hatte. Sicher kann man überall, wo Neues gebaut wird, etwas von der Schürferromantik treffen. In Stálinváros, in Homorud und anderswo auch kommt eins hinzu: Das Bewußtsein, die Begeisterung von Menschen, die alles um eines hohen menschlichen Zieles wegen organisieren, unermüdlich, aufopferungsvoll. Gewiß, man trifft sie nicht an jeder Straßenkreuzung. Sie haben meistens weder Zeit noch Neigung, anderen ihre Leistungen und guten Absichten wortreich vorzuweisen.

Ruhig und unaufhaltsam zog der Strom unter uns dahin. Arbeit und Leben bringt er, manchmal auch Gefahr. Dann bricht er übers Land, überflutet eine Insel wie Mohácsziget oder eine Stadt wie Passau. Doch immer besser lernt der Mensch, ihn zu zähmen und zu nutzen, baut Dämme und Kraftwerke und bombardiert das sich stauende Eis, studiert den Strom und seine Gesetze und richtet sich danach ein.

Und die Gesetze des eigenen Lebens? Ich dachte an das triste Barackenlager am Donauufer vor Passau, in dem Republikflüchtige hausten. Aber auch an Laszlo vom Nagymaroser Strand dachte ich und an manch andere Begegnung. Sie fühlten keine richtige Heimat, weil sie sich nicht in Übereinstimmung mit den Gesetzen des menschlichen Lebens befanden, mit den Gesetzen der Gesellschaft, weil sie ihren Platz noch nicht gefunden hauen. Es gibt noch viele heimatlose Menschen überall in der Welt …

Man kann nicht lange ins Wasser sehen, auf dem der Sonnenschein gleißt. Man darf aber auch nicht einschlafen, wenn man auf dem Kai sitzt und die Beine baumeln läßt, sonst fällt man runter ins feuchte Element. So zogen wir uns also unter einen alten schattigen Uferstraßenbaum zurück, setzten uns auf unsere Lederhosen und tranken (im Gedenken an »Halászlé«) die sechs Flaschen Most leer, die wir gegen unsere übriggebliebenen Forints als Reiseproviant für die nächsten Tage erstanden hatten.

Wir ließen sie immer die Reihe durchgehen, hübsch nacheinander und fein langsam, und als die letzte der sechs Flaschen geleert war, kam der Offizier aus dem Büro.

Wir durften weiterfahren und wurden dem Schutz eines Patrouillenbootes anempfohlen, das uns die letzten zehn Kilometer bis zur Grenze begleiten sollte, weil dies der erste Grenzübertritt eines Sportbootes nach dem Kriege überhaupt war. Die Matrosen donnerten ein paar Kurven auf der Donau, und als die Station außer Sicht war, nahmen sie uns in Schlepp. »Delphin« ritt los, daß seine in Österreich erreichte Spitzengeschwindigkeit nur ein müdes Schleichen dagegen blieb.

LÁSZLÓ MÉSZÁROS

(2006)

Verlässt die Donau Ungarn

Verlässt die Donau Ungarn, wird sie erneut zum Grenzfluss. Am rechten Ufer liegt Kroatien, am linken die
serbische Provinz Vojvodina, in der eine schrumpfende
ungarische Minderheit lebt. Schwierig war diese Gegend, diese Grenzregion schon immer. Eine echte
Donaulandschaft, Türken, Ungarn, Serben, Rumänen,
Deutsche, Kroaten, Bosnier haben hier gekämpft –
und so mancher von ihnen kämpft heute noch, Der
breite Fluss, der leicht zu verteidigen war, hatte auch
Rom und Byzanz als Grenze gedient, wie auch die
südliche Grenzlinie des ungarischen Königreichs
entlang der Donau und der in ihr mündenden Save
verlief. Und genau hier, wo die Save in die Donau fließt,
hatte einst die römische Grenzfestung Singidunum
gestanden, das spätere Nándorfehérvár und heutige
Belgrad, die Hauptstadt der Republik Serbien.

RUDOLF FRANZ KARL JOSEPH,
KRONPRINZ VON ÖSTERREICH

(1858–1889)

Im Draueck

Die Sonne stieg eben glänzend am östlichen Himmel auf, die herrlichen Auwälder des Drauecks mit ihren ersten Strahlen vergoldend, als wir auf das Verdeck traten, um die erquickende Morgenluft zu geniessen.

Die Nacht hindurch fuhr der Dampfer unaufhaltsam stromaufwärts und rasch waren wir an Čerevič und an den herrlichen Bergen der Fruška-Gora vorbeigeglitten.

Wir hatten die Absicht etwas oberhalb des Drauecks anzuhalten und von da aus den Sumpf Hulló zu durchstreifen. Dieser Plan war eigentlich von Brehm ausgegangen, der, während wir unsere Ausflüge in die Auwälder um Apatin unternahmen, auf einem seiner Streifzüge bis zu diesem imposant grossen Waldsumpfe gelangt war und nun den Wunsch hegte, denselben genauer zu durchsuchen.

Unser Dampfer hielt eine Viertelstunde oberhalb des Zusammenflusses der Drau und der Donau an einem reizend schönen Punkte.

Am linken Ufer erblickt man die colossalen Auwälder, welche sich bis zum Draueck hinabziehen, während am rechten ein dünner Waldstreif das Gestade des Stromes vom Sumpfe trennt. Stromaufwärts bietet die Donau umgeben von den herrlichen in tiefem Dunkelgrün prangenden Wäldern einen wunderbaren Anblick, während stromabwärts, ebenfalls von Auwald eingesäumt die Aussicht nur bis zur grossen Biegung des Stromes reicht.

Wir waren wieder inmitten dieser imposanten Gegend, welche uns eine Woche früher so sehr entzückt hatte. Immer mehr Interesse und Bewunderung einflössend traten diese prächtigen Bilder abermals vor uns auf, und wie festgebannt standen wir auf dem Verdecke, die erquickende Morgenluft geniessend. […]

Das Bild, welches sich uns am Rande des Sumpfes bot, war in der That grossartig und trug einen höchst eigenthümlichen Charakter an sich. Vor uns lag die weite Wasserfläche des sogenannten Sumpfes Hulló; besser wäre der Name »See«, denn eigentlich entspricht er gar nicht dem Begriffe eines Sumpfes. Der Hulló, wie ihn das Volk nennt, ist ein grosses Ueberschwemmungsgebiet, das mehr oder weniger das ganze Jahr in allen Theilen mit stehendem oder nur in sehr geringer Bewegung begriffenen Wasser gefüllt ist. Im Osten ist der Hulló von der Donau, im Süden von der Drau, im Westen von offenem unbewaldeten Lande und im Norden von den grossen Auwäldern begränzt.

Die Ausdehnung dieser Wasserfläche ist eine ungemein bedeutende, kaum dass das Auge sie nach Westen zu ganz übersehen kann. Im Inneren bildet der Hulló theils ganz freie Wasserflächen, theils aber auch förmliche Wälder von dichtem, über Manneshöhe reichendem Rohre; allenthalben ist das Wasser so tief, dass man unmöglich watend weiter zu kommen vermag.

Ich wurde durch den Charakter dieses höchst inter-
essanten Ueberschwemmungsgebietes lebhaft an das
der Narenta in Dalmatien erinnert.

Die Aussicht vom östlichen Rande über den ganzen
Hulló, ist eine wundervolle. Die weite Wasserfläche
mit den hohen Kornfeldern ähnlichen lichtgelben
Rohrwänden, die im Winde rauschend wogen; gegen
Norden die grossen graugrünen Auwälder, im Süden
die Einfassung von einem schmalen Weidenwalde
und im Westen die weite Ebene mit dem Sumpf sich
vor dem Blicke vermengend; darüber, fortwährend
rufend ziehen Wasservögel jeder Art einher, und die
vom leichten Morgenwinde gekräuselten Wellen spielen
plätschernd mit dem Rohre – das Alles gibt ein schönes
malerisches Bild.

PAVAO PAVLIČIĆ

(* 1964)

Um Neujahr herum beginnt sich die
Donau merkwürdig zu verhalten

Um Neujahr herum beginnt sich die Donau merk-
würdig zu verhalten, wie ein alter, grauer Kater zur
Paarungszeit. Sie scheint sich ständig zu verstecken:
Mal hüllt sie sich in Nebelschwaden, mal verschwin-
det sie im Schneegestöber, als sei sie plötzlich ein
Karstfluss geworden, oder sie wird schon in den ersten
Nachmittagsstunden von einer Dämmerung zuge-

deckt, die wie ihre Verdunstung anmutet, als trachte die Luft danach, die graublaue Farbe des Donauwassers anzunehmen, was ihr dann so gegen halb vier auch gelingt. Und alle zehn bis zwölf Jahre gefriert die Donau zu Eis.

Das passiert immer gewissermaßen unerwartet, in der Regel vor Morgengrauen. Das Eis ist sofort dick und sehr fest, weil an einem so gewaltigen Fluss nichts klein oder dünn sein kann. Gewöhnlich fällt auch Schnee, oder dieses feierliche Ereignis findet gerade statt, während es schneit, so dass, wenn es hell wird, statt der Donau plötzlich eine breite weiße Straße vor uns liegt. Es fällt schwer zu glauben, dass unter dem Eis tatsächlich Wasser ist, das plätschert und gurgelt und nur wegen jenes halben Meters an Eis etwas weniger mächtig ist. Im Schnee, der das Eis zudeckt, erscheinen bald die ersten schmalen Pfade, die von Stunde zu Stunde breiter und ausgetretener werden. Die ersten Spaziergänger haben sich aufs Eis gewagt.

Sie wären zwar beleidigt, wenn man sie Spaziergänger nennen würde: Sie würden Ihnen versichern, sie hätten unaufschiebbare Geschäfte auf der anderen Seite, an einem Spaziergang und am Eis wären sie wenig interessiert. Und doch bleiben sie auf diesem wichtigen Weg immer wieder stehen, schieben mit dem Fuß den Schnee beiseite und glätten das Eis mit der Sohle: Sie schauen, wie grün es ist, vergleichen es mit der Farbe des Donauwassers, so wie sie es in Erinnerung haben, schütteln den Kopf und rätseln ernsthaft darüber, wie dick dieses Wunder sein könnte. Wenn sie sich unbeobachtet wähnen, nehmen sie einen Anlauf und versuchen auf dem Eis zu gleiten.

Am Nachmittag, besonders wenn die Sonne herauskommt, erscheinen am Ufer Zuschauer. Sie stehen auf dem hohen Deich und beobachten den Fluss, als sähen sie ihn zum ersten Mal, nicken mit den Köpfen, zeigen den Kindern, was der Winter angerichtet hat und verbieten ihnen aufs strengste hinunterzugehen und auszuprobieren, wie sich das Eis anfühlt. Sie versuchen sich zu erinnern, in welchem Jahr die Donau zuletzt vereist war, wie das aussah und wie kalt jener Winter war. Sie erzählen davon, was sie von den Älteren gehört haben, aber auch davon, was sie selbst wissen: von einstigen Wintern, vom Gehen übers Eis, von Eisbrechern, die jetzt aus Ungarn kämen. Unweigerlich wird dann auch die Legende von den Hochzeitsgästen erzählt, obwohl es niemanden gibt, der sie nicht kennt. Hier ist die Geschichte. Vor mehreren Jahrzehnten (gewöhnlich heißt es: vor dem Krieg, vielleicht vor diesem, vielleicht auch vor jenem, oder auch vor einem noch früheren) ereignete sich etwas Schreckliches. In die Stadt waren Hochzeitsgäste vom anderen Donauufer gekommen, um die Braut abzuholen, und in der Nacht oder kurz vor Morgengrauen kehrten sie auf ihre Seite zurück. Das Eis war fest, aber es war mitten im Winter, im Februar oder März, und plötzlich begann ein warmer Wind zu wehen. Sie sausten über das Eis auf Schlitten, die mit Glocken, Handtüchern, Rosmarin und Fahnen geschmückt waren, die Pferde waren aufgeputzt, die Hochzeitsgäste trugen Fähnchen an den Hüten, und alle schienen auch angetrunken zu sein. Als sie ungefähr in der Mitte des Flusses waren, brach das Eis und es entstand plötzlich ein Loch. Man muss wissen, dass das

Eis auf der Donau nicht so schmilzt, indem es langsam dünner wird und mit dem Wasser weiterfließt, sondern dass es plötzlich einbricht, dass Risse entstehen und dicke Eisblöcke den Fluss hinunter ziehen. So war es auch damals. Das Eis brach, und sie gingen unter. Die einen sagten, es sei nur ein Schlitten gewesen. Die andern sprachen von einem ganzen Hochzeitszug. Alle sind ertrunken, und das war sehr traurig.

Hochwasser in Vukovar

Den Wasseranstieg nehmen nicht einmal diejenigen ernst, die so nahe an der Donau hausen, dass das Wasser, sobald es ein wenig angestiegen ist, schon in ihrem Hof steht. Sie sind es gewohnt und halten es für einen glücklichen Umstand, dass die Donau im Sommer steigt und nicht im Herbst wie andere Flüsse. So trocknen die Wände schnell, und der Schlamm im Garten verwandelt diesen in besonders fruchtbaren Boden. Deswegen stellen sie gewöhnlich ihre Möbel – Schränke, Tische, Betten, Kommoden, Kredenzen – auf zwei, drei aufeinander gelegte Ziegelsteine hinauf, je nach dem, mit welcher Wasserhöhe sie rechnen. Dann schicken sie ihre Familie zu dem Bruder, zur Tante oder zu sonst jemandem, denn jedermann hat jemanden oben in der Stadt. Sie selbst laden eine Gesellschaft ein, kaufen Wein, steigen auf zwei Meter Holz, das im Hof für den Winter aufgeschichtet wurde, und trinken dort in der Abenddämmerung seelenruhig ihren Wein, unterhalten sich, singen ein wenig, während die Donau um sie herum sanft, angenehm und – wie es ihnen vorkommt – friedlich plätschert. Wozu brauchen sie Venedig, wenn sie das haben?

Nur die Feuerwehrleute nehmen die Geschichte mit dem erhöhten Wasserstand ernst. Sie beginnen sich hastig vorzubereiten, sammeln und lagern Maurerböcke, mit deren Hilfe Flöße angefertigt werden, Bretter, die einen bis anderthalb Zoll dick sind, Eisenfässer, Gummistiefel, Boote, Ölzeug und andere Dinge, die bei einer Überschwemmung von Nutzen sein können. Aber das passiert weit abseits von den Augen der Leute, niemand sieht es, und die Feuerwehrleute schweigen nur und warten auf ihren Augenblick. Ungefähr alle zehn bis zwölf Jahre – wie auch das Eis – kommt das Hochwasser. Genauer gesagt, pflegte es zu kommen, ehe der Uferdamm befestigt wurde.

Anfänglich sieht das unterhaltsam aus, und das Hochwasser ist wie ein Fest, wie Fasching oder so ähnlich. Denn alle wissen, dass es höchstens zwei Wochen dauern kann und keine ernsthafteren Folgen hinterlässt. Aber während des Hochwassers kann das Leben nicht so sein wie üblich; alles verändert sich, der Plan der Verpflichtungen ist anders, als müsse man ständig etwas unternehmen und retten, und eigentlich braucht man sich schon nach einem halben Tag nur hinzusetzen und zu warten. Die Erwerbstätigen bekommen dann ein paar Tage frei, oder sie nehmen Urlaub – mehr um das Hochwasserfest zu genießen und weniger, um etwas zu retten.

Denn das Hochwasser eröffnet eine Reihe ungewöhnlicher Möglichkeiten, unter denen auf jeden Fall jene die beste ist, die Stadt, in der man lebt, auf eine ungewöhnliche und ungeahnte Weise sehen, erleben, begreifen und benutzen zu können, um sie danach noch mehr zu lieben. Um mit diesen Möglichkeiten zu experimentieren, eilen alle ins Stadtzentrum, das tief liegt und als erstes überschwemmt wird, tummeln sich alle auf Flößen und spähen in die Läden, um zu sehen, wie es jetzt dort zugeht, in diesen seriösen und teuren Geschäften, in denen sich sonst aufgeputzte Kaufleute von einer betont freundlichen und herrenhaften Haltung aufplustern, jetzt, wenn diese Läden voller Donauwasser sind. Sie bleiben vor den Schaufenstern stehen und betrachten, wie das graue Wasser darin leicht wogt, wie in einem Aquarium, und auf dem Wasser ein gewöhnliches Weidenzweigstückchen dümpelt.

Darum waten die Buben barfuß durch das Wasser im Stadtzentrum, das bis zum Knie oder bis zum Schienbein reicht, denn das Wasser in der Stadt hat sich etwas erwärmt, es ist angenehm, weil es kaum fließt, und es ist ungewöhnlich auf dem Korso, wohin man sonst immer in Sandalen und weißen Kniestrümpfen, sorgfältig gekämmt und feierlich gekleidet kommt, barfuß zu laufen wie zu Hause. Darum kommen unseriöse Menschen mit einem Boot auf den Korso und fahren dort auf und ab, weil sie sonst nichts zu tun haben; denn auch das ist ein Erlebnis, mit dem Boot zu fahren, wo man sonst nur zu Fuß geht und wo Omnibusse verkehren. Außerdem verstärkt das Boot in der Stadt den Eindruck einer Katastrophe, was angenehm ist, wenn man weiß, dass es keine Katastrophe gibt und dass alles bald vorbei ist. Deswegen bringen die Buben die *sickalica*-Angelrute mit auf den Korso und starren, auf den Flößen sitzend, während sich hinter ihrem Rücken die Passanten durchschlängeln, ernsthaft und stur auf ihre Pose, als wäre sie das Wichtigste auf dieser Welt.

Und die Feuerwehrleute sind dann voll im Schwung. Sie stellen Flöße längs der beiden Gehsteige im Zentrum auf, fahren im Dienstboot herum, paradieren in taillenhohen Fischerstiefeln, tragen Uniformen, manchmal auch Helme, sind überall zur Stelle, reparieren, wenn nötig, die Flöße, treten zuweilen bis zur Taille und auch bis zum Hals ins Wasser, um irgendwo etwas in Ordnung zu bringen. Und all das ist eigentlich nur ein Spiel: Das ist unser wohlbekanntes, angenehmes Donau-Hochwasser, das nur schmutzige Schaufenster und Schlamm auf den Straßen hinterlässt und sonst nichts: Keine Krankheiten, keinen materiellen Schaden, nicht einmal besondere Mücken. Das ist unsere milde, langsame Donau; keine aufgewühlten Fluten.

HANS JACOB HEIN / JOSEF HARJUNG

(1983)

Sie hatten nicht aufgegeben

Sie hatten nicht aufgeben, sie »blieben der Erde treu«, aber sie wollten nicht immer und für alle Zeiten die belächelten armen »Karboker« bleiben. Dazu brauchte es nur Schweiß, Hingabe, Zuversicht und Unternehmungsbereitschaft. Das besaßen sie in hohem

Maße, und als man das Jahr 1865 zählte, legte man den Grundstein zum späteren Reichtum. Fünf Jahre zuvor hatten die Karawukowoer lediglich 1132 Joch Ackerfeld und 123 Joch Weingärten. Alles übrige waren Weiden, Wald, Wiesen, Sumpf, Schilf und Sand. Das alles ergab keine Voraussetzung, um sich mit den umliegenden deutschen Gemeinden messen zu können. Da mußte eine Lösung her! So schlossen sich besonnene Leute zusammen und gründeten kurzerhand den »Verein der Käufer der herrschaftlichen Gründe in Karavukova«, später kurz »Riedverein« genannt. Es ging um insgesamt 5133 Joch, die als Überschwemmungsgebiet zwischen dem »Hohen Damm« und der Donau lagen. Der Verein verpflichtete sich, nach dem Kauf, diese Grundstücke einzudämmen, zu entwässern, zu kultivieren und zu bewirtschaften. Auch sollte das Fischerei- und Jagdrecht in seinen Besitz übergehen.

Der Kauf kam zustande, die Kosten betrugen 267.615 Gulden und 98 1/2 Kreuzer österreichischer Währung. Nun war der Weg frei. Frei für neue Arbeit, neue Mühsal, neue Plagen. Erstmal mußte das Gebiet gegen die Donau abgedämmt werden, dann kam die Entwässerung, Kanäle und Gräben mußten gezogen werden, eine Pumpe wurde errichtet, die das aufkommende Wasser in die Donau pumpte anschließend mußte aus einer Sumpf-, Moor- und Schilflandschaft Kulturland geschaffen werden. Es dauerte nicht allzu lange, da war auch diese Aufgabe bewältigt und das »Ried« war zu einem der fruchtbarsten Flurstücke und Karawukowo aus einem der ärmsten Dörfchen zu einer reichen Gemeinde geworden. Es war ein weiterer Schritt nach vorne. Es kam zu einem bescheidenen Wohlstand, der bis zum Ersten Weltkrieg anhielt. Die Älteren meinten später stets, daß es eine »goldene Zeit« gewesen sei. Aber das kennt man schon. Goldene Zeiten gab es immer nur in der Vergangenheit, das wird sich auch nicht ändern, weil der Mensch eben aus Vergessen besteht, wie das ein bosnisches Sprichwort sagt. Er behält nur das Gute.

SERBISCHES VOLKSLIED

Was glänzt dort so helle

Was glänzt dort so helle,
Glänzt so hell und wiegt sich,
Auf der weißen Donau?
Ist es Schnee, ist es Regen?
Ist es Eis, sind es Schwäne?
Auf der weißen Donau.
Wenn es Schwäne wären,
Wär'n sie längst geflogen,
Schnee wär' längst geschmolzen,
Regen längst versickert.

Schon nach ein, zwei Tagen,
Schon nach drei, vier Wochen,
Waren's keine Schwäne;
Nicht Schnee, Eis noch Regen,
Der Zar war gekommen,
Zar mit großem Heere.

AMAND FREIHERR VON
SCHWEIGER-LERCHENFELD

(1846–1910)

Neusatz ist eine Stadt ohne geschichtliche
Vergangenheit

Neusatz (Novisad, Uj-Vidék) ist eine Stadt ohne geschichtliche Vergangenheit, denn sie wurde erst 1740
gegründet, aber bemerkenswerth als einer der lebhaf-
testen Handelsplätze an der unteren Donau, und für
den Reisenden nicht ohne Interesse ihres Völker-
gemisches wegen. Sie ist der Sitz eines griechisch-
nichtunirten Bischofs und eines Consistoriums.

Als sichtbarer Ausdruck der zusammengewürfelten
Bewohnerschaft, welche annährend 25.000 Köpfe
zählt, erheben sich neben den griechischen, evangeli-
schen und katholischen Kirchen auch eine armenische
Kirche und eine Synagoge. Eine traurige Erinnerung
hat Neusatz aus dem Jahre 1849 bewahrt, in welchem
es von Peterwardein aus durch die aufständischen
Ungarn, in deren Gewalt damals die Festung war, in
einen Schutthaufen verwandelt wurde.

Eine 257 Meter lange Schiffbrücke verbindet Neusatz mit Peterwardein, das »Pétervarad« der Magyaren,
»Petrovaradin« bei den Serben genannt. Die starken
Befestigungen, welche einen Belagsraum für etwa
10.000 Mann umschließen, liegen theils auf dem
Scheitel des 50 Meter sich erhebenden Serpentin-
felsen (»obere Festung«), theils am nördlichen Fuße
desselben (»untere Festung«), während die eigentliche

Stadt mit ihren zwei Vorstädten theilweise von der Donau umschlossen wird. Die Festung war in der Zeit der Türkennoth ein heißumstrittenes Bollwerk und ist die Erinnerung hieran nicht verloren gegangen. Wer den Helden der Vergangenheit geistig näher treten will, braucht nur die St. Georgskirche zu betreten, wo ihre Denkmäler stehen, oder das Zeughaus zu besuchen, in dessen Räumen die aufgehäuften osmanischen Trophäen eine beredtere Sprache sprechen, als langatmige historische Abhandlungen.

PATRICK UND WALTER SIEBERT

(2007)

Die schwimmende Brücke von Novi Sad

Wir befinden uns also endgültig in Serbien. Endlich spüren wir wieder den Fahrtwind! Unser nächster Stopp soll Novi Sad sein. Wir sind schon gespannt, was uns angesichts der Gerüchte dort erwartet. Und da erblicken wir nach kurzer Fahrt schon die erste heruntergeschossene Brücke. Es ist ein spektakulärer Anblick. Man sieht ein paar Schiffe und darauf Männer, die an der Brücke arbeiten. Neben der Brücke befindet sich ein Sandstrand, auf dem sich hunderte Leute in der Sonne suhlen. Wir schießen ein paar Fotos von der Brücke und fahren weiter. Da sehen wir auch schon Petrovaradin – eine Festung über Novi Sad. Gespannt fahren wir auf die Stadt zu. Jetzt wird sich zeigen, was an den Gerüchten dran ist. Dann sehen wir sie – die Pfeiler, die alleine im Wasser stehen. Dahinter die schwimmende Brücke, von der wir schon gehört haben. Der Verkehr führt mit voller Wucht darüber. Wir fahren vor der Brücke hin und her, aber auch der Rand ist unpassierbar.

Mir graute vor der Idee, übertragen zu müssen. Warten, dass vielleicht irgendwann in der Nacht – oder an welchem Tag? – die Brücke aufgeht, das kam sowieso nicht in Frage. Doch mit dem Übertragen ist es wie mit dem Spiel, wo ein Schäfer mit einem Wolf und einer Gans übersetzen möchte. Nur, dass es sich hier nicht ausgeht. Wer soll hier und dort auf unsere Sachen aufpassen, wenn immer einer hin- und hergeht? Aber ich habe eine Gabe, für die ich unendlich dankbar bin. Für mich gibt es kein »geht nicht«. In jedem Problem ist bekanntlich auch die Lösung schon inbegriffen. Die Suche nach einer Lösung führte meine Augen auf eine dunkle Lücke. Die Brücke besteht aus einer Kette von Lastkähnen, die man längs über die Donau gespannt hat. Wo die zusammenstoßen, Bug an Bug, entsteht eine dreieckige Öffnung, die ziemlich klein aussieht, aber unser Boot ist ja auch ziemlich klein. Davor waren Stahltrossen kreuz und quer gespannt. Hmmm. Das wollte ich mir genauer anschauen. Wir legten an, ich lief auf die Brücke, kletterte zur Öffnung hinunter. Nahm eine Schnur, nahm Maß, sah mir die Trossen an, versuchte, deren Verlauf im trüben Wasser zu erahnen, wie breit die Rinne war, wo sie tief genug unter Wasser waren, so dass man nicht mit der Schraube streifte. Ein Aussetzer hätte fatale Folgen. Die Donau hat hier einen starken Zug, schräg zur Öffnung. Gegen den Kahn

getrieben zu werden bedeutet rasch unter Wasser ge-
drückt zu werden und eine sehr hohe Wahrscheinlich-
keit, zu ertrinken. Wie heißt es in »Apollo 13«? Failure
is not an option!

Wir brauchen Zeit zum Nachdenken und legen
erstmal am linken Ufer ein Stück flussaufwärts an.
Wir ziehen das Boot etwas aufs Ufer, im Schlamm fast
versinkend. Walter läuft auf die Brücke, um sich alles
noch einmal genauer anzusehen. Nach einer viertel
Stunde kommt er schweißtriefend und sehr aufgeregt
zurück. »Ich habe etwas entdeckt: Die Brücke besteht
aus den gleichen Schiffen, die auch einen Schub-
verband ausmachen. An den Ufern kann man nicht
durch, da jeweils zwei Schiffe schräg verkeilt wurden,
um das Ganze vor der Strömung der Donau zu schützen.
Ich habe aber die kleinen Zwischenräume zwischen
den einzelnen Schiffen abgemessen und es könnte
sich ausgehen, dass wir da durchpassen. Wir müssten
wahrscheinlich nur das Sonnendach abbauen.« Das
wäre natürlich die beste Lösung, denn wir müssten
das Boot nicht ausräumen. Doch die Schmalheit der
Abstände ist nicht das einzige Problem. Vor jedem
Zwischenraum sind Stahlseile gespannt, die die Öffnung noch kleiner machen. Die Donau fließt nicht
gerade durch die Öffnungen durch, sondern schräg.
Dazu kommt noch, dass, sollten wir es wirklich schaffen, durch eine Öffnung zu fahren, dahinter noch ein
Militärboot stationiert ist, das uns vielleicht aufhält.
Wir haben nach alter Sitte nicht einklariert in Serbien
und das würde nicht so gut kommen. Walter macht mir
Mut, indem er erklärt: »Angenommen, wir werden

schräg an das Schiff angetrieben, dann dreht es uns sofort um. So schnell kann man gar nicht schauen.«

Wir würden also im Falle eines Fehlers oder einer Panne ziemlich sicher kentern und wahrscheinlich ertrinken. Erst im Nachhinein wurde mir die Tragweite dieses Augenblicks bewusst: Es war das erste Mal, dass ich Patrick eine völlig eigenverantwortliche Entscheidung auf Leben und Tod überließ. Wir hatten vorher viele riskante Abenteuer erlebt, aber immer hatte ich die Entscheidung für ihn getroffen. Nun war es das erste Mal, dass ich ihn gleichwertig, voll eigenverantwortlich erlebte. Patrick sagte nur: Go! Wir beschlossen, es zu wagen.

Walter meint: »Pass auf, wir lassen uns verkehrt hineintreiben, damit ich jederzeit Gas geben und wieder hinausfahren kann. Mit der Lenkung steuere ich ein bisschen gegen die Fließrichtung, damit wir nicht seitlich antreiben.« Langsam und bedächtig bauen wir das Sonnendach ab. Ich versuche Gedanken wie »Das ist verrückt« und »Du bist mitten in Serbien, mitten im Nirgendwo« zu verscheuchen. Walter fragt: »Haben wir alles?«

Ich sehe mich um und sage nur »Ja«, dann stoße ich uns ab. Langsam treiben wir auf die Brücke zu. Ich spüre, wie mein Herz vor Aufregung schneller klopft. Walter ist ganz darauf konzentriert, rückwärts zu navigieren. Der Verkehr rast über die Brücke hinweg. Wir kommen immer näher. Trotz des Verkehrs ist es eigenartig ruhig. Wir schweben langsam über die Stahlseile, die nur knapp unter der Wasseroberfläche liegen. Wir schwimmen genau auf die Öffnung zu. Kaum tauchen wir in den Schatten ein, dreht sich

Walter um und ruft mir zu: »Bleib am Abzug!« Ich schieße wie verrückt Fotos und denke mir: »Der soll lieber navigieren.« Dann sind wir durch. Die Arbeiter staunen nicht schlecht, als wir von unter der Brücke erscheinen. Wir winken und geben Vollgas. Erleichterung überkommt mich, ich fühle mich pudelwohl.

MELANIE HASELHORST / KENNETH DITTMANN

(2008)

In der hübschen Region Vojvodina

In der hübschen Region Vojvodina passiert die Donau die bis zum Ende des Zweiten Weltkriegs fast nur von Donauschwaben bewohnte Hafenstadt Apatin (Abthausen), sie ist die erste größere serbische Stadt an der Donau. Die Vojvodina ist ein beliebtes Jagd- und Angelparadies. Es folgt die Stadt Novi Sad (Neusatz), deren Brücken 1999 im Zuge des Kosovokriegs schwer beschädigt wurden. Über sechs Jahre wurde der Verkehr zwischen den beiden Stadthälften über eine Pontonbrücke abgewickelt. Da diese nur dreimal pro Woche geöffnet wurde, stellte sie das bedeutendste Hindernis für den Schiffsverkehr entlang der Donau dar. Seit der Wiedereröffnung der Freiheitsbrücke am 11. Oktober 2005 ist die Donau nun ungehindert befahrbar.

CLAUDIO MAGRIS

(∗ 1939)

Novi Sad und Umgebung

Wieder an der eigentlichen Donau. Novi Sad war das
»serbische Athen«, Ausgangspunkt einer kulturellen
und politischen Renaissance. Heute ist Novi Sad
Hauptstadt der Wojwodina. Die offiziell bei den Behörden und im Parlament anerkannten Sprachen sind
Serbisch, Ungarisch, Slowakisch, Rumänisch und
Ruthenisch; das Übergewicht der Serben, insbesondere im Heer, steht allerdings außer Zweifel. Die
Landschaft ist wunderschön; die Festung von Petro-
waradin, die sich gebieterisch über der Donau erhebt,
erinnert an die einstige österreichische und osmani-
sche Präsenz, und in den nahe gelegenen Wäldern
von Fruška-Gora verbergen sich die orthodoxen Klöster
mit ihren Ikonen und ihrem archaischen Frieden.

Auf dem Markt von Novi Sad sieht man auch Bäuerinnen in ihrer slowakischen Nationaltracht. Wie in
Novi Sad, so zeigt sich in der ganzen Wojwodina der
Vielvölkerstaat gewissermaßen in konzentrierter Form:
jene Einheit und Vielfalt, wie sie generell für Jugoslawien charakteristisch sind und von Zeit zu Zeit
durch wirtschaftliche Krisen und zentrifugale Eigen-
bestrebungen der verschiedenen Republiken bedroht
werden. In dem Interview der bereits erwähnten Fern-
sehsendung bekräftigt Jon Petrović – ein Rumäne,
der das Amt für kulturelle Selbstverwaltung in Zitište
leitet –, daß er sich als Ausländer fühle, wenn er sich

in Rumänien aufhalte. Bački Petrovac ist ein Zentrum der Slowaken mit blühender Kulturtradition; nachdem Jugoslawien 1948 aus dem Kominform ausgeschlossen worden war, hatten einige Slowaken große Schwierigkeiten, da ihnen Sympathien für die stalinistische Tschechoslowakei unterstellt wurden; und andere, die in die Slowakei ausgewandert waren, mußten Schikanen über sich ergehen lassen, da man sie des Titoismus verdächtigte. Im Fernsehen präsentiert ihr Bischof Joraj Struharik die rote Knollennase eines Mannes, der nach gesunden Prinzipien dem Bier und der Wurst zugetan ist. Die Ruthenen oder Russinen unterscheiden sich ausdrücklich von den Slowaken oder Ukrainern und bemühen sich, wie ihr Sprecher Julijan Rar sagt, in ihrer Kultur die eigene Identität zu finden.

KARL-MARKUS GAUSS

(∗ 1954)

In Neusatz

In Neusatz/Novi Sad lebten freilich auch Slowaken, die zahlreich durch die seltsamen geschichtlichen Verquickungen hierher gelangt waren und ihre Stadt Nový Sad nannten, und erst recht die Ungarn betrachteten die Stadt an der Donau auch als die ihre. Újvidék wie sie sie nannten und auch heute noch nennen, da sie dort zu einer beargwöhnten Minderheit geworden sind, gehörte ja bis 1918 zur ungarischen Reichshälfte der Donaumonarchie. 1918 fiel es an das neu entstandene Königreich der Serben, Kroaten und Slowenen, während des zweiten Weltkriegs wurde es von deutschen und ungarischen Truppen besetzt, nach 1945 war es die Hauptstadt der von Tito mit dem Status einer autonomen Provinz ausgestatteten Vojvodina. Als Slobodan Milošević 1989 entschlossen daran ging, den »Bund der Kommunisten Serbiens« zur nationalen Bewegung umzuformen, hat er staatsstreichartig jene Autonomie abgeschafft, die der Vojvodina und dem Kosovo eine relative Selbständigkeit und dem Staat seine mühsam austarierte Balance gab.

Die jüdischen Bewohner der Stadt wurden während des zweiten Weltkrieges ermordet, die serbischen vieltausendfach verfolgt, die deutschen 1945 nahezu vollständig vertrieben, die ungarischen in der Ära des großserbischen Nationalismus am Ende des 20. Jahrhunderts schikaniert. 1995 bombardierten die Flugzeuge der NATO die Stadt und zerstörten ihre große Donaubrücke. Auf rätselhafte Weise ist es der Stadt mit den vielen Namen, die alle das gleiche bedeuten, bis heute gelungen, etwas von der nationalen Vielfalt und kulturellen Offenheit zu bewahren, die ihr so oft ausgetrieben werden sollten.

ADAM MÜLLER-GUTTENBRUNN

(1852–1923)

Vereinte Kraft gegen die Theiß

»Nur noch sechzehn Stunden kann das Wasser der
Donau steigen!« sagte man sich beim Sonnenunter-
gang dieses schwersten Tages. Dann wird man die
Pioniere und die Josefsfelder mit vereinter Kraft gegen die Theiß aufbieten können, »dann kommt Ab-
lösung!« seufzten schon viele der Karlsdorfer.

Blutigrot sank die Sonne hinter eine grauschwarze
Wolkenwand. So plötzlich war sie dahin, als ob sie der
Hand des Herrn entfallen wäre und nie wieder käme.
Es herrschte eine unheimliche Stille in den Lüften.
So ruhig war es, daß man selbst die Stimme der Theiß
hörte, die sonst nur gluckste und gurgelte. Es war ein
Reiben und Mahlen, als ob eine unsichtbare Welten-
mühle in Tätigkeit wäre, die Sand und Erde zerrieb.
Ein tückischer Urlaut des Elementes, für dessen
Wiedergabe noch kein Vokal gebildet wurde. An das
Geheul der Donau war man längst gewöhnt, dieser
Ton aber war neu. Ein Ungeheuer rieb und fraß, und
nagte dumpf und gleichmäßig hinter dem Damm.

Jetzt aber hob sich der Wind, ein schweres Gewitter
zog herauf. Die ersten Blitze knatterten, und der
Donner rollte. Es kam von jenseits der Donau, aus
den slawonischen Bergen und warf sich mit elemen-
tarem Ungestüm in die Ebene. Wie rasend geworden
heulte der Sturm dahin, bildete Wirbel und Wasser-
hosen, die sich wie Riesensäulen zum Himmel erhoben

und alles mitrissen, was in ihren Kreis geriet, Mensch und Tier, Wagen und Pferde.

Das Gewitter der Ebene! Nichts ist so furchtbar als seine Macht. Frei, ohne Schranken toben die Elemente, und nichts widersteht ihnen.

Blitz auf Blitz krachte nieder, wie umgekehrte Raketen, die der hinter den Wolken nach der Erde schießt. Wie glühende Donnerkeile zischten die Schläge in die unabsehbare Wasserfläche. Alles duckte sich hinter die Dämme oder legte sich flach zur Erde; keiner wollte ein Hindernis sein gegenüber solchen Gewalten. Hoch oben, wie Orgelklang im Weltendom, rollte und hallte der Donner. Und endlich prasselte der Regen nieder, wie von Furien gepeitscht, wie aus zerspellten und geborstenen Wolken. In wilden Stößen, als ob der Sturm immer erst Atem schöpfen müßte zu neuen Taten, tobte das Wetter. Und jede Sturzflut warf ein paar Männer nach rückwärts über den Damm, kopfüber flogen sie in die Pfützen. Die Nacht war rabenschwarz, alle Lichter verlöschten, und man sah sich nur, wenn es blitzte. Wie viele schon fehlen mochten? Niemand wußte es. Keiner hatte mehr einen Ton in der Kehle, man war heiser geschrien und müde bis auf den Tod.

Nach Mitternacht hatte das Wetter sich ausgetobt, es war die Theiß hinaufgezogen, dem Wasser entgegen; das Donnerrollen klang immer dumpfer und ruhiger. Aber ein Rauschen und Sausen lag in der Luft, das man vorher nie vernommen.

War es ein Dammbruch?

Fast stumpfsinnig horchten die Männer.

Der Haffnersjörgl, dem der Vater von der Seite fortgespült worden war wie ein Stück Holz, und der Straubmichel wollten den Grund des seltsamen Geräusches erforschen. Sie tasteten sich an der inneren Dammböschung vorsichtig weiter in der Dunkelheit und kamen dem Lärm immer näher und näher. Nach einer Jochlänge stießen sie auf den nächsten Querdamm, den Grünzeugdamm, auf dem die Wagen in langer Reihe standen und die müden Gäule schnauften, die auch diese Sturmnacht ohne Schutz verbracht hatten. Und von da an ging es weiter in den Lärm hinein. Der Mond trat aus den Wolken, und die beiden Männer sahen das Furchtbare bestätigt, das sie ja ahnten. Weit droben war der Damm gebrochen, dreimal gebrochen, und die Wasser sausten in Sturzbächen in die Tiefe.

Jetzt war es aus … Wie lange konnte es dauern und die drei Bruchstellen waren eine einzige. Es konnte sich nur mehr darum handeln, die inneren Dämme zu halten und das Dorf selbst zu schützen.

Einer Ohnmacht nahe krochen sie wieder zurück bis zum Grünzeugdamm.

Die Pioniere sollten her! Doch wie weit waren die! Ehe eine Botschaft sie erreichte, war es wohl zu spät. Achtzig tote Pferde hatte man schon gezählt in dieser fürchterlichen Woche. Wer hat noch eines, das laufen kann? Der Klugspeterl, der unter seinem Wagen auf dem Grünzeugdamm die Nacht verbracht hatte, erbot sich, zu Fuß hinüberzulaufen. Er kenne alle Wege, und der Mond scheine ja auch. »In Gottes Namen, Büberl, lauf, lauf!« rief der Jörgl ihm zu. »Nur die Pioniere können noch helfen!«

Als der Morgen graute, war noch kein Peterl da und keine Pionier. Und es war auch zu spät gewesen. Die

Theiß, der die Donau so hartnäckig die Gastfreundschaft versagte im eigenen Bett, hatte einen anderen
Weg gefunden. Jetzt sah man es mit Grausen. In einem
kilometerbreiten Strom ergoß sie sich seitwärts nach
dem Karlsdorfer Gebiet, schon waren wohl zehntausen
Joch Feld unter Wasser. Die inneren Dämme erwiesen
sich als zu nieder und zu schwach.

VUK STEFANOVIĆ KARADŽIĆ

(1787–1864)

Erbschaftsteilung

Ausgescholten hat der Mond den Tagstern:
Tagstern, wo bist du denn gewesen,
wo gewesen, wo hast tagverloren,
tagverloren wohl drei weiße Tage?
Tagstern hat zur Antwort ihm gegeben:
bin gewesen, habe tagverloren
oben über Belgrads weißer Festung,
dort ein großes Wunder anzuschauen,
wie ins Erbe sich die Brüder teilten,
Jakschitz, Dmiter und Jakschitz Bogdane.
gütlich sich die Brüder nun vereinten,
auszuteilen alle ihre Erbschaft;
Dmiter nahm das Land hin Karavlaschka,
Karavlaschka samt Karabogdanska,
ganz Banat am kühlen Donauflusse.
Bogdan nahm für sich das flache Sirmien,

nahm für sich die Niederung der Sava,
Serbien nahm er bis zur Stadt Uschiza.
Dmiter nahm das Unterteil der Festung
und Nebojscha-Turm am Donaustrome;
Bogdan nahm das Oberteil der Festung,
und Ruschiza, mittendrin die Kirche.
Um ein Kleines haderten die Brüder,
um ein nichts, wärs doch nur was gewesen!
um ein schwarzes Roß, um einen Falken.
Dmiter fordert als das Haupt des Hauses
sich das schwarze Roß, den grauen Falken,
Bogdan will ihm lassen keins von beiden.

Als am Morgen leuchtete der Morgen,
Dmiter hat das hohe Roß bestiegen,
und genommen sich den grauen Falken,
jagen will er in dem Waldgebirge –
rief er seine Gattin Angelia:
»Angelia, meine treue Gattin,
Bogdan, meinen Bruder, mir vergifte,
wirst du mir ihn aber nicht vergiften,
harre meiner nicht im weißen Hofe!«

Hörend das die Gattin Angelia
saß sie nieder, kummervoll und traurig,
sann im Stillen, red'te mit sich selber:
»Was beginn ich, grauer Kuckucksvogel!
Gift zu geben meinem lieben Schwager
ist vor Gott mir eine schwere Sünde,
vor der Welt Beschuldigung und Schande,
Klein' und Große würden von mir sagen:
seht ihr gehen dort die Unglücksel'ge,

die den eigenen Schwager hat vergiftet;
doch ich darf nicht, ohn' ihn zu vergiften,
hier im Hofe harren meines Herren.«
Also sinnend sann sie aus das eine,
stieg hinunter in den Niederkeller,
holend den geweihten Trauungsbecher,
den geschlagenen aus reinem Golde,
den sie mitgebracht von ihrem Vater;
vollgeschenkt den Becher roten Weines,
hat sie den dem Schwager dargetragen,
ihm geküsset Saum und beide Hände
und geneiget sich vor ihm zur Erden:
»Dir zu ehren, mein geliebter Schwager,
dir zu Ehren Wein und dieser Becher!
Schenk das Roß mir, schenke mir den Falken!«
Den Bogdan im Herzen das erbarmet,
Schenkt das Pferd ihr und dazu den Falken.

Dmiter jagt den ganzen Tag im Walde,
doch er konnte nirgend was erjagen,
gegen Abend trat er unversehens
in des Waldes Grüne einen Weiher,
auf ihm eine Ente goldgeflügelt,
los band Dmiter seinen grauen Falken
ihm zu fahn die Ente goldgeflügelt,
aber wundersam erschien sie drohend;
heftig fahrend auf den grauen Falken
brach sie dem den einen rechten Flügel.
Jakschitz Dmiter als er das gesehen,
zog er schnell sein herrliches Gewand aus,
sprang hinunter in den tiefen Weiher
zu erhaschen seinen grauen Falken:

»Sag, wie ist dir, o mein grauer Falke,
sag, wie ist dir, ohne deinen Flügel?«
Zischend gab der Falke ihm zur Antwort:

»Grad so ist mir ohne meinen Flügel,
wie dem Bruder es ist ohne Bruder.«

Von den Worten Dmiter hart getroffen,
dem das Weib den Bruder soll vergiften,
stieg aufs hohe Roß in aller Schnelle,
ist zum Schlosse Belgrad hingeritten,
ob sein Bruder lebend noch geblieben,
angekommen bei der Tschekmekbrücke
spornt er scharf das Roß zum Überspringen,
mit den Füßen sank es durch die Brücke,
brach das Roß sich beide Vorderfüße.
Dmiter, als er sich in solcher Not sah,
nahm den Sattel von dem hohen Rosse,
hing ihn über seine Kolbenkeule,
eilte fort zu Belgrads weißem Schlosse,
angelangt rief schleunig er die Gattin:
»Hast mir doch den Bruder nicht vergiftet?«
Angelia gab ihm diese Antwort:
»Nicht vergiftet hab ich dir den Bruder,
habe dich dem Bruder ausgesöhnet.«

AMAND FREIHERR VON
SCHWEIGER-LERCHENFELD

(1846–1910)

Von Karlowitz ab

Von Karlowitz ab verflacht sich das rechte Ufer wieder
allmählich. Bei Titel mit seiner langen Schiffbrücke
kommt man an der Theißmündung vorüber, weiterhin
schleicht der Strom zwischen völlig flachen Ufern
dahin. Die Wasser scheinen wie in einem See zu stehen;
man nimmt kaum ein sanftes Vorwärtsgleiten wahr. In
der trüben Fluth liegen Sandinseln da und dort am
Ufersaum, von den Bindungen des Stromes bald ver-
deckt, bald freigegeben, zeigen sich die Strohdächer
einzelner Hütten, Weiler und Dörfer. Endlich erscheint im Vorblick ein blauer Uferstreifen mit hellen
Baulichkeiten, kaum den Horizont überragend. Es ist
Belgrad. Zu gleicher Zeit erblickt der Reisende das
näher liegende Semlin, welches an das niedrige Ufer
hingelehnt, einen sehr vortheilhaften Eindruck macht.
Die Stadt genoß durch lange Zeitläufe den Ruf eines
hervorragenden Stapelortes, den sie bis auf die Gegenwart bewahrt hat, wie kaum eine zweite Oertlichkeit des südlichen Ungarn; durch Jahrhunderte
von Kriegslärm umdröhnt, hatte Semlin gleichwohl von
seiner Bedeutung als Uebergangsstelle des Handels
vom Abendlande zum Morgenlande, und umgekehrt,
nichts eingebüßt und durch alle Stürme seine in dem
Vorzug der Lage wurzelnde Lebenskraft bewahrt.
Durch Renovirungen, Pflasterungen der Straßen und

Anlage neuer Canäle hat die Stadt in der letzten Zeit sehr gewonnen. Semlin ist eine Hauptstation der Donau-Dampfschiffahrts-Gesellschaft mit einer commerziellen Hauptagentie für den Save- und serbischen Donaudienst, Schiffsinspectorat, Filialwerkstätte, Kohlenstation und Hauptstation für den lebhaften Localschiffsverkehr Semlin – Belgrad – Pancsova. Von früh Morgens bis Nachts fahren die Localboote zwischen den drei Städten und bieten bequeme Verbindungen. Unterhalb Semlin, in der »Cipliana«, befindet sich der zweite große Winterhafen der Dampferflotte.

Wer von Semlin und seiner Umgebung ein eindrucksvolles Bild erhalten will, ersteigt den »Zigeunerberg«, wo einst in der Burg der Cillier Grafen der serbische Despot Georg Branković hauste und nachmals der ungarische Nationalheld und Türkenbezwinger Janos Hunyády seine Seele aushauchte (14. August 1456). Von der stolzen Burg sind nur kümmerliche Reste vorhanden, welche, im Zusammenhange mit einigen Unebenheiten im Terrain, die »Hunyády-schanze« genannt werden ... Der Besucher des Zigeunerberges überschaut weites Land. Der malerische Stützpunkt des Rundbildes ist das nahe Belgrad mit der Festungshöhe zwischen Save und Donau. In dem Wirbel zwischen dem rechten Donauufer und dem linken Saveufer sieht man im grünen Wiesenplane die Erdwälle des ehemaligen Lagers der Armee des Prinzen Eugen, der von hier aus den Halbmond auf den Wällen Belgrads zu Fall brachte. Sonnig und still breitet sich die Trift zu Füßen des Beschauers aus. Dem Lauscher aber dünkt es, als flöge ein summendes Tönen herüber, erst leise, dann vernehmlich – ein Kriegslied aus verwehten Zeiten:

Prinz Eugen der edle Ritter,
Wollt' dem Kaiser wied'rum kriegen,
Stadt und Festung Bellegrad – – –
Er ließ schlagen eine Brucken,
Daß man kunnt hinüber rucken
Mit der Armee wohl für die Stadt …

Von Semlin nach Belgrad währt die Fahrt nur eine
Viertelstunde. Auf dem rechten Donauufer zieht die
ungarische Staatsbahn, weiterhin zeigt sich die mäch-
tige Brücke, mittelst welcher jene über die Save setzt.
Alsdann lenkt der Dampfer in die letztere und hält am
Landungsplatze von Belgrad … Es ist die »Weiße
Burg« der Serben. Von Rechts wegen sollte sie den
Namen »Rothe Burg« führen, eingedenk der vielen
blutigen Kämpfe, die sich an diese Oertlichkeit knüp-
fen. An der Grenzscheide zwischen Abendland und
Morgenland giebt es keinen zweiten Punkt, der eine
ähnliche Rolle gespielt hatte, als das Bollwerk am
Zusammenflusse der Save und Donau. Schon der
Anblick des Platzes genügt, um seine Bedeutung klar
zu machen. Auf hohem Ufer, das von zwei Strömen
bespült wird, ragt die »Festung« empor. Ueber sie
sind furchtbare Gewitter niedergegangen. Laufgräben
und Wälle widerhallten vom Geschützdonner, Blitze
erhellten die schrecklichen Nächte, ein prasselnder
Eisenhagel ging hüben und drüben nieder.

CLAUDIO MAGRIS

(∗ 1939)

Grenzer

Großmutter Anka spricht ungern von den »Grenzern«, den legendären, nicht zur regulären Armee gehörenden Soldaten der Militärgrenze; diese war von Franz Joseph etwa zwanzig Jahre vor ihrer Geburt aufgelöst worden, doch es scheint, als habe ihre Großmutter eine Affäre mit einem Tschaikisten gehabt, was ihr in der kleinen Welt von Bela Crkva, wo es gewiß nicht leicht war, Geheimnisse und Skandale zu verheimlichen, Schmach und Schande eintrug. Die Tschaikisten, wie man sie aufgrund ihrer kleinen schnellen Boote, den Tschaikas, nannte, die bewaffnet und immer gänzlich unerwartet die Donau entlangfuhren, waren Lotsen und Soldaten, in der Mehrzahl Serben. Ihre Flotte, die zum Krieg gegen die Türken bestimmt war, gehörte ebenfalls zur Militärgrenze, die als dauerhafte Institution mit ihren Tschardaken oder Wachposten im 18. Jahrhundert auch im Banat errichtet wurde. Die Militärgrenze war ein weiter autonomer Landstrich, der sich zum Schutze des Reiches über tausend Kilometer von Krain bis zum Balkan erstreckte, und bildete die Grundlage für den nationalen Zusammenhalt an der Donau: ein Limes, der ebenso robust und solide war wie der der Römer und zugleich nomadenhaft wie die Wandervölker, die auf der Flucht vor den Türken und den Feudalherren in verschiedenen Wellen hier zusammengetroffen waren. Sie war in der Steiermark und in Krain im 16. Jahrhundert entstanden, hatte sich dann wie eine Schlange immer weiter nach Süden und nach Osten fortgewunden, eine bewegliche Mauer, die sich in dem Maße ausdehnte, wie die kaiserlichen Armeen anwuchsen.

Die Militärgrenze besaß einen autonomen Status, der die Soldaten und ihre Familien zu einer Gemeinschaft zusammenfaßte; diese unterstanden ihrem Knez beziehungsweise ihrem Wojwoden und dem fernen, unsichtbaren Kaiser, waren aber keinem Fürsten oder Feudalherrn untertan. Entlang der tausend Kilometer gehörten dazu Menschen verschiedenster Nationalitäten, Wenden, Deutsche, Illyrer, Walachen, aber die Nationalität der Militärgrenze selbst war zusammengesetzt und undefinierbar. Die Grenzer waren größtenteils – insbesondere zu Beginn – Kroaten, doch umfaßte diese Bezeichnung damals eine ganze Reihe verschiedener Völker; einen wesentlichen Bestandteil machten die Serben aus, die innerhalb der *zadruga* lebten, einer Güter- und Blutsgemeinschaft, einer Einheit, die unterschiedslos Verpflichtungen, Gefühle und Besitz miteinander verknüpfte. Die Grenzer verteidigten das Reich gegen Einfälle und Angriffe der Türken, doch befanden sich in ihren Reihen umherstreunende Abenteurer, die sich kaum von Räubern unterschieden, Haiduken und Uskoken, insbesondere aber Bauern, die sich der Leibeigenschaft entzogen hatten.

HANS ASSMANN FREIHERR VON ABSCHATZ

(1646–1699)

Bestürmtes Türckisches Lager und gewonnene Feld-Schlacht an der Donau / gegen Semlin in Sclavonien / den 19. Augusti An. 1691

Satz.
Die Sau[*].

Was will sich für ein muttig Heer
Zu meinem stoltzen Ufer nahen?
Der Thrazer kühne Gegenwehr
Hemmt so getrostes Unterfahen.
Bezähmte Bojus meinen Rücken/
So soll es izt nicht mehr gelücken.

Ob Belgrad in dem Sturm erlag/
So war auch Buda schon bezwungen.
Nun ist durch einen Pulver-Schlag
Der Christen Glücke weggesprungen.
Es soll an meinen frechen Wellen
Ihr Sturm und Mutt zurücke prellen.

Wer zählet wie manch kostbar Zelt
Mein Lust-Gefild anizt bekleidet?
Wie manches Stück ist auffgestellt?
Wie manch Cameel und Pferd hier weydet?

---

[*] Deutsche Bezeichnung des Flusses Save.

Wer will den Deutschen offenbaren
Was sich allhier für Völcker paaren?

Was von den Hungarn übertrat/
Was Boßnien nur kan entbehren/
Was Bulgarey Verwegnes hat/
Das weiß ich einem zu gewehren;
Das Reich Dalmatiens/ nicht minder
Albanien weist seine Kinder.

Bastarn und Gete schützen mich/
Der Araber denckt Raub zu holen/
Natolien versammlet sich/
Und Africa schickt Volck wie Kohlen/
Die frechen Scythen und Odrysen
Bedecken meine grüne Wiesen.

Wie wird von mir das Volck genennt/
Das um das rothe Meer entsprossen/
Und kaum ein Christ von Nahmen kennt?
Ich hab auch solche Bunds-Genossen/
Die selbst mit Christen-Kunst und Waffen
Die Christen wissen zu bestraffen.

Man schanzt das grosse Lager ein/
Es wird mit Lust und Kunst gestritten/
Doch wird mein Volck nicht feige seyn
Der Helden-Schaar den Kopff zu bitten/
Wenn sie mit Hitz und Durst bekräncket/
Sich halb gezwungen an uns hencket.

War unsers Mechmets Glücke todt/
So kont es Solymann erwecken/
Und leidt es auch bey diesem Noth/
Wird Achmet neue Siege hecken;
Ja/ eh es solte gantz verderben/
Muß Mustapha den Zepter erben.

Hier ist der kluge Groß-Vezir/
Der Oßmanns Reich kan unterstützen;
In dessen Schutze wollen wir
Forthin nach alter Weise sitzen.
Niemand soll sich an mich mehr reiben:
Sclavonien wird Sclave bleiben.

Gegen-Satz.
Die Donau.

Was bildet ihr die Sclavin ein
Die grausen Flutten auffzublehen?
Soll dir denn eine Freude seyn
Das Land in Dienstbarkeit zu sehen?
Soll ich/ zu decken deinen Rücken/
Auffs neue Schiff und Helden schicken.

Ob Belgrad durch der Flammen Wutt
Aus Christen-Händen ward gerissen/
So wisse/ daß aus diesem Blutt
Wird eine scharffe Rach entsprissen;
Den Muselmännern zum Verderben
Wird sich dein Strom mit Blutte färben.

Was rühmest du manch kostbar Zelt?
Der Sieger weiß sie schon zu zählen.

Bedeckt ein grosser Schwarm dein Feld/
Es wird ihm bald am Raume fehlen.
Schau/ wie ein kluger Printz von Baden
Sich fertig macht zu ihrem Schaden.

Sind dort der tollen Völcker viel/
Hier ist der Kern/ ob nicht die Menge.
Der fremden Waffen Gauckel-Spiel
Vermehrt des Fürsten Siegs-Gepränge.
Ost/ Sud/ Nord/ West bringt Lorbeer-Reiser
Für ihn und unserm Großen Käyser.

So manch entlegne Völckerschafft
Vom Mittag und der Sonnen Wige/
Diß Heer zusammen hat gerafft/
So manches Zeugniß unsrer Siege
Erschallet in entfernte Lande
Zur Christen Ruhm/ der Türcken Schande.

Du selbsten wirst den Ruff darvon
Mit mir zum schwartzen Meere bringen.
Wie traurig wird mein Freuden-Thon
In Bunds-Verwandten Ohren klingen!
Die Straffe/ die der Türck empfunden/
Wart solcher Christen alle Stunden.

Das feste Lager hilfft hier nicht/
Es wird mit Freudigkeit bestritten/
Biß man durch Dämm und Pforten bricht/
Wodurch der Feind heraus geritten/
Den Durst mit Türcken-Blutt abspühlet/
Die Hitz in ihren Adern kühlet.

Macht ledig/ und ersezt den Thron/
Erwürgt und fässelt Oßmanns Erben/
Nehmt Vetter/ Vater oder Sohn/
Es soll doch keiner sieghafft sterben.
Des höchsten Gottes Zorn und Rache
Beschüzt der Christen rechte Sache.

Erkenne forthin den August/
Der dir die Fässel läst benehmen.
Was darff sich deine stoltze Brust
So Edlen Uberwinders schämen?
Kein Knecht soll sich an dich mehr reiben:
Die Sau soll frey und Christlich bleiben!

Nach-Klang.
Die Sau.

Ich kenne dich/ berühmter Ister/
Nachdem die Blende weggethan.
Wir lauffen/ als vertraut Geschwister/
Numehr in ungehemmter Bahn/
Mit vollem Strom des Pontus Wellen
Die Thaten Gottes fürzustellen.

Der Barbarn Macht hielt mich gefangen/
Umschränckte meinen freyen Mund:
So bald sie von mir weg gegangen
Und deinem Ufer näher stund/
Erhob ich meinen Kopff/ zu schauen
Was fürgieng um Semliner Auen.

Gradiv verzwillingte sein Dräuen/
Saturn ließ saure Stralen gehn;

Ich sah ein Heer voll kühner Leuen
In Salankemens Feldern stehn:
Zu sterben/ oder obzusiegen
War nur ihr Wünschen und Vergnügen.

Auff ihrer Stirne brannt ein Feuer
Voll Mutt/ nicht von der Sonnen Glutt.
Kein Helden-Blutt war hier zu theuer/
Man wagt es fürs gemeine Gutt/
Der stärckre Feind kan hinter Graben
Und Wall die Sicherheit nicht haben.

Hie dient die freye Brust zum Walle/
Auff jenen steigt der kecke Fuß/
Ob gleich von Pfeil/ von Stahl und Knalle
Der Stücke mancher fallen muß/
So fällt er doch nicht ungerochen/
Sieht noch wie andre durchgebrochen.

Man weicht/ doch wieder anzusetzen/
Und zu verdoppeln seine Krafft/
Man acht kein Sterben/ kein Verletzen/
Weil keine Furcht im Hertzen hafft/
Weil nimmer-welcke Sieges-Kronen
Den theuren Schweiß/ das Blut/ belohnen.

Die Barbarn trauen ihrer Menge/
Gehn endlich in das weite Feld;
Wie bald wird ihnen diß zu enge/
Weil Hertz und Haubt zusammen hält/
Sie wieder in das Lager zwinget
Und selbst in ihre Nester dringet!

Wie schau ich ihre Häubter fliegen/
Die Fahnen fallen in den Sand:
Die Christen müssen völlig siegen/
Der Todten Zahl bedeckt das Land.
Gott zeigt/ wie er durch wenig Hände
Zu machen weiß des Hochmutts Ende.

Komm/ Schwester Drav/ und hilff besingen
Die Helden/ die den Feind verjagt/
Laß denen Ehren-Säulen bringen/
Die Geist und Leben hier gewagt:
Doch nein: Ihr Ruhm soll noch bestehen
Wenn Ertz und Marmor untergehen.

JOHANN HERMANN DIELHELM

(1711–1784)

Belgrad

Die Lage dieser Stadt ist ueberaus angenehm und
schoen, ihre Gegend von einer vortrefflichen Frucht-
barkeit, und mit mancherley zeitlichem Segen reich-
lich begabt. Sie liegt auf einem kleinen Huegel, gerade an dem Ort, wo, wie schon gedacht, die beide
große Stroeme Donau und Sau zusammen fließen,
und zwar also, daß der erste an deren Abend- und der
letzte an deren Mittagsseite vorbeistroemen. Sie ist
eine Festung und die Hauptstadt im Königreich Servien,
an sich selbst groß und maechtig, und kann mithin als

ein Schluessel zu Ungarn und dem roemischen Reich betrachtet werden. Sie ward sonst eingetheilt in das Schloß, oder die obere Festung, und die Stadt, in die Wasserstadt, in die Vorstaedte und 3 Schanzen, wovon eine auf einer kleinen Insel liegt, die andere ueber dem Donaustrom, und die dritte ueber dem Saufluß, zur Communication der Tschaiken und Galeeren mit Belgrad. Das Schloß mit der vornehmsten Moschee liegt auf einer felsigten Anhoehe, und ist mit vielen hohen Thuermen von Quadersteinen aufgefuehrt, mit Bley bedekt, und deren Mauerwerk noch unzerbrochen.

ADOLF SCHMIDL

(1802–1863)

Belgrad zu besuchen

Belgrad zu besuchen war früher mit einigen Schwierigkeiten verbunden, seit aber die Pest in Europa so gut wie erloschen zu betrachten ist, erhält man ohne Anstand beim Generalcommando in Semlin einen Passirschein zu einem Besuche, besonders wenn man nicht über Nacht drüben bleiben will; in einer halben Stunde fährt der Dampfer hinüber. Alle früheren Weitläufigkeiten, Mitnahme eines Sanitätswächters, wol gar eines Dolmetschers sind jetzt beseitigt; in Belgrad wird man am besten thun, sich an den dortigen Agenten der Donaugesellschaft zu wenden, der mit der Gefälligkeit, welche alle diese Beamte charakterisirt,

alsbald für einen Führer sorgen wird. Bei der Thal-
fahrt kommt man frühmorgens an (mit dem Eilschiff
um 2 Uhr), bei der Bergfahrt zwischen 4 und 6 Uhr
des Morgens, man hat also jedenfalls einen ganzen
Tag vor sich und das genügt, um Belgrad zu sehen,
selbst wenn man nach Topschider hinaus will.

Bei der Landung in Belgrad nimmt ein serbischer
Unteroffizier den Passirschein ab, welchen man sich
vor der Rückkehr auf der Polizei abholen muß, die
aber ihr Bureau am Landungsplatz selbst hat, und in
demselben Gebäude befindet sich auch die Post und
das österreichische Consulat. Gleich rechts in der
Gasse ist die Dampfschiffagentur. Beginnen wir unsere
Wanderung. Der kürzeste Weg, den unser Cicerone
gewiß einschlägt, führt neben dem Consulat ein steiles
Gäßchen hinauf, was aber nur bei trockenem Wetter
zu passiren ist. Etwas weiter aber bequemer, ist der
Fahrweg, den man durch das Stadtthor einschlägt, das
zur unteren Festung führt und eine starke türkische
Wache hat.

DRAGAN VELIKIĆ

(∗ 1953)

Studio Belgrad

»Alle glücklichen Kommunisten sind einander ähnlich, jeder unglückliche Kommunist ist auf seine
Weise unglücklich«, schrieb Marko Delić am Anfang

seines Romans und sah abwesend auf die beleuchteten Betonmonster von Neu Belgrad.

Wie ein Eindringling erschien dieser hartnäckige Satz in der neuen Version des Manuskripts, und mit ihm auch ein Haufen Gestalten, die beharrlich am Saum der gelblichen Lampenaureole warteten. Sie stießen sich und schrien. Einige waren in Uniform.

Der junge Schriftsteller wollte ihnen ausweichen. Vorsichtig entfernte er sich.

Marko Delić war am Anfang seines schriftstellerischen Abenteuers. In seiner Naivität glaubte er, der Autor wähle selber seine Helden, so wie ein Leser die Bücher auswählt.

Sonderbar ist das Kardiogramm der Stadt, in der unser Held lebt. Ein unruhiges Gebiet. Die Nadel des Seismographen zittert ständig. Kaum ist sie ein wenig zur Ruhe gekommen, schreit der Organismus der Stadt nach Vernichtung. Und so geht es seit Jahrhunderten.

Die Stadt an der Mündung der Save in die Donau ähnelt einem riesigen Studio, das auch den empfindlichsten Exhibitionisten Kulissen bietet. Am häufigsten wurden Kriegsfilme gedreht, und so finden wir auf Schritt und Tritt die Dekoration der Unvollständigkeit. Selbst nackte Statisten fühlen die steifen Falten von Uniformen. Militärische Manieren sind ein sicherer Schutz für jene Entwurzelten, die der Wind unter die Mauern des Kalemegdan geweht hat.

Unser Held, ein gebürtiger Belgrader (ein Merkmal, das er besser verschweigt), glaubt, es gibt auf der Welt kein Studio, das sich mit Belgrad vergleichen ließe. Weder die römische Cinecittà noch das magische

Hollywood stellen die Wunder der Stadt an der Donau in den Schatten.

Seit langem leben die Einwohner von Belgrad wie die mexikanischen oder kubanischen Flüchtlinge, und so sind die Möglichkeiten für das populärste Filmgenre unerschöpflich. Die berüchtigten Straßen von New York ziehen sich durch die Belgrader Stadtviertel, und das Geflecht von Kriminellen, Denunzianten und Polizisten, veredelt durch ein paar folkloristische Details, ergibt die endemische Brüderlichkeit der Metropole an der Savemündung. Den Fächer aus Kriminalfilmen, von jenen melodramatischen aus dem Leben kleiner Krimineller bis zu politischen Thrillern, deren Akteure das Lächeln von Oscar-Preisträgern zur Schau stellen, erweitert das Belgrader Studio um Motive aus orientalischen Märchen und plakative Bilder bolschewistischer Kunst, was als originelle Szenerie für die Abenteuer eines neuen Supermanns dienen kann.

Die grauen Blöcke von Neu Belgrad, auf Sand und Wasser gewachsen, sind Kulissen für neorealistische Variationen.

In Schneenächten, wenn der Schmutz und die Häuserwracks, die gequälten Gesichter der Städter und die Dreckhaufen um die Container verschwinden, bilden die Umrisse von Dordol und Savamala eine herrliche Dekoration. Idyllische Trambahnwürfel bimmeln durch die leeren Straßen, gleiten lautlos zum Hafen und fahren über die Brücke in die Pußta am andern Ufer der Save, dort, wo man nur nächtigt und zu den Feiertagen böllert.

Die imposanten Kulissen der Bürgerhäuser kamen aus Pest und Wien auf der Donau geschwommen, irgendwann zu Beginn des Jahrhunderts. Manche auch später.

Ein österreichischer Regisseur filmte einmal Wien im Belgrader Hafen und staunte – nachts – über die herrlichen Bauten.

Viele Regisseure aus aller Welt haben in dem *Studio Belgrad* eine phantasmagorische Szenerie gesucht. Dokumentaristen warten noch immer geduldig auf Attentate, Revolutionen und Umstürze.

Bühnenbildner irren durch die Stadtrandsiedlungen auf der Suche nach Kulissen.

MILO DOR

(1923–2005)

Bogdan schwieg

Bogdan schwieg. Er sah fasziniert auf Sreten Raikows Finger, die sich langsam voneinander loslösten, als wären sie, jeder für sich, selbständige Lebewesen.

»Tausende von Häusern gibt es in dieser Stadt, und wie viele habe ich gebaut? Ein einziges, und das ist schlecht. Der Trottel von Besitzer wollte es nicht anders haben. Ja, Schutt habe ich aufgeräumt von vielen Häusern, immer wieder, nach den deutschen und nach den englischen Bomben und zuletzt nach den Straßenkämpfen. Das habe ich machen dürfen. Ich war Ruinenspezialist. Damals haben mir die vielen zerstörten Häuser leid getan wie Menschen. Aber jetzt bin ich froh, daß so viele kaputt sind, man kann wenigstens an ihrer Stelle bessere bauen. Die Kollegen vom Städtischen Bauamt sind auch meiner Ansicht. Kannst du das verstehen? Zum erstenmal im Leben in einem Stab zu sitzen, der große Baupläne macht?« Er steckte die Bücher wieder unter den Arm, erhob sich und zog Bogdan zum Geländer.

Bogdan sah hinunter auf die Save und dann auf die Donau, die breit und trüb von Nordwesten kam und unter den verfallenen Mauern der alten Festung die Save schluckte.

»Welche Stadt liegt schöner als Belgrad? Unser Belgrad, jetzt gehört es wirklich uns! Wer hat es nicht alles haben wollen? Die Türken, die Österreicher, die Deutschen, alle waren hier und haben Festungen gebaut; wir werden jetzt Wohnungen bauen, Schulen, Universitäten, Spitäler und wieder Wohnungen, zum erstenmal richtig bauen!« Sreten Raikow kehrte jetzt den Flüssen den Rücken zu und sah zur Stadt. »Vor dem Krieg war es auch nicht besser. Da hat jeder auf seinem kleinen Platz gebaut, wie er wollte. Neben zerfallenen Hütten ragen mitten in der Stadt Wolkenkratzer auf. Das war Privatinitiative. Wir werden jetzt planen, und du wirst sehen, was da entstehen wird, hier an dieser Mündung in diesem Dreieck: die Stadt aus Beton und Glas, ein richtiges Beo-grad, eine richtige weiße Stadt.«

Die grauen Augen Sreten Raikows strahlten in einem visionären Glanz, und Bogdan spürte, wie die Begeisterung des grauhaarigen Mannes nun auch auf ihn übersprang.

»Beo-grad – die weiße Stadt!« wiederholte Sreten Raikow. »Man hat sie wegen dieser Burg, auf der wir stehen, so benannt, aber sie wird jetzt erst eine Stadt werden, die diesen Namen wirklich verdient. Man soll uns nur bauen lassen! Bogdan, du mußt mittun! Willst du nicht mein Assistent werden? Wir brauchen Mitarbeiter! Eben habe ich mit den Kollegen darüber gesprochen. In welchem Semester bist du jetzt?«

»Ich habe meine Studien abgebrochen«, sagte Bogdan leise und beschämt.

Sreten Raikow sah ihn ungläubig an. »Warum denn?«

»Ich mußte eine Arbeit suchen«, log Bogdan, verbesserte sich aber gleich: »Ich hatte keine richtige Lust dazu.«

»Das verstehe ich nicht. Was sagt dein Vater dazu?«

»Mein Vater ist in der Kriegsgefangenschaft gestorben.«

»Wenn es so steht, erlaube mir, daß ich mich deiner ein bißchen annehme. Willst du?«

Bogdan wußte nicht, was er antworten sollte und hob verlegen die Schulter.

VASKO POPA

(1922–1991)

Große Herre Donau

Große Herre Donau,
In Deinen Adern fließt
Das Blut der Weißen Stadt.

Ihr zu Liebe erhebe Dich für einen Augenblick
Aus Deinem Liebesnest.
Schwing Dich auf den größten Karpfen
Schlage die bleiernen Wolken nieder
Und besuche deinen himmlischen Geburtsort.

Beschere der Weißen Stadt
Paradiesische Früchte, Vögel und Blumen

Bringe auch einen essbaren Stein
Und etwas Luft,
An der man nicht stirbt

Glockentürme, werden sich vor Dir verbeugen
Und die Strassen werden sich vor Dir,
Große Herre Donau, ausrollen.

DRAGAN VELIKIĆ

(∗ 1953)

An der Anlegestelle

Vilma lernte Stanimir auf dem Friedhof kennen. Sie beging die orthodoxe Gedächtnisfeier für ihren Mann, Milutin Nešović, der ein halbes Jahr zuvor gestorben war. Stanimir hatte ihn noch aus der Zeit der Konspiration unmittelbar vor dem Krieg gekannt. Wiedergetroffen hatten sie sich bei der Befreiung von Triest. Milutin hatte damals schon einen hohen Rang. Selbst der mythische Rudolf Grabner hatte in Stanimir nicht solchen Neid erweckt wie jener Nešović.

Djordje Malibrk hatte sagenhafte Dinge erzählt von Nešovićs Erfolgen in Belgien, wo sie sich eine Zeit lang häufig gesehen hatten. Er war immer in der Gesellschaft schöner Frauen gewesen. Er hatte den Ruf eines großen Verführers noch aus der Zeit, als er die Filmindustrie beherrschte. Danach ging er in die Wirtschaft, dann in die Diplomatie. Er war dreimal verheiratet gewesen. Nur mit seiner letzten Frau, Vilma, hatte er einen Sohn.

Stanimir ließ mit Behagen ein Löffelchen gemahlenes Korn auf der Zunge zergehen. Ihm schien, als löse sich damit an seinem Gaumen auch Nešovićs irdischer Erfolg auf. Nun war er auf dessen Totengedenkfeier, nur ein paar Schritte von Vilma entfernt. Ihn erregten die milchweiße Haut, die vollen Wangen und die dunklen, warmen, vor Traum und Müdigkeit trüben Augen. Vilmas kräftiger Körper, gefangen in dem engen schwarzen Kostüm, hatte den Geschmack des Korns, das langsam in seinem Mund zerging. Beim Abschied hielt er ihre Hände einige Augenblicke mit beiden Händen fest. Er sagte ihr Worte des Trostes und entfernte sich als einer der ersten.

Zwei Tage später traf er Vilma auf der Straße, vor dem Café *Domovina*. Sie nahm die Einladung zu einem Drink an. Danach begleitete er sie bis zu ihrer Wohnung in der Nähe vom Marktplatz Djermo.

Einen Monat darauf liebkosten seine Hände ihren Körper. Er spürte den süßlichen Geschmack von Korn im Mund. Er genoß die späte Reife seiner Geliebten, die in den Umarmungen weich und stöhnend dahinschmolz.

Stanimir ging nicht mehr zu den Treffen im *Moskva* und im *Maiestik*. Obwohl Anfang sechzig, war er verliebt wie in seiner Jugendzeit.

Mit Vilma traf er sich in ihrer Wohnung, am Djermo. Seit sie sich nähergekommen waren, stellte Vilma für ihn ein Gleichgewicht zu jenem unsichtbaren Teil seiner Biographie dar. Auch nach einem Jahr betrat Stanimir diese verborgenen Räume nicht. Er wußte nur, daß sie Slowenin war, im Außenhandel tätig, daß ihr Sohn in Belgien lebte, daß sie jene andere Wohnung einem ausländischen Diplomaten vermietet hatte.

In Zeiten des Getrenntseins, die ausschließlich von Vilma diktiert wurden, unternahm Stanimir jeden Tag lange Spaziergänge: zum Kai in Zemun oder zu dem großen Hafen bei der Anlegestelle in Richtung Donau-Station. Er träumte nicht mehr von den gespenstischen Frauen des Rudolf Grabner oder von den Russinnen aus dem Hotel *Toplice*, sondert er erlebte jeden Augenblick seiner Einsamkeit wie das aufregendste Abenteuer.

Die Boote am Kai in Zemun, die kleinen Schlepper an der Anlegestelle, die Magazine und die Kohlenhalden auf den Entladeplätzen am Fluß, die vereinzelten Angler und die Waggons auf den Nebengleisen stellten für ihn in seiner Verliebtheit einen aufregenden Anblick dar.

SARA DUŠANIĆ

(∗ 1988)

über liebe

komm spielen wir liebe
an der mündung von *sava*
und *donau*

war himmel
und wasser leertrunkener
spiegel der *weißen stadt**

du mein lieber bub'
mit deiner maultrommel –
eine nie dagewesene erinnerung

auf langer reise
das kindheitsband fallen gelassen
entlang des blauen streifens

---

* Belgrad

ruft die mutter
wo einsam' fischer das wasser anrührt
ist die geschichte

und die welt atmet trock'ne nebelzüge
kennt nicht das sehnen
das nach silbrigen fischen fragt
dort auf anderer seite der donau
fern von heimaterde

PETER HANDKE

(∗ 1942)

Welttreffen der Maultrommler

Nachdem er bis hierher erzählt hatte, erklang auf dem
nächtlichen Boot, als sei das so von ihm genau ein-
geplant, gleichsam anstelle eines Schlußpunkts eine
Judenharfe, mehrmals, in Abständen der gleiche Ton,
und erst allmählich erkannten wir, daß niemand da
im Halbdunkel etwa draufloszupfte: nein, das war der
Signalton seines Mobiltelefons. Er antwortete nicht.
Aber dafür antworteten die Frösche, wie vollzählig,
aus dem Schilfgürtel der Morawa. Und wie? Indem
aus ihrem eintönigen Quaken ein ebensolches ein-
helliges Brummen wurde, ein Getrommel, ein wie
zornerfülllles, halb unter Wasser. Drohte wieder eine
Gefahr in der Enklave? Mußte der Ankerplatz ein
zweites Mal gewechselt werden? Oder wollte der Er-

484

zähler, siehe den Zeigefinger, den er an die Lippen legte, eine Spannung erzeugen, von der Art, wie wir Zuhörer sie doch gar nicht brauchten? Erst nach geraumer Zeit, das Telefonsignal endlich verstummt, hob er neu an mit der Geschichte, seinem Abstecher zu Ferdinand Raimund nach Gutenstein am Fuße des Schneebergs – wurde aber sofort unterbrochen von unserem Fragensteller, der wissen wollte, wie die Maultrommler aus aller Welt sich denn in ihre Himmelsrichtungen zerstreut hätten?

Es war eine eher triste Episode, und das Traurige, auch wenn es ihn zeitlebens anzog, war nicht gerade des Erzählers Fall. Wenn sich ihm der Abschied überhaupt als Episode darstellte, so als eine kleine, die kein Kapitel hergab, höchstens eine Glosse, einen Absatz – etwas dazwischen. Sie gingen demnach auseinander in der ersten Morgendämmerung. Der Regen hatte aufgehört. Sie standen im Freien, unter den Bäumen, in dem Dreieck zwischen dem Tagungswirtshaus, der Donau und dem Friedhof, von dem das Wirtshaus seinen Namen hatte, dem »Friedhof der Namenlosen«. Auf dem waren viel früher einmal hauptsächlich die von dem Strom angeschwemmten Leichen der unbekannten Verunglückten und Selbstmörder beigesetzt worden, und noch immer wurden die alten Grabkreuze aus einer Zwischenkriegszeit gepflegt mit Aufschriften wie: »Namenlos – Unvergeßlich!« Die Tristesse eines jeden einzelnen hatte freilich weder etwas zu tun mit dem Friedhof, noch mit dem Übernächtigsein im fahlen Taganbrechen, auch weniger mit dem Sichtrennen – sie glaubten

sich anhaltend voneinander bereichert und freuten
sich auf das nächste Jahr – als damit, daß sie, nach der
gemeinsamen Zeit mit der Judenharfe, dem Khomus,
dem Gedankenauslöscher, zurückkehren mußten –
»in ihre Herkunftsländer?«, die wieder einmal voreilige
Frage des Zwischenrufers – nein, in ihre jeweiligen
Berufe dort. Jeder der Teilnehmer an dem Welttreffen
der Maultrommler übte ja bei sich zuhause einen ordent-
lichen Beruf aus.

FELIX MILLEKER

(1858–1942)

Derjenige Teil des Unteren-Donau-Gebietes

Derjenige Teil des Unteren-Donau-Gebietes, welcher
sich von der Donau gegen Norden in Banat ausbreitet,
ist größer als der Teil gegen Süden und faßt die Städte
Vršac und Belacrkva sowie die Bezirke Belacrkva,
Kovin, Alibunar und Vršac mit 75 Gemeinden in sich.

Seine Bodengestaltung ist verschieden. Im Nordosten, bei Vršac, sind die letzten westlichen Ausläufer
des Banater Erzgebirges; im Norden, wo einen Teil
einstens der Alibunarer Sumpf bedeckte, fruchtbares,
ebenes Ackerland, und längs des linken Ufers der
Donau breitet sich das Plateau des heute bewaldeten
Sandgebietes aus.

Die Bewohner sind überwiegend Serben, die in
Vršac einen eigenen Bischof besitzen, dann Deutsche

und Rumänen und schließlich einige Madjaren, Kroaten, Tschechen und Bulgaren.

Die Beschäftigung der Bewohner der Ebene ist Feldbau, in den hügeligen Gegenden (Vršac und Belacrkva) Weinbau, und in den Städten Gewerbe und Handel.

Diese Straße führte im Donautale von Belgrad

Diese Straße führte im Donautale von Belgrad bis zur Mündung des Porečbaches, also durch die obere Klissura. Von hier schnitt sie den Bogen der Donau ab, und zog durch Täler geradewegs nach Brza-Palanka. Da sich oberhalb der Fuß der Felsenufer stellenweise ganz steil aus dem Strombette erhebt, mußte hier die Straße in die Felsen eingehauen werden, was mit großen Mühen verbunden war. Zeugen dieser großartigen Arbeiten sind heute an Ort und Stelle nicht nur die Reste des Weges selbst, sondern auch noch zwei Gedenktafeln, von welchen die eine beim Kozlaer Gospodin-Felsen und die andere beiläufig 9 km weiter unten beim Izlas-Katarakte, hoch oben auf der steilen Felswand angebracht ist. Da sich die Texte beider Tafeln decken und die untere eine gröbere, mangelhafte Schrift aufweist, so scheint letztere eine plumpe Copie zu sein. Ihr Text besagt, daß die Straße unter Tiberius in den Jahren 33 und 34 durch die IV. scythische und V. macedonische Legion erbaut wurde. Gegen eventuelle Angriffe der jenseits wohnenden

Daher wurde die Straße durch Kastelle und Wachthäuser gedeckt.

Die Straße des Tiberius wurde von den Kaisern Vespasian und Domitian ausgebessert und ergänzt. Die Tafel, welche die Arbeit Vespasians verewigt, ist am Gospodinfels neben der Tiberiustafel zu sehen. Dieselbe sagt, daß dies geschah, als Vespasian als Censor wirkte, und Censor war Vespasian 75–80 n. Chr.

Die Domitian-Tafel befindet sich von der Tiberius-Tafel etwa 300 m aufwärts, über dem Gospodin-Strudel. Diese verkündet uns, daß Domitian im 22. Jahre seiner Regierung und im 12. seiner Tribunenwürde, also in der Zeit vom 14. September 92 bis 15. September 93, die von Taliatis längs der Poreč-Inseln, des Greben und der Tachtalia-Izlas-Riffe führende Straße, welche durch die lange Benützung und durch Überschwemmungen beschädigt war, von der VII. claudianischen Legion ausbessern, den Straßenkörper erweitern ließ. Zugleich wünschte Domitian diese Vollendung bei dem Endpunkte durch die Tafel zu verewigen.

Zur Ermöglichung des Schleppens der Schiffe vom Kanal durch den Kasan, also durch die untere Klissura, bis zur Straße des Tiberius, wurde die Straße fortgesetzt und in die steilen Felswände der Enge eingemeißelt. Auch die Straße des Tiberius wurde zum Schleppen entsprechend umgestaltet. Nachdem man die Straße nicht in der gehörigen Breite in die aus dem Strombette steil emporsteigenden Riffe einmeißeln konnte, wurde sie mit Balken brückenartig verbreitert, und mit einer Brustwehr versehen und die Balkenenden in die Felsen eingefügt. Die Balkenlöcher sind noch vielerorts deutlich zu sehen.

Der Bau dieser Straße wurde nach Trajans erstem Dakerkriege, im J. 104 nach Christi vollendet und zur Erinnerung daran im Kasanpasse oberhalb Ogradina eine kunstvoll ausgestattete Gedenktafel – die »Trajans-Tafel« – angebracht. Diese ist in die schirmartig abgeschnittene Felswand eingemeißelt und mit einem verzierten Rahmen versehen, der rechts und links von geflügelten Genien gehalten wird. Die Tafel hat durch Fischerfeuer viel gelitten, wurde aber 1890 durch die serbische Regierung durch Schutzmauern geschützt.

Die Arbeit kannte kein Hindernis und beanspruchte eine gewaltige Kraftentfaltung bei den unzulänglichen Hilfsmitteln der damaligen Technik. Die Straße ist demnach auch eine imposante Leistung.

Damals ließ Trajan auch unterhalb des Eisernen Tores durch seinen berühmten Baumeister Apollodorus von Damascus eine ständige Brücke über die Donau erbauen. Diese wurde schon, wie dies eine Münze beweist, 103 vollendet. Das kolossale Werk erforderte bei den damaligen einfachen Behelfen eine riesige Kraftanstrengung, war somit ebenfalls ein achtunggebietendes Werk. Die Brücke war auf 20, aus Steinquadern verfertigten Pfeilern erbaut, deren jeder einzelner 60 Fuß breit und 150 Fuß hoch war. Die mittelst Bogen mit einander verbunden gewesenen Pfeiler waren 170 Fuß von einander entfernt. Nach dem auf der Trajanssäule in Rom befindlichen Bilde scheinen die Bogen, welche die Brücke bilden, aus Holz und das Gerippe mit Stein oder Beton ausgefüllt gewesen zu sein.

Von den römischen Geschichtsschreibern tut nur Dio Cassius, der kaum 100 J. nach Trajan schrieb, der Brücke Erwähnung, doch entspricht seine Beschreibung des Oberteiles derselben nicht (LXXVIII, 13).

Von ihm erfahren wir auch, daß der Nachfolger Trajans, Hadrian (117–138) den Oberbau der Brücke abtragen ließ, weil er befürchtete, daß die Brücke einen Einbruch der Barbaren ins römische Reich erleichtere.

Um die Katarakte des Eisernen Tores zu umgehen und die Schiffahrt zu ermöglichen, wurde von den Römern in einer uns unbekannten Zeit ein Kanal gegraben, der oberhalb der Katarakte begann und bis unterhalb der heutigen serbischen Gemeinde Sibb führte. Dieser Kanal war ungefähr 3,2 km lang und bildete längs des rechten Ufers einen flachen Bogen. Derselbe war in der Sohle 30 m breit. Nahe zu seinem untern Ende war das Tal mit einer Mauer abgesperrt, damit nicht das Gerölle des dort in die Donau sich ergießenden Baches durch die Flut in den Kanal gebracht werde.

Wenn auch im Laufe der Zeit das Wasser am Kanale viel zerstört hat, so sind heute doch noch bedeutende Spuren dieses mächtigen Werkes vorhanden, welche auch beweisen, daß die Römer die Frage der Regulierung des Eisernen Tores richtig aufgefaßt und die Katarakte rechts umgangen haben.

PÉTER ESTERHÁZY

(∗ 1950)

Das Flüßchen Pek ganz in der Nähe

Das Flüßchen Pek ganz in der Nähe ist reich an Gold. Nach dem Volksmund begründete hier die Familie Desewffy ihr Vermögen, als ein faustgroßer Goldklumpen der badenden Comtesse Tina gegen den Oberschenkel patschte, so daß sie mit Wehgeschrei zusammenbrach. Später wurde sie Tänzerin zwischen Los Angeles und Mexico City. Bekanntheit erlangte sie dadurch, daß sie penibel die europäische Zeit beibehielt und einfach nach dieser lebte (auch ihr Körper). So konnte es geschehen, daß Vorüberkommende eines heißen Nachmittags eine Gestalt erblickten, die mit einem Sektglas in der Hand den Highway entlang Walzer tanzte. In der Comtesse war Mitternacht und Silvester;

– bei zunehmender Nähe des Eisernen Tors gleitet die Hand hinter das Ohr, unweigerlich erhebt sich die Frage, was gewesen wäre, wenn die Donau hier hätte umkehren müssen. Man stelle sich vor, wie sie sich beschämt zurückschlängelt, zurück auch wieder aus den Nebenflüssen, Pardon, Verzeihung, oh, wo wäre dann dieser ruhmreiche mitteleuropäische Fluß, der zwar unendlichen Schmerz auf dem Rücken trug, aber immerhin *jemand* war, ein Niemand wiche zurück um das Knie bei Esztergom, Pardon, Pardon – in der Tat läßt sich die Frage stellen, wo die Donau in den vergangenen vierzig Jahren entlanggeflossen ist …;

– wie ist die Natur, wenn es nichts Heroisches gibt?, ist das *absolute* Fehlen des Heroischen (der rückwärts schleichende Fluß) nicht heroisch?, läßt sich das Heroische unheroisch betrachten? – der Schiffskapitän jedenfalls mied findig das Wort Depression, er berief sich auf seine nicht behandelbare Melancholie und ging am Eisernen Tor in Pension;

– am Eisernen Tor erkannte Graf Széchenyi am 24. Juni 1830 die Bedeutung einer Regulierung der Unteren Donau, und nachdem er sein bescheidenes, doch wohlschmeckendes Mittagsmahl eingenommen, bereiste er auf seinem hölzernen Schiff »Desdemona« den Fluß in voller Länge. Spätestens bei Drenkova, wo ein starkes Dröhnen und Rauschen zu vernehmen ist, hier zieht sich nämlich ein vom Ufer vorspringender Berg, der Bosman, durch das Flußbett, die Wasserflut schäumt, als siede ein Feuerkessel, der sich auf 120 Fuß (rund 40 Meter) Tiefe in das Gestein gebohrt hat, und die beiden Ungeheuer Kozla und Dojka, Klippen und Felsbänke, streiten um die Richtung, die das Wasser nehmen soll, und wenn nicht bei Drenkova, dann am gefürchteten Greben, welches Wort im Serbischen Felsklippe und im Nichtserbischen Angst und Schrecken an sich bedeutet, und wenn wir von unten kämen, von Ismail her, mit einem Schlepper, beladen mit Erz oder Bleibenderem als Erz, begänne an diesem Punkt, an den grauslichen Flecken des Halses, der ganze Schiffskörper zu zittern, dann hier also muß die übliche Frage gestellt werden, auf die selbst der große Széchenyi keine Antwort wußte: Hast du gebetet, Desdemona?;

– die Frauenhand fliegt, wer weiß, wo sie zur Ruhe kommt (sie verschwindet im Sumpf der Achselhöhle).

Beim Staudammbau kam die wundervolle Insel Ada Kaleh unter Wasser. Enthauptung von Agas, Zollausland als Brutstätte des Schmuggels, krumme und winklige, türkisch anmutende Gassen, haarige Brustwarzen, jedoch vergaß man auf dem Berliner Kongreß 1878 zu entscheiden, wem die Insel gehören sollte, auf diesem Kongreß bewegte Gyula Andrássy die Russen zum Nachgeben, und leider bekam er internationale Zustimmung zur Okkupation von Bosnien und der Herzegowina, »le beau pendu«, den schönen Gehenkten, nannte man ihn verniedlichend, eine Anspielung darauf, daß ihn der Kaiser, dessen Außenminister er inzwischen war, in der Revolution von 48/49 in effigie zum Galgen verurteilt hatte, Graf Gyula, der allein das Budapest des ausgehenden Jahrhunderts erfunden hat, schlenderte des öfteren mit dem russischen Außenminister Gortschakow (den viele wegen seiner hervorstehenden Schneidezähne nicht mochten und spöttisch »den Wolf« nannten; sein Leben nahm eine tragische Wendung, als im ersten Jahr dieses Jahrhunderts seine Kinder und seine Frau bei der schlimmen Hochwasserkatastrophe an der Wolga ums Leben kamen; sogar Lenin erwähnt ihn als den »armen Gortschakow« in: Briefe an Tatjana Samoijlowa, Szikra, 1951, Budapest) Arm in Arm durch die Berliner Korridore, und als der ungarische Politiker nicht ohne Hintergedanken gefragt wurde, ob er sich mit dem Russen wirklich so gut verstehe, antwortete der hübsche Mann lächelnd: Wenn mich jemand in den Abgrund stoßen will, ist es am besten, ich nehme ihn beim Arm; – als wir uns dem riesigen Schleusensystem näherten, sprach der Kommandeur des Schleusenturms ein

Grußwort, das gigantische Schleusentor begann sich unverzüglich zu schließen, wir traten ans Heck des sowjetischen Schiffes, »wie es sich für manierliche kleine Jungen gehört« …, aber da eilten die sowjetischen Matrosen, die mit ihrer uniformen Kahlköpfigkeit dem da allmählich am Ende seiner Kräfte angelangten und mit seinen hysterischen Ausbrüchen selbst die Treue seiner Freunde auf die Probe stellenden Majakowski verblüffend ähnlich sahen, an die Reling und fingen unter schriller Heiterkeit, denn so ist der Sowjetmensch, der homo sovieticus, in der Not ein echter Freund, und in der Freude … Freude gibt es nicht, sie fingen an, mit netten Matrosengeschenken zu werfen: Erinnerungsgegenstände, Fotos, Gummischutzmittel in Hülle und Fülle, einige romantische Kalaschnikows! ein T 54, aus dem wie ein Projektil eine haarige Kokosnuß kullerte, gefüllt mit erhabenem rumänischem Țuica, das heißt Pflaumenschnaps, Sehnsucht und Haß in den Fingern, dann von neuem nichts. Die Durchschleusung begann, das Wasser wurde abgelassen, acht Stockwerke hoch ragten über uns die schmierigen Kammerwandungen, wir fühlten uns wie in einem Schacht, langsam öffnete sich das entgegengesetzte Tor der Schleuse, die hereinscheinende Sonne durchwärmte die Gruftstimmung. Doch was da geschah, wünsche ich auch meinen Feinden nicht. Die plötzlich angelassene, tischgroße Schraube des sowjetischen Dieselmotorschiffs wühlte das Wasser in der engen Schleusenkammer derart auf, daß wir untergingen. Der Kommandant des sich entfernenden sowjetischen Schiffes, Majakowski, winkte mit höflich bedauernder Geste: gegen die Gesetze der

Hydromechanik sei auch er machtlos, nicht schießen, Genossen! Dies ist die authentische Story seines Selbstmords;

– die Hand verbirgt ihre Langeweile durch Bewegung, kriecht hierher, tappt dahin, ist fortgeglitten aus dem Schoß der Karpaten, diesem ungebetenen Schutz, und die Donau trieb so glatt, so sanft in ihrem uferlosen Bett wie die Theiß. Kalt ließen die Hand die Weidengebüsche der Auen (bau auf dem Hügel, wenn du nicht vom Hund gebissen werden willst, von der Donau also, das sagt ein rumänisches Sprichwort, auf ein unübersetzbares Wortspiel mit Hügel bauend), kalt ließen sie das ebenmäßige Hochplateau zur Rechten und die kontinuierliche Entwicklung der Bewässerung in der bulgarischen Landwirtschaft, Widin berührte sie kaum, dabei erinnert dort eine Gedenktafel an Lajos Kossuth;

– wie Svevo der Triester und Broch der österreichische Joyce, so ist Christo Botew der bulgarische Petőfi, beim Aufstand von 1876 warf er sich bei Kozloduj in das Getümmel, wo ihn sofort eine verirrte türkische Kugel in die Stirn traf. Verirrt – von wegen! Die Aufzeichnungen (Driault, Aar) berichten von bestürzenden Grausamkeiten, die von der Pforte dorthin beorderten irregulären türkischen Krieger und tscherkessischen Banden setzten Dörfer in Brand, als wären sie Talglichter, sie schändeten Männer in ihrer Ehre und Frauen in ihrem Fleisch und zerstückelten Kinder; allein in der Kirche von Batak metzelten sie zweitausend Menschen nieder, hier hatte, die Hilfe Gottes erflehend, das ganze Dorf Zuflucht gesucht, groß und klein, doch die Pläne Gottes sind, vulgär ausgedrückt, unergründlich. Knöchelhoch stand in der Kirche das Blut. Diesem Beispiel folgten, bemerkt Aar, achtundsechzig Jahre später in Oradour-sur-Glane die deutschen Faschisten. Mein Freund aus Komárom erzählte, er habe '56 tatsächlich im Blut gestanden (es floß ihm oben in die Schuhe), das sei keine Metapher, es sei ein Waten gewesen. Und es klebe und sei gar nicht rot! Bei Kozloduj aber, am Ort der vermuteten Fußspur Botews, Hand in der Fußspur, entstand der moderne Gebäudekomplex des ersten bulgarischen Atomkraftwerks, daher der Spruch: Der hinkende Botew kommt nach, denken wir an den hinkenden Tschernobyl;

– das Streicheln näherte sich Russe, jedes Streicheln nähert sich Russe, der Körper wird eins!, in der Ferne zeichnete sich der gezackte Gebirgszug der Karpaten ab, ein unwahrscheinliches Trugbild, auch die Hügel von Orjachow brachten kein Erbeben, dabei hatten schon die Römer erkannt, wie wichtig dieser prächtige Beobachtungspunkt war, und vergebens war der hiesige Streifzug der Ungarn im 13. Jahrhundert gewesen, und vergebens wird wieder und wieder sonnenklar, daß für die Niederlage bei Nikopol der französische Hochmut ausschlaggebend war, sie wünschten sich sehnlich den Sieg, kannten aber die türkische Kampfweise nicht und hörten nicht auf die *klugen* Ungarn; der Kaftan hing in die Wildbretsauce, mit diesem Spruch bewertete man jahrhundertelang die talentlose Kriegsführung Sigismunds, eine Anspielung auf den Mißerfolg und die charakterlosen Zugeständnisse an die ehrgeizige französische Küche;

– der Dschungel der nicht verfolgbaren Donauarme auf der rumänischen Seite in hemmungsloser, tobender Langeweile, darin liegt etwas Gutes, die Hand ist nicht ungeduldig, sie ist zwar nicht ohne Ziel, doch ihr Ziel ist nicht benennbar, selbst wenn wir »Dinge« nachträglich beim Namen nennen (vgl. die legendäre Langeweile der Flaubert-Romane), die Inseln und kleinen Sandbänke wandern hier ohne Unterlaß, sie haben ein als konstant anzusehendes Inneres, das durch die üppige Vegetation bereits endgültig gebunden ist, der Volksmund spricht einfach von Möse, der Inselmöse – interessant ist in diesem Zusammenhang die Geschichte des deutschen Wortes Inselfotze, das aus »Insel futsch« abzuleiten ist, Ende der Insel, Schluß, aus, für den Deutschen wäre demnach das Ende gerade das, was der Anfang von allem ist, zugegeben, wahrhaftig, auch das Ende von allem, dort endet der Mensch, wenn er Mann ist, um nunmehr den Pfaden der bulgarisch-deutschen kollektiven Vernunft zu folgen;

– um den stolzen Titel, südlichster Punkt an der Donau zu sein, kämpften Swistow (Novae) und Wardim genauso wild wie Kecskemét und Kiskőrös um Petőfi. Wir könnten glauben, am südlichsten zu liegen sei eine Frage der Fakten, wenn es zwei Zahlen gibt, ist die eine größer als die andere, oder umgekehrt, oder sie sind gleich. Quartum non datur. Nicht so die Donau. Sie läßt sich nicht arithmetisieren, und wie Wittgenstein, der Anekdote zufolge, nicht gewillt war, Russell zu glauben, daß es im Arbeitszimmer keine Krokodile gebe (er konnte mit dem Satz nichts anfangen), war auch die Donau ungläubig; es ist eine andere Frage, daß Russell den exzentrischen Österreicher deshalb eine Zeit lang für bekloppt hielt, erst später bekam er

eine differenziertere Meinung von ihm, aber nicht
etwa aus philosophischen oder logischen Gründen,
sondern weil er ihn liebgewann. Ob dann Wittgenstein auf seiner geheimnisvollen Oslo-Fahrt *diese*
Zuneigung oder Zuneigung im allgemeinen meinte,
als er sagte, Unterseeboote blieben den Frauen weiterhin versperrt, da sie nicht entsprechend umgebaut
werden könnten: das zu entscheiden sei die bittere
Pflicht der Fachmänner. Es geht nicht nur darum, daß
die Donau ihr Flußbett veränderte, nein; beide Städte
schalteten sich aktiv in das Wirken der Natur ein.
Unter dem Schutz der Nacht verbreiterten sie das
Bett oder füllten in der anderen Stadt den fraglichen
Abschnitt auf. Es ging um Meter. Der Kampf uferte
aus. Eine Wardimerin blieb lieber ledig, als daß sie
einen aus Swistow geheiratet hätte. Aber sie schliefen
nicht einmal miteinander in einer Gegend, wo man
entweder aus Swistow stammte oder aus Wardim, da
schwammen sie zum Fummeln lieber auf die Insel
Belenski. (Sogar der progressiv gesinnte Midhat Pascha
wurde in dieses unwürdige Gezänk hineingezogen.)
Als dann zur Zeit des Hochwassers von 1838 beide
Städte die Dämme öffneten und von der zürnenden
Flut weggefegt wurden, sie aber, bis sie ertranken,
stolz schrien, sie seien die Ersten, sie seien die Südlichsten, kamen sie endlich zur Vernunft. Das sozia-
listische Bulgarien löste das Problem, indem es die
unterhalb von Wardim einmündende Jantra zu einem
Teil der Donau erklärte und den Titel samt der mit
ihm verbundenen Steuervergünstigung der Stadt
Nowgrad verlieh; nach Schiwkows Sturz wurde die
Vergünstigung gestrichen … Wer weiß, was kommt;

– Russe (Rustschuk), der Körper hat seine ureigenen Pfade, und diese Wege sind verschlungen, bei Silistra, am Flußkilometer 375,1, winken wir Bulgarien zum Abschied; die Hoden, die beiden Hügel des Hintern, das Dunkel, die Brücke von Cernavodá; stimmt es, daß du mich dein Seelchen nennst und sagst, ich sei für dich das Meer? sie waren bei Bráila: Weihrauch und Hammelgeruch. Weißt du, was der erste Satz war, was du sagtest, als wir uns begegneten? Du sagtest, wir sollten anfangen, Abschied zu nehmen, das sagtest du statt eines Grußes. Das habe ich nicht gesagt. Ich habe nur geantwortet;

– in wilder werdender Landschaft wird auch der Reisende wilder;

– es ist dunkel, öliges Dunkel vereint, der levantinische Kaufmannsgeist hält seinen molekularen Schmaus. Das Wasser hier ist nun sehr groß; wir müssen uns daran gewöhnen, es Donau zu nennen. Zwei Körper beben. Vor Galaţi (Galatz) liegt »wie der Kadaver eines treuen Hundes das dreigeschossige ausgebrannte Schiffswrack ›Poseidon‹«. Jahr auf Jahr kommt, Jahr auf Jahr geht, sagt Eminescu, in dem die rumänische Dichtung den feiert, der bei den Ungarn János Arany ist. Das Meer kennt seine Fische, stimmt es nicht? Wie die Nähe von Breg und Brigach, so wirft auch die des Meeres Fragen auf, die nicht beantwortet werden können. Jede deiner Bewegungen ist mir vertraut, nicht so, daß ich sie kenne, sondern daß sie niemals fremd sind;

– du;

– im Mündungsbereich ist das Wasser *brackig*, hier vermischt sich das süße Wasser des Flusses mit dem salzigen des Meeres, ich werde dich nicht abwaschen! dreck dich nur ein! Wenn ich dich nicht mehr liebe, erwarte ich wenigstens, daß du mich befriedigst! Rede nicht soviel. Das Plätschern der Ruder durchbricht die Stille, erschrocken fliegen Wasservögel auf, die im Schilf- und Grasmeer nisten. Die hängende Fettwulst begräbt Tulcea. Ich betrachte Dalmas Hand, den Verband. Es zuckt um ihren Mund, außer sich zerbeißt sie die Luft geradezu, als ersticke sie, immer wieder schließt sie die Augen, während sie den Bauch und den Schoß streichelt, massiert und streichelt, als wollte sie von draußen ergreifen, was drinnen ist. Als tauche sie aus Wasser auf. Dieses Bild bewahre ich von ihr. Immer heftiger wogt der Körper, der Horizont öffnet sich auf einmal zur Unendlichkeit. Jetzt. Du silberne Möwe, schwarzes Wasser – – –

Gemächlich, in würdevoller Ruhe zog das Schiff mit uns durch die gestirnte Sommernacht. Seine Rippen, Planken und Kajüten, alles, was aus Holz, Eisen, Messing und Werg war, sein ganzer Leib vibrierte: ohne Unterlaß, fein, nicht ertappbar.

Ich bückte mich, um Dalmas Hand zu küssen, und sie schlug mich aus der Rückhand so ins Gesicht, daß sofort Blut zu fließen begann.

DEJAN MEDAKOVIĆ

(1922–2008)

Auch die Festung Golubac

Auch die Festung Golubac südlich von Smederevo hinterlässt mit ihren massiven Türmen und Mauern den Eindruck, uneinnehmbar zu sein. Laut Überlieferung ist diese einsame Bastion, in der unbekannte Soldaten Europa vor dem Ansturm der osmanischen Macht verteidigten, nicht so sehr infolge der Stärke der sie belagernden Armee gefallen, sondern vielmehr, weil Verräter ihre Tore geöffnet hatten. Golubac konnte sich jedenfalls nicht halten und wurde zusammen mit dem Staat, den es nicht verteidigen konnte, eingenommen. Golubac hat Jahrhunderte überdauert und bis heute das Aussehen einer mächtigen Festung beibehalten, aber nicht einmal die härtesten Mauern konnten sie vor den Schäden bewahren, die die Zeit mit sich brachte. Neben der großen Festung von Peterwardein ist auch Golubac eine jener Bauten, die ihrem ursprünglichen Zweck nicht mehr dienen. Jene, die sich durch diese Donauspazierfahrt in nostalgische Reminiszenzen versetzen lassen, werden von der architektonischen Bildhaftigkeit ihrer Mauern, der Patina, der Lage und der Kühnheit beeindruckt sein, ganz nahe an den Fluss zu kommen, den die Baumeister in das Wehrkonzept einbezogen hatten.

Flussabwärts von Golubac lässt die Dramatik der Landschaft nicht nach. Ihre Derbheit wurde in neuerer Zeit vom großen Damm des Wasserkraftwerks im Eisernen Tor besänftigt, welcher einen Teil des Donaulaufes in einen großen Stausee verwandelt und die Donaufahrt über die Schleusen umgeleitet hat. Die Größe des rumänisch-jugoslawischen Wasserkraftwerks, des größten Gemeinschaftsprojektes an der Donau, ist das beste Beispiel für die Unteilbarkeit dieses europäischen Flusses auch in den anderen Ländern, durch die er fließt. Die heutige Donau hat ihre einstige Bedeutung von Grund auf geändert, nämlich die Bedeutung eines Flusses, der Teil eines Systems von Grenzen war, dessen Sicherheit nicht mehr durch Festungen gewährleistet wurde.

Falsch ist die Ansicht, dass eine Donaufahrt bei der berühmten Festung Vidin enden sollte, weil sich flussabwärts nichts von größerer Bedeutung für diesen zentralen europäischen Fluss ereignet hat, dessen lange Reise in einem weiten Flussdelta ins Schwarze Meer mündet. Von ihrer Quelle bis hin zum Schwarzen Meer hat die Donau die unterschiedlichsten Völker veredelt, die sich in ihrem Stromgebiet niedergelassen haben. Diese Anpassung hat die untere Donau in einen Schauplatz großen Austausches, in einen Raum für Begegnungen vieler Völker verwandelt.

MÓR JÓKAI

(1825–1904)

Von Felsen und Inseln

Von Felsen und Inseln zerteilt, braust die Donau zwischen Ogradina und Plavischviza bereits mit zehn Meilen Stundengeschwindigkeit dahin, und der Schiffer muss die schmalen Flussarme genau kennen, denn die eiserne Menschenhand konnte nur zwischen den Felsenbänken inmitten des Flussbettes einen schmalen Kanal für größere Schiffe fahrbar machen, in Ufernähe gibt es nur für kleine Boote einen Weg.

In den schmaleren Flussarmen, entlang den kleinen Inseln, unterbrechen eigentümliche menschliche Werke die großartigen Schöpfungen der Natur: doppelte Palisadenwände aus starken Baumstämmen in V-Form mit der Öffnung in Richtung des Flusslaufes. Eine Vorrichtung zum Hausenfang. Diese Geräte aus dem Meer schwimmen gegen den Strom, lästiger Parasiten wegen lassen sie sich von der Strömung den Kopf kraulen und geraten so in die Fallen, den umkehren ist nicht ihre Gewohnheit, sie streben immer vorwärts in die sich verengenden Fänge, bis sie schließlich in der »Leichenkammer« landen, aus der es kein Zurück mehr gibt.

ADOLF SCHMIDL

(1802–1863)

Katerakte der Donau

Babakai und Golubacz sind die Thorpfeiler, die Merksteine der nun beginnenden Katerakten der Donau, der großartigsten Partie der Donauschiffahrt, welche durch keine ähnliche an irgendeinem anderen schiffbaren Flusse Europas übertroffen wird. Die Gebirge treten beiderseits immer näher zum Ufer heran, werden höher, mit Wald bedeckt, und stellen sich in mannigfachsten malerischen Formen dar. Spärlich liegen Dörfchen hier und da in einer Thalbucht, unbedeutend, aber doch angenehme Staffagen der Landschaft, die immer wilder wird; am serbischen Ufer Bernicza, am österreichischen Lupkova, Berzazzka und Drenkowa. Drenkowa ist der Offiziersposten des Compagniedorfes Berzazzka und eine wichtige Schiffstation, daher denn die Gesellschaft neben dem Agentiegebäude auch ein großes Wirthshaus erbauen ließ. In Drenkowa nehmen die Dampfer immer Kohlen ein, und bei niederm Wasser findet hier der Hauptwechsel der Schiffe statt, denn die großen Dampfer können dann schon die folgenden Riffe nicht passiren. Bei außerordentlich kleinem Wasser, was aber sehr selten auftritt, muß freilich die Donau ganz verlassen werden, dann fährt man zu Wagen von Moldawa bis Turn-Severin. In Drenkowa kommt ein Lotse an Bord, und drei auch vier Mann werden ans Steuer gestellt, wo bisher nur ein, höchstens zwei ausreichten; man sieht, die Vorbereitungen deuten auf einige Schwierigkeiten, welche zu überwinden sind, aber man stelle sich nichts Ungeheures vor; bei hohem Wasser passirt man alle Katerakten, ohne es auch nur zu ahnen. Frühere Reisende ergingen sich in Beschreibungen des furchtbaren Wellenschlags, der wie eine Maretta des Meeres anzusehen sei u. s. w. Das ist alles übertrieben. Bei hohem Wasser findet gar kein Wellenschlag statt, bei niederm Wasser ist allerdings die Brandung bedeutend, das ganze Schauspiel großartiger, aber jedenfalls vollkommen gefahrlos und man hat kein Beispiel, daß ein Passagierboot verunglückt wäre. Furchtlos kann man sich ebenso gut wie am oberösterreichischen »Strudel« dem Schauspiel hingeben, welches am interessantesten bei dem Wasserstand ist, der nur den kleinsten Dampfern (Izlas und Tachtalia) erlaubt zu fahren. Dann ragen die Klippen in guter Zahl aus dem Wasser empor, pfeilschnell schießt das Boot durch die engen Kanäle hindurch, und die obere Partie der Katarakten ist noch lohnender als die untere, das eigentliche Eiserne Thor, weil dort nur ein einziges, freilich um so bedeutenderes Riff zu passiren ist, hier aber deren mehrere.

HELMUTH VON MOLTKE

(1800–1891)

Besuch beim Pascha von Neu-Orsowa
(Ada-Kaleh)

Dicht unterhalb Alt-Orsowa taucht aus den Fluten
des Donaustroms ein Eiland empor, welches eine türkische Festung trägt. Die Österreicher, die sie erbaut,
tauften sie Neu-Orsowa; die Türken eroberten den
Platz, und obwohl seitdem ihre Grenzen von den Karpaten bis zum Balkan zurückgedrängt wurden, haust
noch heute ein Pascha in Ada-Kalessi, der Inselfe-
stung. Weit hinaus geschoben zwischen christliche
Länder ragt hier ein letztes Minaret empor, von welchem
die Verehrung des Propheten verkündet wird, und die
Türken, die von ihrem eigenen Grund und Boden, aus
Serbien und Walachei verbannt sind, finden auf jener
Insel eine Zuflucht.

In Begleitung eines Zoll- und eines Gesundheits-
Beamten wurde meinem Reisegefährten, dem Baron
von B., und mir erlaubt, Sr. türkischen Excellence
einen Besuch abzustatten. In fünfzehn Minuten waren
wir da, aber nur in fünfzehn Tagen konnten wir auf
österreichischen Grund zurückkehren, wenn wir in
die geringste Berührung mit Personen oder Stoffen
gerieten, die für pestfangend gelten. Diese Drohung
war indes weniger schrecklich für uns, die wir nach
der Türkei wollten, als für die beiden Beamten, welche
wieder zurück mußten. Auch hatte der eine von ihnen
während unserer Audienz vollauf zu tun, um mit seinem

langen Stock eine Feder zu parieren, welche der Zugwind an der Erde hin und her bewegte.

Osman Pascha empfing mit vieler Freundlichkeit zwei Fremde, die aus dem fernen Lande »Trandeburg« kamen. Er ließ uns Kaffee reichen und Pfeifen, und gestattete uns seine Festung zu besehen. Der Pascha ist ein stattlicher Herr mit dickem roten Bart, aber so unbeschreiblich schlecht logiert, wie bei uns kein Dorfschulze. Sein Palast ist ein Bretterschuppen, der an ein detachiertes Bastion angeklebt ist. Trotz der empfindlichen Kälte saßen wir in einem halboffenen Gemach ohne Fensterscheiben. Sehr unnötigerweise hatten wir uns in Frack gesetzt, während Se. Excellence in zwei bis drei Pelzen, einen größer und weiter als den andern, ganz *à son aise* erschienen.

In der Stadt überraschte uns die Unreinlichkeit der engen Straßen. Die Anzüge der Männer waren rot, gelb, blau, kurz von den schreiendsten Farben, aber alle zerlumpt. Die Frauen schlichen tief verhüllt wie Gespenster umher. Alle Wohnungen trugen Spuren des Verfalls, und an der Festung ist, glaub' ich, seit der Besitznahme kein Ziegel ausgebessert.

GUSTAV RASCH

(1825–1878)

Zu beiden Seiten des mächtigen Stromes

Zu beiden Seiten des mächtigen Stromes stiegen die
Uferberge steil und hoch hinan und bildeten einen
wirklich gigantischen Thorweg. Der gigantische Thorweg war das »eiserne Thor«. Quer über den Fluß hin
erscheinen eine lange Reihe schäumender und bran-
dender Wellen. Sie traten in ähnlicher Weise auf, wie
ich sie bereits in der »Clissura« vor Orsowa gesehen
hatte. Die Brandungen waren die Folge der Wellen,
welche sich an den unter der Stromfläche befindlichen, nicht sichtbaren Felsen brachen. Nun kamen
wir näher, so nahe, daß das Geräusch der Brandung
an das Ohr schlug. Bis dahin floß der mächtige Strom
ruhig, langsam, ohne Geräusch. Hier schien er sich
plötzlich der Tage seiner Kindheit zu erinnern, wie er
aus den Bergen hervorströmt; er fing wieder an zu
hüpfen, zu rauschen und zu brausen. Aus den Kieseln
waren Felsblöcke geworden. Das Murmeln hatte sich
in Brüllen und Tosen verwandelt, welches den Lärm
der Maschine weit übertönte. Am wallachischen Ufer
gestalteten sich die Berge zur Form einer hohen Spitze,
welche einem riesenhaften Grabmonumente nicht
unähnlich war. »Sehen Sie dort den spitzen Fels?«
fragte der Capitän. Die Wallachen nennen ihn »Gropa
di Petro«. – Das Grab des heiligen Petrus. – »Und
dort die beiden langen, hohen Felszacken neben der
Grabspitze?« – »Ich sehe.« – »Man nennt sie die

›trauernden Weiber«, welche neben Petri Grabe stehen.«

Nun waren wir den Felsenriffen, welche sich mitten durch den Fluß ziehen, ganz nahe. Plötzlich begann die Maschine nur mit halber Kraft zu arbeiten. Der Lauf des Dampfers wurde um die Hälfte ermäßigt. Langsam glitt er stromabwärts. Es war nöthig, ihn zwischen den verborgenen Riffen mit Hülfe des Steuers hindurchzuführen. Die Donau war am heutigen Tage sehr hoch. Von den Riffen erblickte ich nichts. Die Stellen, wo sie sich befanden, wurden nur durch die langen, weißen Brandungen bezeichnet, welche in einer Reihe auftraten und in mehreren Reihen hintereinander folgten. Der Capitän deutete mir mit dem Finger mehrere von den verborgenen Rissen an. »Sie haben sämmtlich Namen«, sagte er, »wie in der Clissura.« Wir befanden uns nun mitten zwischen den Brandungen. Bald rechts, bald links sich wendend trieb der Dampfer mitten hindurch. »Dort die Stelle nennt man die ›alten Weiber‹ – Babile; – dort den ›großen Räuber‹ – Rasbolnik weliki; – dort den kleinen ›Taubenstein‹.« Um uns herum war der ganze grüne Strom mit einem weißen Gischt bedeckt. Wir schwammen weiter zwischen den Brandungen. Das tobte, das zischte, das brauste rings um uns her. Die Durchfahrt dauerte ungefähr fünf Minuten. Dann nahm die Oberfläche wieder ihre frühere ruhige Gestalt und Farbe an. »Die alten Weiber«, »die Räuber«, der »Taubenstein« lagen hinter uns. Die Maschine begann wieder mit ganzer Kraft zu arbeiten. Wir waren durch das »eiserne Thor« aus dem Occident in den Orient eingetreten. Die Felsen sanken zu beiden Seiten

in den Strom. In der Gestalt weiter, grüner Ebenen
dehnte sich der Orient rechts und links zu beiden
Seiten des mächtigen Stromes vor uns aus. Links
Rumänien, rechts Bulgarien.

SIGISMUND WALLACE

(1864)

Eisernes Tor und abwärts

Turn-Severin dagegen gewinnt von Jahr zu Jahr an
Bedeutung und es ist schon heute eine freundlich
gelegene Stadt mit 400 Häusern und 3000 Einwohnern, unter denen viele Deutsche sind, die eine katho-
lische und eine protestantische Gemeinde bilden,
und ihre Geistlichen aus eigenen Mitteln bezahlen.

Der Severus-Thurm steht inmitten parkähnlicher
Anlagen; sein verfallenes Mauerwerk zeugt noch von
seiner ehemaligen Grösse. Hier sind auch noch die
Spuren von den Grundpfeilern der Trajansbrücke,
welche zu Zeiten eines niederen Wasserstandes deutlich zu erkennen sind.

Unser Dampfer versieht sich hier mit Kohlen für
seine Reise bis nach Galatz; wir betreten das Ufer für
einige Zeit, um uns die Bewohner, das zahlreich versammelte Militär – ganz in französischer Uniform –
anzusehen. Es scheint ziemlich strenge hier zu Lande
zu sein, wenigstens verbieten uns zwei walachische
Krieger mit vorgehaltenem Bajonnet den Ausgang. –

Nach einigen Aufklärungen lässt man uns endlich gehen, allein wir müssen aufrichtig gestehen, dass dies uns in keinem Staate, den wir bis jetzt betraten, vorgekommen ist. – Hat man keine Polizei hier zu Lande oder repräsentirt das Militär die Polizei? In beiden Fällen halten wir es doch im Interesse der Civilisation hiervon Erwähnung zu machen, in der Hoffnung, dass man den harmlosen Reisenden nicht den Ausgang verbietet und dass man das Militär an dem Ausgang des Schiffes zurückziehe! –

Im Ganzen ist hier wenig zu sehen, die Bewohner sind ein Gemisch aller Nationen, von welchem die eigentlichen Nachkommen der Römer grösstentheils den französischen Sitten zu huldigen scheinen. – Auch die französische Sprache klingt mehr an das Ohr als die rumänische.

Nachdem wir uns die Schiffswerfte und die Werkstätten angesehen haben, begeben wir uns zurück auf unseren eleganten Dampfer, welcher sich auch nach wenigen Minuten in Bewegung setzt und donau-abwärts fährt.

Welch ein herrlicher Strom! Wie ruhig fliesst er dahin, wie spiegelglatt ist seine majestätische Wasserfläche! – Nur einzelne Zeichen der Fischer, welche durch ausgehöhlte Kürbisse die Stellen ihrer versenkten Angeln angeben, stören die silberne Fahrbahn. Kein Lüftchen regt sich und nur der Luftzug des schnell dahin eilenden Dampfbootes bringt uns einige Kühlung. Wir sind nun schon in wahrhaft südlichem Lande und alle Schönheiten und Annehmlichkeiten der Natur treten uns vor das Auge! – Es ist ein prachtvoller, mondheller Abend und die zahlreiche

Reisegesellschaft geht fröhlich auf und nieder auf dem Verdeck. Dem ruhigen Beobachter kann es nicht entgehen, dass alle Passagiere sich in einer recht behaglichen und zufriedenen Stimmung befinden, die höchstens durch den Gedanken getrübt werden kann, dass sich in den nächsten Tagen schon eine Anzahl von Mitreisenden entfernen und dass man überhaupt das schöne Schiff verlassen muss, auf welchem man sich überaus wohl und behaglich befindet. – Jeden Tag hat uns die Küche mit verschwenderischer Freigebigkeit und unerwarteter Abwechslung der Speisen überrascht und jeder Morgen hat uns das Bedauern fühlen lassen, dass nun schon wieder ein Tag der schönen Reise verschwunden ist, auf die man sich so lange gefreut hat. –

Die Ufer der schönen Donau sind hier so üppig und freundlich, dass man sie gerne unausgesetzt bewundert, die zu beiden Seiten sanft aufsteigenden Hügel sind mit dunklem kräftigen Grün beschattet und die wenigen sich unseren Blicken darbietenden Felder strotzen von fruchtbar gesegneten Aehren. Schade dass diese Länder so wenig bevölkert sind, welch' ein Wohlstand könnte hier seine bleibende Stätte finden und welch' ein Raum für Tausende von Auswanderern, die vielleicht vergebens im fernen Amerika ihr Glück zu finden hoffen. – Unter solchen Betrachtungen gelangen wir zuerst zunächst dem Dorfe Verbieza, an der Insel Ostroya vorüber, nach dem Marktflecken Brza-Palanka, einem freundlich gelegenen serbischen Städtchen, das mit seinen rothen Ziegeldächern einen malerischen Anblick gewährt. Wir fahren vorüber an den kleinen serbischen Ortschaften Kossiak und Radnjewatz; die letzten serbischen Marktflecken an der Donau, und erblicken nun den kleinen Fluss Timok, der Serbien von Bulgarien scheidet.

SIR JOHN RETCLIFFE

(1815–1878)

An beiden Ufern der Donau bei Widdin

Es war in den ersten Tagen des Januar 1854 und die Wintersonne schien glänzend und heiter auf das prächtige Schauspiel, das sich an beiden Ufern der Donau bei Widdin, dem Viminacium der Römer, entwickelt hatte. Unterhalb der Stadt, die mit ihren 25 Minarets von alten Festungswerken umgeben sich dicht am Fluß dahinstreckt und auf der weiten bulgarischen Ebene, – nur rechts durch die Wradamnitza-Gebirge begränzt und links in weiter Ferne durch die dunklen Massen des Balkan, – einen freundlichen Ruhepunkt bildet für den Blick, führte eine Schiff-brücke zu der hochgelegenen Smurda-Insel, die jetzt von Batterieen starrte. Darüber hinaus, über den etwa 300 Schritt breiten, von einer leichten, aber nicht tragfähigen Eisdecke bedeckten linken Arm des mächtigen Stromes, verlängerte sich die Brücke bis zum hoch emporsteigenden Ufer von Kalafat, das gegenwärtig die stärkste Stellung der türkischen Armee bildete und den Russen den Weg nach Serbien sperrte.

Wir haben bereits erwähnt, daß die Russen einen großen strategischen Fehler begingen, als sie den

513

Uebergang der Türken bei Widdin und ihre Festsetzung in Kalafat so leichthin duldeten. Der Fehler rächte sich schwer; denn ihm hauptsächlich ist es zuzuschreiben, daß die russischen Streitkräfte während des ganzen Winters und Frühjahrs ihr Augenmerk auf die Sicherung der kleinen Walachei gerichtet halten mußten und so dem Gegner auf dem rechten Ufer Gelegenheit gaben, sich zu kräftigen und die Hilfe der Westmächte abzuwarten. Die Bewachung der Türken bei Kalafat verhinderte fast acht Monate lang alle Operationen an der untern Donau.

Die Türken hatten den günstig gelegenen Ort mit einer Verschanzung von circa 6000 Schritt Länge umgeben, die an beiden Enden in einem Fort auslief. Die Verschanzung bildete nach den russischen Stellungen zu einen vorspringenden Winkel und war von 600 zu 600 Schritt durch eine mit schwerem Geschütz besetzte, mit Schanzkörben und Faschinen gegen das Feuer bekleidete Bastion oder Lünette befestigt. Eine innere Linie von vier Redouten zur Aufnahme der Reserven gab zugleich eine zweite Vertheidigungsfront. Auf einer Anhöhe zur Rechten bestrich außerdem eine sehr gut gelegene Redoute die Flanken und auf der Insel, deren Zugang durch einen Brückenkopf geschützt war, befanden sich vier Batterieen, jede von vier bis fünf Stück schwerem Geschütz, deren Feuer im Nothfall über die Verschanzungen hinweg trug.

Die türkischen Vorposten dehnten sich im Halbkreis um die Verschanzungen auf die Entfernung von zwei bis drei Wegstunden aus und begegneten hier denen der Russen in täglichen kleinen Scharmützeln.

Es war am Vormittag große Besichtigung der Truppen sowohl in Kalafat als in Widdin gewesen, und die verschiedenen Corps rückten eben wieder in ihre Quartiere, ober trieben sich dienstfrei bereits in Gruppen umher. Der Muschir selbst mit seinem ganzen Generalstabe war seit drei Tagen in Widdin anwesend und eben im Begriff, wieder abzureisen. Die Masse des Gefolges und die zahlreiche militairische Begleitung, welche die Straßen um das Konak Said-Pascha's, des Gouverneurs von Widdin, bei dem der Sirdar sein Quartier genommen, füllten, erhöhte das bewegte bunte Treiben. Eine Menge Pferde, prächtig gesattelt, wurden im Konak und vor dem Thor umher geführt, Araba's mit ihrem weißen Ochsengespann standen zur Seite und die Iastiks in ihrem Innern, wie die Vorhänge, die sänftenartig das Obertheil umgaben, zeigten, daß sie zur Aufnahme von Frauen bestimmt waren, während die Arabadschi's mit den Gepäckwagen bereits vorausgegangen.

In der That führte der Muschir während des ganzen Feldzugs an der Donau seine jüngste Gattin, eine Deutsche aus Siebenbürgen, und deren Schwester stets mit sich, indeß die Bujuk-Hamnu, die erste Frau, die noch der verstorbene Sultan ihm gegeben, und deren Hand und Einfluß er hauptsächlich seine glänzende Laufbahn und seinen Reichthum verdankt, im Serail und den Harems von Constantinopel, wie wir bereits gesehen haben, seine Interessen wahrte.

Der Muschir ist in Bezug auf die Frauen ein arger »Gläubiger« geworden, wenn er auch nicht gerade die schrankenlose Eifersucht derselben theilt. Da der Leser hier zum ersten Male auf dem Felde unserer

Erzählung dieser in den letzten Jahren so berühmt
gewordenen Persönlichkeit begegnet, wird eine kurze
Skizze über sie von Interesse sein.

Michel Lattas – dies ist der ursprüngliche christliche Name des Muschirs – ist zu Anfang dieses Jahrhunderts in Illyrien geboren. Er trat in seiner Jugend
in den österreichischen Militairdienst und hatte das
Glück, in eine der militairischen Erziehungsanstal-
ten zu kommen, der allein er seine Ausbildung verdankt. Als Feldwebel war er in Zengg in das Bureau
des Majors Knecicz kommandirt, der für ihn väterlich
sorgte. Hier verwirrte er jedoch die Kassengeschäfte
seines Wohlthäters auf die unverantwortlichste Weise,
machte bei einem dem Major nahestehenden Kaufmann in Zara auf seinen Namen Schulden und ent-
floh mit dem erschwindelten Gelde nach Banjaluka und
Sarajevo, wo er nach vielfachem Elend Hauslehrer bei
dem Pascha wurde. Dort auch trat er zum Islam über
und kam später mit dem Pascha nach Constantinopel,
wo er auf dessen Empfehlung als Zeichner in einer
türkischen Militairschule angestellt wurde, und im
Auftrag des verstorbenen Sultans geometrische Wand-
tafeln für den jungen Prinzen Abdul-Medjid schrieb.
Später wurde er dessen Schreiblehrer und machte,
von dem guten Herzen des jetzigen Sultans mit Wohl-
thaten überhäuft, die glänzende und rasche Carriere,
die ihn an die Spitze der Armee von Rumelien brachte.
Den ersten Ruf gewann sich Omer-Bei 1842 in Syrien
als Befehlshaber im Libanon und dabei trotz seiner
grausamen aber nothwendigen Strenge eine solche
Popularität, daß die Drusen und Maroniten sich ihn
sogar von der Pforte als Häuptling erbaten. Hier

scheint zuerst sein rastloser Ehrgeiz geweckt worden zu sein, und verschiedene Anecdoten beweisen, wie er schon damals den ganzen verschlagenen und dennoch heftigen Charakter des Orientalen sich angeeignet hatte. Wir wählen eine unter den vielen.

Omer befand sich zu Deir-el-Kamar, im berühmten Palast des Emirs Bechir Bettheddin, als er von einem der trotzigsten und mächtigsten Scheiks des Libanons besucht wurde. Während der Unterredung erhält Omer ein Schreiben des Pascha's, das ihm befiehlt, eben diesen Scheik festzunehmen und nach Beiruth zu liefern. Der Bei verläßt nach einer Weile das Gemach, um ein Geschäft zu besorgen, und als er zurückkehrt, gewahrt er mit Erstaunen die veränderte und ängstliche Haltung seines Gastes. Ein Blick auf den Divan belehrt ihn, daß er den Befehl des Pascha's dort liegen gelassen und der Druse, da Zartgefühl eben nicht die schwache Seite der Orientalen ist, denselben gelesen hat. Der Bei ist schnell gefaßt. Indem er mit dem Gast ruhig die Unterhaltung fortspinnt, läßt er sich Schreibgeräth bringen, und entwirft auf seinen Knieen einen Brief an den Pascha, in dem er den Scheik als ganz ungefährlich und zu einem Freunde der Regierung bekehrt schildert, den er zu einem wichtigen Amte bestimmt habe. Das Schreiben wiederum geschickt zurücklassend, entfernt er sich nochmals unter einem Vorwand, und als er wiederkehrt, findet er seinen Gast aufgeheitert und vollkommen beruhigt. Der Drusenhäuptling, auf die Heiligkeit der orientalischen Gastfreundschaft bauend, entläßt unbesorgt seine starke Eskorte aus dem Konak, speist mit dem Bei und schläft unter seinem Dach. Am andern Morgen, als er fortreiten will und schon den Fuß im Steigbügel hat, wird er plötzlich von den Wachen, die Omer über Nacht genügend verstärkt hatte, festgenommen und nach Beiruth an den Pascha ausgeliefert, der ihm den Kopf abschlagen ließ.

Wegen seiner Haltung im Libanon zum Pascha ernannt, wurde Omer als solcher nach Albanien und später nach Kurdistan geschickt, um die ausgebrochenen Aufstände zu unterdrücken. Er that es mit eiserner und blutiger Strenge und galt von dieser Zeit an am Hofe von Stambul als einer der zuverlässigsten und geschicktesten Diener. Als im Jahre 1848 die Revolution in Bukarest ausbrach, Fürst Bibesco floh und Soliman-Pascha die Bewegung nicht zu unterdrücken vermochte, wurde im September der Groß-Referendar Fuad Effendi als Civil-Commissarius und Omer-Pascha als Befehlshaber des Heeres entsandt, das mit den Russen gemeinschaftlich die Fürstenthümer besetzte.

Omer-Pascha hatte damals die erste Gelegenheit, die russischen Truppen in der Nähe zu beobachten. Nur von seinem rastlosen Ehrgeiz gespornt, bot er, ganz gegen die geheime Politik seiner Regierung, den Russen, als General Lüders in Transsylvanien einrückte, um die ungarische Revolution zu bekämpfen, seine Hilfe dabei an, und nur die eifrigen Bemühungen Fuad's vermochten ihm das Thörichte dieses Schrittes endlich klar zu machen. Sofort sprang er zum andern Extrem über, und während er seine erste Gattin nach Constantinopel sandte, um allen Folgen seiner unüberlegten Politik vorzubeugen, begann er ganz offen seine Feindseligkeit gegen die Oesterreicher und selbst gegen die Russen an den Tag zu legen. Diese wurde noch mehr durch die Vernachlässigung erhöht, welche Oesterreich gegen ihn zeigte, indem es ihn bei den zahlreichen Ordensvertheilungen überging. Dafür rächte er sich durch die willigste, ja ehrenvolle Aufnahme der ungarischen Flüchtlinge, als deren Beschützer und Freund er sich von jetzt ab öffentlich zeigte. Ungarn, Deutsche und Polen strömten in Bukarest zusammen und schworen daselbst in dem von Omer bewohnten Palast öffentlich ihren Glauben ab. Jeder der Neubekehrten erhielt drei Dukaten in dem Augenblick, wo er den Fez aufsetzte. Aus den gewandtesten Offizieren bildete sich Omer eine Umgebung, auf die er sicher zählen konnte und die bald die Aufmerksamkeit Rußlands und Oesterreichs erregte. Wir haben in einem früheren Abschnitt unseres Buches gesehen, daß Oesterreich im Frühjahr 1853 aus der Flüchtlingsfrage die ersten Veranlassungen zu seinem Auftreten in Constantinopel nahm.

Dem Skandal in Bukarest, während dessen Fuad bereits als Gesandter nach Petersburg gegangen war, machten endlich die Vorstellungen des französischen General-Consuls ein Ende. Eine Menge Generale und höhere Offiziere aus den bekanntesten Adelsfamilien Ungarns und Polens hatten den Turban genommen. Omer selbst gab ihre Zahl auf 72 an – dazu 6000 Soldaten.

Die spätere Laufbahn Omer's ist bekannt. Zum Muschir (Titel aller Staatsminister, – Feldmarschall) von Rumelien und im April 1850 zum Militair-Gouverneur von Bosnien und der Herzegowina ernannt, unterdrückte er mit der furchtbarsten Strenge und einer Grausamkeit, die mit den älteren Zeiten der türkischen Herrschaft wetteiferte, die nationalen Bestrebungen der muselmännischen Bosniaken und Bulgaren, wobei ihm seine Umgebung von dreißig früheren ungarischen und polnischen Offizieren an die Hand ging, nachdem Tahir-Pascha, der bisherige Civil-Gouverneur von Bosnien, durch Gift beseitigt worden. Iskender-Bey – der Pole Ilinski – war dabei einer seiner thätigsten und glücklichsten Helfer. Nachdem die Rebellion der Bey's von Omer völlig unterdrückt worden, – die Details würden über den Raum dieser Blätter gehen, – erfolgte im Anfang des Jahres 1852 die Entwaffnung der bosnischen Christen, bei der die scheußlichsten Grausamkeiten verübt wurden. Nach Constantinopel zurückberufen, wurde der Muschir zwar für einige Zeit in Folge der gegen ihn erhobenen Anklagen außer Thätigkeit gesetzt, doch schon das Frühjahr 1853 führte ihn wieder mit vermehrter Macht auf den Schauplatz und gegen die Montenegriner, wo wir seinem Auftreten zuerst in unserem Buche begegnet sind.

Es ist unzweifelhaft, daß schon seit seinem ersten Zusammentreffen mit den Russen an der Donau im Jahre 1849 der Muschir für seinen Ehrgeiz auf einen großen Krieg mit diesem Erbfeinde seines neuen Vaterlandes rechnete. Von jener Zeit ab stand er im Divan fortwährend auf der Seite der Kriegspartei und war trotz seiner sonstigen sehr liberalen Anschauungen und Gewohnheiten auf das Engste mit der alttürkischen Fraction verbunden. Die bald nach Beginn des Krieges in Constantinopel verbreitete Geschichte von einem

Vergiftungsversuch gegen Omer und die wiederholten Drohungen der Alttürken bei den Aufständen der Ulema's und Softa's, daß der Sirdar mit der Armee gegen Constantinopel rücken werde, wenn der Krieg nicht seinen Fortgang habe, gehören offenbar mit zu seinen Intriguen.

FELIX KANITZ

(1829–1904)

Die Paschalik-Hauptstadt Vidin

Ich darf mir es hier wohl ersparen, die Physiognomie der Hauptstadt des von 6 Kreisen gebildeten Paschaliks Vidin zu schildern. Leichtbefederte donauabwärts schwimmende Touristen haben dies, und namentlich was ihre sehr auffälligen Schattenseiten betrifft, lange vor mir gethan. Welche Nachlese bliebe mir noch beispielsweise nach Hanns Wachenhusen's lebensvoller Geisselung des Schmutzes der krummlinigen Strassen Vidin's und seiner schiefen Gebäudefronten, der ekelhaften Blutlachen im Fleischerviertel und – leider gleicht an manchen Tagen die halbe Stadt einem solchen – der verpestenden Sümpfe seiner Plätze u. s. w. zu sagen übrig. Soll ich hier etwa die Jeremiaden über das ohrzerreissende Geächze der ungeschlachten Büffelkarren, über das halsbrecherische Pflaster in den engen, Nachts unbeleuchteten Gassen weiter ergänzen oder über den heute wie früher herrschenden absoluten Mangel an Canälen, Promenaden, Gasthöfen und jeglichem Comfort, bei einem sehr reichlichen Ueberfluss an schmutzigen, zudringlichen Bettlern, Zigeunern und anderem Gesindel, das uns von der Strasse bis in das Serai des Pascha's verfolgt, und so fort ins Unendliche klagen?

Und warum überdiess gerade Vidin das zum Vorwurf machen, was nun einmal zur vollständigen Toilette echttürkischer Städte und selbst des moslim'schen Viertels Constantinopels gehört, was aus der Ferne gesehen bestrickt, in der Nähe nicht ungerecht machen sollte. Der Leser begnüge sich also mit dem Vorgeschmacke der nach Knoblauch und anderen unnennbaren Parfüms duftenden Atmosphäre, welche den meisten Blättern der Schwarz in Grau gemalten Wachenhusen'schen Fresken Vidin's entströmt! Ich will es vielmehr versuchen, der ersten an der unteren Donau uns entgegentretenden türkischen Stadt einige Lichtseiten abzugewinnen. Hier und da dunkel einfallende Schlagschatten werden das Bild beleben und, mehrere bereits vor Jahren niedergeschriebene, wie ich behaupten darf, noch heute vollgiltige Bemerkungen sollen Zeuge dafür sein, wie wenig der Kern alttürkischen Regimentes sich ändere; möge man auch dessen Aussenseite noch so geschickt mit fränkisch schillerndem Culturlack zur Blendung des Anlehen versorgenden Auslandes firnissen.

Beginnen wir unsere Wanderung durch das Stambul-Kapu, das Hauptthor der Festung, das ein türkischer Nizamsoldat, nachlässig an dasselbe lehnend, sein Gewehr bei Fuss, bewacht. Wir streuen einige Paras in die vielen verlangenden Hände kauernder, zerlumpter, trotz alledem aber halbverschleierter Bettlerinnen und gelangen durch die enge Bazarstrasse mit ihren Tabak-, Teppich- und Bijouterieläden auf den ersten grösseren, durch eine nette Moschee gezierten Platz der Feste. Hier stossen wir sogleich auf den ersten Lichtpunct Vidins, auf einen seiner zahlreichen, an heissen Sommertagen ersehnte Labung spendenden öffentlichen Brunnen.

AMAND FREIHERR VON SCHWEIGER-LERCHENFELD

(1846–1910)

Gleich unterhalb Vidin

Gleich unterhalb Vidin – bei Arčer-Palanka – nimmt die Donau eine östliche Richtung an, welche sie bis zur Dobrudscha fortan beibehält. Gleichzeitig nimmt das bulgarische Ufer eine Gestalt an, welche ihm auf der ganzen vorbezeichneten Strecke charakteristisch bleibt: eine mehr oder weniger scharf abgekantete Lößterasse, in deren Faltungen meist armselige Dörfer eingebettet sind. Auch die größeren Ortschaften schmiegen sich in solche Winkel des Ufers. Auf der rumänischen Seite aber ist unbegrenztes Flachland; die Donau schwillt allmählich zu beträchtlicher Breite an, ist aber hier noch nicht in so zahlreiche Arme, Seiten- und Stauwässer mit ganzen Archipeln flacher Inseln zertheilt, wie weiter stromab. So kommt man nach Lom-Palanka (auf bulgarischer Seite), einem hervorragenden Handelsplatze für das westliche Bulgarien und Ausgangspunkt der Ueberlandroute nach Sofia. Das Städtchen hat jetzt schon Vidin überflügelt und wird dieses in Zukunft gänzlich verdunkeln.

SIGISMUND WALLACE

(1864)

Zahlreiche Inseln

Zahlreiche Inseln, bald kleinere, bald grössere, liegen hier in dem breiten Strom. Sie sind mit grünen Waldungen und ihre Ufer mit Schilfrohr, dem Aufenthaltsorte von Wasservögeln mancherlei Art, bewachsen. Pelikane, Kraniche und Fischreiher theilen die Lüfte und begleiten das Schiff.

Die Donaugegend hat hier einen eigenthümlichen Anstrich. Die Ufer sind öde und leer; kein Haus, keine menschliche Seele so weit das Auge reicht. Das linke Ufer ist nun flach geworden und bleibt es auch bis hinaus an das schwarze Meer. Durch seine Niederungen ist es im Frühjahr gewöhnlich den Ueberschwemmungen ausgesetzt, und desshalb sieht man auch längs des linken Donauufers sehr wenige, sozusagen keine Wohnungen, mit Ausnahme der walachischen Wachhäuser, die längs der ganzen Donaulinie sich finden. Die Wachhabenden Grenzsoldaten werden alle Wochen abgelöst und führen ein trauriges Leben;

– sie haben den Grenz-Cordon zu bewachen, welcher die Zolllinie der Donaufürstenthümer gegen die türkischen Provinzen des rechten Ufers bildet. Das rechte Ufer ist beinahe reizlos und gewinnt nur hie und da durch malerisch gelegene Städte und Dörfer an Interesse.

So sieht man unterhalb Widdin das Dörfchen Arzar-Palanka, wo sich der kleine Fluss Arzar in die Donau ergiesst. Eine Stunde weiter abwärts erreichen wir das wirklich reizend gelegene Städtchen Lompalanka, dessen Häuser durch frische, grüne Bäume beschattet werden, und dessen Minarets dem Anblick einen wahrhaft orientalischen Rahmen verleiht. – Das Städtchen hat 4000 Einwohner und treibt einen lebhaften Handel mit Getreide, Häuten, Fellen und Wolle.

ROLLO GEBHARD

(∗ 1921)

Inselhüpfen am Strom

Am Nachmittag verließen wir Vidin und steuerten weiter stromab. Das Wetter war hochsommerlich warm, und in herrlichem Blau leuchtete das Wasser der Donau. Die Strömung war kaum spürbar, und das Echolot zeigte genügend Wassertiefe. Während die rumänische Seite verlassen wirkte, herrschte am bulgarischen Ufer reges Strandleben. Die Bulgaren betrachten das Donauufer als ideales Feriengebiet und verbringen jede freie Minute am Strand. Wir beobachteten Urlauber beim Baden und Fischen; selbst am Abend rollten gelegentlich Autos von der Straße ans Ufer. Eilig sprangen Männer heraus, holten Angelruten hervor und genossen so, am großen Strom hockend und auf einen guten Fang wartend, ihren Feierabend.

Das Navigieren war entspannt. Schubverbände begegneten uns nur selten, und die Wassertiefe betrug in der Regel zehn Meter und mehr. Etwa 50 Kilometer unterhalb von Vidin passierten wir die Stadt Lom, entschlossen uns aber zur Weiterfahrt, um besser in Ruse, wo wir einen Yachtklub wußten, länger zu unterbrechen.

Die Donau war hier zum kleinen Meer geworden. Man fuhr nicht mehr zwischen Ufern, sondern zwischen Inseln. Ins Logbuch trug ich ein: »Der Strom liegt glänzend wie eine Scheibe vor uns, eine unendliche Fläche, darüber ein blaßblauer Himmel. Auf beiden Seiten Hügel und weit in der Ferne flaches Land. Auf der rumänischen Seite sind kaum Menschen zu sehen, die Gegend scheint unbewohnt oder das Ufer wird gemieden. Vielleicht war es früher nicht erlaubt, in der Nähe der Grenze zu arbeiten? Auf der bulgarischen Seite dagegen bilden Hügel und Felsabbrüche eine reizvolle Landschaft. Es sind wunderbare Tage, und ich stelle mir vor, welche großartigen Möglichkeiten dieses Revier für Wassersportler und besonders für Motorbootfahrer bieten könnte, wenn die Infrastruktur verbessert und mehr Liegeplätze geschaffen würden.«

Auf das Vorhandensein von Kilometertafeln und eine zuverlässige Betonnung konnte ich mich allerdings nicht verlassen. Ich notierte: »Wir mußten hinter einer Sandbank umkehren und fünf Kilometer zurückfahren, um ein neu betonntes Fahrwasser zu erreichen: eine völlige Änderung der Sandbänke gegenüber der Karte! Das war erstmalig und hat uns fast eine Stunde gekostet. Dafür fahre ich jetzt schneller mit 7,5 kn und 1750 U/min. Wetter ist traumhaft schön: kleine weiße Wolken am Horizont und Sonne den ganzen Tag, dabei eine kühle Brise.«

Die beiden folgenden Nächte bis zum 6. Juni verbrachten wir in Nebenarmen hinter größeren Inseln. Unsere reichhaltige Ausrüstung enthob uns aller Sorgen, auch der um Frischwasser. Treibstoff freilich mußten wir von Land beziehen, und da wir in der Hauptstadt Belgrad keinen Diesel bekommen hatten, war jetzt ein Nachfüllen der Tanks dringend notwendig geworden. Doch weder in Rumänien noch in der Ukraine wollte ich mich auf die Sauberkeit des Kraftstoffs verlassen.

Wir gewahrten viele tote Fische, deren weiße Bäuche im Fluß aufschimmerten. Einer Zeitungsmeldung zufolge waren in einer Fabrik bei Budapest Gifte ausgetreten, mit verheerenden Folgen für die Fischbestände. Fast alle Abwässer von Industrie und Haushalt wurden ungereinigt in die Donau geleitet. Daher wirkte sich der Zusammenbruch vieler Industriewerke, besonders in Rumänien, für Tiere und Pflanzen günstig aus.

GEORG KONSTANTIN ROSA

(1808)

Untersuchungen über die Wlachen, welche jenseits der Donau wohnen

Gemeiniglich heute, und in der byzantinischen Geschichte werden wir Wlachen d. i. Wallachen genannt; so sagt mit den übrigen Anna Komnena, daß die Nomaden in der gemeinen Sprache Wlachen heißen. Unter diesem Namen aber erscheinet dieses Volk zu allererst im XI. Jahrhunderte; denn um diese Zeit beiläufig gegen das Jahr 1027 dienten sie bei den byzantinischen Herren, und wurden geschickt, um Sicilien zu erobern. Nichts ist leichter, als Namen den Dingen, Völkern, und Oertern beyzulegen; aber nichts ist hingegen schwerer und künstlicher, als gehörige und charakteristische Namen anzugeben. Lasset uns also untersuchen, ob der Name Wlach oder Wallach meiner Nation gehörig von den Fremden angehängt sey? Dieß ist ganz gewiß, daß diese Nation, wie auch unsere diesseits der Donau wohnenden Brüder den Namen Wlach in der Muttersprache nie gebraucht haben; denn nirgends findet man angemerkt, daß sie sich selbst Wlachen genannt hätten, ja sie verwarfen ihn sogar gänzlich vor Alters. Aber, obwohl diese Benennung heute diesem Volke so eigen geworden ist, daß es sie geduldig anhört, und nicht mehr verschmäht; so ist sie doch zu allgemein, und folglich bestimmet sie die Nation auf keine Art; denn Wlach oder Walach bedeutet einen Hirten in der slavischen

Sprache, nun aber aus der allgemeinen Weltgeschichte ist hinlänglich bekannt, daß viele Völker in ihrem Anfange nomadisch lebten, daher müßte man alle diese nicht anders als Wlachen nennen, welches nur etwas specielles wäre. Es folget also hieraus, daß dieser Name bloß die Lebensart der Nation anzeiget, eben wie der Name der Pacinaciten slavisch Petschenegen nur bedeutet, daß diese das gebratene Fleisch sehr gewöhnlich aßen.

IVAYLO DITCHEV

(∗ 1955)

Grenzland Donau

Die Donau ist der einzige große Strom Europas, der von Westen nach Osten und damit gegen die Logik der Geschichte verlauft. Invasionen, Religionen, Epidemien, Rohstoffe – sie gingen gewöhnlich den umgekehrten Weg. Aber hier: Ein Naturelement – ein Wasserlauf – entspringt in Deutschland, reift in Mitteleuropa und bewässert am Ende den Balkan! Das ist sicher suspekt, und wie wir wissen, ranken sich um solche Inversionen in der Kultur immer auch die vielfältigsten Deutungen.

Dies könnte der Grund dafür sein, dass das Wasser am Unterlauf der Donau nicht einfach nur als Wasser wahrgenommen wird, sondern als Träger der Modernisierung, die vom Zentrum des Oberlaufs ausgehend flussabwärts die Peripherie erfasst. Aber dieses Geschenk löst keineswegs nur Freude aus. Je mehr die Osteuropäer nach mitteleuropäischem Vorbild modernisiert werden, um so größer wird auch ihr Groll gegen diese Entwicklung, die ihnen neue Lebensweisen, Schönheitsideale und internationale Verträge aufzwingt. In der imaginären Donau begegnen sich also zwei gegenläufige Strömungen: die des Fortschritts, die triumphierend von der Quelle in Deutschland ins rumänische Delta hinabfließt, und eine gegenläufige, Zentimeter um Zentimeter stromaufwärts dagegen ankämpfende Mischung aus dumpfem Ressentiment und identitätstümelndem Widerstand. *Timeo Danubium et dona ferentes!*

Diese Gegenläufigkeit nimmt die unterschiedlichsten Formen an. Sie beginnt damit, dass der Fluss an seinem Ober- und Unterlauf ganz verschieden betrachtet wird. Anfangs noch idyllisch und sanft mäandernd wie in Altdorfers Gemälde *Donaulandschaft bei Regensburg*, verwandelt sich die Donau nach und nach zu einer rohen, bedrohlichen Gewalt, die einer alten Legende zufolge jährlich ein Menschenopfer verlangt, damit sie nicht über ihre Ufer tritt. Je weiter man stromabwärts gelangt, um so mehr überhäufen einen Kunst und Literatur mit Bildern von Heeren, die eine Furt stürmen, von Gräben, die die Uferwiesen durchziehen, und von nicht zu bändigenden Völkern, Pferden oder Rinderherden, die den Fluss durchqueren.

Am Unterlauf der Donau scheint es zwei parallele Überlieferungen zu geben: eine Tradition der Dankbarkeit und eine des Misstrauens, wobei man in diesem

Teil der Welt im Umgang mit dem Misstrauen sehr viel geübter ist. Dies äußert sich zum Beispiel in der Überzeugung, dass das Wasser mit jeder neuen Fabrik und jedem Kanalsystem nur noch schmutziger wird. Schon zu kommunistischer Zeit gab es diesbezügliche Gerüchte, aber sie gelangten erst nach der Demokratisierung in die Medien. Als Folge schimpfen heute immer wieder Wortführer verschiedenster Couleur über die Fäkalien, die – angeblich aus Mitteleuropa kommend – im Fluss schwimmen und in das Schwarze Meer gespült werden. (Die kühnsten Spekulationen gehen gar davon aus, dass es dort wegen der steigenden Konzentration von Schwefelwasserstoffen früher oder später zu Explosionen kommen wird.) Nach einem Bad in den derart übel beleumdeten Fluten erwartet man bang die ersten Blasen, Eiterbeulen oder andere aufplatzende Scheußlichkeiten auf seiner Haut, und manchmal bekommt man sie auch. Ich vermute, diese Hautprobleme haben teilweise damit zu tun, dass es immer »die anderen« sind, die »uns« mit ihrem Müll zuschütten, und dass deshalb die Verschmutzung der Donau von Jahr zu Jahr und von Kilometer zu Kilometer zunimmt. Ältere Leute erzählen Geschichten von aufgedunsenen Leichen auf dem Wasser. Sie bestätigen damit den allgemeinen Eindruck, dass der undurchsichtige Strom auch schmutzige Geheimnisse mit sich führt. Während des Kosovokrieges kursierten Märchen über Angler, die in ihren Fischen Leichenteile gefunden hatten. Und die Legenden über mutierte Riesenwelse in radioaktiv verseuchtem Wasser rund um die Kraftwerke von Paks, Kozlodui und Cernavoda entspringen demselben Kontext – auch wenn es in diesem Fall nicht um »die da oben« im geografischen Sinn geht, sondern um die »Oberen« des modernen Lebens allgemein.

Das schmutzige Geheimnis der trüben Brühe ist eine Art kopfstehendes Spiegelbild des Kulturtransports, wie er in den letzten beiden Jahrhunderten donauabwärts stattgefunden hat. Entlang den bulgarischen Ufern war die Idee des modernen Lebens stets eng mit dem Fluss verbunden, und die Donaustädte waren die ersten im Osmanischen Reich, die die mitteleuropäische Architektur, das Kino, Trottoirs, Volkskundemuseen, Zeitungen und manches mehr übernahmen. Österreichische Schiffe legten voll beladen mit der neuesten Mode in Svischtov oder Rousse an, damit die vornehmen Damen sie an Bord anprobieren konnten, so wie sie es heute in den Einkaufszentren tun. Mit den Schiffen drangen auch gehobene Umgangsformen, die Brautwerbung, der Tanz, Maskenspiele, Nachspeisen und Süßweine zum Unterlauf des Flusses vor. Aber es war dieselbe Donau, die den Appetit auf politische Unabhängigkeit mit sich brachte. Der Zeitleiste des Stromes folgend, kam diese zuerst nach Serbien, dann nach Rumänien und schließlich nach Bulgarien. Die meisten Abteilungen militanter bulgarischer Emigrés schritten zur Revolte, indem sie die Donau überquerten, und auch die russischen Armeen drangen von Norden über die Donau in die Monarchie ein und hinterließen auf den Schlachtfeldern der befreiten slawischen Länder ihre Denkmäler und ihre Mythen.

In den Jahren des Kommunismus kam die sowjetische Industrialisierung von jenseits des Flusses

nach Bulgarien und ließ eine wandernde Arbeiter-
klasse, Fabriken und rauchende Schlote zurück. Diese
Zeiten haben dem kollektiven Gedächtnis eine Erinnerung eingebrannt, die fast jedem Bulgaren in den
Sinn kommt, sobald von der Donau die Rede ist: jene
schläfrigen Nachmittage, an denen eine monotone
Stimme im Radio erst auf Französisch und dann auf
Russisch endlose »Meldungen über den Wasserstand
der Donau in Zentimetern« vortrug. Ich nehme an,
dass die Schiffe in den 60er und 70er Jahren noch
keine eigenen Kommunikationssysteme hatten und
auf den staatlichen Radiosender angewiesen waren.
Dieser Sender plärrte damals unablässig aus Laut-
sprechern auf öffentlichen Plätzen und in den Betrieben. Und weil sich nie jemand darum kümmerte, sie
abzuschalten, wurde man unweigerlich von der endlosen Saga des Stromes mitgerissen: »minus 2 in
Orsova«, »plus 7 in Novi Sad«.

SIR JOHN RETCLIFFE

(1815–1878)

In's Feld nach der Donau zu

Die Mehana des Bulgaren Gawra befand sich ungefähr zehn Minuten vor dem südlichen Thor Widdins
an der Straße nach Nissa und Ternowo, der heiligen
Stadt des Landes. Das Celo, zu dem sie gehörte, lag
weiter ab von der Straße. Jenseits derselben, hinaus

in's Feld nach der Donau zu, erstreckte sich das fliegende Lager der Baschi-Bozuks, die hier die Reserve für die Garnison von Kalafat bildeten.

Die Hane war nicht nach bulgarischer Art gebaut, die ein rundes, bis auf etwa zwei Fuß vom Boden abstehendes Schoberdach zeigt, während das Haus selbst tief in die Erde gegraben ist und man auf Stufen dazu hinuntersteigt. Sie war vielmehr nach städtischem Muster eingerichtet, einstöckig und mit einer großen gemeinschaftlichen Hoda versehen, die zugleich Küche, Wohn- und Gaststube, bis auf zwei kleine Kammern den ganzen unteren Raum der Umfassungsmauern einnahm, und nur die vielen weißen, von der Sonne gebleichten und auf Pfähle gesteckten Ochsen- und Pferdeschädel rings um den Hof verkündeten die bulgarische Wohnstätte. Ein großer grüner Busch über der Hausthür zeigte die Eigenschaft als Schänke an, – mehrere nach bulgarischer Weise eingerichtete Ställe – denn jede Art der Hausthiere hat hier ihre besondere Wohnung – umgaben das Hauptgebäude.

Gawra, der Wirth und Pferdehändler, galt unter seinen Landsleuten für einen habsüchtigen, aber wohlhabenden Mann, wenn er auch den Gebietern gegenüber Letzteres auf alle mögliche Weise zu verbergen suchte und die ganze Wirthschaft daher äußerlich ein verkommenes und liederliches Ansehen zeigte. Der Bulgar unterscheidet sich im Ganzen sehr zu seinen Gunsten von allen anderen Raçen der Bevölkerung der transsylvanischen Halbinsel. Er ist fleißig, betriebsam, ehrlich und unverdrossen. Geschickt zu jedem Handel und Gewerk, zu Ackerbau, Viehzucht und Industrie, wäre dies Volk unter einer verständigen und milden Herrschaft der größten Ausbildung fähig, und ihr Land – an den beiden Abhängen des Balkans alle Erzeugnisse des europäischen Südens und Nordens vereinigend – besitzt einen natürlichen Reichthum, wie kein anderes. Während an den Abhängen zur Donau Buche und Eiche, Platane und Wallnuß die mächtigen Kronen aus den üppigen Buschpflanzen emporstrecken, der wilde Wein sich um ihre Stämme rankt und die Thäler fette Weidentriften in Unzahl bieten, thront hoch darüber der Felsengrad des Hämus mit Schluchten und unzugänglichen Bergwänden, in deren Tiefen Schätze edlen Metalls verborgen sind. Rasche goldhaltige Wässer springen von Fels zu Fels hinab, zur Donau drängend oder jenseits hinüber zu den Küsten des herrlichen ägeischen Meers. Der Bär, der Luchs und der Adler hausen auf diesen Bergen, der Schakal streift hinab zur Ebene und der stattliche Rothhirsch mit dem sechzehnendigen Geweih streicht in zahlreichen Heerden durch die Wälder. Der Eber wälzt sich im Sumpf, das wilde Pferd galoppirt durch die Ebene. Sieben Felsenpässe brechen durch die gigantischen Massen der Berge und führen zu seinem südlichen Hange, – die beiden bekanntesten: das trajanische und das eiserne Thor, von denen das erste nach Sophia, das andere über Kasanlik und Schumla nach Varna und dem Schwarzen Meere mündet, – zur Landschaft Zagora, die sich vom Meeresstrande bis zum Berge Athos erstreckt, die reichste üppigste Provinz der Türkei.

Wie, wenn man aus dem nördlichen Deutschland kommend, die Felsenmauer der Alpen bei Botzen überstiegen hat und von Meran hinunterschaut auf die Fluren der Lombardei – gleich mit einem Zauberschlage eine andere Zone dem Pilger entgegenweht, so auch an den Felsenpässen des Hämus. Die volle südliche hesperische Natur umgibt den Wanderer, – die Olive mit ihrem dunklen feuchten Grün, – die Feige, die Cypresse und Platane, – der Oleander aus zackigen Felsspalten, an deren Wand sich der Wein und die Melone rankt! die Orange duftet und der Südwind, der aus der Bai von Enos an der grünen Maritza herauf über die thracischen Ebenen streicht, trägt ihm die wonnigen Düfte der weiten Rosenfelder von Edrene entgegen. Ueber die endlosen Ebenen mit dem hohen Gras und den goldenen Getreidefeldern – nur unterbrochen von den Hunka's der pelasgischen Vorzeit, dem spitz emporspringenden Minaret oder der byzantinischen Wölbung einer verfallenden christlichen Kapelle – streift tagelang der Reiter, einsam und allein mit Alogon, dem stummen Freunde. Zahlreiche Städte bevölkern das herrliche Land, aber außerhalb ihrer schmuzigen Ringmauern ist Alles eine poetische Wüste. Wo der Griechen-Slawe allein wohnt, ist er noch schutzloser der Willkür seiner Herren preisgegeben.

Die Thätigkeit und Betriebsamkeit, welche dem Bulgaren innewohnt, hat ihn, die Maritza entlang bis zu den Küsten des ägeischen Meeres, bis an die Thore Constantinopels getrieben. Ueberall ist er Ackerbauer, Viehzüchter, Fabrikant, Handwerker und Kaufmann, und es liegt eine unermeßliche Quelle von Civilisation und Wohlstand in diesem demüthigen, sinnenden und empfänglichen Volke. Still beugt es seinen Nacken unter dem drückenden Joch des Spahi's, der von seinem

Fleiße prunkt, seine Töchter entführt und seinen Glauben verhöhnt, und die traurige Klage, die seines Herzens tiefsten Kummer dem selten das Land durch-pilgernden Fremdling öffnet, ist der kindlich naive Ruf: »Du bist glücklich, Bruder; in Deinem Vater-lande giebt es Nichts als Bulgaren!«

Dennoch ist auch dies demüthige gutmüthige Volk schon häufig durch die furchtbare Last der türkischen Mißhandlungen emporgerüttelt und ihm die Waffe zum kräftigen zähen Widerstand in die Hand gezwun-gen worden. Nur die eigene Gutmüthigkeit und die verrätherische Schlauheit der Gegner hat ihm das Schwert wieder aus der Hand gewunden und das Joch auf's Neue auf seinen kräftigen Nacken gelegt.

Die Nation zählt, – wenn man die wirklich von ihr bevölkerten Landstriche nimmt und nicht blos das kleine Gebiet des alten bulgarischen Königreichs, dem die Türken diesen Namen gelassen, – gegenwär-tig vier und eine halbe Millionen Seelen, und man darf annehmen, daß jetzt – wo sich die europäischen Mächte wenigstens dem Massemorden entgegenset-zen werden – die Zahl bald derart wieder sich ver-mehren wird, daß sie die türkische Bevölkerung eben durch ihr Gewicht still und ohne Kampf zurückdrängt. Daß sie trotz der Gräuel, welche noch dies Jahrhun-dert bis auf die neuesten Zeiten entweihten, trotz der Ströme bulgarischen Blutes, die vergossen wurden, diese Ziffer erreichen konnte, verdankt sie dem Um-stand, daß der Osmane die Nation bisher als Christen verächtlich von seinen Heerzügen ausschloß und daß das Wüthen der Pest hauptsächlich nur die fatalisti-schen Moslems danieder mähete, während sie die

reinlichen vorsichtigen bulgarischen Landbewohner
verschonte. Es ist erwiesen, daß jede große Pest der
Türkei fast eine Million Menschen raubt. Die vom
Jahre 1838 tödtete in Bulgarien allein 86.000, fast
lauter Türken. Charakteristisch erzählen die Bulgaren,
daß der furchtbare »Schwarze Tod« damals durch die
schänderische Gier ihrer Herren entstanden sei. Junge
Türken in Bajardzik hätten sich über den kaum erkal-
teten Leichnam einer schönen Armenierin geworfen
und, an ihm ihre viehische Gier befriedigend, den
Krankheitsstoff in sich aufgenommen und weiter ver-
breitet.

FELIX KANITZ

(1829–1904)

Die türkische Kaimakamsstadt Lom

Durch die neue Strassenanlage hat namentlich die
türkische Kaimakamsstadt Lom sehr gewonnen. Sie
ist durch den neuen Strassenzug der Haupteinfuhr-
hafen walachischen Salzes, von Manufactur- und
Colonialwaaren für das ganze nordwestliche Bulgarien
geworden, und ebenso der Ausfuhrhafen für dessen
mannigfache Bodenproducte, für Getreide, Vieh, Felle,
Wolle u. s. w. Bald werden die primitiven Verkehrsmittel aus und nach dem Innern des Landes nicht
mehr genügen. Wenn irgend eine Nebenlinie von der
projectirten Niš-Constantinopler Haupt-Eisenbahn-
linie gerechtfertigt erschiene, so wäre es eine Schienen-

verbindung zwischen Sofia, Pirot oder Beb, Palanka mit Lom. Der Handel von Bulgarien, Oesterreich-Ungarn und den Donaufürstenthümern wird sie in nicht ferner Zeit dringend verlangen.

Schon heute gehört die Lomer Agentie der k. k. Donau-Dampfschiffahrtsgesellschaft in Bezug auf Grösse des Verkehrs zu den bedeutendsten der unteren Donau, ein Aufschwung, welchen sie in erster Linie der allgemeinen Vermeidung des serbischen Transit-weges, andererseits aber auch der Thätigkeit des seit langen Jahren dort stationirten, äusserst umsichtigen Agenten Rojesko verdankt. Besondere Verdienste erwarb sich derselbe während der Tscherkessen-Einwanderung, für welche Lom einen der stärksten Landungsplätze bildete. In einem späteren Capitel werde ich davon weiter sprechen. In Lom begegnet man auf Schritt und Tritt den ehemaligen Söhnen des Kaukasus.

Bisher hat die Tscherkessenansiedelung der hohen Pforte nur grosse Verlegenheiten bereitet und ihr, gleich der bulgarischen Rajah, ungeheure Opfer in verschiedener Form auferlegt. Zum Nachtheile der Rajah verleiht jedoch das tscherkessische Element der türkischen allmälig absterbenden Raçe neue Kräftigung und bildet eine schwer zu übersteigende Grenzbarrikade zwischen Bulgarien und dem aufstrebenden unabhängigen Serbenlande, nach dem die benachbarte Rajah in früherer Zeit oft sehnsüchtig blickte.

Wie beinahe in allen Donaustädten, hat sich auch in Lom das Türkenthum unmittelbar auf den Resten der einst römisch-byzantinischen Festungswerke angesiedelt.

CLAUDIO MAGRIS

(∗ 1939)

Grünes Bulgarien

Kozlodúj. Hier bemächtigte sich Christo Botew 1876
des Dampfers *Radetzky*, landete mit zweihundert
Mann auf bulgarischem Gebiet und gab damit das
Signal zum Aufstand; er selbst fiel mit achtundzwanzig
Jahren gleich darauf in der Schlacht. Der romantisch-
revolutionäre Dichter, der in seinen Gedichten davon
spricht, daß man, während der Abend sich senkt, den
Balkan ein haidukisches Lied anstimmen höre, dachte
an eine gleichermaßen nationale wie soziale Befreiung,
an einen brüderlichen Zusammenschluß aller Balkan-
völker im Zeichen einer Religion der Humanität. Für
ihn war die revolutionäre Klasse die der Bauern, und
zwar aufgrund der demokratischen Tradition des Agrar-
populismus in Bulgarien, die im bäuerlichen Klein-
grundbesitz wurzelte, der hier sehr viel verbreiteter
war als in den angrenzenden – durch Großgrundbe-
sitzer unterdrückten – Ländern.

Die bulgarische Agrarbewegung war von offenem und
fortschrittlichem Charakter, wie die Politik Stamboliskis,
ihres bedeutendsten Führers, bezeugt, und kennt
nicht jene regressiven und faschistoiden Züge, wie sie
sich bei anderen bodenständigen Ideologien und
Bewegungen finden, so zum Beispiel bei den von
Codreanu, dem Anführer der rumänischen Legionäre,
erträumten »grünen Menschen«. Die fortschrittliche
bulgarische *Intelligenzija* geht größtenteils von den

Kadern der Dorfschullehrer aus; das kleine Dorf
Bozjenči, das weit ab in den Wäldern liegt und in
seiner Lebensform unversehrt geblieben ist, bietet
ein Bild dieses bescheidenen und würdevollen länd-
lichen Bereichs, dem die archaische Barbarei fremd
ist, eine Atmosphäre, die man auch in dem Geburts-
haus von Schiwkow spürt, in diesen kleinen Räumen
eines beschränkten, aber hellen und klaren Lebens,
in denen die Berufung zum revolutionären Führer
entstanden ist. Um sich vor einer Idealisierung der
Idylle zu hüten, ist es immerhin zweckmäßig, sich an
jene Bemerkung von Kanitz im Hinblick auf die von
der Arbeit zermürbten Bäuerinnen zu erinnern, daß
nämlich wenige Züge der zwanzigjährigen Frau noch
das junge Mädchen erahnen ließen, das sie mit siebzehn Jahren gewesen sei.

PERSINA NATURPARKDIREKTION

(2012)

Der Persina Naturpark

Der Persina Naturpark wurde mit der Verordnung
N° РД-684 vom 4. 12. 2000 des bulgarischen Minis-
teriums für Umwelt und Wasser beschlossen und ist
einer der jüngsten Naturparks in Bulgarien. Er liegt
auf dem Gebiet der drei Donaugemeinden Nikopol,
Belene sowie Svištov und nimmt eine Fläche von
21.762,2 ha ein. Die Verwaltung dieses Parks hat in

Belene ihren Sitz – einer kleinen, schönen Stadt an
der Donau.

Der Persina Naturpark ist einzigartig in Bulgarien
und der einzige im bulgarischen Abschnitt der Donau. Seine Ziele liegen in der Erhaltung und Wiederherstellung der Feuchtgebiete an der Donau, wobei
den zahlreichen Inseln und ihrem natürlichen Zustand besondere Aufmerksamkeit geschenkt wird.
Hier existieren zwei Inselgruppen: vier Inseln bei
Nikopol und 19 Inseln des Belene-Inselkomplexes,
von denen fünf bereits auf rumänischem Territorium
liegen. Dieser gesamte Inselkomplex ist 18 km lang
und umfasst die größte bulgarische Insel der Donau
und die viertgrößte des gesamten Donaulaufes. Diese Insel, die auch für den Naturpark namensgebend
war, heißt Persina.

MICHAEL J. QUIN

(1796–1843)

Sistow liegt herrlich

Sistow liegt herrlich. Ein schöner bewaldeter und
malerischer Höhenzug beginnt etwa eine Meile westlich davon, und dehnt sich eine weite Strecke am
rechten Ufer der Donau aus. Die Stadt fängt unmittelbar am Wasser an und zieht sich über den wellen-
förmigen Abhang hinauf, der wie zur Aufnahme
menschlicher Wohnungen gemacht scheint. Nachdem

die Häuser eine gewisse Höhe erreicht haben, scheinen sie zu verschwinden, kommen aber höher hinauf wieder zum Vorschein. Das ganze wird durch eine den Gipfel krönende Citadelle beschützt. Die Donau bietet hier einen herrlichen Wasserspiegel und ist so tief, daß mehrere russische Kauffahrer ohne Mühe nach Sistow herauf segelten.

K. MARCUS

(1918)

Die untere Donau ist sehr reich an Fischen

Die untere Donau ist sehr reich an Fischen, reicher als irgendein anderes europäisches Flußsystem, vielleicht mit einziger Ausnahme der Wolga. Doch muß von vornherein festgestellt werden, daß sich die Ergebnisse nicht im entferntesten vergleichen lassen mit denjenigen, mit denen wir bei der deutschen Seefischerei – ganz abzusehen von denen der britischen, französischen oder norwegischen – zu rechnen gewohnt sind.

Durchschnittlich bewegt sich die jährliche Fangmenge zwischen 25 und 30 Millionen kg, Wenn das auch augenscheinlich nicht viel ist, so darf man doch nicht unberücksichtigt lassen, daß es sich durchgehends um wertvolle Süßwasserfische handelt, daß fast die gesamte Menge im Lande bleibt und bei dessen Einwohnerzahl von etwa 7$^1/_2$ Millionen (vor dem

Kriege) einen nicht unbeträchtlichen Faktor für die Ernährung darstellt. Auch national-ökonomisch betrachtet, ist die Fischerei mit ihrem Wert von 15 bis 20 Millionen Lei von großer Bedeutung, da die Existenz von vielen tausend Familien mittelbar oder unmittelbar von ihr abhängig ist.

MICHAEL J. QUIN

(1796–1843)

Halb vier Uhr wurden wir Rußtschuk ansichtig

Halb vier Uhr wurden wir Rußtschuk ansichtig zu meiner ungemeinen Zufriedenheit, und zwei Stunden später lag unser Boot inmitten einer Menge russischer, türkischer und griechischer Handels- und Fischerfahrzeuge von allen Größen, welche auf einen lebhaften Verkehr schließen ließen.

Mein Bootsherr bot sich freiwillig an, mir den Agenten suchen zu helfen, an den mich der Capitain des Dampfbootes brieflich empfohlen hatte. Wir wanderten aber längere Zeit in der Stadt umher, ohne Jemand zu finden, der uns die Wohnung desselben nachweisen konnte.

Als ich Rußtschuk mit seinen vielen Moscheen und Minarets zuerst von ferne am Rande des prächtigen Stromes sich erheben sah, hielt ich mich überzeugt, daß ich eine wohlhabende, volkreiche, reinliche und schöne Stadt vor mir habe, deren Besuch mir Vergnügen machen werde. Allein noch nie hatte meine Einbildungskraft sich so getäuscht, denn ich glaube, es kann, sogar in der Türkei nicht, keine ödere, ärmere, schmutzigere Stadt geben.

JULES VERNE

(1828–1905)

Unter den verschiedenen Landgebieten

Unter den verschiedenen Landgebieten, die seit Beginn der geschichtlichen Periode besonders von kriegerischen Ereignissen heimgesucht worden sind, verdienen – wenn auch kein Land sich schmeicheln kann, davon völlig verschont geblieben zu sein – der Süden und Südosten Europas in erster Linie genannt zu werden. Infolge ihrer geographischen Lage bilden gerade diese Gegenden, mit Einschluß des zwischen dem Schwarzen Meer und dem Indus gelegenen Teile Asiens, den Schauplatz, worauf die konkurrierenden Rassen, die das alte Festland bevölkern, in hitzigen Kämpfen zusammenprallten.

Phönizier, Griechen, Römer, Perser, Hunnen, Goten, Slawen, Magyaren, Türken und manche andre haben einander diese Gebiete im ganzen oder zum teil streitig gemacht, unbeschadet der vielen wilden Horden, die damals nur durch sie hinzogen, um sich in Mittel- und Westeuropa anzusiedeln, wo sich aus ihnen, nach lange fortgesetzter Blutmischung, die modernen Völker entwickelten.

Nicht mehr als ihre tragische Vergangenheit soll ihnen, wenn man gelehrten Propheten glauben darf, die Zukunft lächeln. Ihren Aussagen nach würden sich beim Vordringen der gelben Rasse früher oder später die Metzeleien des grauen Altertums und des Mittelalters wiederholen. Wenn dieser Fall eintritt, werden das südliche Rußland, Rumänien, Serbien, Bulgarien, erstaunt, eine solche Rolle spielen, selbst die Türkei, vorausgesetzt, daß das Reich dieses Namens dann überhaupt noch im Besitz der Osmanen ist, durch die Gewalt der Tatsachen die vorderste Brustwehr Europas zu bilden haben, und auf ihre Unkosten werden die ersten Zusammenstöße stattfinden.

Ehe dieses Unheil, das zweifellos mindestens noch sehr fern ist, hervorbricht, haben sich jedoch die verschiednen Rassen, die im Laufe der Jahrhunderte zwischen dem Mittelländischen Meer und den Karpathen einander gefolgt sind, schließlich, so gut es anging, zusammengedrängt, und der Friede – ach, dieser Friede der sogenannten zivilisierten Nationen! – hatte seine Herrschaft auch nach Westen hin ausgebreitet. Die endemischen Aufstände, Räubereien und Mordtaten schienen sich in Zukunft mehr nur auf die von den Osmanlis beherrschten Staaten beschränken zu sollen.

Zum erstenmale 1356 in Europa aufgetaucht und seit 1453 die Herren von Konstantinopel, stießen die Türken auf die frühern Eindringlinge, die, aus Zentralasien herstammend und schon längst zum Christentum bekehrt, sich mit den einheimischen Völkern vermischt und zu ansässigen Nationen ausgebildet hatten. Bei dem fortwährend wieder aufflackernden Kampfe ums Dasein verteidigten diese jungen Nationen mit Hartnäckigkeit, was sie selbst vorher andern geraubt hatten. Slawen, Magyaren, Griechen, Kroaten und Teutonen setzten dem türkischen Vordringen einen lebenden Wall entgegen der, wenn er auch hier und da etwas zurückweichen mußte, doch nicht völlig gesprengt werden konnte.

Diesseits der Karpathen und der Donau zurückgehalten, waren die Osmanli nicht einmal imstande, sich innerhalb dieser äußersten Grenzen dauernd festzusetzen, und was man die »Orientalische Frage« nennt, ist weiter nichts als die Geschichte ihres Jahrhunderte hindurch fortdauernden Zurückweichens.

Abweichend von den frühern Eroberern, die sie wieder zu ihrem Vorteil zu verdrängen suchten, ist es den asiatischen Muselmanen nie gelungen, sich mit den ihrer Herrschaft unterworfenen Völkerschaften zu assimilieren. Auf Eroberung fußend, sind sie nichts als Eroberer geblieben, die sich als Herren ihrer Sklaven fühlen. Da hier noch der Religionsunterschied hinzukam, konnte eine solche Regierungsweise keine andre Folge haben, als unaufhörliche Aufstände der Besiegten.

Die Geschichte ist in der Tat voller solcher Empörungen, die nach jahrhundertelangen Kämpfen 1875 mit der mehr oder weniger vollständigen Unabhängigkeit Griechenlands, Montenegros, Rumäniens und Serbiens endigten. Die übrigen christlichen Völkerschaften blieben noch nach wie vor der Herrschaft der Anhänger Mohammeds unterworfen.

Diese Herrschaft wurde in den ersten Monaten des Jahres 1875 noch drückender und quälerischer als gewöhnlich. Unter dem Einflusse einer muselmanischen Reaktion, die im Palast des Sultans die Oberhand bekam, wurden die Christen des Ottomanischen Reichs mit Steuern überlastet, mißhandelt, getötet und in jeder Weise gequält. Die Antwort ließ nicht auf sich warten. Zu Anfang des Sommers erhob sich die Herzegowina von neuem.

Schnell rückten patriotische Banden ins Feld, die von vorzüglichen Führern, wie Peko Paulowitsch und Luibibratich befehligt, den gegen sie entsendeten regulären Truppen eine Niederlage nach der andern beibrachten.

Bald verbreitete sich der Aufstand und loderte auch in Montenegro, Bosnien und Serbien auf. Eine neue Niederlage, die die türkischen Truppen im Januar 1876 in den Engpässen der Duga erlitten, entflammte den Mut noch weiter, und auch in Bulgarien begann unter dem Volke eine lebhafte Gärung. Wie immer kam es zuerst zu geheimen Verschwörungen, zu gesetzwidrigen Vereinigungen, denen sich die Jugend des Landes im geheimen voller Begeisterung anschloß.

Bei diesen Zusammenkünften erhoben sich bald manche zu Anführern und sicherten sich ihre Autorität über die mehr oder weniger zahlreichen Anhänger der Sache, indem sich die einen durch ihre Beredsamkeit, andre durch ihre hervorragende Einsicht, und noch andre durch ihren glühenden Patriotismus auszeichneten. In kurzer Zeit hatte jede Abteilung und jede Stadt den ihrigen.

In Rustschuk, einer bedeutenden bulgarischen Stadt am Ufer der Donau und fast genau gegenüber der rumänischen Stadt Giurgiewo, wurde das Führeramt ohne jeden Widerspruch dem Lotsen Serge Ladko anvertraut. Eine bessere Wahl hätte man gar nicht treffen können.

Fast dreißig Jahre alt, von hohem Wuchse, blond wie ein Slawe aus dem Norden, von herkulischer Kraft und ungewöhnlicher Geschmeidigkeit und in allen Körperübungen erfahren, vereinigte Serge Ladko alle Eigenschaften in sich, die ihn wie erwählt zum Führer stempelten. Und was noch mehr war, er hatte auch die moralischen Eigenschaften, die ein solcher braucht: die Kraft des Entschlusses, die Klugheit der Ausführung und die leidenschaftliche Liebe zu seinem Heimatlande.

Serge Ladko war aus Rustschuk gebürtig, wo er das Gewerbe eines Donaulotsen betrieb, und er hatte diese Stadt niemals verlassen, außer wenn es ihm oblag, Jollen und Schuten entweder nach Wien und noch weiter stromaufwärts, oder bis zum Gewässer des Schwarzen Meeres zu geleiten, wobei sich alle Schiffer auf seine gründliche Kenntnis des großen Stromes verließen. War er nicht auf einer solchen halb Strom-, halb See-Fahrt begriffen, so widmete er sich zur Unterhaltung dem Fischfange, und unterstützt von außerordentlicher natürlicher Begabung, hatte er sich darin eine große Kunstfertigkeit erworben, so daß seine Ausbeute, im Vereine mit den Lotsengebühren, ihm ein recht auskömmliches Leben sicherte.

Durch seine doppelte Beschäftigung genötigt, vier Fünftel seines Lebens auf dem Strome zuzubringen, war das Wasser ganz zu seinem Elemente geworden. Über die bis Rustschuk wie ein Meeresarm breite Donau zu schwimmen, war ihm eine Kleinigkeit, und man zählte gar nicht mehr, wie viele Personen der vortreffliche Schwimmer gerettet hatte.

Eine so ehrbar und offen daliegende Lebensführung hatte Sergo Ladko in Rustschuk schon lange vor den antitürkischen Unruhen höchst populär gemacht. Unzählig waren seine Freunde, die er nicht einmal alle kannte. Man hätte sogar sagen können, daß die Einwohner der Stadt ohne Ausnahme seine Freunde wären, wenn hier nicht auch ein gewisser Iwan Striga gelebt hätte.

Dieser Iwan Striga war ebenfalls ein Landeskind, wie Serge Ladko, von diesem aber das gerade Gegenteil.

Eigentlich hatten beide gar nichts mit einander gemein, und doch hätte etwa ein Paß, der sich mit allgemeinen Bezeichnungen begnügt, für die Beschreibung beider Männer die gleichen Worte gebraucht.

Wie Ladko war auch Striga von großer Gestalt, mit breiten Schultern und hatte blondes Haar und ebensolchen Bart, sowie blaue Augen. Auf diese allgemeinen Merkmale beschränkte sich aber auch die Ähnlichkeit. Während das Gesicht des einen mit edlen Zügen Herzlichkeit und Freimütigkeit ausdrückte, verrieten die des andern offenbar Hinterlist und kalte Grausamkeit.

Moralisch war die Unähnlichkeit noch weit größer. Während Ladko in einer für jedermann durchsichtigen Weise lebte, hätte niemand sagen können, durch welche Mittel sich Striga das Geld verschaffte, das er, ohne es zu zählen, ausgab. Da man in dieser Hinsicht nichts sicheres wußte, ließ das Volk darüber seiner Phantasie freien Lauf. Man sagte, daß Striga als Verräter seines Landes und seiner Rasse dem türkischen Unterdrücker als Spion diene, man sagte auch, daß er mit seiner verächtlichen Tätigkeit eines Spions bei Gelegenheit die eines Schmugglers verbinde, und daß durch ihn Waren aller Art oft vom rumänischen nach dem bulgarischen Ufer herüberkämen, oder umgekehrt, für die kein Zoll entrichtet worden sei; man sagte sogar mit Schütteln des Kopfes, daß alles das das wenigste wäre und daß Striga sein Haupteinkommen aus gemeinen Betrügereien und Raubanfällen bezöge, man sagte endlich … doch, was sagte man nicht alles? In Wahrheit wußte keiner etwas Bestimmtes über das Tun und Lassen dieses beunruhigenden Mannes, der, wenn alle Vermutungen der Menge begründet waren, wenigstens die seltene Geschicklichkeit besaß, sich nie in seine Karten sehen zu lassen.

Diese Vermutungen vertraute einer dem andern übrigens nur unter dem Siegel der Verschwiegenheit an. Niemand hätte gewagt, sie laut auszusprechen gegenüber einem Manne, dessen Rücksichtslosigkeit und Gewalttätigkeit jeder fürchtete. Striga konnte sich deshalb stellen, als ob ihm die Ansichten über ihn ganz unbekannt wären, und der allgemeinen Bewunderung die Hochachtung zuschreiben, die ihm viele aus Feigheit erwiesen; er konnte sich in der Stadt wie in einem eroberten Lande bewegen und sie, im Vereine mit seinen anrüchigsten Genossen, durch seine Skandale und Orgien belästigen.

Es hatte ja nicht den Anschein, daß sich zwischen einem solchen Individuum und Ladko, der ein so ganz andres Leben führte, irgendwelche Beziehungen entwickeln könnten, und tatsächlich kannten sie einander lange Zeit nur soweit, wie einer von dem andern gerüchtweise erfuhr. Logischerweise hätte es immer dabei bleiben müssen. Das Schicksal lächelt aber über das, was wir Logik nennen, und es stand bei ihm geschrieben, daß die beiden Männer einander Auge in Auge gegenüberstehen und die unversöhnlichsten Feinde werden sollten.

Natscha Gregorewitsch, in der ganzen Stadt wegen ihrer Schönheit berühmt, stand im zwanzigsten Lebensjahre. Anfänglich mit ihrer Mutter und später allein, wohnte sie in der Nähe Ladkos, den sie von frühester Kindheit an gekannt hatte. Seit langer Zeit fehlte dem Hause die Hilfe eines Mannes. Fünfzehn Jahre vor dem Beginn dieser Erzählung war der Vater unter den Streichen der Türken gefallen, und die Erinnerung an diesen abscheulichen Mord ließ die unterdrückten, aber nicht bezwungenen Patrioten noch immer vor Abscheu erzittern. Seine Witwe, die nun bloß noch auf sich selbst zählen konnte, hatte sich mutvoll an die Arbeit gemacht. Erfahren in der Kunst des Spitzenklöppelns und der Stickerei, mit deren Erzeugnissen bei den Slawen die bescheidenste Bäuerin ihre wenn auch grobe Tracht zu schmücken liebt, war es ihr gelungen, den Unterhalt für sich und ihre Tochter zu erwerben.

Gerade die Armen haben aber in unruhigen Zeiten oft am schlimmsten zu leiden, und mehr als einmal würde die fleißige Klöpplerin durch die andauernde

Gesetzlosigkeit in Bulgarien schwer geschädigt worden sein, wenn Ladko nicht im geheimen für sie eingetreten wäre. Nach und nach entwickelte sich eine größere Vertraulichkeit zwischen dem jungen Manne und den beiden Frauen, die ihm für seine Mußestunden als Junggeselle Unterkunft in ihrem friedlichen Heim boten. Oft klopfte er des Abends an ihre Tür, und dann plauderten sie lange, vereint um den singenden Samowar. Andre Male bot er ihnen für ihre freundliche Aufnahme zur Abwechslung einen Spaziergang oder eine Angelpartie auf der Donau

Als Frau Gregorewitsch, entkräftet von unausgesetzter Arbeit, ihrem Gatten nachfolgte, wandte sich der Schutz Ladkos der hinterlassenen Waise zu. Dieser Schutz wurde allmählich noch aufmerksamer, und … dank ihm hatte das junge Mädchen vom Weggange ihrer armen Mutter, die ihrem Kinde zweimal das Leben gegeben hatte, nicht zu leiden.

So kam es, daß nach und nach und ihnen unbewußt die Liebe im Herzen der beiden jungen Leute erwachte. Erst durch Striga kamen sie dazu, das zu entdecken.

Als dieser die gesehen hatte, die man allgemein »die Rustschuker Schönheit« nannte, erwachte in ihm plötzlich für sie eine Leidenschaft, die ganz seiner zügellosen Natur entsprach. Als ein Mann, der gewöhnt war, alles sich seinen Launen fügen zu sehen, war er bei dem jungen Mädchen eingedrungen und hatte von ihr ohne weiteres verlangt, seine Frau zu werden. Zum erstenmal in seinem Leben begegnete er hier aber einem unbesieglichen Widerstande. Natscha erklärte auf die Gefahr hin, sich den Haß des von allen gefürchteten Mannes zuzuziehen, daß sie nimmermehr eine solche Ehe eingehen würde. Striga wiederholte seine Bewerbung, doch nur um sich beim dritten Male entschieden abgewiesen und zum sofortigen Verlassen der Wohnung aufgefordert zu sehen.

Da kannte sein Zorn aber keine Grenzen. Seiner wilden Natur nachgebend, erging er sich in den gröbsten Verwünschungen, vor denen Natscha erschrak. In ihrer Angst beeilte sie sich, Serge Ladko davon Mitteilung zu machen, den das zu einem gleichen Zornsausbruch erregte, wie den, der ihr erst solche Furcht eingeflößt hatte. Ohne etwas hören zu wollen, wetterte er in den wütendsten Ausdrücken gegen den Mann, der es gewagt hatte, seine Augen auf sie zu erheben.

Ladko ließ sich schließlich jedoch beruhigen. Es folgten nun weitere, ziemlich konfuse Erklärungen, deren Ergebnis aber klar genug war. Eine Stunde später tauschten Ladko und Natscha, den Himmel in den Augen und überquellenden Jubel im Herzen, den ersten Verlobungskuß aus.

Als Striga das erfuhr, kam er vor Wut fast von Sinnen. Alles wagend, erschien er noch einmal, fluchend und drohend in der Wohnung des jungen Mädchens. Von einer Eisenfaust hinausgeworfen, merkte er aber, daß das Häuschen jetzt einen Mann zu seiner Verteidigung hatte.

Besiegt zu sein! ... Seinen Meister gefunden zu haben, er, Striga, der doch auf seine Athletenkraft so stolz war, das war eine schlimmere Erniedrigung, als er ertragen konnte, und er beschloß, sich dafür zu rächen. Mit einigen Gesellen seines Schlages lauerte er eines Abends Ladko auf, als dieser vom Ufer des

Stromes herauskam. Diesmal handelte es sich nicht um eine einfache Schlägerei, sondern um einen vorsätzlichen Mord. Die Angreifer schwangen schon ihre Messer.

Dieser neue Angriff hatte aber nicht mehr Erfolg als der frühere. Mit einem wuchtigen Riemen aus seinem Boote, den er wie eine Keule gebrauchte, zwang der Lotse seine Gegner zum Rückzug, und Striga, dem er am heftigsten zu Leibe ging, mußte sich durch eine schimpfliche Flucht retten.

Diese Lektion war entschieden hinreichend gewesen, denn sein Feind wagte danach keinen weiteren verbrecherischen Anschlag. Zu Anfang des Jahres 1875 heiratete Ladko die Natscha Gregorewitsch, und seitdem lebten beide in herzlicher Übereinstimmung in dem hübschen Hause des Lotsen.

Inmitten dieses Honigmondes, dessen Glanz auch nach einem Jahre noch nicht verblichen war, fielen jedoch die wichtigsten Ereignisse, die sich in den ersten Monaten von 1876 in Bulgarien abspielten. Die Liebe, die Serge Ladko für seine Gattin empfand, konnte aber, so tief sie auch war, ihn nicht die vergessen lassen, die er seinem Vaterlande schuldete. Ohne Zögern schloß er sich denen an, die sofort zusammentraten, um nach Mitteln zu suchen, die Fesseln des Landes zu sprengen.

Vor allem galt es da, sich mit Waffen zu versehen. Zahlreiche junge Leute verließen zu diesem Zwecke das Land, setzten über den Strom und begaben sich nach Serbien und einzelne nach Rußland. Zu ihnen gehörte auch Ladko.

Das Herz von Kummer zerrissen, doch ohne Zögern seiner Pflicht gehorchend, zog Ladko davon und ließ

die, die er anbetete, zurück und allen Gefahren ausgesetzt, die in so unruhigen Zeiten das Weib des An-
führers von Parteigängern bedrohen.

Bei seinem Aufbruche erinnerte er sich auch Strigas,
und das vermehrte natürlich seine Unruhe. Würde
der Schändliche nicht die Abwesenheit seines glücklichen Nebenbuhlers benutzen, ihn in dem zu treffen,
was ihm am teuersten war? Das war gewiß möglich.
Serge Ladko setzte sich jedoch auch über diese so
begründete Befürchtung hinweg. Übrigens schien es,
als ob Striga das Land schon seit einigen Monaten
und ohne die Absicht einer Rückkehr verlassen hätte.

Den allgemein verbreiteten Gerüchten nach hatte
er den Hauptschauplatz seiner Tätigkeit mehr nach
Norden verlegt. Was darüber geschwätzt wurde, war
freilich zusammenhangslos und voller Widersprüche.
Die öffentliche Meinung beschuldigte ihn ohne Prüfung
aller Verbrechen, ohne daß jemand das von irgendeinem fest behauptete.

Daß Striga sich entfernt hätte, schien jedoch sicher
zu sein, und das war für Ladko allein von Bedeutung.

Die Ereignisse gaben seinem Mute recht: während
seiner Abwesenheit bedrohte nichts die Sicherheit
der geliebten Natscha.

Kaum heimgekehrt, mußte er jedoch aufs neue fortgehen, und diesmal sollte das länger dauern als das
erste Mal. Es hatte sich entschieden gezeigt, daß auf
dem zuerst eingeschlagenen Wege Waffen nicht in
hinreichender Menge zu beschaffen waren. Was von
solchen aus Rußland kam, wurde auf dem Landwege
durch Ungarn und Rumänien transportiert, welche
Länder damals kaum Eisenbahnen hatten. Die patrio-

tischen Bulgaren hofften nun, ihren Zweck leichter zu erreichen, wenn sich einer von ihnen nach Budapest begäbe, hier die auf dem Schienenwege eingetroffenen Waffen sammelte und damit Fahrzeuge belud, die schnell die Donau hinabschwimmen konnten.

Ladko, der zur Ausführung dieses Vorschlages erwählt wurde, brach noch denselben Abend auf. Mit einem zuverlässigen Begleiter, der das Boot ans bulgarische Ufer zurückschaffen sollte, setzte er über den Strom, um durch Rumänien die Hauptstadt Ungarns so schnell wie möglich zu erreichen. Da ereignete sich ein Zwischenfall, der dem Abgesandten der Verschwörer viel zu denken gab.

Sein Begleiter und er waren kaum fünfzig Meter vom Ufer entfernt, als von hier aus ein Schuß krachte. Die Kugel war zweifellos für sie bestimmt, denn sie pfiff ihnen dicht an den Ohren vorbei, und der Lotse zweifelte keinen Augenblick, in dem beim fahlen Dämmerungsschein erspähten Schützen Striga erkannt zu haben. Der mußte also nach Rustschuk zurückgekehrt sein.

Die tödliche Angst, womit dieser Umstand Ladko erfüllte, konnte dessen Entschluß jedoch nicht erschüttern. Er hatte sich vorher gesagt, dem Vaterlande im Notfalle selbst das Leben zu opfern, ja er hätte ihm, wenn nötig, noch mehr, sein ihm tausendmal kostbareres Glück zum Opfer gebracht. Bei dem Knalle des Schusses hatte er sich auf den Boden des Fahrzeuges sinken lassen. Das war aber nur eine Kriegslist, einen neuen Angriff zu verhindern, und kaum schwieg der Widerhall von dem Schusse, als er wieder einen Riemen ergriff und das Boot mit kräftiger

Hand der rumänischen Stadt Giurgiewo zutrieb, deren Lichter schon bei der einbrechenden Dunkelheit aufblitzten.

An seinem Ziele angelangt, beschäftigte sich Ladko eifrigst mit seinem Auftrag.

Er setzte sich mit den Sendboten der Regierung des Zaren in Verbindung, von denen einige sich an der russischen Grenze, andre heimlich in Budapest und Wien aufhielten. Mehrere durch seine Vorsorge mit Waffen und Munition beladene Schuten glitten bald die Donau hinunter.

Von Natscha erhielt er inzwischen häufig Nachricht durch Briefe, die unter einem von ihm gewählten Decknamen abgesandt und unter dem Schutze der Nacht nach dem rumänischen Gebiete hinüber befördert wurden. Die zuerst recht gut lautenden Nachrichten wurden allmählich doch mehr und mehr beunruhigend, den Namen Strigas erwähnte Natscha dabei jedoch nicht Ihr schien es sogar ganz unbekannt zu sein, daß der Bandit nach Bulgarien zurückgekehrt war, und Ladko begann schon an dem Begründetsein seiner Furcht zu zweifeln. Dagegen war es sicher, daß er selbst bei den türkischen Behörden denunziert worden war, denn die Polizei war in seine Wohnung gedrungen und hatte hier eine, übrigens ergebnislose, Haussuchung vorgenommen.

Er durfte sich also nicht beeilen, nach Bulgarien zurückzukehren, denn das wäre einem wirklichen Selbstmorde gleich gewesen. Man kannte ja seine Rolle, lauerte ihm auf, und er hätte sich nicht in der Stadt zeigen können, ohne beim ersten Schritt verhaftet zu werden. Verhaftet war bei den Türken aber gleichbedeutend mit: verurteilt; Ladko mußte also seine Rückkehr verschieben, bis der Aufstand öffentlich ausgebrochen war, schon weil ihm und seiner Gattin, die bisher von niemand belästigt worden war, die schlimmsten Gefahren drohten.

Bis dahin dauerte es nicht lange. Bulgarien erhob sich schon im Mai, zu frühzeitig nach der Ansicht des Lotsen, der dieser Übereilung verderbliche Folgen prophezeite.

Doch was er darüber auch denken mochte, jedenfalls mußte er seinem Vaterlande zu Hilfe eilen. Ein Bahnzug führte ihn nach Zombor, der letzten nahe der Donau gelegenen Stadt, bis zu der die Geleise reichten. Hier wollte er sich einschiffen und sich dann nur der Strömung überlassen.

Die Nachrichten, die er in Zombor vorfand, zwangen ihn zu einer Unterbrechung der Reise. Seine Befürchtungen hatten sich nur zu sehr bewahrheitet. Die bulgarische Revolution war im Entstehen erstickt worden. Schon versammelte die Türkei zahlreiche Truppen in dem großen Dreieck zwischen Rustschuk, Widdin und Sofia, und ihre eiserne Faust lastete schwer auf den unglücklichen Gegenden.

Ladko mußte umkehren und bessere Tage in der kleinen Stadt abwarten, in der er Aufenthalt genommen hatte.

Die Briefe, die er von Natscha hier bald erhielt, überzeugten ihn von der Unmöglichkeit, einen andern Entschluß zu fassen. Sein Haus wurde schärfer überwacht als je vorher, so daß Natscha sich so gut wie eine Gefangene fühlen mußte. Mehr als je wurde auch er selbst beobachtet, und er mußte sich also im allgemeinen Interesse sorgsam vor jedem unbedachten Schritte hüten.

Untätig lag Ladko jetzt in seinem Zimmer, nachdem die Waffensendungen nach dem Scheitern des Aufstandes und der Ansammlung türkischer Truppen an den Stromufern unterbrochen worden waren. Die an und für sich peinliche Wartezeit wurde ihm aber ganz unerträglich, als jede Nachricht von seiner geliebten Natscha ausblieb.

Er wußte nicht, was er davon denken sollte, und im Laufe der Zeit steigerte sich seine Unruhe zur tödlichsten Angst. Er hatte jetzt in der Tat alles zu fürchten. Am 1. Juli erklärte Serbien dem Sultan offiziell den Krieg, und seitdem wimmelte es im Donaugebiete von Truppen, deren Durchzug immer von schrecklichen Exzessen begleitet war. Gehörte nun vielleicht auch Natscha zu den Opfern dieser Unruhen oder war sie, entweder als Geisel oder als vermutliche Mitschuldige ihres Gatten, von den türkischen Behörden eingekerkert worden?

Nach einem Monate des Schweigens konnte er nicht mehr ertragen und so entschloß er sich, allem zu trotzen, um nach Bulgarien zurückzukehren und die Ursache dieses Ausbleibens jeder Nachricht zu ergründen.

Schon um Natschas willen mußte er jedoch mit größter Vorsicht zu Werke gehen. Sich törichterweise von den türkischen Wachtposten abfangen zu lassen, hätte doch nichts genützt Seine Rückkehr hatte ja nur dann einen Zweck, wenn er in die Stadt Rustschuk gelangen und sich hier, trotz des auf ihm lastenden Verdachtes, frei bewegen konnte. Dann wollte er den

Umständen gemäß handeln. Schlimmsten Falles und wenn er sich auch eiligst wieder über die Grenze zurückziehen müßte, hätte er doch wohl wenigstens die Freude genossen, sein Weib einmal ans Herz zu drücken.

Mehrere Tage grübelte Ladko über die Lösung dieses schwierigen Problems. Er glaubte sie endlich gefunden zu haben, und ohne sich jemand anzuvertrauen, ging er sofort an die Ausführung des von ihm ersonnenen Planes.

Würde der Erfolg haben? Das konnte nur die Zukunft lehren. Jetzt galt es, das Glück zu versuchen, und so kam es, daß die nächsten Nachbarn des Lotsen, dessen wahren Namen niemand kannte, am Morgen des 28. Juli 1876 das kleine Haus fest verschlossen fanden, worin dieser seit einigen Monaten einsam gewohnt hatte.

Worin der Plan Ladkos bestand, welchen Gefahren er sich wegen dessen Durchführung aussetzte, und inwiefern die Ereignisse in Bulgarien und besonders in Rustschuk mit dem Angelwettstreit von Sigmaringen in Verbindung stehen, das wird der freundliche Leser im weitern Verlauf dieser nicht erdichteten Erzählung erfahren, deren Hauptpersonen noch heute an den Ufern der Donau leben.

AMAND FREIHERR VON
SCHWEIGER-LERCHENFELD

(1846–1910)

Die Donau bildet nun vielfach
Inseln und Seitenarme

Die Donau bildet nun vielfach Inseln und Seitenarme; von Süden her mündet die Jantra in den Strom.
Nach ziemlich reizloser Fahrt wird Ruščuk, nächst
Braila und Galaz die volkreichste Stadt an der unteren
Donau, erreicht. Früher die Hauptstadt des »Donau-
Vilajets«, ist Ruščuk in den neuen Verhältnissen
rasch aufgeblüht und verschönert sich immer mehr.
Seine Bedeutung verdankt es nicht zum geringsten
dem Umstande, daß es Ausgangspunkt der Eisenbahn nach Varna ist, welche die kürzeste Verbindung
mit Constantinopel herstellt.

In Ruščuk sieht man Altes und Neues in buntem
Wechsel; es steht sozusagen mit einem Fuße im Abendland, mit dem andern im Orient. Die Lage der Stadt
ist anziehend durch die Gestaltung des hohen Ufers,
auf dem sie sich ausbreitet, und durch den leidlichen
Comfort, den man hier vorfindet. Das Hotel »Islan
Hane« genießt wohlverdienten Ruf, die Gartenanlagen
beim Bahnhof bieten angenehmen Aufenthalt. Ein
schöner Aussichtspunkt ist die Levant-Tabia (Fort)
im Südosten der Stadt. Dicht bei dieser ergießt sich
der Lom in die Donau. […]

Ruščuk gegenüber liegt Giurgevo, bis wohin indeß
die Dampfer nur bei günstigem Wasserstande fahren;

sonst legen sie bei Šmarda an, von wo die Eisenbahn nach der Stadt führt. Diese selbst, in früheren Jahrhunderten viel umstritten, ist ein wichtiger Handelsplatz (viel Getreide, Dampfmühlen) und nicht ohne Gewerbefleiß.

Giurgevo ist die Station für die nur zwei Stunden Bahnfahrt entfernte Hauptstadt des Königreiches Rumänien. Ein Besuch derselben ist sehr empfehlenswerth. Aus der Ferne bietet Bukarest eines der malerischen Städtebilder Europas. Wenn die Sonne auf dieses ungeheuer ausgedehnte Häusermeer, das den Raum einer Millionenstadt einnimmt, aber nicht einmal eine Viertelmillion Menschen beherbergt, herabglänzt, flimmern die unzähligen Weißblechbedachungen wie ein riesiger Flitterschmuck. In der Stadt selbst sind die vielen außen bemalten Gebäude eine auffällige Erscheinung. Auch der Styl bietet manches Ueberraschende. Neben der pompösen Metropole und der durch ihre Glockenthürme auffälligen Kirche St. Spiridion ist besonders der stylvolle Bau der katholischen Kathedrale und die prachtvolle byzantinische Kapelle »Domnita Balaka« hervorzuheben. Große und durchgreifende Umwandlungen führen nothwendigerweise zu Contrasten. Allenthalben bemerkt man fieberhaften Aufschwung, daneben aber auch die alte orientalische Trödelwirthschaft. In den Hauptstrassen, den Mittelpunkten des Verkehrs (Calea Lipczani) und der vornehmen Kreise (Calea Victoriei) findet man stattliche moderne Gebäude, wohlgepflegte Trottoirs, Licht und Luft – in den entlegenen Theilen der Stadt hingegen gräuliches Winkelwerk, Schmutz und Cloaken, ungepflasterte Steige. Das Straßenleben bietet dem Abendländer mancherlei interessante Genrebilder. Im Garten gegenüber der Universität sieht man die Standbilder berühmter rumänischer Männer. Besuchenswerth ist die »Chaussee Kisselew«, der Corso von Bukarest.

Unterhalb von Giurgevo erweitert sich die Donau seeartig; weiterhin rücken die Ufer wieder näher zu einander und dehnt sich hinter dem schmalen Streifen auf rumänischer Seite der große See Grecilor. An mehreren Strominseln vorüber wird Tutrakan (Tuturkai), am bulgarischen Ufer, erreicht. Der Ort hat nichts Bemerkenswerthes. Schräg gegenüber befindet sich der Landungsplatz für das rumänische Städtchen Oltenitza, in dessen Bereiche während des Krimkrieges wiederholt Gefechte zwischen Russen und Türken stattfanden. [...]

Die nächste Stromstrecke ist ohne Interesse. Halbwegs vor Silistria mehren sich die Strominseln, ohne daß der allgemeine Charakter der Eintönigkeit, welcher den Ufern anhaftet, irgendwie paralysirt würde. Diese Inseln, sowie die Ufersümpfe und die an sie schließenden Seen bilden ein ausgedehntes Revier von Wasserwild aller Art. Erst bei Silistria ändert sich das Bild. Die Donau hat hier wieder beträchtliche Breite, die Stadt selbst, bekannt als wichtige Festung durch lange Zeitläufe, wird von Hügeln umgeben, welche von starken Verschanzungen gekrönt sind. Die Schiffmühlen am Ufer und die weiterhin sich erstreckenden vielen Inseln bringen ein Element der Abwechslung in das einförmige Bild.

FELIX KANITZ

(1829–1904)

Rusčuk, die Hauptstadt des »Tuna-Vilajets«

Des Nachts kamen wir an den Donauhäfen Rahova und Nikopoli, am Morgen an Sistov vorüber, Städte, die ich im Laufe meiner Landreise später besuchte und schildern werde. Erst am nächsten Vormittag erreichten wir Rusčuk, die Hauptstadt des »Tuna-Vilajets«, die sich uns als solche schon durch die am Landeplatze herrschende grössere Lebhaftigkeit ankündete. Der Dampfer legte nahe den Quadermauern eines von Mithad Pascha vor Jahren begonnenen Quaibaues an, der noch heute der Vollendung wartet und den via »Rusčuk-Varna-Railway« nach Constantinopel Reisenden schon beim Betreten grossherrlichen Bodens das sprechendste Zeugniss türkischer Reform des »Ueberall Beginnens und Nirgends Beendens«, deutlich vors Auge führt. Bis der zweite Schiffplatz seinen pittoresken Inhalt unter Drängen und Lärm entleert und die Reihe an uns Passagiere der ersten Cajüte kommt, finden wir genügend Zeit, uns über die Lage der Stadt zu orientiren.

Wie alle Hafenstädte Bulgariens, liegt auch das auf Mithad Pascha's Vorschlag zur Vilajetsstadt erhobene Rusčuk an einem der zahlreichen Flüsschen, welche dem Nordhange der waldreichen Balkankette entfliessen und mit ziemlich streng eingehaltenem Laufe S. N. in die Donau münden. Der Lomfluss bespült jedoch nur den westlichsten Stadtheil, in dem sich

alle die wasserbedürftigen übelriechenden Gewerbe:
Schlächter, Gerber, Fischer u. s. w. angesiedelt haben.
Das Centrum Rusčuks mit dem Serai des Gouverneurs,
den Kasernen, Amtsgebäuden und dem von 29 Moscheen und 20 Minareten überragten Türkenviertel,
erhebt sich aber etwas landeinwärts auf der hohen
Uferterrasse, von und auf deren gegen die Donau jäh
abfallendem Steilrande, vom Landeplatze östlich einige zierliche Neubauten im europäischen Style,
darunter das grosse »Hôtel Isle Hane« und verschiedene Consulate mit ihren von hohen Masten wehenden Flaggen freundlich herabblicken. Rechts krönen
auch ein neues zweikuppeliges Bad, eine Moschee
und ein Fort, welches den Hafen bestreicht, alles mit
Grün durchwachsen, die Lehne. – Tief unten an der
steil geböschten Lehmwand hart am Uferrande stehen
aber beinahe ausschliesslich Handel und Verkehr
vermittelnde Gebäude, das Zollamt, Magazine, die
Werkstätten der Lohnwagenunternehmung »Šerket«,
dann Gebäude der österreichischen und türkischen
Dampfercompagnien. Letztere, die »Idariji nehrije«,
eine Gründung Mithad's, zählt 7 Dampfer und einige
Transportschiffe, wird jedoch demnächst, dank der
liderlichen türkischen Wirthschaft, schmählich enden.
Die äussersten Etablissements bilden der östlich $\frac{1}{4}$ St.
weit vom Landeplatze entfernte Rusčuk-Varna-Bahn-
hof, dann westlich an der Lommündung eine kleine
Schiffswerfte und der Hafen für die türkischen Segel-
und Kriegsschiffe. Sie liegen hart unter den Kanonen
des von diesen beiden Puncten landeinwärts sich fort-
ziehenden, die ganze Stadt umschliessenden Walles.
An der Donau ist dieser jedoch bis auf geringe Reste

verschwunden. Mithad liess dort einen ganzen Stadttheil mit der ihm eigenen Energie während eines Jahres niederreissen, neue Strassen nach dem Centrum eröffnen, den bereits gedachten Quai beginnen und wäre er länger Vali geblieben, ich glaube, Rusčuk hätte in kurzer Zeit, unterstützt durch seine herrliche Lage, alle Emporien an der unteren Donau an Schönheit überholt. So vermag es aber weder mit Giurgevo, noch mit dem, jungaufstrebenden Belgrad, was Architektur, Pflaster, Beleuchtung und Reinlichkeit betrifft, zu wetteifern. Heute gleicht Rusčuk einer Frau, welche vergebens durch Schminke und Pflästerchen über ihre Hässlichkeit zu täuschen sucht.

LÁSZLÓ MÉSZÁROS

(2006)

Die bulgarische Hafenstadt an der Donau

Als Canetti geboren wurde, gehörte die bulgarische Hafenstadt an der Donau noch zum Osmanischen Reich. »Die übrige Welt hieß dort Europa, und wenn jemand die Donau hinauf nach Wien fuhr, sagte man, er fährt nach Europa. Europa begann dort, wo das türkische Reich einmal geendet hatte.« Türken, Südslawen, Griechen, Albaner, Armenier, Roma, Rumänen, Russen und Ungarn lebten hier zusammen. Und Juden, die Nachkommen der 1492 aus Spanien vertriebenen sephardischen Juden, die ihre Sprache, das Ladino, über vierhundert Jahre bewahrt hatten. »Im Laufe der Jahrhunderte«, schreibt Canetti, »hatte sich das Spanisch, das sie untereinander sprachen, sehr wenig verändert.«

Spanier am Donauufer? Auch das gehört zur Donaulandschaft: die sephardischen Juden. Ihre Vorfahren waren im achten, neunten, zehnten Jahrhundert aus dem Heiligen Land ausgewandert. Sie zogen mit vornehmen arabischen Kaufleuten, heiligen Lehrern, asketischen Missionaren und raubeinigen Räubern an der Küste Nordafrikas entlang. Sie bestiegen die Schiffe zusammen mit Seeräubern, sizilianischen und phönizischen Händlern, gehorsamen Pilgern und Sufi-Dichtern, die sich auf dem Weg zu einem ruhmvollen Poesieduell befanden. Sie fuhren mit berühmten Ärzten, mit gelehrten Astronomen aus Ägypten und Arabien und mit abenteuerlustigen Handwerkern übers Meer, um ins maurische Ronda oder nach Sevilla, Córdoba, Granada zu gelangen, wo sie ein neues Zuhause fanden. Jahrhunderte später wurden sie von den katholischen Herrschern Ferdinand und Isabella erneut vertrieben. Die Mehrheit dieser aus Spanien geflohenen Juden fand in der Türkei Zuflucht und bildete bald eine der wohlhabendsten Schichten des Osmanischen Reiches.

Eine bunte, farbige Welt tat sich da auf, vor allem für ein Kind. Vampirgeschichten bulgarischer und rumänischer Dienstmädchen, die Abenteuer der armenischen und griechischen Händler, Schmuggelgeschichten albanischer und serbischer Wilderer, die Legenden von blutigen Vendetten, deren Auslöser niemand mehr in die Vergangenheit zurückverfolgen mochte. Das lebhafte Treiben im Hafen, das Glänzen der Waren der Gold- und Silberschmiede in den engen Gassen des Basars, der Ruf des Muezzins über den Dächern. Römisch- und griechisch-katholische Kirchen, griechisch-orthodoxe Kirchen im Kerzenschein und mit dickem, zum Husten reizendem Qualm des Weihrauchs, Synagogen, der armenische Dom. Schlittenfahrt über die zugefrorene Donau nach Rumänien, die Winter in Karlsbad, die Sommerferien in Kronstadt und in Herkulesbad, die prächtigen Vorstellungen am Wiener Burgtheater. Und wie viele Sprachen! Bulgarisch, Serbisch, Türkisch, Russisch, Rumänisch, Ungarisch, Deutsch. Doch die ersten Kinderlieder und Zählreime – »Manzanicas, colorades, las que vienen de Stambol« (Kleine rote Äpfel, die aus Stambul kommen) – lernte man auf Ladino. »Alle Ereignisse jener ersten Jahre«, so Canetti, »spielten sich auf Spanisch oder Bulgarisch ab. Sie haben sich mir später zum größten Teil ins Deutsche übersetzt. Nur besonders dramatische Vorgänge, Mord und Totschlag sozusagen und die ärgsten Schrecken, sind mir in ihrem spanischen Wortlaut geblieben, aber diese sehr genau und unzerstörbar.«

ELIAS CANETTI

(1905–1994)

Rustschuk, an der unteren Donau

Rustschuk, an der unteren Donau, wo ich zur Welt kam, war eine wunderbare Stadt für ein Kind, und wenn ich sage, daß sie in Bulgarien liegt, gebe ich eine unzulängliche Vorstellung von ihr, denn es lebten dort Menschen der verschiedensten Herkunft, an einem Tag konnte man sieben oder acht Sprachen hören. Außer den Bulgaren, die oft vom Lande kamen, gab es noch viele Türken, die ein eigenes Viertel bewohnten, und an dieses angrenzend lag das Viertel der Spaniolen, das unsere. Es gab Griechen, Albanesen, Armenier, Zigeuner. Vom gegenüberliegenden Ufer der Donau kamen Rumänen, meine Amme, an die ich mich aber nicht erinnere, war eine Rumänin. Es gab vereinzelt auch Russen. [...]

Rustschuk war ein alter Donauhafen und war als solcher von einiger Bedeutung gewesen. Als Hafen hatte er Menschen von überall angezogen, und von der Donau war immerwährend die Rede. Es gab Geschichten über die besonderen Jahre, in denen die Donau zufror; von Schlittenfahrten über das Eis nach Rumänien hinüber; von hungrigen Wölfen, die hinter den Pferden der Schlitten her waren.

Wölfe waren die ersten wilden Tiere, über die ich erzählen hörte. In den Märchen, die mir die bulgarischen Bauernmädchen erzählten, kamen Werwölfe vor, und mit einer Wolfsmaske vorm Gesicht erschreckte mich eines Nachts mein Vater.

Es wird mir schwerlich gelingen, von der Farbigkeit dieser frühen Jahre in Rustschuk, von seinen Passionen und Schrecken eine Vorstellung zu geben. Alles was ich später erlebt habe, war in Rustschuk schon einmal geschehen. Die übrige Welt hieß dort Europa, und wenn jemand die Donau hinauf nach Wien fuhr, sagte man, er fährt nach Europa, Europa begann dort, wo das türkische Reich einmal geendet hatte. Von den Spaniolen waren die meisten noch türkische Staatsbürger. Es war ihnen unter den Türken immer gut gegangen, besser als den christlichen Balkanslawen. Aber da viele unter den Spaniolen wohlhabende Kaufleute waren, unterhielt das neue bulgarische Regime gute Beziehungen zu ihnen, und Ferdinand, der König, der lange regierte, galt als Freund der Juden.

PETYA KRASIMIROVA ZYUMBILEVA

(∗ 1993)

Ein traumhafter Ort

Ich setze mich auf die Wiese am Donauufer in Russe (Bulgarien) und beobachte den Fluss. Die herrlichen, weißen Wellen, die schnell an mir vorbeirauschen, beherrschen alle meine Sinne. Ich höre die heimliche Melodie des Wassers … Aber woher kommt diese schöne Musik? Vielleicht ist das die »Schöne, blaue Donau« von Strauss? Ich weiß es nicht und nie werde ich es wissen. Ich spüre nur die Kraft der Wellen in meinem Herzen … Alle Worte sind zu schwach, diese magische Empfindung zu beschreiben. Der Wind singt im Chor mit dem Wasser. Und ich kann meine dunklen Augen vom Fluss nicht wegbewegen. Das Wasser verzaubert mich. Alles sieht wie eine bildschöne, geträumte Welt voll von Magie aus. Der weiße Schaum bringt wunderbare Erinnerungen zu mir zurück. Nach ihnen kommen die Träume. Jetzt fühle ich mich wie ein Vogel. Ich habe schon zarte Flügel auf meinem Rücken. Ich spüre meine Füße schon nicht mehr. Ich fliege mit dem Wind über den Fluss. Nein, ich fliege nicht. Ich tanze wie ein Blatt in der Luft zur Melodie der blauen Wellen. Nur ein Meter trennt mich von dem Fluss. Nur ein Meter … und ich schwimme in dem kalten frischen Wasser wie ein Fisch. Das Gefühl ist unbeschreiblich! Unverhofft erwache ich. Alles ist wie vorher … Ich bin trocken, ohne Flügel. Es ist nur die Erinnerung an den schönen Tag, den ich am Ufer verbracht habe, in den Wellen der Donau und in meiner Seele ewig geblieben …

MICHAEL W. WEITHMANN

(* 1949)

Die erste Navigationsakte (1718)

Eine Bestimmung des Friedens von Passarowitz betraf die freie Navigation auf der Donau. Sie erstreckte sich auf den gesamten Donaulauf, so weit er den Vertragspartnern unterstand, schloss jedoch die Fahrt ins

Schwarze Meer aus. Das Handelsvolumen zwischen beiden Reichen hielt sich freilich in Grenzen. Aus dem Westen kamen in der Hauptsache Leder, Leinen, eisernes Werkzeug und mechanische Geräte – sehr beliebt waren Uhren – und mehr oder weniger geschmuggelte Waffen ins Sultansreich. An Orientwaren erfreuten sich nach wie vor Gewürze und Spezereien, etwa Mastix-Kaugummi, Korinthen und Sultaninen, großer Beliebtheit im Abendland, dazu verstärkt Mokka und Tabak und die damit verbundenen Utensilien, wie Kaffee-Services und Pfeifenköpfe aus Meerschaum. Der Orient-Tabak wurde übrigens in Hainburg, wo sich die größte »Aerial-Tabaksfabrik« der Österreichischen Monarchie befand, verarbeitet und verpackt. Die in den adligen Salons des Rokokos gepflegte *Moda alla Turca* (Türkenmode) ließ die Nachfrage nach Teppichen, Kelims und gefärbten Stoffen in »Türkisch-Rot« steigen, mit denen man Liegemöbel (»Ottomanen«) bedeckte.

Freilich wurde der europäisch-osmanische Handel überwiegend über englische, niederländische und französische Levante-Handelsgesellschaften zur See abgewickelt. Nur ein relativ geringer Anteil des Güterverkehrs verlief auf Karawanenwegen durch das südosteuropäische Festland und nur ein Bruchteil davon wurde auf Donauschiffe verladen. Besonders die strengen Quarantänebestimmungen der österreichischen Zollstellen, die das Einschleppen der Pest aus der »Europäischen Türkei« verhindern sollten, erschwerten die Einfuhr ganz erheblich. Vom Warenaustausch im habsburgisch-osmanischen Donauraum profitierten am meisten griechische und aromunische

Händler, die beiderseits der Grenze Kontore errich-
teten. 1719 riefen sie in Wien eine »Orientalische
Compagnie« ins Leben, welche die Wirtschaftsbezie-
hungen mit dem Sultansreich über griechische Ge-
schäftsverbindungen regelte.

AMAND FREIHERR VON
SCHWEIGER-LERCHENFELD

(1846–1910)

Unterhalb vom Eisernen Thor

Unterhalb vom Eisernen Thor nimmt die Donau Verhältnisse an, welche die Existenz von Schiffahrtshin-
dernissen der Art, wie wir sie bisher in allen möglichen
Formen kennen gelernt haben, gänzlich ausschließen.
Nur das Schlußstück des Stromes – die Deltaarme –
macht hievon eine Ausnahme. Ueberall sonst hat der
Strom genügende Tiefe und Breite, und die stellenweise auftretenden Versandungen verursachen der
Schiffahrt keine Schwierigkeiten. Die Donau strömt
in einem ansehnlichen Bette, am rechten Ufer größ-
tentheils vom Steilabfall der bulgarischen Lößterrasse
begrenzt, während das linke Ufer, das den Rand des
walachischen Tieflandes bildet, vielfach schwankend
ist, Spaltungen und größere Inseln, Seitenwasser und
todte Arme aufweist. Weiter stromab greift allerdings
eine großartige Verwilderung des Stromlaufes Platz,
von jenem Knie an, wo die Donau, vom Steilrande der

Dobrudscha abgelenkt, nordwärts sich wendet und zwischen Hirsova und Galaz ein schier unübersehbares Gebiet mit ihren Verzweigungen, Inseln und Sumpfflächen einnimmt. Von dieser Gestaltung des Stromlaufes kurz vor seiner Spaltung in die Deltaarme war bereits andern Orts die Rede.

FELIX KANITZ

(1829–1904)

Silistria

Glücklicherweise waren wir nur mehr eine Stunde von Silistria und ärztlicher Hilfe entfernt. Rasch las ich meine Instrumente ab, welche für Almali 95 Meter Seehöhe ergaben, verabschiedete mich hierauf mit einigen Geschenken von den jüngeren Mitgliedern der Familie, dankte herzlich den älteren und war in der achten Morgenstunde auf dem Wege nach der ersehnten türkischen Festungsstadt. Ein leichter Luftzug gestaltete den Ritt über die grasreiche, hohe Terrasse, mit prächtigen Ausblicken auf das jenseitige rumänische Donauufer, ungemein erfrischend, rasch war die kurze Strecke zurückgelegt und, die horizontalen Linien der ersten Werke des berühmten Donau-Bollwerks erschienen auf den links-seitigen Höhen.

Silistria bildete stets eine hemmende Barrikade für jeden russischen Angriff auf das östliche Bulgarien. Bereits im Mittelalter sah es die Russen, als »Drster«, dann Byzantiner, Bulgaren und Magyaren vor seinen Mauern. Noch früher, als »Durostorum«, war es eine der wichtigsten Isterstädte der römischen Provinz Moesia inferior, nach Ptolemäus stand hier das Hauptlager der Legio I. Italica, nach dem Itin. Ant. und der Not. Imp. später das Stabsquartier der Leg. XI. Claudia und nach Jornandes wurde hier auch der tapfere General Acius geboren. Die Byzantiner nannten die wichtige Grenzfestung Durostolus, dieser Name verwandelte sich in Dristra, sodann in das bulgarische Drster und türkische Silistria. Schon nahezu vor tausend Jahren suchte Car Simeon Schutz hinter Drster's Wällen, als 893 die erste Fluth des aus den Wolgasteppen und vom Don vorbrechenden Magyarenvolkes sein Bulgarien streifte. Als später Byzanz' thatkräftiger Kaiser Nikephorus, zur Abwehr der ungestümen Angriffe von Magyaren und Bulgaren, den russischen Warjägerfürsten Svjatoslav zu Hilfe rief, landete dieser bei den Donaumündungen und erstürmte 967 Drster, gleich anderen bulgarischen Städten. Als der Warjäger zwei Jahre darauf zum zweiten Mal in Bulgarien erschien, diesmal um es für sich selbst zu erobern, was ihm auch gelang, zog Tzimisches (971) gegen den gefährlichen Nachbar und belagerte nach gewonnener Feldschlacht Svjatoslav's Heer im festen Drster. Nach dreimonatlicher heldenmuthiger Vertheidigung, an der sich selbst die Frauen der Russen betheiligten, fiel es. Der überwundene Warjägerfürst erhielt von seinem grossmüthigen Gegner Schiffe zum freien Abzuge; Bulgarien wurde aber nun griechische Provinz. Während der Bogumilenstürme verbanden sich die dem Bogumilenthum ergebenen bulgarischen Häuptlinge von Drster und seiner Umgebung mit den gegen Byzanz vordringenden Kumanen (1086), ohne jedoch dauernde Erfolge zu erringen. Die Byzantinerherrschaft währte fort und Drster war noch im XVII. Jahrhunderte die Residenz eines Metropoliten, dem fünf Bischöfe unterstanden.

IVAYLO DITCHEV

(∗ 1955)

Am Unterlauf der Donau

Am Unterlauf der Donau fällt auf, dass die meisten bulgarischen und rumänischen Städte nicht zum Fluss hin ausgerichtet sind (so ist Rousse, die größte dieser Städte, durch die Eisenbahn vom Ufer getrennt). Das liegt sicher nicht nur daran, dass die vermischten osmanischen Völker nach und nach durch Bauern aus dem Hinterland ersetzt wurden, denen der Sinn für Fischerei und Schifffahrt fehlte. Kulturen werden nicht mit dem Wunsch geboren, den Anblick eines Flusses zu genießen. Im Gegenteil, das einsame Betrachten des bewegten Wassers setzt eine gewisse aristokratische Distanz zur Gemeinschaft voraus, den Wunsch, den quirligen Straßen und Plätzen mit ihrem Klatsch und ihren Leidenschaften den ewigen Gleichklang der Natur vorzuziehen. Touristen könnten einen Wechsel dieser Sichtweise bewirken, denn sie sind immer bereit, für den freien Blick auf das Wasser zu bezahlen, doch kommen sie einstweilen noch in nicht ausreichender Zahl.

Es ist also nötig, diese Grenz- und Hindernisfunktion der Donau genauer zu betrachten. Wie Claudio Magris in seiner berühmten »Biografie« des Flusses schreibt, verkörpert der Rhein die mystische Vorstellung von der Reinheit des deutschen Volkes, während die Donau – ein »hinternationaler« Fluss der einstigen Habsburgermonarchie – als ein multikulturelles Bindeglied verschiedenster Orte, Gebräuche und Mythen betrachtet wird. Das Problem dabei ist die Asymmetrie dieser Verbindung zwischen »oben« und »unten«, zwischen einem großzügigen Zentrum und einer dankbaren Peripherie. Ja, es sind seltsamerweise gerade die verbindenden Funktionen des Flusses, die in jüngster Zeit am meisten gelitten haben. Sowohl die West-Ost-Richtung von Tourismus, Handel und Modernisierung als auch die Ost-West-Gegenbewegung aus Ressentiment und Nationalstolz scheinen zur Angelegenheit eines kleinen Kreises gesellschaftspolitischer Denker und Akteure geworden zu sein: die Donau, ein Projekt der Elite.

PÉTER ESTERHÁZY

(∗ 1950)

Bei Slobozia

Bei Slobozia biegen wir nach Feteşti ab, wohin man die Tüskes deportiert hatte. Die eiserne Auslegerbrücke von Ferdinand Saligny ist wirklich imposant. (Ich notiere die Zahlen und die Inschriften, und den Zettel verliere ich.)

Für die beiden Begleiter ist das eine vertraute Gegend. Sie stoßen sich an, siehst du? hier ist es! hier haben wir auf Mutter gewartet!, und sie deuten in Feteşti auf einen Park. Es war kalt und dunkel und roch nach Fisch.

Der Hauptarm der Donau und der Borcea-Arm. Hier beginnt bereits die Verästelung, »ein tobendes Tohuwabohu von Armen«. Die Straße verläßt den Strom und kehrt zurück, und nach einer Anhöhe sehen wir ein ausgetrocknetes, breites Flußbett, unten fremdartig geschwungene Boote, fauliger Schlamm, der Gestank einer nahen Abfalldeponie. Wir stehen am hohen, steilen Ufer, gegenüber die Auwälder und vor uns das breite Donaubett. Leer. Der Fluß verschwunden. Ein mäßiger Scherz. (Der Zufall wollte es, daß ungefähr beim Schreiben dieser Zeilen der Verfasser dieser Zeilen mit Claudio Magris zusammenkam, der im Budapester Italienischen Kulturinstitut gerade einen Vortrag darüber hielt, wie er sein Leben der Donau weihte, wie er die Donau zum Hüter des kosmischen Gewissens machte, auf ähnliche Weise wie

Joyce den Herrn Virág. Oder er sprach über etwas anderes. Das persönliche Leben hat weder Gewicht noch Ansehen noch Tragisches. Die Zeit vergeht, das ist das Leben, Triumph der Gesetze der Physik; und der Mensch ist nichts anderes als das anämische Kind dieses Gesetzes. Auf dem abendlichen Empfang dann stellte der Verfasser dieser Zeilen seinem leicht an der Schwere des Donaubuches tragenden Kollegen die hinterhältige Frage, wie man so ein Donaubuch beenden solle. Magris lächelte freundlich, die Frage keiner Antwort würdigend, und antwortete: Man sollte das Wasser aus der Donau pumpen. Und sah mich an, fröhlich wie ein Kind. Der Verfasser dieser Zeilen schwieg bekümmert, wieder würde ihm niemand helfen, über das Auspumpen war er schon hinweg, ihm fiel das Bild ein, wie sie zu dritt im Gestank standen, Wald und Kähne, Schwalben in der hohen Sandwand, Gestank, Wald, Kähne, Sand, Schwalben und die Vergangenheit, und unter ihnen wogte das Nichts. – Nota bene, unzutreffend ist das Gerede, der Verfasser dieser Zeilen und der große Triester hätten sich öffentlich geprügelt. Nicht auf dieses vermeintliche Duell bezieht sich Magris' Aufsatz *Illazioni su una sciabola*, Historische Schlußfolgerungen aus einem Schwert.)

Sechzig Kilometer sind es bis Tomi, wo der in Ungnade gefallene Dichter Ovid noch in der Verbannung ein treuer Sohn Roms blieb: Mit der Waffe in der Hand verteidigte er die Mauern Roms gegen die eindringenden Barbaren.

MATYAS ANDRAS ANGYALFFY

(1776–1839)

Der Strom theilt sich nun in viele Arme

Der Strom theilt sich nun in viele Arme, und windet seinen Lauf durch eine Menge von Inseln, die durch ihre Gleichförmigkeit die Fahrt eintönig machen würden, wenn nicht ein tausendstimmiger Nachtigallenchor, der aus diesen Inseln schallt, dem Ohre jene Befriedigung verliehe, die das Auge vergeblich sucht.

Ein reges Leben der Schiffahrt öffnet sich jedoch mit einem Male in dem walachischen Freyhafen Braila (türkisch Ibrail, russisch Brailow). Man merkt hier bereits deutlich die Nähe des Meeres, und sieht hier nicht nur die schwerfälligen, halbmondförmig aufgeschnäbelten Schiffe der Türken, welche die Donau bis Ruschtschuk und Widdin hinauf befahren, sondern auch die englische, genuesische, österreichische, und griechische Flaggen wehen hier auf stattlichen und rasch segelnden Fahrzeugen. – Der Hafen von Braila ist jetzt äußerst stark besucht; besonders stark ist die Nachfrage nach Weizen. Die Stadt ist mit einem regelmäßigem Walle umgeben, und mit Festungswerken versehen, hat eine sehr feste Citadelle mit 7 Thürmen, und mag ungefähr 30.000 Einwohner enthalten.

ADOLF SCHMIDL

(1802–1863)

Der Wald von Masten der walachischen Hafenstadt Braila

Endlich zeigt sich in der Ferne der Wald von Masten
der walachischen Hafenstadt Braila (türkisch Ibrahil)
am linken hier hoch ansteigenden Lehmufer, auf dessen
Rücken eine große holländische Windmühle von
weitem sich wie ein Dom präsentirt. Der Landungsplatz hat einen Kai von Pfahlwerk und ist ziemlich
ausgedehnt, auch stehen mehrere stattliche Gebäude
hier, die eigentliche Stadt aber ist oben auf der Höhe,
hat wenn auch enge, aber gepflasterte Straßen, große
Plätze, und die Häuser sehen netter aus als in Giurgewo;
stromabwärts ist das letzte Gebäude die ausgedehnte
Quarantäne. Braila war im 15. Jahrhundert schon ein
Haupthandelsplatz, wurde aber 1460 von Moham-
med II. zerstört. Als es sich endlich wieder etwas gehoben hatte, eroberten die Russen den befestigten
Platz 1711, 1770 und wieder 1818, 18. Juni, wo es
ganz in Flammen aufging. Es ist jetzt eine offene
Stadt, die sichtlich aufblüht; jährlich laufen eine große
Anzahl Schiffe ein, welche hauptsächlich Getreide
holen. Ein Lokaldampfer der Donaudampfschiffahrts-
Gesellschaft fährt zwischen hier und Galacz, welches
4 Stunden entfernt ist. Braila macht den Eindruck
einer Seestadt, wenn es auch nur Flußhafen ist, durch
die große Anzahl der kommenden und abgehenden
Boote, die vielen lärmenden Matrosen u. s. w. Unter-

halb Braila bewerkstelligten, 23. März 1854, die
Russen den Donauübergang nach Mataschin, wo 1791
Repnin den Großwezir schlug.

AMAND FREIHERR VON
SCHWEIGER-LERCHENFELD

(1846–1910)

Bald nach der Abfahrt von Braila

Bald nach der Abfahrt von Braila zeigt sich im Vor-
blicke Galaz, das Ziel der Flußdampfer, die größte
und volkreichste (80.000 Einwohner) unter allen
Donaustädten abwärts von Budapest. Bevor der Dampfer an den ausgedehnten Quais des Hafenviertels
(Unterstadt) hält, kommt man an der Mündung des
Sereth vorüber. Alsdann folgt die lange Reihe von
Dampfschiffen und Seefahrzeugen aller Flaggen – ein
Seehafenbild in aller Form, obwohl von hier ab die
Donau bis Sulina noch die Länge von 168 Kilometer
hat. Galaz ist der erste Hafenplatz Rumäniens und
besonders für die Bodenproducte des rumänischen
Hinterlandes von Wichtigkeit. Dank dem verwahr-
losten Zustande, in welchem sich die Unterstadt befindet (die Straßen sind zu Zeiten grundlos und der
Schmutz ist arg), ist der erste Eindruck, den man von
diesem wichtigen Emporium des Handels erhält, kein
vortheilhafter. Dagegen paralysirt die Oberstadt, welche
sich auf der Höhe des Ufers ausbreitet, mit ihren ge-

pflasterten Gassen, stattlichen Häusern und Anlagen einigermaßen das ungünstige Bild, das sich dem Ankommenden zuerst aufdrängt. An die Unterstadt (Altstadt) schließt ein versumpfter Uferstreifen und an diesen der ausgedehnte fischreiche See »Bratisch«, der sich bis zum Pruth erstreckt. Von der Höhe der Oberstadt überschaut man die unermeßliche Wasserwildniß der Baltainsel und die öde Plateaufläche der Dobrudscha, aus welcher nackte Hügelwellen oder spärlich mit Baumschlag bestandene Kuppen wie die Wogen eines graugrünen Meeres aufragen.

Galaz ist gewissermaßen der Brückenkopf der Dobrudscha und war als solcher viel umstritten in den Tagen der Vergangenheit. Am 1. Mai 1789 zogen hier die Russen siegreich ein, mußten aber die Stadt nach einer am 18. August desselben Jahres erlittenen Schlappe wieder räumen. Im Kriege von 1809 überschritten die Russen bei Galaz die Donau (27. Juli) und rückten in die Dobrudscha ein, wo sie die Türken bei Matschin und Hirsova schlugen und bis Silistria vordrangen. Im Jahre 1828 drängte Fürst Wittgenstein (10. Mai) die Türken von Galaz nach Braila, das sich mehrere Monate lang des Angreifers erwehrte und erst dann capitulirte, als sämmtliche Festungsgeschütze demontirt waren. Im Kriege 1853–1855 rückten die Russen ohne Schwertstreich in die Stadt, um dieselbe mit Beginn der Belagerung von Sewastopol zu räumen, worauf (1855) die Oesterreicher von ihr Besitz ergriffen. Im letzten russisch-türkischen Kriege endlich vollzog hier das Corps Zimmerman den Stromübergang und besetzte die Dobrudscha, welche die Türken ohne nennenswerthen Widerstand geräumt hatten.

In Galaz endet zum größeren Theil die Stromschiffahrt und ist diese Stadt die Endstation der Postdampfer der Donau-Dampschiffahrts-Gesellschaft. Bis Sulina und darüber hinaus (Odessa, Constantinopel, Batum) verkehren nur Seedampfer. Bald unterhalb der Pruthmündung beginnt das Donaugebiet jenen eigenartigen Charakter anzunehmen, der ihm durch die unübersehbare Wasserwildniß des Stromdeltas aufgeprägt ist.

Die Stationen, an welchen man vorüberkommt, sind Reni am linken Ufer, Isaktscha und Tulcia am rechten Ufer, letzteres ein ansehnliches Städtchen (14.000 Einwohner) und so unmalerisch nicht, wie man es von einer Oertlichkeit voraussetzen würde, welche inmitten endloser Sümpfe und Uferseen sich erhebt. Vor Tulcia spaltet sich der Strom in seine beiden Hauptarme, unterhalb des genannten Städtchens fährt der Dampfer in den Arm von Sulina ein.

FERDINAND GRASSAUER

(1840–1903)

Galatz

Galatz kann als der Anfang ihres deltaförmigen Mündungsgebietes angesehen werden. Sedimentführende Flüsse, welche im Binnenmeere ohne Gezeiten münden, lassen unter dem Einflusse der aufeinander treffenden Strömungen und wegen der plötzlich unterbrochenen Geschwindigkeit ihre Sinkstoffe fallen und bilden eine Barre, welche im Verfolge den Fluß zur Spaltung in zwei Äste zwingt, von denen mancher diesen Vorgang später wiederholt. Die Gesammtheit dieser in weitem Bogen ins Meer vordringenden Landbildung bildet das Flußdelta. Die mehr oder minder rasche Deltabildung hängt von der Menge der Sedimente ab, die örtliche Lage der Barre wird von der Kraft, Dauer und Richtung der Winde bestimmt. Da an den Donaumündungen die Nordwinde vorherrschen, welche eine südliche Küstenströmung erzeugen, so wächst das Delta in südöstlicher Richtung an. Die jährliche Menge der Sinkstoffe betrug vom Jahre 1862 bis 1869 im Mittel 23 Millionen Kubikmeter und für die Jahre 1871 und 1872 das Dreifache dieses Quantums. Diese Ablagerungen bewirken einen jährlichen Vorschub des Deltarandes um etwa 4 Meter.

ADOLF SCHMIDL

(1802–1863)

Galacz, der einzige Donauhafen der Moldau

Galacz, der einzige Donauhafen der Moldau, ist (sowie Braila) in der That als Seehafen anzusehen, denn selbst Dreimaster kommen unter günstigen Umständen herauf vom Schwarzen Meer, das in gerader Stromlinie nur 24 Stunden entfernt ist, eine Strecke, die der Dampfer thalwärts in 10 Stunden zurücklegt, aufwärts in 18 Stunden. Zwischen den Einmündungen der beiden Flüsse Sereth und Pruth, in solcher Nähe vom Meere hat Galacz eine so günstige Handelslage, daß es nicht zu wundern ist, wenn es, noch dazu als Freihafen, immer mehr Aufschwung nimmt; 13–15 Mill. Fl. beträgt der jährliche Umsatz. In den letzten Jahren ist auch für die Stadt selbst viel geschehen, die aber freilich, sobald man die Hauptstraßen verläßt, noch ziemlich dorfähnliches Ansehen hat. Das hohe Lehmufer des Stromes hat hier eine nicht sehr breite, nach abwärts zu sich erweiternde vorliegende Niederung, auf welcher der größte Theil der Altstadt steht, indeß die Neustadt auf der luftigen Höhe gebaut wurde. Der Hafen ist seit Pesth der einzige, der einen, wenn auch nicht langen Kai aus Quadern aufgemauert besitzt. Die Anzahl ankernder Schiffe ist hier noch größer als in Braila und der Strom so breit, daß jedes sich beliebig einen Platz aussucht, viele liegen am rechten Ufer, viele in der Mitte des Stroms; was aber das Bild besonders interessant macht, sind die Kriegsschiffe. Ein österreichischer, ein oder zwei französische, ein englischer und ein russischer Kriegsdampfer halten hier regelmäßig Station, wenn nicht einer oder der andere zeitweise zur Sulinamündung abgeht; sie sind zur Disposition der Generalconsuln zum Schutze ihrer Nationalen. Am Kai steht die Kaserne der moldauischen Donauflotille, bisjetzt freilich nur im Embryo einer einzigen Schaluppe bestehend. Etwas abwärts sind die weitläufigen Magazine und der Landungsplatz der Donaudampfschiffahrts-Gesellschaft und des triester Loyd, welcher hier die Passagiere und Colli der Donaudampfer übernimmt. Geht man donauabwärts, so kommt man zu weitläufigen, aber aus

Holz erbauten Magazinen, und hinter diesen trifft man einen ganz ansehnlichen Sumpf: eine seit Jahren unverändert gebliebene Eigenthümlichkeit von Galacz. Am Kai stehen immer Fiaker, unter denen man sich bei Leibe kein »fesches wiener oder pesther Zeugl« vorstellen darf, es sind meistens niedrige oder offene Leiterwägelchen (nur wenige Kaleschen), nicht in Federn hängend, mit einem erhöhten Sitz, höchst selten sauber. Fast ist es hier unerläßlich zu fahren, denn der Staub ist nach Zoll, der Schmutz nach Meter zu bemessen, sodaß man zu Fuße selbst bei trockenem Wetter kaum in ein elegantes Haus kommen kann. Ziemlich steil geht es in die obere Stadt hinauf, wo man aber gepflasterte Straßen, stattliche, selbst zwei Stockwerke hohe Gebäude und prachtvolle griechische Kirchen findet. Auch hat Galacz ein Theater. Mit Konstantinopel theilt es die Unzahl herrenloser Hunde in den Straßen. Eine große Anzahl eleganter und reich ausgestatteter Läden bietet eine Auswahl aller möglichen französischen und englischen Waaren, aber zu horrenden Preisen. Galacz ist berüchtigt wegen seiner Theuerung, dennoch aber kauft man wohlfeil, wenn man aus erster Hand kauft oder an einen verläßlichen Makler sich wendet. Galacz hat bereits an 50000 Einwohner und die Deutschen vermehren sich auf so erfreuliche Weise, daß man sie auf mehr als 1000 waffenfähige Männer anschlägt. Natürlich sind auch schon mehrere deutsche Brauereien entstanden, aber es gibt auch über 30 deutsche Wirthe, wogegen vor zehn Jahren nur einer existierte; so gab es damals einen deutschen Schlosser, der sehr gute Geschäfte machte, jetzt deren 20; viele deutsche Handelshäuser haben sich etablirt u. s. w. In sehr vielen, nicht zu sagen in den meisten eleganten Läden wird deutsch gesprochen, wenigstens von Einem Individuum; in den Cafés und Hotels, grassiren aber französische Garçons.

Man kommt in Galacz des Morgens an und der Lloyd-Dampfer geht tags darauf ab; man hat daher Zeit genug, sich Galacz zu besehen, wird aber wohl daran thun, auf dem pesther Schiff zu bleiben und sich gegen die gewöhnliche Banatika verköstigen zu lassen. Noch muß erwähnt werden, daß nach 10 Uhr abends jedermann mit einer Laterne in den Straßen gehen muß, außerdem arretirt wird.

MATYAS ANDRAS ANGYALFFY

(1776–1839)

Stromabwärts

Stromabwärts, etwa eine halbe Meile unter Galatsch, erreicht man links die Einmündung des Flusses Pruth in die Donau, der die Gränzscheide zwischen der Moldau und der russischen Provinz Bessarabien bildet.

Unweit der Mündung des Pruths liegt an dessen linkem Ufer das bessarabische Städtchen Reni, sonst Timarowa genannt, mit einem Donauhafen und einer Citadelle.

SIGMUND VON BIRKEN

(1626–1681)

Der letzte Strom / so sich der Donau einschencket / ist der Truth

Der letzte Strom / so sich der Donau einschencket/ ist
der Truth / vorzeiten Hierasus genannt: welcher /
kurtz vor seinem Einfluß einen Fischreichen See
anschwaemmet und der Donau einen starcken Valet-
Rausch bringet. Also taumelt sie dahin / auf daß sie /
die seither so viel 100 Wasser eingeschlucket / hin-
wiederum aufgeschlucket werde. Es scheinet / als
wolle sie mit fuenffen / wie Herodotus und Strabo
wollen / oder mit Sechsen / (nach Plinii Meinung)
oder gar (wie Ammianus und Solinus zehlen) / mit
sieben Stroemen / die starcken Truenke wiederum in
das Euxinische oder schwartze Meer uebergeben.

MARTIN LEIDENFROST

(∗ 1972)

Vom Gehen im Nichts

Ich träumte davon, an Bord eines moldawischen Schiffes an der moldawischen Donau einzulaufen. Der
Traum war realistisch, in der vorigen Saison war ein
moldawisches Schiff namens »Princess Elena« von

Giurgiuleşti über das Schwarze Meer nach Istanbul und zurück gefahren. Ich rief dort an. Die Frau schloss nicht aus, dass die »Princess Elena« in der schönen Jahreszeit wieder ablegen würde und legte auf. Ich buchte einen Flug nach Istanbul. Später rief ich wieder an. Niemand konnte mir sagen, ob das Schiff wieder fahren würde.

Dass die moldawische Donau so ungreifbar war, zog mich an. Aus allen Quellen ging hervor, dass dort Moldawiens einziger Donauhafen entstand. Aber schon über die Länge des moldawischen Donauzugangs war keine Klarheit zu erzielen. Die deutsche Wikipedia behauptete, Moldawiens Donauzugang sei 600 Meter lang, die englische, russische, ukrainische und polnische Wikipedia gaben 480 Meter an. Die rumänische, französische, portugiesische und italienische Wikipedia hielten sich bedeckt. Die norwegische Wikipedia wusste von ursprünglich 380 Metern zu berichten, welche durch eine 1999 geschlossene Vereinbarung auf 590 Meter aufgestockt worden seien. Die ukrainische Wikipedia behauptete, Moldawien habe seine Donau von der Ukraine geschenkt bekommen. Ukrainische Zeitungen schrieben, die moldawisch gewordene Donau sei gegen ein moldawisch kontrolliertes Straßenstück im Dnjestr-Schilf eingetauscht worden, die Moldawier hätten ihren Teil der Tauschhandlung aber nicht umgesetzt. War die moldawische Donau Diebesgut? Jedenfalls schien sie mir kurz genug, um sie erschöpfend abzuschreiten.

Ein Ort, der einen ganzen Essay verdienen würde, ist das bulgarische Donaustädtchen Belene. Dass ich diesen auch innerhalb Bulgariens abgelegenen Ort entdeckt habe, macht mich ein bisschen stolz. Belene lässt sich als burleske Komödie oder als Horror-thriller erzählen.

Wer es lustig will, findet in Belene die bulgarische Dublette einer alten italienischen Geschichte – der von Don Camillo und Peppone. Der kommunistische Bürgermeister sieht tatsächlich wie Peppone aus, sogar der Schnauzer stimmt, und der Pfarrer ist tatsächlich ein listiger Italiener. Belene ist eine römisch-katholische Enklave in einem orthodoxen Meer, Belene ist arm und seine Sehnsucht richtet sich auf ein halb fertiges Atomkraftwerk, das seit 1991 der Fertigstellung harrt. Das einzige Hotel der Stadt heißt »Energy«.

Wer es schrecklich will, der findet auf der vor Belene liegenden Donauinsel den wissenschaftlich noch kaum erforschten bulgarischen GULag. Die Ermordeten seien an Schweine verfüttert worden, lautet die bekannteste Erzählung. Ein Überlebender erzählte, er habe »ein halbes Jahr in einem Loch unter der Erde verbracht«. Laut Dorfhistoriker Gospodinov wurden Nebeninseln noch bis in die Achtzigerjahre als Speziallager genutzt. So soll es ab 1968 eine Insel für langhaarige »Hooligans« und Sympathisanten des Prager Frühlings gegeben haben, oder eine Frauen-insel, beispielsweise für Trägerinnen von Miniröcken, oder ab 1986 eine Insel für bulgarische Türken, die sich der Bulgarisierung ihrer Namen widersetzten.

Nun macht Belene auf sanften Tourismus. Die Inseln wurden zum Naturpark erklärt, die Weltbank hat eine moderne Naturparkzentrale in die Stadt gestellt. Dort gibt es Hüte, Kappen, Shirts und Sticker mit lustigen Graustörchen drauf zu kaufen. Nur dass kein noch so sanfter Tourist die Insel betreten darf. Auf ihr befindet sich immer noch ein Gefängnis. Die Insel ist gesperrt.

Ich musste einsehen, dass die »Princess Elena« nicht fahren würde, und nahm den Bus von der moldawischen Hauptstadt Kischinau nach Giurgiuleşti. Der Bus durchfuhr das Dorf Giurgiuleşti und bog auf eine staubige Landstraße ab. Zwei Tankstellen, dann noch zwei einstöckige Gebäude mit Café-Läden, ein Schlagbaum, Ende. Der Bus fuhr nicht weiter, ich und noch ein letzter Fahrgast stiegen aus.

Links musste die ukrainische, rechts die rumänische, vorne die moldawische Donau sein. Der Hang war abfallend. Ich sah einen breiten Fluss. Ich wandte mich an den nächstbesten Schlagbaum und trug der Uniformierten mein Anliegen vor: »Ich möchte die moldawische Donau sehen.« Sie runzelte die Stirn, überprüfte meine Papiere, rief einen Vorgesetzten an. Ich wurde abgeholt, ein paar hundert Meter die Straße hinunter geleitet, zu einer Art Grenzübergang. Dort wurde ich anderen Beamten übergeben. Einer geleitete mich über Bahngleise und abschüssiges Gelände. Man reagierte durchaus liebenswürdig auf meinen Wunsch und übergab mich jeweils einem weiteren Vorgesetzten. Der Vorgang wiederholte sich etwa siebenmal. Ich drang dermaßen bis in das kleine Abfertigungsgebäude des Passagierhafens vor. Es ließ sich alles gut an, mein Begehren zauberte ein weiches Lächeln auf das harte Antlitz der Diensthabenden unten. Dann war plötzlich Schluss, ein weiterer Vorgesetzter ließ mir sein »Njet« ausrichten. Ich versuchte mir den Anblick des Flusses gut einzuprägen, da begriff ich endlich, dass es sich um den rumänischmoldawischen Grenzfluss Pruth handelte und dass die »Princess Elena« auch vom Pruth abgelegt hatte. Ich befand mich am Grenzübergang zu Rumänien. Die moldawischen Grenzer hatten selbst keinen Zugang zur Donau und waren wohl zu stolz, mir das zu sagen.

Ich wurde an einen anderen Schlagbaum geschickt, zum »Free Economic Port«, weiter oben. Ich wanderte dorthin. Ein hochprofessioneller, vier Meter hoher Metallzaun mit Stacheldrahtaufsatz hegte ein Gelände ein, das weiter hinten noch einmal von einer strahlend weißen Mauer umschlossen war. Dahinter strahlten blitzsaubere Gebäude und silbrig schimmernde Kornspeicher. Diese außerirdisch perfekte Anlage verdeckte den Blick auf die moldawische Donau.

Ich ging zum Schlagbaum jenes »Free Economic Port«. Der Wächter war ein großer geschorener Bär und ließ mich nicht ein. »Der Direktor ist sowieso auch ein Ausländer. Er wohnt wie die ganze Führung in Rumänien drüben, wegen der besseren Bedingungen. Rufen Sie seine Sekretärin an!« Weder die Sekretärin noch der englische Direktor stellten mir fernmündlich die Erlaubnis zum Betreten des Freihafens aus.

Ich wanderte um den Stacheldraht herum, stieß nur auf die Wachtürme der ukrainischen Grenze und näherte mich lieber einer Gruppe von Bauern. Sie lagerten müßig auf einem weiten Feld, ein kleines Mädchen saß an einen sitzenden Mann gelehnt. Eine Schafherde, es waren schwarze Schafe drunter, wurde gerade über die Wiese getrieben. Die Bauern von Giurgiuleşti fanden es gut, dass Moldawien nun einen Hafen habe, jetzt könnten die Ukrainer nicht mehr für die moldawische Fracht kassieren. Über den holländisch geführten Freihafen sagten sie: »Die betrügen uns.« Aus den versprochenen Arbeitsplätzen sei nichts geworden.

Ich wanderte den ganzen Tag herum und hörte mir die Geschichten von Giurgiuleşti an, düstere Geschichten. »Uns braucht niemand«, »wir sind bloß billige Arbeitskraft«, »wir sind Sklavinnen«, »wir sprechen das reinste Rumänisch Moldawiens«, »Rumänien ist uns um 50 Jahre voraus …« Eine Frau erzählte, dass der Zugang zur Donau unter der Sowjetmacht verboten war, wegen der nahen Grenze zu Rumänien, aber nach der moldawischen Unabhängigkeit habe sie in der moldawischen Donau gebadet. Seit dem Bau des Freihafens war das wieder verboten. Eine Hochzeitsgesellschaft zog durchs Dorf, ließ mich aus einer Karaffe selbst gemachten Rotwein der Sorte Saperavi trinken. Der Wein war nicht gut, die Leute waren aber herzlich.

Als ich wieder am Schlagbaum des Freihafens vorbeikam, winkte mich der Wächter zu sich. Er war plötzlich sehr nett, er wollte reden. Über seine Arbeitgeber sagte er: »Moldawier sind für sie Menschen zweiter Klasse.« Er sagte, er verdiene im Freihafen 150 Dollar, das reiche gerade für seine Fixkosten, er müsse also während der Arbeitszeit überlegen, wie er mit einem zweiten und einem dritten Job an Geld komme. »Meine zweijährige Tochter wird eine Schönheit«, sagte er mit aufgerissenen Augen. Er formte seine Hände zu einer überdeutlichen Geste, zu großen Frauenbrüsten. »Sie wird Kleidung brauchen.« Er habe deswegen dafür gesorgt, dass seine Tochter im benachbarten rumänischen Galati auf die Welt kam,

»so wird sie mit 14 den rumänischen Pass kriegen können. Ich denke nur mehr an meine Kinder. Die Kinder müssen weg hier.«

Der Wächter war früher Polizist gewesen und erklärte mir an einem Beispiel die moldawische Korruption: »Ich hatte bei der Polizei nicht einmal Benzin fürs Polizeiauto. Du fängst also an, dass du Strafen ohne Strafzettel kassierst oder eine Strafe gegen Schmiergeld erlässt. Nur damit du das Polizeiauto betanken kannst. Dann muss der Chef auch noch tanken, und dann hat der Chef auch noch eine Familie zu ernähren. So kommen die Leute auf schlechte Gedanken, obwohl sie das eigentlich gar nicht wollen.«

Der Wächter hatte sich in Fahrt geredet, da kam auf einem schäbigen rostzerfressenen Fahrrad ein Dörfler herbei. Seine Kleidung konnte man nicht anders denn als Lumpen bezeichnen. Er war aber kein Bettler, sondern einer von denen, die der Freihafen tageweise für die Kornverladung anheuert. Er hatte, was mir fehlte, eine Genehmigung zum Betreten der moldawischen Donau. Ich sah diesem kaputtgeschundenen Moldawier nach, wie er rostächzend in die keimfreie Plastik-Logistik-Welt des »Free Economic Port« einrollte. Das wird das Bild in meinem Kopf von der moldawischen Donau gewesen sein.

Ich setzte mich in ein Grenzcafé, um die Beobachtungen des Tages zu Papier zu bringen. Wie schon früher am Tag hatte sich die Dorfjugend an einer Holztafel versammelt, alles junge Männer, kurzhaarig bis geschoren, sieben oder acht. Sie sprachen rumänisch, manchmal war ein russisches Schimpfwort eingestreut. Man beachtete mich nicht.

Das änderte sich, als ein junger Einheimischer eintrat, wie so viele in Giurgiuleşti ein Migrant, gerade aus Bukarest eingefahren. Er war in Begleitung einer derb-sinnlichen Frau, deren üppige Rundungen in einen engen grauen Adidas gezwängt waren. Er sah gut aus, schneidig. Ich saß allein an meinem Tisch und schrieb. Das gefiel ihm nicht, von Anfang an gefiel ihm das nicht.

Er rief mir zu, dass ich ein Agent sei. Ich versicherte ihn des Gegenteils. Er glaubte mir nicht. Ich zeigte ihm meinen Presseausweis. Er nahm den Ausweis an sich, gab ihn nicht zurück, kehrte an seinen Tisch zurück und verlangte 100 Euro für die Herausgabe. Er ließ provozierende Statements auf mich los, äußerte sich abwertend über die Barfrau und bot sie mir zum Kaufsex in seinem Jacuzzi an. Die Barfrau verschwand in der Küche.

Innerhalb kurzer Zeit versammelte sich die anwesende Dorfjugend am Tisch des schneidigen Migranten, oder sie blieben sitzen und drehten sich zu ihm hin. Sie quittierten jede seiner Anzüglichkeiten mit Lachen, keiner machte eine Ausnahme. Ich antwortete knapp und neutral. Der Wortführer sprach mit ruhiger Stimme, seine Hände verrieten aber Unruhe, fortwährend zerfetzten sie den Plastikbecher seines ausgetrunkenen Kaffees in kleine Stücke. Die Erwartung einer Aggression lag in der Luft.

In der unglücklichen Absicht, mir zu Hilfe zu kommen, setzte sich ein mittelalter Säufer mit Baseballmütze zu mir. Er bot mir von seinem Wodka an und begann, von seiner Wertschätzung für mich zu sprechen. Der Wortführer herrschte ihn an, das Maul zu

halten. Der Säufer brabbelte weiter, von der Kamerad-
schaft im Afghanistankrieg, anderes Unzusammen-
hängendes. Plötzlich sprang der schneidige Rück-
kehrer aus Bukarest auf, rannte an meinen Tisch, riss
dem Säufer die Mütze vom Kopf und schlug ihm damit
ins Gesicht. Der Sohn des Geschlagenen saß dabei,
er war einer von den Jugendlichen. Er sah zu, wie sein
Vater eine Züchtigung nach der anderen empfing. Ich
starrte den Sohn an, irgendeine Reaktion auf die De-
mütigung des Vaters musste doch zu erkennen sein.
Nichts dergleichen, der Sohn sah gleichgültig und
unbewegt zu. Er sagte nichts und tat nichts.

Kurz nach diesem Einblick in die Sozialordnung von
Giurgiuleşti trat Entspannung ein, ein noch coolerer
Migrant betrat das Café. Die Blicke der Feiglinge
hingen nicht mehr an dem einen. Die derb-sinnliche
Adidas-Frau gab mir den Ausweis zurück, ich verzog
mich und ging ins Bett. Ich habe gelernt, dass die
moldawische Donau eine niederländische Firma ist.
Und damit hätte ich auch so eine Art Donau-Essay
verfasst.

UKRAINISCHES VOLKSLIED

Ritt Kosak

Ritt Kosak zur Donau hin, sagte: »Lebe Wohl, mein
Mädel lieb,
und du braver, treuer Rappe, trag' mich laufend wie
der Wind!«

Sei nicht eilig, mein Kosak, Tränen rollten ihr herab.
Du verlässt mich ganz allein, überleg's mal dir sehr
fein.

Besser wär's, besser wär's nicht zu sehen,
Besser wär's, besser wär's nicht zu lieben,
Besser wär's, besser wär's nicht zu kennen,
Als mich jetzt, als mich jetzt von dir zu trennen.

Händeringend Mädchen weint, ist der
Abschiedsschmerz nicht leicht:
»Du verlässt mich ganz allein, überleg's mal dir sehr
fein!«
»Weine meinetwegen nicht, röte nicht den klaren
Blick.
Kehre bald zu dir aus dem Krieg siegreich zurück.«

Besser wär's, besser wär's nicht zu sehen,
Besser wär's, besser wär's nicht zu lieben,
Besser wär's, besser wär's nicht zu kennen,
Als mich jetzt, als mich jetzt von dir zu trennen.

»Das Leben ohne dich ist nichts mehr wert für mich;
Bleib' erhalten, Liebster mein, alles kann verloren
sein«.
Schlug aufs Pferd zum Reiten hin: »Lebe Wohl,
mein Kind!
In drei Jahren, wenn nicht falle, kehre ich zu dir!«

Besser wär's, besser wär's nicht zu sehen,
Besser wär's, besser wär's nicht zu lieben,
Besser wär's, besser wär's nicht zu kennen,
Als mich jetzt, als mich jetzt von dir zu trennen.

Ritt Kosak zur Donau hin, sagte: »Lebe Wohl, mein
Mädel lieb,
und du braver, treuer Rappe, trag' mich laufend wie
der Wind!«

Besser wär's, besser wär's nicht zu sehen,
Besser wär's, besser wär's nicht zu lieben,
Besser wär's, besser wär's nicht zu kennen,
Als mich jetzt, als mich jetzt von dir zu trennen.

UKRAINISCHES VOLKSLIED

Donau, Donau

Hat mich meine Mutter lassen
in der Donau Tücher waschen.
Donau, Donau, liebe Donau, Donau,
Kalt sind deine Wasser, fern und blau, fern und blau.

Nicht gewaschen, nicht gewaschen,
nur mit Burschen gerne tratschen.
Donau, Donau, liebe Donau, Donau,
Kalt sind deine Wasser, fern und blau, fern und blau.

Dafür hat mich Mutter g'schlagen,
darf ich keine Jungs lieb haben.
Donau, Donau, liebe Donau, Donau,
Kalt sind deine Wasser, fern und blau, fern und blau.

Keinen hab' ich doch geliebt,
nur den Hryz' und Danylo,

nur den Peter und Stephan,
und den lockigen Iwan.
Donau, Donau, liebe Donau, Donau,
Kalt sind deine Wasser, fern und blau, fern und blau.

Frei' um mich mein lieber Hryz',
Vater sagte, – geb' 'nen Ochs',
Vater sagte, – geb' ein Kalb,
dass sie nicht im Hause bleibt.
Donau, Donau, liebe Donau, Donau,
Kalt sind deine Wasser, fern und blau, fern und blau.

MARKIJAN SEMENOWYTSCH
SCHASCHKEWYTSCH

(1811–1843)

Hinter stille Donau weit

Hinter stille Donau weit,
Wo mein Liebster ferne bleibt,
Flieg Gedanke mein in Fremde,
Wo in Schwermut er verweilt.

Meine Seele bring dahin,
Auf des Windes leichten Flügeln,
Bring ihm ein ruthenisch's Lied,
Das dem Bruder herzlich klingt.

Traurig, trübe bist du dort
Mein vertrauter lieber Bruder,

Nach dem kalten Winter doch
Weht ein laues Windchen wieder.

Auf der Wiese beim Gewässer
Blüht ein Schneeball auf;
Glück und Freude sei dir immer,
Und das Heil in deinem Haus.

JOSEF GERSTENDÖRFER

(1898)

Dies ist das Delta

Bei Silistria hat sich die Donau schon sehr dem schwarzen Meere genähert, wird aber hier wieder nach Norden gedrängt und nimmt erst bei Galatz wieder einen östlichen Lauf. Selbst große Seeschiffe können auf dem Riesenstrome bis zur Stadt gelangen, in deren Nähe nördlich der 2 Quadratmeilen große, fischreiche Bratischsee liegt; weiter flußabwärts mündet der Pruth, und dann theilt sich die Donau in zwei starke Arme, von denen der südliche sich nochmals theilt. Der nördlichste heißt der Kiliaarm, der mittlere Sulina-, der südliche St. Georgsarm (Chedrile). Sie schließen zwei große, flache Sumpfinseln ein, die übrigens noch von vielen, schmalen Flußarmen durchzogen werden, und der Kiliaarm theilt sich vor seiner Mündung ins schwarze Meer in mehrere Canäle.

Dies ist das Delta, welches seinen Namen von dem griechischen Buchstaben Delta erhielt, da es eine beiläufig dreieckige Gestalt hat. Solche Deltas sind fast bei allen größeren Flüssen zu beobachten und sind von diesen selbst erzeugt. Wie dies möglich ist, will ich dir an dem Donaudelta als Beispiel auseinandersetzen.

Der Strom mündete früher unverzweigt in eine Meeresbucht. Nun führt aber die Donau eine Menge fester Bestandtheile in Form von Schlamm und ganz feinem, staubartigem Sande mit sich, wodurch sie eben ihre trübe Färbung erhält. Wenn das Wasser in das Meer eindringt, hört es auf zu fließen und ist daher nicht mehr imstande, die zarten Erdtheilchen weiterzuschaffen. Diese sinken allmählich zu Boden, und da die Menge derselben nach sorgfältigen Beobachtungen jährlich zwischen 30 und 60 Millionen Kubikmeter beträgt, so ist es begreiflich, daß im Laufe der Jahrhunderte sich vor der Mündung der noch ungetheilen Donau eine flache Insel aus dem Meere erhob, die von der Donau in zwei Armen umflossen wurde; es war ein Delta entstanden. Vor dem südlichen Arme lagerte sich abermals eine solche Schlamminsel und theilte denselben in den St. Georgs- und Sulinaarm.

Da aber die Donau immer neue Siltmengen herbeiführte, so wuchs die Insel, das Delta, immer weiter ins Meer und nahm allmählich die jetzige Gestalt an, wobei auch der Kiliaarm ein kleineres Delta erzeugte. Nun bemerkst du aber, daß außer den drei genannten noch viele andere kleinere Flußarme das Delta durchziehen, und daß dieses selbst gegen Südosten hin die größte Ausdehnung hat. Der Grund hiefür ist darin zu suchen, daß die fast beständig wehenden Nordwinde das ins Meer strömende Donauwasser etwas gegen Süden hin treiben, so daß es auch dort seinem Schlamm hauptsächlich niedersinken läßt.

Durch diese Ablagerungen dringt das Deltaufer jährlich um etwa 4 m in das Meer vor; es werden aber auch große Mengen von Schlamm bei Überschwemmungen auf dem Delta selbst und in den Flußarmen abgesetzt, und vor den Mündungen derselben bilden sich im Meere mächtige Barren, welche tiefgehenden Seeschiffen gefährlich werden können.

So ist der St. Georgsarm zum größten Theile versandet, und nur der Kilia- und Sulinaarm können von großen Schiffen befahren werden. Der eigentliche Verkehr wird durch den Sulinaarm vermittelt, welchen die Donaudampfer und die großen österreichischen Seedampfer, englische und französische, russische und andere Schiffe befahren. Durch weglose, wüste Moorstrecken, zwischen üppigem Sumpfwalde wälzt er seine schmutzigen Fluten dem schwarzen Meere zu. In der Nähe der Mündung liegt das rumänische Städtchen Sulina. Hier wird der Strom von starken Dämmen eingefaßt, mächtige Hafenmauern schützen die Schiffe vor Stürmen; hier verschwindet die Donau im schwarzen Meere.

JOHANN BAPTIST HAAS

(1846)

Doch – meine Fahrt ist bald zu Ende

Doch – meine Fahrt ist bald zu Ende –

Wie? Ist Galacz deine letzte Stadt? Sind wir an deinen Mündungen, dem Pontus Euxinus nahe?

Doch nein! – nur bis hieher brachte meine Fahrt mir Segen, auf diese Fahrt allein will ich künftig mich verlegen; die Fahrt, der Strom bleibt mein, es wird nie anders sein. Ob ich gewähre oder lasse, wen ich liebe oder hasse, die Sache bleibt sich immer gleich. Meiner Mutter geliebten Schwester, der hohen Adria, hab' ich die Fahrt von hier nur zeitlich überlassen, weil sie groß, mächtig und erfahren ist, auf allen Meeren in Handel und Schiffahrt, auch wählt sie stets die rechten Leute zu rechtlichem Beginnen. – Kennst du den österreichischen Lloyd? – Doch weislich hab' ich vorbehalten für die Zukunftzeit, die Schiffahrt von Galacz an bis Bulgarien's und Rumelien's Küste, von Galacz bis Konstantinopel mir – so wie die Fahrten am schwarzen Meere. Sechs Seedampfboote habe ich mit Freuden in Lloyd's geschickte Hände übergeben, sammt Realitäten, Inventar und allen meinen Kohlen, mit Freude trag' ich den Schaden von 338.000 fl. – von früherer unbekannter Grösse, die bekannten Grössen kenne ich nur, denn nun bleibt all mein Eifer und mein Segen dem mir verwandten Lande, meinen Schwestern, meinen Flüssen, bis dahin zugewandt; für Weiteres lass mich schweigen.

Die Donau ist der Fluss Europas! Doch wie kann ein
derartig facettenreiches Phänomen wie die Donau
adäquat gefasst und erfasst werden? Zu vielfältig sind
alleine die Bezeichnungen für den zweitgrößten Strom
Europas: Schicksalsfluss, Blaues Band, Lebensader,
Völkerstraße oder auch profan Verkehrsweg. Je nach
Perspektive ergeben sich zusätzlich unzählige Inter-
pretationen der Bedeutung dieses großen Stromes,
der seinen Lauf von Westen nach Südosten quer durch
Europa zieht.

Die Donau öffnet den Kontinent nach Osten. Ihr
Gefälle scheint auch ein wirtschaftliches Gefälle
nachzuzeichnen: von stärkere in schwächere Wirt-
schaftsräume, von einem wohlhabend-arroganten
Zentrum in eine dynamisch-stolze Peripherie. Dies
meinte auch der im bulgarischen Ruse/Ruschtschuk
geborene Literaturnobelpreisträger Elias Canetti in
seiner Autobiografie: »Wenn jemand die Donau hinauf
nach Wien fuhr, sagte man, er fährt nach Europa.«
Könnte man es nicht auch anders sehen? Von der
Enge des Wohlstandsdenkens im Oberlauf fließt die
Donau in die Weite »der vorurteilsfreien Antike«
(Karl-Markus Gauß) des Schwarzen Meeres. Denn die
Donau verbindet Mitteleuropa mit dem Schwarzen
Meer und in weiterer Folge mit Istanbul und mit
Griechenland, den Wurzeln unserer Kultur. Nicht
umsonst wurde sie früher als die wichtigste Verkehrs-
ader unseres Kontinents bezeichnet. Viele alte Donau-
reiseführer schlossen nach der Beschreibung der
Donaumündung noch eine Schilderung der Fahrt
nach »Konstantinopel« an.

Die Donau ist auch der Schicksalsfluss Europas. Sie war und ist Völkerstraße und Wasserstraße, die verbindet, aber auch trennt. Zehn Staaten werden von der Donau durchströmt oder zumindest berührt: Deutschland, Österreich, Slowakei, Ungarn, Kroatien, Serbien, Rumänien, Bulgarien, Moldau und Ukraine. So viele schafft kein anderer Strom auf unserem Planeten. Wie viele Ethnien leben an der Donau? Wie viele Sprachen werden gesprochen und wie vielen Religionsgemeinschaften gehören die Menschen an? Niemand weiß es. Und ist es nicht gerade die Donau, die für die teilweise Vermischung von Kulturen, Völkern und Zivilisationen förderlich war – durch Handel, Heirat, Suche nach neuem Land? Ist die Donau so gesehen nicht ein großes europäisches Tauchbad neu entstandener, ineinander verwobener Identitäten?

Bei aller Vielfalt ist die Donau letztendlich auch eine heilende Kraft, in der die Hoffnung auf Verbindung wächst. Auch wenn die Grenzen der Geschichte vielerorts noch Regionen und damit auch Menschen durchschneiden und klaffende Wunden bilden, werden diese von Menschen im Donauraum durch Toleranz, Lebensweisheit und Besonnenheit in ihrem gelebten Alltag immer wieder aufs Neue überwunden.

Überwunden werden sollte auch die Teilung in eine »untere« und »obere« Donau. Diese Dichotomie erinnert doch zu sehr an die Einteilung »zu ebener Erd'« und »im ersten Stock«. Unbedenklicher ist es schon, nach geomorphologischen Gesichtspunkten eine obere (bis zur Hainburger Pforte), eine mittlere (bis zum Eisernen Tor) und eine untere Donau zu unterscheiden: Gefälle, Wasserführung und andere

Parameter ermöglichen dies. Bemerkenswert ist, dass die Donau von der Quelle der Breg bis zur Mündung ins Schwarze Meer nur 1078 Meter Höhendifferenz überwindet, und das bei einer Länge von 2860 Kilometern. Die Donau entzog sich wie kaum ein anderer Strom einer Kilometrierung: Zuerst wurde über den Beginn der Donau gestritten. Ist es die Breg-Quelle, der Zusammenfluss der beiden Quellflüsse Brigach und Breg oder gar die Quelle des Donaubaches im Fürstlich Fürstenbergischen Schlosspark in Donaueschingen? Aus geografischer Sicht ist die Sache übrigens längst entschieden. Wie sagt doch der Volksmund? Brigach und Breg bringen die Donau zuweg' – um dann einige Kilometer flussabwärts in den berühmten Versinkungsstellen des Karstes zum größten Teil zu verschwinden und unterirdisch über die Quelle des Aachtopfes dem Rhein zuzufließen! Dieser jahrelange Streit um den Ursprung der Donau führte dazu, dass entgegen aller Tradition die Donau von der Mündung flussaufwärts kilometriert wurde. Doch auch hier gab es Probleme. Die damals an der Mündung des Sulina-Donauarmes in das Schwarze Meer gesetzte Markierung »0« steht heute im Zentrum des Städtchens Sulina. Über die Jahre und Jahrzehnte hat die Donau ihre reiche Sedimentfracht an den Mündungen abgelagert, eine Verlängerung der Molen am Sulina-Arm erforderlich gemacht und auf diese Weise ihre eigene Mündung einige Kilometer weit ins Meer hinausgeschoben. Dort draußen entstehen aus den feinen Ablagerungen ständig neue, von Pelikanen und Kormoranen bevölkerte Inseln. Das jüngste Land Europas.

Auch gemessen an der landschaftlichen Vielfalt, welche die Donau durchquert, an manchen Stellen sogar durchbricht, kann kaum ein anderer Strom mithalten. Nach dem Ursprung im Mittelgebirge des Schwarzwaldes durchquert sie das schwäbisch-bayerische und das österreichische Alpenvorland, durchbricht einige Male das österreichische Granit- und Gneishochland, um dann nach dem Passieren der Karpaten- und Alpenausläufer bei der Hainburger Pforte das Kleine und das Große Ungarische Tiefland sowie die Batschka zu durchfließen. Beim großen Durchbruch Eisernes Tor, der größten Schlucht Europas, trifft sie wiederum auf die Ausläufer der Karpaten und auch des Balkans, um dann durch das Tiefland der Walachei dem Schwarzen Meer entgegenzufließen. In ihrem Einzugsgebiet von rund 817.000 Quadratkilometern, immerhin das Zehnfache der österreichischen Staatsfläche, leben etwa 200 Millionen Menschen.

Schon alleine aus dieser Schilderung wird klar, dass die Donau, der europäischste aller Flüsse, nicht in Budapest endet. Auch wenn zahlreiche Ausflugsfahrten dort ihren Endpunkt setzen, bietet die Donau flussabwärts jeden nur vorstellbaren Reichtum an Naturschutzgebieten, kulturhistorischem Erbe der Römerzeit, mittelalterlichen Festungen, herausragenden Landschaften und gastfreundlichen Menschen. Hier ist noch enormes Potenzial behutsam zu heben, sei es durch den viel zitierten sanften Tourismus, durch grenzüberschreitende Kooperationen oder durch supranationale, bedachte Entwicklungsförderung. Menschen, die zukunftsweisende Ideen haben, sollten unterstützt werden.

Vier Menschen haben diesen Band in besonderem Maße unterstützt. Für wertvolle Anregungen und Mithilfe bin ich zu herzlichem Dank Frau Prof. Dr. Renate Krippel, Herrn Prof. Dr. Lukas Sainitzer, Herrn Univ.-Doz. Dr. Jaroslaw Lopuschanskyj sowie dem engagierten Verleger, Herrn Lojze Wieser, verpflichtet. Das sind Menschen, die schon die Entstehungsphase dieses Buches – jede/r auf ihre/seine Weise – flüssig gestaltet haben. Danken möchte ich an dieser Stelle in liebevoller Erinnerung auch meinen Eltern, denn sie haben den Keim des unbändigen Interesses an dieser wunderbaren Welt in mich gelegt, so wie ich aus dieser mittlerweile gereiften Frucht diesen Keim an meine Kinder weitergeben darf.

Unbeantwortet blieb bislang die eingangs gestellte Frage, wie denn die so vielfältige, facettenreiche Donau auf geeignete Art und Weise gefasst und erfasst werden könne. Denkbar wären Sammlungen von Volksmusik, Brauchtum, Traditionen, gemalten Bildern, stimmungsvollen Fotografien etc. entlang der Donau. Zielführend wäre auch – Sie haben es längst erraten – eine Zusammenstellung von Texten: Lyrik und Prosa, Gebrauchstexte und Poesie, von Mythos und Realität, Flucht und Rückkehr, Selbst- und Fremdbildern. Dieser in der Reihe »Europa erlesen« dutzende Male bewährte Weg wurde hier erneut eingeschlagen.

Möge dieser haptisch-handliche Band dazu beitragen, die Donau noch intensiver in vollen Zügen genießen zu können – und tief einzutauchen. In eine Donau voll Widersprüche: in die verbindende und trennende, fruchtbare und furchtbare, milde und wilde Donau. Inspiriert und fasziniert haben sich Autorinnen und Autoren verschiedener Nationalitäten über Jahrhunderte hinweg von der Antike bis zur Gegenwart anregen lassen, sich dem Motiv »Donau« zu widmen. Eine Auswahl von Werken ist in diesem Bändchen versammelt, das nachzeichnet, hinterfragt und kontrastiert, aber letztendlich wieder vereint: unsere Donau.

Christian Fridrich

I. k. k. Priv. Donau-Dampfschiffahrts-Gesellschaft (1895): *Die Personendampfer.* Aus: Die Donau von Passau bis zum Schwarzen Meere. Verlag der I. k. k. Priv. Donau-Dampf-schiffahrts-Gesellschaft, Wien 1895, S. 2–7.

Hans Aßmann Freiherr von Abschatz (1646–1699): *Bestürmtes Türckisches Lager und gewonnene Feld-Schlacht an der Donau/ gegen Semlin in Sclavonien/ den 19. Augusti An. 1691.* Aus: Poetische Übersetzungen und Gedichte. Christian Bauch, Leipzig und Breslau 1704, S. 19–23.

Aktionsgemeinschaft gegen das Kraftwerk Hainburg (Hg.) (1984): *Wie es zur Ablehnung des Kraftwerks Hainburg kam.* Aus: Kraftwerk Hainburg Nationalpark Ost. Projekte – Argumente – Dokumente. Bericht über die Experten-Diskussion an der Akademie für Umwelt und Energie in Laxemburg. Montan-Verlag, Wien 1984, S. 101 f.

Peter Altenberg (1859–1919): *Strandbad in den Donau-Auen.* Aus: Mein Lebensabend. Fischer, Berlin 1919, S. 206 f.

Julia Aktories (geb. 1993): *Stehe am Fluss.* Aus: Alle schreiben Donau anders ... edition Musagetes, Wien 2007, S. 51 f.

Hans Christian Andersen (1805–1875): *Sankt Medardi-markt.* Aus: Gesammelte Werke. Carl B. Lorck, Leipzig 1847, S. 127 f.

Hellmut Andics (1922–1998): *Donauhandel.* Aus: Begegnung an der Donau. Jugend und Volk, Wien/München 1979, S. 24–27.

Matyas Andras Angyalffy (1776–1839): *Der Strom theilt sich nun in viele Arme; Stromabwärts.* Aus: Die Dampfboot-fahrt auf der Donau, dem Schwarzen Meere und dem Bosporus von Linz bis Konstantinopel. Ludwig Landerer Edler von Lüskút, Pesth 1838, S. 98 f.; 101.

Antiquarius (1688): *Was die Donau betrifft.* Aus: Die Donau / Der Fuerst aller Europaeischen Fluesse. Eine genaue

Darstellung / Aller Der um und an der Donau gelegenen Koenigreiche / Fuerstenthuemer / Laender und Staedte / beneben einer kurtzen Beschreibung selber / Deme / zu des Lesern Behuff / annoch ein Register aller derjenigen Oerter / so in denen Charten mit begriffen seynnd / beigefueget worden. Johann Hoffmann, Nuernberg 1688, S. 5.

Anonymus (1818): *Unter den Säugthieren; Von Regensburg an und weiter hinab.* Aus: Reise auf der Donau von Ulm bis Wien, mit genauer Angabe sowohl aller Städte, Flecken, Dörfer und Schlösser, die an beiden Ufern liegen, als auch aller Flüsse, die sich mit der Donau vereinigen, nebst den vorzüglichsten Merkwürdigkeiten der einzelnen Orte und Gegenden. J. Ebnersche Buchhandlung, Ulm 1818, S. 28; 30–31.

Anonymus (1839): *Volksmärchen von der Donaubrücke.* Aus: Reisetaschenbuch zur Donau-Dampfschiffahrt durch Bayern und Oesterreich von Regensburg bis Wien, mit vorzugsweis ausführlicher Beschreibung der Stadt Passau, und ihrer Umgebungs-Orte. A. Ambrosi, Passau 1839, S. 9 f.

Anonymus (1890): *Das Donau-Pumpwerk-Project.* Aus: Die Wasserversorgung Wiens: Hochquellen-Wasserleitung, Wiener-Neustädter Tiefquellenleitung, Donau-Wasserleitung, Wienthal-Wasserleitung. Verlag von A. Reisser, Wien 1980, S. 23–25.

Anonymus (1895): *Der Greiner-Schwall.* Aus: Die Donau von Passau bis Wien. Handbuch für Reisende geschildert von … Verlag des Unterstützungsfonds für nicht pensionsfähige Witwen und Waisen der Ersten k. k. priv. Donau-Dampfschiffahrts-Gesellschaft, Wien 1895, S. 35.

Joseph Arenstein (1850): *Betrachtungen über den Eisgang der Flüsse.* Aus: Beobachtungen über die Eisverhältnisse der Donau 1847/48 bis 1849/50. Wilhelm Braumüller, Wien 1850, S. 1.

H. C. Artmann (1921–2000): *dod en wossa.* Aus: med ana schwoazzn dintn. gedichta r aus bradnsee. Otto Müller Verlag, Salzburg 1958, S. 70 f.

Ruth Aspöck (geb. 1947): *Donauinsel.* Aus: Donaugeschichten. Anthologie 2. Edition die Donau hinunter, Wien 2002, S. 109.

Joseph Ritter von Baader (1763–1835): *Von der Verbindung der Donau mit dem Mayn und Rhein.* Aus: Ueber die Verbindung der Donau mit dem Mayn und Rhein und die zweckmäßigste Ausführung derselben. J. E. v. Seidel Kunst- und Buchhandlung, Sulzbach 1822, S. 5 f.

Ingeborg Bachmann (1926–1973): *Die Prinzessin von Kagran.* Aus: Malina. Suhrkamp Verlag, Frankfurt am Main 1971, S. 62–65.

Fritz Basil (1862–1938): *Er ward wach.* Aus: Donaugeschichten. Eugen Händler Verlag, Mühlacker 1941, S. 108 f.

Moriz Bermann (1823–1895): *Das Donauweibchen wird aufgefischt.* Aus: Die Geheimnisse des Praters oder An der blauen Donau. Erster Band. A. Hartleben's Verlag, Wien/Pest/Leipzig 1874, S. 1–7.

Karl Bienenstein (1869–1927): *Der Schiffmeister setzte sich.* Aus: Der Admiral der Donau. Geschichte eines tätigen Lebens. Enßlin & Laiblin Verlagsbuchhandlung, Reutlingen 1924, S. 7–9.

Sigmund von Birken (1626–1681): *Der Donau-Strand; Gegen dem Einfluß der Iler; Hierauf folget an ihrem Gestaade die schoene Stadt Straubingen; Nun kommen wir mit der Stroeme Kaeyserin / zur Staedte Kaeyserin; Die Vestung Comorra; Der letzte Strom / so sich der Donau einschencket / ist der Truth.* Aus: Neu vermehrter Donau-Strand / Mit allen seinen Ein- und Zuflüssen / angelegenen Koenigreichen / Provintzen / Herrschafften und Staedten / auch derselben alten und neuen Namen / vom Ursprung biß zum Ausflusse in dreyfacher Land-Mappe vorgestellet. Jacob Sandrart, Nuernberg 1694, S. 1 f.; 20; 32 f.; 41 f.; 54; 110.

Gerald Bisinger (geb. 1936): *Donauabwärts.* Aus: Donaugeschichten. Anthologie. Edition die Donau hinunter, Wien 1992, S. 111.

Günther Blühberger (1996): *Die Alte Donau*. Aus: Wie die Donau nach Wien kam. Die erdgeschichtliche Entwicklung der Landschaft des Donautals und der Nebenflüsse vom Ursprung der Donau bis zum Wiener Becken. Böhlau Verlag, Wien/Köln/Weimar 1996, S. 139.

Ludwig Bowitsch (1818–1881): *Der Natternfels; Schreckenwalds Rosengärtlein auf Aggstein*. Aus: Vom Donaustrande. Mährlein und Sagen. Verlag von A. Pichler's Witwe & Sohn, Wien 1867, S. 24 f.; 60–63.

Brockhaus Bilder-Conversations-Lexikon (1837): *Donau*. Aus: Brockhaus Bilder-Conversations-Lexikon, Band 1. F. A. Brockhaus, Leipzig 1837, S. 584 f.

Christine Busta (1915–1987): *Friedhof der Namenlosen bei Albern*. Aus: Die Scheune der Vögel. Gedichte. Otto Müller Verlag, Salzburg 1958, S. 25.

Elias Canetti (1905–1994): *Rustschuk, an der unteren Donau*. Aus: Die gerettete Zunge. Geschichte einer Jugend. Fischer Taschenbuch Verlag, Frankfurt am Main 1979, S. 10 f.

Manfred Chobot (geb. 1947): *Regatta*. Aus: Donaugeschichten. Anthologie. Edition die Donau hinunter, Wien 1992, S. 37.

Joseph Freyherr Cresseri (1801): *Das Flussbeth der Donau*. In: Bemerkungen über den gegenwärtigen Lauf der Donau, in der Nähe der Haupt- und Residenz-Stadt Wien, und Kanal zwischen der Stadt und Leopoldstadt. K. K. Hofbuchdrucker Johann Thomas Edler von Trattnern, Wien 1801, S. 1 f.

Jacob-Julius David (1859–1906): *Dabei aber lebte noch*. Aus: Stromabwärts. Wiener Verlag, Wien/Leipzig 1903, S. 15–19.

Ludwig Dellarosa (1772–1841): *Das Gefängniß*. Aus: Odomar von Dürrenstein und Hertha von Scharfeneck, oder: Die Raubritter an der Donau. Carl Haas'sche Buchhandlung, Wien 1840, S. 142 f.

Eva Demski (geb. 1944): *In den Büschen an der Schillerwiese; Auf dieser Fahrt; Die Donauinsel ist das Grauen*. Aus:

Mama Donau. Schöffling & Co., Frankfurt am Main 2001, S. 15–17; 68–70; 111 f.

Jacob Deutsch (1876): *Herr Redacteur!* Aus: Die Überschwemmung und ihre Ursachen. Subjective Anschauungen über die Donau-Regulirung bei Wien 1876. Lehmann & Wentzel, Wien 1877, S. 59.

Johann Hermann Dielhelm (1711–1784): *Dieses Engelhardszell; Linz; Hierauf kommt der Donaustrom auf Tuln; Ueberhaupt ist die Stadt Wien; Von Petronel begiebt sich der Donaustrom.* Aus: Antiquarius des Donau-Stroms oder Ausfuehrliche Beschreibung dieses beruehmten Stroms, von seinem Ursprung und Fortlauf, bis er sich endlich in das Schwarze Meer ergießet; nebst allen daran liegenden Festungen, Staedten, Marktflecken, Doefern, Kloestern und hineinfallenden Fluessen bis ins verflossene 1784. Jahr accurat beschrieben. Zum Nutzen der Reisenden und anderen Liebhabern zusammen getragen und ans Licht gestellet von J. H. D. Erster Band. Bey den Gebruedern van Dueren, Frankfurt am Mayn 1785, S. 311 f.; 321 f.; 371; 392 f.; 501. *Von Deven fliest der Donaustrom; Der Stadt Ofen gegenueber; Belgrad.* Aus: Antiquarius des Donau-Stroms oder Ausfuehrliche Beschreibung dieses beruehmten Stroms, von seinem Ursprung und Fortlauf, bis er sich endlich in das schwarze Meer ergießet; nebst allen daran liegenden Festungen, Staedten, Marktflecken, Doefern, Kloestern und hineinfallenden Fluessen bis ins verflossene 1784. Jahr accurat beschrieben. Zum Nutzen der Reisenden und anderen Liebhabern zusammen getragen und ans Licht gestellet von J. H. D. Zweyter Band. Bey den Gebruedern van Dueren, Frankfurt am Mayn 1785, S. 508 f.; 623–626; 680.

Ivaylo Ditchev (geb. 1955): *Grenzland Donau; Am Unterlauf der Donau.* Aus: Andreas Müller-Pohle: The Danube River Project. Peperoni Books, Berlin 2008, o. S.

Donaudampfschifffahrtsgesellschaft (Hg.) (1844): *Sendschreiben an die Aktionäre der k. k. privilegirten Donau-*

Dampfschiffahrts-Gesellschaft. Walther'sche Hofbuchhandlung, Dresden 1844, S. 29.

Donauregulirungs-Commission (Hg.) (1875): *Öffnung des Donaudurchstiches*. Aus: Die Donau-Regulirung bei Wien. Herausgegeben aus Anlass der feierlichen Eröffnung der Schiffahrt im neuen Strombette am 30. Mai 1875. K. K. Hof- und Staatsdruckerei, Wien 1875, S. 19 f.

Donauzeitung (1860): *Matthias Feldmüller*. Aus: Der Schiffmeister Matthias Feldmüller. Ein Lebensbild aus der österreichischen Bürgerwelt. Donauzeitung, Ausgabe vom 3., 4. Und 5. Mai 1860.

Milo Dor (geb. 1923): *Bogdan schwieg*. Aus: ders.: Die Raikow Saga. Georg Müller Verlag, München/Wien 1979, S. 474–475.

Sara Dušanić (geb. 1988): *über liebe*. Aus: Alle schreiben Donau anders … Edition Musagetes, Wien 2007, S. 19.

Dušan Dušek (geb. 1946): *Von hier bis zur Donau*. Aus: Zu Fuß in den Himmel. Aus dem Slowakischen von Johannes Eigner. Wieser Verlag, Klagenfurt/Celovec 2003, S. 106 f.

Andreas Dusl (1987): *Wien am Inn*. Aus: Das Wiener Donaubuch (Hubert Ch. Ehalt, Manfred Chobot und Gero Fischer, Hrsg.). Edition S, Wien 1987, S. 132 f.

Ottocar-Franz Ebersberg (1833–1886): *Nacht. Donauufer am Franz-Josefs-Quai*. Aus: An der blauen Donau! Lebensbild mit Gesang in 3 Aufzügen. Gustav Schönwetter, Wien 1869, S. 37 f.

Marie von Ebner-Eschenbach (1830–1916): *Der Vorzugsschüler*. Aus: Aus Spätherbsttagen. Erzählungen von Marie von Ebner-Eschenbach. Erster Band, zweite Auflage. Verlag Gebrüder Paetel, Berlin 1902, S. 107–119.

Joseph von Eichendorff (1788–1857): *In der Mitte des Stromes*. Aus: Joseph Freiherrn von Eichendorff's Werke. Zweiter Theil. Ahnung und Gegenwart. M. Simion, Berlin 1841, S. 4 f.

Eduard Effenberger (1910): *Spitz an der Donau.* Aus: Spitz an der Donau in seiner Vergangenheit und Gegenwart. J. Kehl, Krems 1910, S. 10 f.

Karl Endriss (1867–1927): *Die Versinkungen im oberen Donautal.* Aus: Die Versinkungen der oberen Donau zu Rheinischem Flussgebiet. A. Zimmer's Verlag, Stuttgart 1900, S. 8–14.

Erste Donau-Dampfschiffahrtsgesellschaft: *In rascher Fahrt.* Aus: Die Donau von Passau bis Giurgiu und Russe. Erste Donau-Dampfschiffahrtsgesellschaft, Wien 1927, S. 49–51.

Péter Esterházy (geb. 1950): *Donau (humanistisch); Die Wiener Wende; Wien ist keine Donau-Stadt; Fortsetzung der Wahrheit; Das Flüsschen Pek ganz in der Nähe; Bei Slobozia.* Aus: Donau abwärts. Residenz Verlag, Salzburg und Wien 1992, S. 83; 109; 119; 195–196; 246–254; 258–260.

Eugippius (465–533): *Die Donau zu überschreiten.* Aus: Vita S. Severini 9,1; übersetzt von Lukas Sainitzer.

Hoffmann von Fallersleben (1798–1874): *Entwicklung auf historischem Wege.* Aus: Unpolitische Lieder II. Hoffmann und Campe, Hamburg 1842, S. 126.

Matthaeus Ferchius (1583–1669): *Dieser Fluss aber fließt.* Aus: Istri seu Danubii ortus aliorumque fluminum ab Aristotele in primo meteoro inductorum; accessit lacus asphaltitis confirmatio. Aus dem Lateinischen von Lukas Sainitzer. Bartholom. Carectonus, Passau 1632, S. 4.

Rupert Feuchtmüller (1920–2010): *Stift Melk.* Aus: Durch die Wachau. Die Donau von Linz bis Krems. Verlag Ludwig Simon, München Pullach 1958, o. S.

Antonio Fian (geb. 1956): *An der Donau.* Aus: Sylivia Treudl (Hg.), An der öden lauen Donau? Edition Aramo, Wien 2005, S. 7.

Kaiser Franz Joseph I. (1830–1916): *Aus der Thronrede Seiner Majestät 1901: der Ausbau der österreichischen Wasserstrassen.* Aus: Mitteilungen des Donau-Vereines.

Verein zur Hebung der Fluss- und Canalschiffahrt in Oesterreich. Wien 1900, S. 89.

Franzobel (geb. 1967): *An der schönen greenen blauen Donau.* Aus: Sylivia Treudl (Hg.), An der öden lauen Donau? Edition Aramo, Wien 2005, S. 109 f.

Barbara Frischmuth (geb. 1941): *Sehnsucht nach dem Wasser.* Aus: Kai und die Liebe zu den Modellen. Residenz Verlag, Salzburg und Wien 1989, S. 15.

Gertrud Fussenegger (1912–2009): *Von Städtle zu Städtle; Bruchlinien.* Aus: Eines langen Stromes Reise. Die Donau: Linie, Räume, Knotenpunkte. Deutsche Verlags-Anstalt, Stuttgart 1976, S. 41–43; 186 f.

Elisabeth Gall (1988): *An der Alten Donau.* Aus: Der Weg zur Alten Donau. Edition Wortbrücke, Krems-Stein 1988, S. 40 f.

Karl-Markus Gauß (geb. 1954): *In Neusatz.* Aus: Die Donau hinab (Hrsg. Christian Thanhäuser und Karl-Markus Gauß). Haymon-Verlag, Innsbruck/Wien 2009, S. 147.

Rollo Gebhard (geb. 1921): *Inselhüpfen am Strom.* Aus: ders.: Blaue Donau Schwarzes Meer. Mit Solveig II von Regensburg zum Kaukasus. Delius Klasing Verlag, Bielefeld 2001, S. 70–71.

Aulus Gellius (2. Jhdt. n. Chr.): *Von den Flüssen.* Aus: Noctes Atticae 10, 7, 1 f.; übersetzt von Lukas Sainitzer.

Franz von Gernerth (1821–1900): *An der schönen blauen Donau.* Walzer für Männerchor mit Begleitung für Pianoforte von Johann Strauss. Op. 314. Musikdruck, Brüssel 1910.

Josef Gerstendörfer (1898): *Von Krems nach Tulln; Dies ist das Delta.* Aus: Eine Fahrt auf der Donau. Für die Jugend geschildert. A. Pichlers Witwe & Sohn, Wien 1898, S. 62 f.; 221–223.

Johann Wilhelm Ludwig Gleim (1719–1803): *Die Donau und der Leuta-Bach.* Aus: Ausgewählte Werke. Reclam, Leipzig 1885, S. 145 f.

Johann Wolfgang von Goethe (1749–1832): *Donau; Rhein und Donau.* Aus: Goethe's poetische und prosaische Werke in zwei Bänden. Cotta'sche Buchhandlung, Stuttgart/Tübingen 1836, S. 285. *Den 17. Sept. [17]97; Regenspurg liegt gar schön.* Aus: Goethes Werke, Herausgegeben im Auftrage der Grossherzogin Sophie von Sachsen: III. Abtheilung: Goethes Tagebücher: 2. Band. Hermann Böhlau, Weimar 1887, S. 137 f.; 149.

Wilhelm Gollmann (1876): *Das städtische Bad nächst der Reichsstrassen-Brücke in Wien; Hilfeleistungen bei Scheintodten durch Ertrinken.* Aus: Die Donau-Strombäder. Ärztliche Winke über den Werth und die zweckmässigste Benützung dieser Bäder nebst einem Anhange über Hilfeleistungen bei Scheintodten durch Ertrinken. Eigenverlag, Wien 1876. S. 7 f.; 28–30.

Johann von Gott Bundschue (1784–1851): *Das Donauwasser; Die Stadt Wien hat eine so herrliche Lage.* Aus: Reise auf der Donau von Ulm nach Wien, und von da über Salzburg und durch das nördliche Tirol nach Kempten, gemacht im September und Oktober 1814. Dannheimer, Kempten 1815; S. 11; 161.

Ferdinand Grassauer (1840–1903): *Wagram; Galatz; Die Einführung der Dampfschiffahrt auf der Donau; Die Fische des Donaugebietes.* Aus: Die Donau. Alfred Hölder, Wien 1879, S. 12; 25 f.; 113 f.; 124 f.

Graham Greene (1904–1991): *Die Donau war ein breiter, schmutziggrauer Strom.* Aus: Der dritte Mann. Artemis-Verlag, Zürich 1951, S. 16 f.

Franz Grillparzer (1791–1872): *Vom Silberband der Donau rings umwunden.* Aus: König Ottokar's Glück und Ende. Trauerspiel in fünf Aufzügen. J. B. Wallishausser, Wien 1825, S. 112 f.

Franz Groebbels (1926): *O liebe Frau Donau du!* Aus: An der oberen Donau. Alexander Fischer Verlag, Tübingen 1926, S. 8.

Anton Johann Groß (1808–1873): *Jahrhunderte sind seit dieser Zeit der Barbarei vergangen*. Aus: Reisetaschenbuch für Donaufahrer, oder geographisch-historische Schilderung alles Merkwürdigen an den Ufern des Donaustromes, von seinem Ursprunge bis Preßburg. Anton Doll, Wien 1830, S. 6–7.

Sidonie Grünwald-Zerkowitz (1852–1907): *Der Wassermann*. Aus: http://www.wortblume.de/dichterinnen/gvh230 ag.htm

Egyd Gstättner (geb. 1962): *Die Donau und ich*. Aus: Sylivia Treudl (Hg.), An der öden lauen Donau? Edition Aramo, Wien 2005, S. 10 f.

Johann Baptist Haas (1846): *Doch – meine Fahrt ist bald zu Ende*. Aus: Das Donaulied in Prosa und in Reimen. Trismegistos und die Donau, nebst einer Episode zur Dampf-Schiff-Fahrt. Carl Ueberreuter, Wien 1846, S. 36.

Peter Handke (geb. 1942): *Welttreffen der Maultrommler*. Aus: ders.: Die morawische Nacht. Erzählung. suhrkamp taschenbuch 4108, © Suhrkamp Verlag, Frankfurt am Main 2009, S. 359–361.

Melanie Haselhorst und Kenneth Dittmann (2008): *In der hübschen Region Vojvodina*. Aus: dies.: Die Donau von Kelheim bis zum Schwarzen Meer. Sportbootführer für Binnengewässer. Edition Maritim, Hamburg 2008, S. 193.

Elfriede Haslehner (geb. 1933): *Haiku – Donau*. Aus: Donaugeschichten. Anthologie 2. Edition die Donau hinunter, Wien 2002, S. 107

Erwin Hauke (2001): *Die Donau in Kriegszeiten*. Aus: Donaureise in alter Zeit. Der Strom und seine Dampfschiffe in alten Ansichtskarten. Ein historischer Bildband von Regensburg bis zum Schwarzen Meer. Verlag Martin Fuchs, Wien 2001, S. 15.

Helmut Hauptmann (1957): *Am Hause des Hirzbauern entspringt die Donau; Es war in der Pußta; In Mohács vor der Paß- und Zollstation*. Aus: Donaufahrt zu dritt. Streiflichter von einer kleinen Großfahrt durch Deutschland. Österreich, die Slowakei, Ungarn und Jugoslawien. Verlag neues Leben, Berlin 1957, S. 8 f.; S. 125 f.; 135–137.

Adolf Heider (1893): *Beschaffenheit des Wassers im Donaucanale.* Aus: Untersuchungen über die Verunreinigung der Donau durch die Abwässer der Stadt Wien. Alfred Hölder, Wien 1893, S. 22.

Mark Heywinkel (geb. 1987): *Neu-Ulm.* Aus: Alle schreiben Donau anders … Edition Musagetes, Wien 2007, S. 5 f.

Hans Jacob Hein und Josef Harjung (1983): *Sie hatten nicht aufgegeben.* Aus: An der Donau zu Hause. Karawukowo – ein deutsches Dorf in der Batschka. Mahl, Schwäbisch Hall 1983. S. 15.

Raimund Hinkel (1995): *Die Donau wandert.* Aus: Wien an der Donau. Der große Strom, seine Beziehungen zur Stadt und die Entwicklung der Schiffahrt im Wandel der Zeit. Verlag Christian Brandstätter, Wien 1995, S. 14.

Hans Hochholzer (1929): *Der Eisstau der Donau Februar–März 1929.* Aus: Zeitschrift für Geomorphologie, Band IV, Heft 3/4. Bornträger, Berlin 1929, S. 180.

Friedrich Hölderlin (1770–1843): *Am Quell der Donau; Der Ister; Die Wanderung.* Aus: Hölderlin – sämtliche Werke. Zweiter Band. W. Kohlhammer Verlag, Stuttgart 1951, S. 126–128; 190–192; 138–140.

Peter F. N. Hörz (geb. 1966): *Erotische Entgrenzungen.* Aus: Naturwahrnehmung und Naturbewältigung im Zivilisationsprozeß am Beispiel des Wiener Donauraumes. Peter Lang, Frankfurt am Main et al. 1997, S. 89 f.

Hofkanzlei (Hg.) (Decret vom 24. December 1827): *Donau-Strom-Polizei-Vorschrift.* Wien 1827, S. 4.

Anton Holzer (geb. 1964): *DDSG-Werft Österreich; Am neuen geradlinigen Donauufer* Aus: blau. Die Erfindung der Donau (Hg. Technisches Museum Wien). Fotohof Edition, Salzburg 2005, S. 69; 89.

Wilhelm Hofacker (1936): *Die Donau verliert in erkennbarer Weise.* Aus: Der Streit um die Donauversinkung. Verlag W. Kohlhammer, Stuttgart 1936, S. 3.

Friedl Hofbauer (geb. 1924): *Die sieben Hasen*. Aus: Donausagen (Hrsg. Friedl Hofbauer und Anna Melach). Öbv & hpt, Wien 2003, S. 39 f.

Quintus Horatius Flaccus (65 v. Chr. bis 8 v. Chr.): *Aus dem grundlosen Donaustrom trinken*. Aus: Ode 4, 15, 17–23; übersetzt von Lukas Sainitzer.

Manfred Horvath (geb. 1962): *Stationen am Strom. Notizen von 19 Reisen zur Donau, geographisch gereiht nach Flußverlauf*. Aus: Die Donau. 1000 Jahre Österreich. Eine Reise (Hg. Günter Dürigl). Historisches Museum der Stadt Wien, Wien 1996. S. 32.

Franz Hutterer (1959): *Gäste aus Amerika*. Aus: An den Ufern der Donau. Peter, Michael und Brigitte reisen in die Heimat ihrer Eltern. Pannonia-Verlag, Freilassing 1959, S. 29 f., 78–80.

Elfriede Jelinek (geb. 1946): *Bis zur Donau*. Aus: Die Klavierspielerin. Rowohlt Verlag, Reinbek 1983, S. 139.

Rudolph E. von Jenny (1822): *Hinter Deggendorf vereiniget sich mit der Donau*. Aus: Handbuch für Reisende in dem oesterreichischen Kaiserstaate mit mehreren Hauptrouten der angraenzenden Laender. Anton Doll, Wien 1822, S. 97.

Ottwald John (geb. 1936): *Stromlinie (Sissi verduftet – Franz Josef bleibt!)*. Aus: Donaugeschichten. Anthologie. Edition die Donau hinunter, Wien 1992, S. 117.

Mór Jókai (1825–1904): *Von Felsen und Inseln*. Aus: Der Goldmensch. Ins Deutsche übersetzt von K. M. Kertbény. Athenaeum, Pest 1872, S. 87.

Gert Jonke (1946–2009): *Reichsbrücke*. Aus: Stoffgewitter. Residenz-Verlag, Salzburg/Wien 1996, S. 21–24.

Jordanes (6. Jhdt. n. Chr.): *Über diesen hervorragenden Fluss*. Aus: Getica 75; übersetzt von Lukas Sainitzer.

Rudolf Jurolek (geb. 1956): *Ein Stein*. Aus: Das Leben ist möglich. Aus dem Slowakischen von Christa Rothmeier. © Wieser Verlag – Edition Zwei, Klagenfurt/Celovec 2008, S. 35.

Franz Kain (1922–1997): *Über die Donaubrücke*. Aus: z'Linz auf der Bruck'n (der schnee war warm und sanft. vom wagnis, geschichten zu schreiben). Bibliothek der Provinz, Weitra 1989, S. 55.

Felix Kanitz (1829–1904): *Die türkische Kaimakamsstadt Lom; Die Paschalik-Hauptstadt Vidin.* Aus: Donau-Bulgarien und der Balkan. Historisch-geographisch-ethnographische Reisestudien aus den Jahren 1860–1875, 1. Band. Verlagsbuchhandlung von Hermann Fries, Leipzig 1875, S. 198–200; 230 f. *Rusčuk, die Hauptstadt des »Tuna-Vilajets«.* Aus: Donau-Bulgarien und der Balkan. Historisch-geographisch-ethnographische Reisestudien aus den Jahren 1860–1875, 2. Band. Verlagsbuchhandlung von Hermann Fries, Leipzig 1877, S. 11–13. *Silistra.* Aus: Donau-Bulgarien und der Balkan. Historisch-geographisch-ethnographische Reisestudien aus den Jahren 1860–1875, 3. Band. Verlagsbuchhandlung von Hermann Fries, Leipzig 1879, S. 249 f.

Vuk Stefanović Karadžić (1787–1864): *Erbschaftsteilung*. Aus: Ueber Kunst und Alterthum (Hrsg. Johann Wolfgang von Goethe). Übersetzung ins Deutsche von Jakob Grimm. 4. Band, 1. Heft. Cotta'sche Buchhandlung, Stuttgart 1823. S. 66–71.

Wolfgang Kauer (geb. 1957): *Der japanische Stifter*. Aus: Die Donau hinauf. Zwei Erzähltexte. Veritas, Linz 1996, S. 7.

Franz von Kausler (1794–1848): *Dünste über dem Wasser*. Aus: Versuch einer militärischen Recognoszirung des gesammten Gebietes der Donau, von ihren Quellen bis zu ihrem Einflusse in das schwarze Meer. Herder'sche Kunst- und Buchhandlung, Freiburg im Breisgau 1835, S. 14.

Friederike Kempner (1828–1904): *Das Mädchen an der Donau*. Aus: Gedichte. 8. Auflage. Verlag der Hofbuchhandlung Karl Siegismund, Berlin 1903, S. 46.

Johann Georg Keyßler (1693–1743): *Nicht ferne vom Ursprunge der Donau*. Aus: Neueste Reisen durch Deutschland, Böhmen, Ungarn, die Schweiz, Italien und Lothringen.

Theil 1. Im Verlage sel. Nicolai Foersters und Sohns Erben Hof-Buchhandlung, Hannover 1751, S. 9.

Anton von Klein (1746–1810): *Allein der Gott im Musenreich*. Aus: Der Genius der Donau an N.N. bey seiner Fahrt nach Erscheinung der Donaureisebeschreibung des Herrn Friederich Nicolai. O. V., Wien und Berlin 1787, S. 26 f.

Königliche Böhmische Gesellschaft der Wissenschaften: *Die Wasserbindung der Moldau und Donau*. Aus: Abhandlungen der königlichen Böhmischen Gesellschaft der Wissenschaften. Vierter Band, Gottlieb Haase, Prag 1814, S. 139 f.

Johann Georg Kohl (1808–1878): *Hier an der Mündung bei Passau; Die Donau treibt beständig; Einige Stunden oberhalb Tuln; Über die geographische Position von Wien; Die große Donau sendet*. Aus: Die Donau von ihrem Ursprunge bis Pesth. Literarische artistische Abteilung des Oesterreichischen Lloyd, Triest 1854, S. 110; 169 und 172; 173; 188–189; 233.

Heinrich Kolar (1871–1947): *Wann ist die »blaue« Donau wirklich blau?* Aus: Alltag und Heimat. Wiener Alltagsdinge in ihren Beziehungen zur Kulturkunde und zum bodenständigen Rechnen. Mit einem Einblick in Wiener Sammlungen. A. Pichler's Witwe und Sohn, Wien 1928, S. 5; 11.

Petya Krasimirova Zyumbileva (geb. 1993): *Ein traumhafter Ort*. Aus: Alle schreiben Donau anders ... edition Musagetes, Wien 2007, S. 57.

Friedrich Peter Kreuzig (1890–1958): *Die andere Donau*. Aus: Die andere Donau. Wiener Sonette. Bergland Verlag, Wien 1955, S. 78.

Georg Krekwitz (1686): *Krembs; Preßburg*. Aus: Totius Regni Hungariæ superioris & inferioris accurata Descriptio. Das ist Richtige Beschreibung Deß gantzen Königreichs Hungarn : So wol was das Obere als Untere oder Niedere anbelanget, Dabey dann die Beschaffenheit desselben ...

Sambt allem dem jenigen was am Donau-Strom lieget und befindlich ist … Sambt einer accuraten Land-Charten, und denen vornehmsten Städten in Kupffer vorgestellet wird. Leonhard Loschke, Franckfurt und Nürnberg 1686, S. 301; 610.

Margarethe Krockner-Weitzner (geb. 1928): *Die Wiener Bade-Mode*. Aus: Vereinigte Donau-Bäder-Zeitung Nr. 2, Klosterneuburg 1928, S. 6.

Wolfgang Kühn (geb. 1965): *Wachau f! Fischerlied*. Aus: Sylivia Treudl (Hg.), An der öden lauen Donau? Edition Aramo, Wien 2005, S. 44; 52 f.

Martin Leidenfrost (geb. 1972): *Vom Gehen im Nichts*. Aus: Die Presse, 06.09.2010, S. A1 f.

Nikolaus Lenau (1802–1850): *Der Schifferknecht*. Aus: Gedichte von Nicolaus Lenau. Verlag der J. G. Cotta'schen Buchhandlung, Stuttgart und Tübingen 1832, S. 57.

Hermann Leiter (1912): *Als die Donau das ungarische Mittelgebirge durchbrach*. Aus: Budapest und die ober-ungarische Donau. Franz Deuticke, Wien u. Leipzig 1912, S. 6 f.

Leopold I. (1673): *Ordnung der Donau-Brucken bey dem Tabor*. Handschrift aus der Österreichischen National-bibliothek. o. O., S. 1 f.

Josef R. Ritter von Lorenz-Liburnau (1825–1911): *Einfluss von Strombauten auf das Fahrwasser*. Aus: Die Donau, ihre Strömungen und Ablagerungen. Verlag von Carl Gerold's Sohn, Wien 1890, S. 85 f.

Dieter Maier (2001): *Donauknie*. Aus: Die Donau. Natur, Kultur, Land und Leute. Edition Dörfler. Nebel-Verlag, Utting 2001.

Claudio Magris (geb. 1939): *Passau liegt am Zusammen-fluß dreier Flüsse; Novi Sad und Umgebung; Grenzer; Grünes Bulgarien*. Aus: Donau. Biographie eines Flusses. Carl Hanser Verlag, München/Wien 1988, S. 136 f.; 383; 385 f.; 412 f.

Karlheinz Manlik (1994): *Donauschiffahrt stromab, strom-auf und quer zum Strom*. Aus: Donauübergänge in Österreich. Geschichte und Technik der Fähren und Brücken über die österreichische Donau. Landesverlag, Linz 1994, S. 61.

Robert Blachford Mansfield (1824–1908): *Die Strömung der Donau; Der beeindruckendste Teil der Donau; Der Fluß windet sich; Unterhalb von Engelhartszell*. Aus: Robert Blachford Mansfield's Bootsfahrt auf der Donau von Weltenburg bis Linz Sommer 1851. Edition Thanhäuser Original RabitzPress, Ottensheim an der Donau 1994, o. S.

Ammianus Marcellinus (330–390): *Krieg an der Donaugrenze*. Aus: 29, 6, 2 und 29, 6, 6; übersetzt von Lukas Sainitzer.

K. Marcus (1918): *Die untere Donau ist sehr reich an Fischen*. Aus: Meereskunde, Heft 143. Institut für Meereskunde an der Universität Berlin, Berlin 1918, S. 23 f.

Manuel Ramos Martínez (2001): *Am Ufer der Donau*. Aus: Am Ufer der Donau / A Orillas del Danubio. Übertragung der Gedichte ins Deutsche von Hannelore Biricz. Verband Wiener Volksbildung, Wien 2001, S. 27.

Hans Max (1863): *Die Wellen der wilden, unbändigen Donau*. Aus: Der Donau und der Liebe Wellen. Schwank in 1 Act. Eduard Sieger, Wien 1863, S. 3–5.

Dejan Medaković (1922–2008): *Auch die Festung Golubac; Der Strom der europäischen Einheit*. Aus: Die Donau – der Strom der europäischen Einheit. Prometeij, Novi Sad 2002, S. 113–115; 123–125.

Victor Mekarski Edler von Menk (1831): *Das Schiff-Bad*. Aus: Notizen über Gymnastik in vorzugsweiser Beziehung auf die zweckmäßige Anwendung der kalten Bäder in offenen Wässern und Schwimmkunst mit besonderer Rücksicht auf die öffentlichen Donau-Bade-Anstalten. Anton von Haykul, Wien 1831, S. 104 f.

Carl Merz und Helmut Qualtinger (1906–1979 und 1928–1986): *Im Inundationsgebiet*. Aus: Der Herr Karl. Langen Müller Verlag, München 1962. S. 12 f.

László Mészáros (2006): *Verlässt die Donau Ungarn. Die Bulgarische Hafenstadt an der Donau*. Aus: ders.: Die Donau. Christian Verlag, München 2006, S. 138; 192.

Felix Milleker (1858–1942): *Diese Straße führte im Donautale von Belgrad*. Aus: Die Regulierung der untern Donau. Historische Rückblicke. Verlag de Artistischen Anstalt J. E. Kirchners Witwe, Wrschatz 1926, S. 4–6. *Derjenige Teil des Unteren-Donau-Gebietes*. Aus: Geschichte des Banater Teils des Unteren-Donau-Gebietes (Gegend von Bela Crkva und Vršac). Verlag de Artistischen Anstalt J. E. Kirchners Witwe, Vršac 1929, S. 3.

Ferdinand Ritter von Mitis (1835): *Die Dürre*. Aus: Geschichte des Wiener Donau-Canales und Darstellung der Ursachen seines unvollkommenen schiffbaren Zustandes. In Commission in der Fr. Beck'schen Universitäts-Buchhandlung, Wien 1835, S. 1.

Helmuth von Moltke (1800–1891): *Besuch beim Pascha von Neu-Orsowa (Ada-Kaleh)*. Aus: Horst Fassl u. Josef Schmidt (Hg.): An Donau und Theiß. Banater Lesebuch. VMM Mihailescu & Michalke, Emmerdingen 1986, S. 37–38.

Salomon Hermann Ritter von Mosenthal (1821–1877): *Die Donau spricht*. Aus: Die Donau. Ein Gedicht zu Bildern aus der Geschichte Oesterreichs. Im Selbstverlage des Verfassers, Wien 1876, o. S.

Joseph Alois Moshamer (1800–1878): *Komorn, eine Stadt und Festung*. Aus: Die Donaureise von Wien bis Pesth. Franz Edler von Schmid und J. J. Busch, Wien 1843, S. 32.

Albert Mühldorfer (geb. 1952): *Donauausbau*. Aus: Regensburger Reise-Lesebuch. lichtung verlag, Viechtach 2006, S. 37.

Adam Müller-Guttenbrunn (1852–1923): *Vereinte Kraft gegen die Theiß*. Aus: Horst Fassl u. Josef Schmidt (Hg.):

An Donau und Theiß. Banater Lesebuch. VMM Mihailescu & Michalke, Emmerdingen 1986, S. 138–140.

Sebastian Münster (1488–1552): *Die Thonaw laufft durch Oesterreich; Von Stätten / Dörffern / Schlössern und Clöstern / so an der Thonaw ligen.* Aus: Cosmographia. Das ist Beschreibung der gantzen Welt. Bey den Henricpetrinischen, Basel 1628, S. 1111 f.

Adelbert Muhr (1896–1977): *Die Wasserprozession; Auf der Donau untergehen.* Aus: Das Lied der Donau. Romantrilogie. Paul Zsolnay Verlag, Wien/Hamburg 1976, S. 21 f.; 567.

Nibelungenlied (nach 1200): *In der stat ze Pazzouwe.* Aus: Karl Lachmann: Der Nibelunge Noth und die Klage – Nach der ältesten Überlieferung, mit Bezeichnung des unechten und mit den Abweichungen der gemeinen Lesart. Reimer, Berlin 1841, S. 168.

Alwil von Pacher (1840–1904): *Die Eisbildung in der Donau.* Aus: Die Eisbildung in der Donau und Vorschläge zur Bekämpfung ihrer schädlichen Wirkungen auf die Regulirung und Schiffbarkeit dieses Stromes, sowie zur Einschränkung der durch Eisstöße bedingten Ueberschwemmungsgefahr. A. Heiß, Wien 1888, S. 59.

Josef Anselm Pangkofer (1804–1854): *Die Wahl des Standplatzes der Walhalla.* Aus: Walhalla und Stauf der Donau. Friedrich Pustet, Regensburg 1843, S. 9.

Johann Pauk (1957): *Schiffmeister Perlohner.* Aus: Der letzte Hohenauer. Gutenberg Verlag, Linz 1957, S. 300–303.

Pavao Pavličić (geb. 1946): *Die Donau ist ein sauberer Fluss; Um Neujahr herum beginnt sich die Donau merkwürdig zu verhalten; Hochwasser in Vukovar.* Aus: Die Donau. Aus dem Kroatischen von Tamara Marčetić. Wieser Verlag, Klagenfurt/Celovec 2008, S. 204 f.; 7–10; 136–141.

Albrecht Penck (1858–1945): *Von der oberen Donau transportiertes Material.* Aus: Die Donau. Vortrag, gehalten den 5. November 1890. Commissionsverlag von Ed. Hölzel, Wien 1891. S. 20 f.

Persina Naturparkdirektion (Hrsg.) (2012): *Der Persina Naturpark*. Aus: General information. Belene, abgerufen am 11.5.12 unter www.persina.bg/indexdetails.php? menu_id=13. Aus dem Englischen von Christian Fridrich.

Aron Petneki (1994): *Neue Konflikte an der Donau*. Aus: Die Donau. Facetten eines europäischen Stromes (Hrsg. Kulturreferat der OÖ. Landesregierung). Landesverlag im Veritas-Verlag, Linz 1994, S. 36 f.

Sándor Petőfi (1823–1849): *So wie der Zweig erzittert; Auf der Donau; Aus der Ferne*. Aus: Poetische Werke in sechs Bänden, Band 3. Halm & Goldmann, Wien/Leipzig 1910, S. 71; 81–83. S. 236–237.

Anton Petzold (1882–1923): *Abend an der Donau*. Aus: Gesang von Morgen bis Mittag. Wiener Literarische Anstalt, Wien/Leipzig 1922.

August Graf von Platen (1796–1835): *Schneiderburg*. Aus: Sämtliche Gedichte (Hrsg. Max. Koch), 1. Teil. Insel Verlag, Leipzig 1910, S. 76.

Vasko Popa (1922–1991): *Große Herre Donau*. Aus: Die Donau – der Strom der europäischen Einheit. Prometeij, Novi Sad 2002, S. 128.

Johann Siegmund Popowitsch (1705–1774): *Untersuchung von den Wuerbeln in der Donau*. Aus: Untersuchung von den Wuerbeln in der Donau. Ein Auszug aus den Untersuchungen vom Meere. Joseph Edler von Kurzbek, Wien 1780, S. 3–30.

Margarete Lorenz-Preuer (1902–1985): *An der äußersten Spitze der Halbinsel*. Aus: Die Stromfahrt. Eduard Wancura-Verlag, Wien/Stuttgart 1953, S. 5 f.

Michael J. Quin (1796–1843): *Sistow liegt herrlich; Halb vier Uhr wurden wir Rußtschuk ansichtig*. Aus: Dampfbootfahrt auf der Donau. Erster Band. Literarisches Museum, Leipzig 1836, S. 149 f.; 150.

Gustav Rasch (1825–1878): *Zu beiden Seiten des mächtigen Stromes*. Aus: Die Völker der unteren Donau und die orientalische Frage. Verlag von Joh. Urban Kern, Breslau 1867, S. 160–162.

Friedrich Ratzel (1844–1904): *Die Donauquelle in Donaueschingen.* Aus: Glücksinseln und Träume; gesammelte Aufsätze aus den Grenzboten. Fr. Wilh. Grunow, Leipzig 1905, S. 88 f.

Eugen Reinert (1949): *Wasserschwinden.* Aus: Die Donauversinkung. Buchhandlung Heinrich Holzwarth, Tuttlingen 1949, S. 8.

Sir John Retcliffe (1815–1878): *An beiden Ufern der Donau bei Widdin; In's Feld nach der Donau zu.* Aus: Sebastopol. Historisch-politischer Roman aus der Gegenwart, Band 1. Verlag von Carl Nöhring, Berlin 1856, S. 236–241; 257–260.

Georg Konstantin Rosa (1808): *Untersuchungen über die Wlachen, welche jenseits der Donau wohnen.* Aus: Untersuchungen über die Romanier oder sogenannten Wlachen, welche jenseits der Donau wohnen. Mathias Trattner, Pesth 1808, S. 24–26.

Thomas Ross (2005): *Über die Donau geschwommen.* Aus: Die Untiefen der Donau. Orte der Kindheit, Ort der Völker. Karolinger Verlag, Wien/Leipzig 2005, S. 36 f.

Rudolf Franz Karl Joseph, Kronprinz von Österreich-Ungarn (1858–1889): *Auf einem Boote; Im Draueck.* Aus: Fünfzehn Tage auf der Donau. K. k. Hof- und Staatsdruckerei, Wien 1878, S. 91–94; 291–295.

Ferdinand von Saar (1833–1906): *Wiener Elegien.* Aus: Wiener Elegien. Georg Weiß, Heidelberg 1893, S. 30–33.

Friedrich Sacher (1899–1982): *Am Ufer stehen.* Aus: Lyrik der Landschaft. Das Donautal. Gedichte aus unserer Zeit (Hg. Philipp Kreijs). Josef Faber, Krems 1958, S. 49.

Markijan Semenowytsch Schaschkewytsch (1811–1843): *Hinter stille Donau weit.* Aus: Schriftsteller der Westukraine der 30er bis 50er Jahre des 19. Jahrhunderts. K., Dnipro 1965, S. 46 f. Übersetzung von Jaroslaw Lopuschanskyj.

Hartmann Schedel (1440–1514): *Die Thonaw der beruembtist fluss Europe.* Aus: Buch der Chroniken und Geschichten. Anton Koberger, Nürnberg 1493, S. 286.

Egon Schiele (1890–1918): *Blaugrünes Donauufer.* Brief an Carl Reininghaus, Egon Schiele Datenbank der Autographen im Leopold Museum, http://www.egonschiele.at/browserecord.php?-action=browse&-recid=184764&-skip=0&-max=10.

Friedrich Schiller (1759–1805): *Die Räuber Moor, Schwarz und Grimm an der Donau.* Aus: Die Räuber. Trauerspiel. Friedrich Mauerer, Berlin 1797, S. 93 f.

Adolf Schmidl (1802–1863): *Immer ist noch das linke Ufer interessanter.* Aus: Die Donau von Ulm bis Wien, F. U. Brockhaus, Leipzig 1858, S. 74–76. *In raschem Laufe passiren wir die Kaiser Franz-Kettenbrücke; Das Schiff steuert nun der Porta hungarica zu; Presburg (Posony); Belgrad zu besuchen; Katarakte der Donau; Der Wald von Masten der walachischen Hafenstadt Braila; Galacz, der einzige Donauhafen der Moldau.* Aus: Die Donau von Wien bis zur Mündung, F. U. Brockhaus, Leipzig 1859, S. 4–5; 12–13; 15–16; 82–83; 92–93; 120 f.

Gernot Schönfeldinger (geb. 1967): *Der Donaugeist. Eine neue Sage aus Wien.* Aus: Donaugeschichten. Anthologie. Edition die Donau hinunter, Wien 1992, S. 38.

Albine Schroth-Ukmar (1862–1928): *Aggstein; Auf Dürnstein.* Aus: Donausagen von Passau bis Wien. Heinrich Hirsch, Wien o. J., S. 69; 88–90.

Joseph August Schultes (1773–1831): *Diese beyden Flüßchen.* Aus: Baiern's Donau-Strom von Ulm bis Engelhardszell, mit allem an den Ufern desselben vorkommenden Merckwürdigen. Ein Handbuch für Reisende auf der Donau. Anton Doll, Wien 1819, S. 48. *Agenda fuer Fremde bey ihrer Ankunft zu Nußdorf und Wien; Ueber die Bewohner der Ufer der unter-oesterreichischen Donau; Der sanfte Bisamberg.* Aus: Donau-Fahrten. Ein Handbuch für Reisende auf der Donau. Zweyter Band. Cotta'sche Buchhandlung, Stuttgart und Tuebingen 1827, S. 408 f.; 425–427.

Brigitte Schwaiger (1949–2010): *Auf die Donaubrücke*. Aus: Der Himmel ist süß. Eine Beichte. Rowohlt Verlag, Reinbek 1986, S. 43.

Amand Freiherr von Schweiger-Lerchenfeld (1846–1910): *Betrachtet man das Kartenbild des gesamten Donausystems; Unterhalb vom Eisernen Thor; Donaueschingen; Bei Immendingen; Das Donauthal erweitert sich nun ansehnlich; Während der Blick noch an dem romantischen Geierhorst Werfenstein hängt; Wenn man das Loblied der oberen Donau singen hört; Nun kommen wir nach Spitz; Mautern gegenüber; Dem Zuge der Wellen folgend; Das schnurgerade, breite Bett des gebändigten Stromes; Der am Praterquai landende Reisende; Carnuntum ist eigentlich unsichtbar; Der Reisende, welcher Wien zu Schiff verlässt; Das Strombild hat hier einen Zug ins Große; Bald nachdem wir die Südspitze der Andreasinsel hinter uns haben; Neusatz ist eine Stadt ohne geschichtliche Vergangenheit; Von Karlowitz ab; Gleich unterhalb Vidin; Die Donau bildet nun vielfach Inseln und Seitenarme, Bald nach der Abfahrt von Braila*. Aus: Die Donau als Völkerweg, Schiffahrtstraße und Reiseroute. A.Hartleben's Verlag, Wien/Pest/Leipzig 1887, S. 25–27; 83–85; 578 und 581; 590; 666 f.; 669 f.; 674; 726; 728; 736 f.; 738; 741; 749–751; 753 f.; 757; 849 f.; 851–853; 867–869; 886 f.; 889–891; 909; 911–914; 916–918.

Rolf Schwendter (geb. 1939): *Neuer Donauwalzer (aus dem Programm »Eine Welt brennt«)*. Aus: Donaugeschichten. Anthologie. Edition die Donau hinunter, Wien 1992, S. 64–65.

Serbisches Volkslied: *Was glänzt dort so helle*. Übersetzung von Gerhard Gesemann.

Patrick und Walter Siebert (2007): *Die schwimmende Brücke von Novi Sad*. Aus: dies.: Gleitfahrt. Ein philosophisches Abenteuer auf der Donau. © Patrick und Walter Siebert, Wien 2007, S. 45–46.

Heinz Siegert (1981): *Eine Stadt mit drei Namen.* Aus: Die Donau. Strom und Schicksal Europas. Reich Verlag AG, Luzern 1981, S. 96–97.

Franz Prinz zu Solms-Braunfels (1906–1989): *Die Verhältnisse im Donauraum.* Aus: Die völkerrechtliche Stellung der Donau. Dissertationsdruckerei und Verlag Konrad Triltsch, Würzburg 1934, S. 1.

Adalbert Stifter (1805–1868): *Im Prater; Ein sanftes schönes Tal.* Aus: Wien und die Wiener, in Bildern aus dem Leben. Heckenast, Pesth 1844, S. 189; 240 f. *An einem Tage wurde eine Jagd abgehalten.* Aus: Witiko. Heckenast, Pesth 1867, S. 521–526.

Strabo (63 v. Chr. bis 23 n. Chr.): *Der Ursprung des Ister.* Aus: Geographica 1,3,15. Aus dem Griechischen von A. Forbiger (1855/98).

Helge Streit (geb. 1966): *Sandras subaquatische Donaureise von Melk nach Wien.* Aus: Sylivia Treudl (Hg.), An der öden lauen Donau? Edition Aramo, Wien 2005, S. 55–59.

Eduard Suess (1831–1914): *Wo entspringt die Donau? Die großen Anhäufungen von Geschieben.* Aus: Über die Donau. Vortag gehalten in der Außerordentlichen Festversammlung der Kaiserlichen Akademie der Wissenschaften. K. K. Hof- und Staatsdruckerei, Wien 1911, S. 3–5; 8 f.

Publius Cornelius Tacitus (wahrscheinlich 55–116/120 n. Chr.): *Die Donau entspringt; Donauflotte.* Aus: Germania 1; Annales 12, 30; übersetzt von Lukas Sainitzer.

William E. Thursfield (1873): *Zum grossen Wohle des Volkes.* Aus: Ein Vorschlag zur Regulirung des Donau-Kanales und Anlage eines Centralbahnhofes nebst Darlegung des Einflusses dieses Projectes auf die sanitäre, die Verkehrs- und Wohnungsfrage Wiens. Eigenverlag, Wien 1873. S. 3–13.

Franz Tumler (1912–1998): *Mit welcher Kraft sie hinkommt; Hier und an vielen Orten.* Aus: Sätze von der Donau, R. Piper & Co., München 1972, S. 66–67; 72–79.

Ukrainische Volkslieder, *Donau, Donau*; *Ritt Kosak*. Übersetzung von Jaroslaw Lopuschanskyj.

Dragan Velikić (geb. 1953): *Studio Belgrad; An der Anlegestelle.* Aus: Das Astragan-Fell. Aus dem Serbischen von Astrid Philippsen. © Wieser Verlag, Klagenfurt/Celovec 1992, S. 9–11; 46–48.

Jules Verne (1828–1905): *An den Quellen der Donau; Unter den verschiedenen Landgebieten; Am Ufer der Donau.* Aus: Der Pilot von der Donau. Hartleben, Wien/Leipzig 1909. S. 28 f.; 48–59; 85–87.

Stanislav Vinaver (1891–1955): *Geistige Bewahrer und Schöpfer Österreichs.* Aus: Wien. Ein Wintergarten an der Donau. Herausgegeben, aus dem Serbischen übersetzt und mit einem Nachwort versehen von Milo Dor. Folio Verlag, Wien/Bozen 2033, S. 7–9.

Lotharius Vogemont (1700): *Über den Nutzen, eine Verbindung von der Donau bis zur Oder, Weichsel und Elbe mittels eines schiffbaren Kanals herzustellen.* Aus: Dissertatio de utilitate, possibilitate et modo conjunctionis Danubii cum Odera, Vistula et Albi Fluviis per canalem navigabilem. Aus dem Lateinischen von Lukas Sainitzer. Lercher, Wien 1700, S. 35–37.

Joseph Walcher (1719–1803): *Arbeiten in dem Strudel der Donau.* Aus: Nachrichten von den im Jahre 1778, 1779, 1780 und 1781 in dem Strudel der Donau zur Sicherheit der Schiffahrt vorgenommenen Arbeiten durch die kais. königl. Navigations-Direktion an der Donau. Kurzbeck, Wien 1781, S. 1, 25.

Ernst Waldinger (1896–1970): *Zwischen Hudson und Donau.* Aus: Zwischen Hudson und Donau. Berland Verlag, Wien 1958, S. 5 f.

Erhard Waldner (geb. 1955): *Zurück zum Schiff.* Aus: Donauauwalzer. Ein posthistorischer Roman. Fama Verlag, Wien 1990, S. 5 f.

Mella Waldstein (geb. 1964): *Donauschwaben; An der Anlege-stelle von Tulcea; Die Dorfbewohner von Sfintu Gheorghe.* Aus: Die Donau. Stationen am Strom. Bibliothek der Provinz, Weitra 1994, S. 30; 156 f.; 160–162.

Sigismund Wallace (1864): *Zahlreiche Inseln; Eisernes Tor und abwärts.* Aus: ders.: Auf der Donau von Wien nach Constantinopel und nach den Dardanellen. Zamarski & Dittmarsch, Wien 1864, S. 105–106; 156–159.

Jonathan David Weinert (geb. 1986): *Die Donau bin ich.* Aus: Alle schreiben Donau anders ... edition Musagetes, Wien 2007, S. 68 f.

Michael W. Weithmann (geb. 1949): *Venus in der Wachau; Die erste Navigationsakte (1718).* Aus: Die Donau. Ein europäischer Fluss und seine 3000-jährige Geschichte. Friedrich Pustet und Styria, Regensburg und Graz 2000, S. 68; 355.

Oskar Welten (1844–1894): *Ein herrlicher Regen!* Aus: An der schönen blauen Donau. Lustspiel in einem Aufzug. In Vorbereitung am k. k. a. priv. Carltheater zu Wien. Verlag von L. Rosner, Wien 1879, S. 18–21.

Albrecht Graf Wickenburg (1839–1911): *Tief im Schatten alter Rüstern.* Aus: Tafel am »Friedhof der Namenlosen« in Wien-Albern.

Oskar Ludwig Bernhard Wolff (1847): *Der erste Ort ist Simmering.* Aus: Die Donau und ihre Ufer. Verlag von Carl B. Lorck, Leipzig 1847, S. 150 f.

Bernhard Freiherr von Wüllerstorf-Urbair (1816–1883): *Die Verbindung der südlichen Theile des österreichischen Kaiserstaates mit dem österreichischen Meere.* Aus: Betrach-tungen eines See-Offiziers über die Verbindung der Donau mit dem adriatischen Meere. In Commission bei Carl Gerold's Sohn, Wien 1861. S. 10–12.

Walther Zeitler und Erich Wurm (2001): *Frühe Erinnerungen an die Überfuhr.* Aus: Fische – Fähren – Schiffe. Ein Leben

mit und an der Donau. Verlag Attenkofer, Straubing 2001;
S. 51 f.

Anton Ziegler (1793–1869): *Vormaliger Gang des Flusses*.
Aus: S. Die Donau mit vorzüglicher Berücksichtigungen
der Überschwemmungen, welche sich seit mehreren Jahrhunderten in den verschiedenen Perioden ereigneten.
Eigenverlag, Wien 1830. S. 9–10.

Adam Zielinski (1929–2010): *Donau so blaaaau*. Aus:
Fluchtpunkt. Wieser Verlag 2004 (= Werke Bd. I), S. 7–9.

EUROPA ERLESEN, der Donau entlang.

»Eine Einstiegsdroge – ohne diese kleinen Bände mag man gar nicht mehr verreisen.«
Kleine Zeitung

Europa erlesen
Linz

Herausgegeben von Ludwig Laher
250 Seiten, gebunden, Fadenheftung, Prägedruck.
Bedruckter Vor- und Nachsatz, Lesebändchen.
EUR 12,95/sfr 18,90
ISBN 978-3-85129-785-0

Mit Beiträgen von:
Ilse Aichinger, Hermann Bahr, Thomas Bernhard, Alois Brandstetter, Arnolt Bronnen, Barbara Bronnen, Joseph von Eichendorff, Josef Enengl, Hermann Friedl, Anselm Glück, Franz Gräffer, Franz Grillparzer, Brigitte Hamann, Otto Hamann, Marlen Haushofer, Karl Ignaz Hennetmair, Hermann Hesse, Heimo Halbrainer (Mithg. Thomas Karny), Elfriede Jelinek, Franz Kabelka, Georg Kohl, Walter Kohl, Richard Kralik, Karl Kraus, Ludwig Laher, Max Maetz (Karl Wiesinger), Gitta Martl, Anna Mitgutsch, Walter Pilar, Benedikt Pillwein, Bernadette Reisinger, Franz Rieger, Helmut Rizy, Waltraud Seidlhofer, Margit Schreiner, Adalbert Stifter, Franz Tumler, Richard Wall, Hans Weigel, Karl Wiesinger u. v. a.

*»Ich bin ein Gast in dieser Stadt,
in der ich vierzig Jahre lebte,
mit Menschen, die ich zu gut kenne:
ihr Grinsen ihre Gesten und ihre Gebärden.«*

Hans Raimund

EUROPA ERLESEN
WIEN

Herausgegeben von Helmuth A. Niederle
256 Seiten, gebunden, Fadenheftung, Prägedruck.
Bedruckter Vor- und Nachsatz, Lesebändchen.
EUR 12,95/sfr 18,90
ISBN 978-3-85129-216-2

Mit Beiträgen von:
Inge Merkel, Scipio Slataper, Elfriede Gerstl, Lisl
Ponger/Ernst Schmiederer, Peter Henisch, Martin
Pollack, Ernst Jandl, Ruth Klüger, Hans Raimund,
Rüdiger Wischenbart, Bogdan Bogdanović,
Heinrich Laube, Paul Wertheimer, Friedrich Heer,
Kurt Klinger, Ivan Cankar, Werner Schneyder, Geor
Kreisler, Jan Skácel, Anton Kuh, Alfred Polgar,
Peter Turini, Alfred Gong, Arthur Roessler, Ernst
Waldinger, Christine Nöstlinger, Elisabeth
Schawerda, Friedrich Torberg, Milo Dor, Melech
Rawitsch, Erich Fried, Paul Busson, Hans Heinz
Hahnl, Gustav Ernst, Franz Gräffer, Ernst Fischer,
A. E. Forschneritsch, Reinhold Schneider, Kurt F.
Strasser, Nedjeljko Fabrio, Karl-Markus Gauß,
Franz Grillparzer u. v. a.

»Handlich, mit Goldprägung und Lesebändchen
sind die kleinformatigen Büchlein wahre
Kleinodien.«
Tobias Gohlis

EUROPA ERLESEN
BRATISLAVA

Herausgegeben von Renata Sako-Hoess und
Rotraut Hackmüller
250 Seiten, gebunden, Fadenheftung, Prägedruck.
Bedruckter Vor- und Nachsatz, Lesebändchen.
EUR 12,95/sfr 18,90
ISBN 978-3-85129-319-3

Mit Beiträgen von:
John Paget, Matej Bel, Hans Christian Andersen,
Jan Albrecht, Janko Alexy, Zdenka Becker, Gerald
Bisinger, Irena Brezna, Manfred Chobot, Franz
Grillparzer, Friedrich Hebbel, Elsa Grailich, Ján
Smrek, Selma Steiner, Lajos Grendel, Peter Repka,
Egon Bondy, Michal Hvorecký, Mária Ďuríčková,
Andrej Ferko, Ivan Horvath, Anton Hykisch,
Danuša Lišková, Claudio Magris, Tuvia Rübner,
Juraj Spitzer, Dominik Tatarka, Miloš Žiak u. v. a.

»Die Reihe lenkt den Blick vermittels inniger Bekenntnisse auf mannigfaltige Äußerlichkeiten und fördert beim Leser die gedankliche Rückkoppelung ans Selbsterlebte. Individuelle Betrachtungen sind in Nachlesebüchern gesammelt, die man aber auch prächtig vorlesen kann.«

Frankfurter Rundschau

EUROPA ERLESEN
BUDAPEST

Herausgegeben von Mercedes Echerer
270 Seiten, gebunden, Fadenheftung, Prägedruck.
Bedruckter Vor- und Nachsatz, Lesebändchen.
EUR 12,95/sfr 18,90
ISBN 978-3-85129-350-9

Mit Beiträgen von:
György Sebestyén, Robert Musil, Gyula Krúdy, Hans Magnus Enzensberger, Dragan Velikić, Dezső Kosztolányi, Jozsef Attila, Ernst Trost, Sándor Petőfi, Franz Frühmann, Miklós Radnóti, Emil Szittya, Hans-Joachim Györffy, Stephan Vajda, Dezső Tandori, Robert Reiter, István Eörsi, Attila József, Tibor Déry, István Örkény, Paul Lendvai, Adam Zielinski, Andreas Jungwirth, Virág Erdős, Zsigmond Móricz, Mihály Kornis, Klaus Mann, Peter Müller, Achatz v. Müller u. v. a.

»Echte Kulturmenschen erkennt man in Zukunft daran, ob sie dieses kleine Büchlein eingesteckt haben.«

Karin Resetarits

Europa erlesen
Belgrad

Herausgegeben von Jörg Schulte
264 Seiten, gebunden, Fadenheftung, Prägedruck.
Bedruckter Vor- und Nachsatz, Lesebändchen.
EUR 12,95/sfr 18,90
ISBN 978-3-85129-318-5

Mit Beiträgen von:
David Albahari, Hans Christian Andersen, Ivo Andrić, Bogdan Bogdanović, Bertolt Brecht, Franz Theodor Csokor, Aleš Debeljak, Milo Dor, Peter Handke, Victor Hugo, Drago Jančar, Jožc Javoršck, Alexander Wiliam Kinglake, Danilo Kiš, Claudio Magris, Vasko Popa, Dragan Velikić, Rebecca West u. v. a.

*»Die Fangemeinde kann die bemerkenswert
handlichen Anthologien mit Texten berühmter
Literaten und Lyriker so zielgerichtet konsultieren
wie strenggläubige Christen den Katechismus. Die in
der Reihe EUROPA ERLESEN erschienenen Titel
eignen sich eben nicht nur als Reisebegleiter für
tiefschürfende Trips, sondern auch für die Kurzferien
vom Fernsehsessel. «*

Frankfurter Rundschau

Europa erlesen
Banat

Herausgegeben von Miloš Okuka und
Dareg Zabarah
298 Seiten, gebunden, Fadenheftung, Prägedruck.
Bedruckter Vor- und Nachsatz, Lesebändchen.
EUR 12,95/sfr 18,90
ISBN 978-3-85129-895-6

Mit Beiträgen von:
Jovan Popović, Miloš Crnjanski, Ioan Flora, Johann
Lippet, Uwe Erwin Engelmann, Ernest Wichner,
Vasko Popa, Mihai Beniuc, Liliana Ursu, Hertha
Müller, William Totok, Mladen Markov, Ana
Blandiana, Roland Kirsch, Ivan Ivanji, Richard
Wagner, Werner Söllner, Rolf Bossert,
Ivan Dnaikov, Albert Bohn u. v. a.

*»Ein literarischer Flachmann, der den Geist
beflügelt.«*

Münchner Merkur

Europa erlesen
Bačka

Herausgegeben von Miloš Okuka und
Dareg Zabarah
282 Seiten, gebunden, Fadenheftung, Prägedruck.
Bedruckter Vor- und Nachsatz, Lesebändchen.
EUR 12,95/sfr 18,90
ISBN 978-3-85129-874-1

Mit Beiträgen von:
Josef Volkmer Stenz, Veljko Perović, Isidora
Sekulić, Laslo Blašković, Katalin Ladik, Franz
Hutterer, Johannes Weidenheim, Ottó Tolnai, Petar
Vukov, Elisabeth Matter, Aleksandar Tišma,
Nandor Gion, Julijan Tamaš, Mihajlo Kovač
Stevan Sremac, Anica Savić Rebac, Aleksa Kokić,
Ervin Sinkó u. v. a.

*»Es ist verlockend, auf solch literarische
Stimmungsbilder mit eigenen seelischen Resonanzen
zu reagieren. Allein unter diesem Gesichtspunkt ist
die Reihe eine Bereicherung des Buchmarktes.«*

Wiener Journal

EUROPA ERLESEN
VOJVODINA

Herausgegeben von Miloš Okuka und Gero Fischer
260 Seiten, gebunden, Fadenheftung, Prägedruck.
Bedruckter Vor- und Nachsatz, Lesebändchen.
EUR 12,95/sfr 18,90
ISBN 978-3-85129-853-6

Mit Beiträgen von:
Pavle Ugrinov, Karl-Markus Gauß,
Miloš Crnjanski, Boško Petrović, Johannes
Weidenheim, Ante Sekulić, Herman Wendel,
Mirjana D. Stefanović, Jovan Jovanović Zmaj,
Stevan Raičković, Vasko Popa, Jovan Sterija
Popović, Laza Kostić, Mladen Markov, Julijan
Tamaš, Reiner Kunze, Otto Tolnai, Siegfries
Kapper, István Koncz, Ivan Pančić, Danilo Kiš,
Pero Zubac, Florika Šefan, Aleksandar Tišma,
Milo Dor u. v. a.

www.wieser-verlag.com

Furtwangen

Eqns Brige

Peterzest

Nesca

Munch Weiler

Disel

Sch

Hoch Emin

Feren

Schwa Fons
nunge Naeri

arz

Villingen

Don Eschinger
Weyer

Ister

Ferenbac

Am

Weyerbach

Gru
ningen

Maryen
Aengen

Ulfen

Brige

Wulterdin
gen Don
Eschingen

Brunbach

Brucken

Vald

Almanshofen

ufenhofen

Hufingen

Breilin
gen

Brege fl.